4. Lo siento.

5. —Con (su) permiso.
   Sí, cómo no.

6. ¡Cuidado!

7. —¡Salud!
   —Gracias.

8. ¡Ay!

9. ¡Auxilio, socorro!

DOS MUNDOS
EN BREVE

Contains selected material from
DOS MUNDOS: *En breve* and
DOS MUNDOS, Fourth Edition by

Tracy D. Terrell
Late, University of California, San Diego

Magdalena Andrade

Jeanne Egasse
Irvine Valley College

Elías Miguel Muñoz

2000-2001 Custom Version
for the University of Memphis

The McGraw-Hill Companies, Inc.
Primis Custom Publishing

New York St. Louis San Francisco Auckland Bogotá
Caracas Lisbon London Madrid Mexico Milan Montreal
New Delhi Paris San Juan Singapore Sydney Tokyo Toronto

McGraw-Hill Higher Education

A Division of The McGraw-Hill Companies

DOS MUNDOS
EN BREVE
2000-2001 Custom Edition for the University of Memphis
Contains selected material from **DOS MUNDOS: En breve** and **DOS MUNDOS**, Fourth Edition

This book contains selected material from:
DOS MUNDOS: En breve by Tracy D. Terrell, Magdalena Andrade, Jeanne Egasse, Elías Miguel Muñoz.
    Copyright © 1999 by The McGraw-Hill Companies, Inc.
DOS MUNDOS, Fourth Edition by Tracy D. Terrell, Magdalena Andrade, Jeanne Egasse, Elías Miguel
    Muñoz. Copyright © 1998, 1994, 1990, 1986 by The McGraw-Hill Companies, Inc.
Reprinted by permission of the publisher.

    5 6 7 8 9 0 QSR DUNN 0 9 8 7 6 5 4 3 2 1 0

ISBN 0-07-447907-5

Primis Custom Publishing Editor: J. D. Ice
Printer: Quebecor World
Binder: Dunn & Company, Inc.

Contents

La clase y los estudiantes   1

Las descripciones   16

Mi familia y mis amigos 33

Los datos personales y las actividades 50

Mis planes y preferencias 78

CAPÍTULO **6** La residencia **193**

CAPÍTULO **7** Las experiencias **226**

La comida 253

El pasado 289

La geografía, el transporte y el medio ambiente 315

Los viajes 351

El porvenir 397

To the Instructor

A Few Words about *Dos mundos: En breve*

This text is a new, shorter version of the Fourth Edition of *Dos mundos*. It is identical to that edition of *Dos mundos*, except that the last five chapters have been omitted to create a more compact yet still comprehensive first-year Spanish text that is ideal for programs with fewer than four contact hours a week. References to the omitted chapters from the Fourth Edition have been eliminated from the Student Edition, but such references may still appear in the accompanying supplements. A special *Dos mundos: En breve* Instructor's Edition, *Cuaderno de trabajo,* and sold Audio Program have been created for use with this Student Edition; all other Fourth Edition supplements are available as well and will "work" with *Dos mundos: En breve.* You should feel free to use the materials from Chapters 12–16 in those supplements, as needed.

We suggest the following breakdown for use of *Dos mundos: En breve* in different academic settings.

First Semester: **Paso A–Capítulo 5**

Second Semester: **Capítulos 6–11**

First Quarter: **Paso A–Capítulo 3**

Second Quarter: **Capítulos 4–7**

Third Quarter: **Capítulos 8–11**

What follows is the preface for the Fourth Edition of *Dos mundos* (the complete text).

Welcome to the Fourth Edition of *Dos mundos*! We are excited about our new edition, which we believe is our best ever. A revision implies much more than just rewriting a few activities or adding new reading selections or grammar exercises. New editions present opportunities for growth, development, and—most important—improvement. Our guiding principle has always been the advancement of communicative ways of teaching. With each new edition we re-evaluate the theoretical premises on which our methodology is based, and we try to bring in fresh, practical ideas from the field of second-language teaching. And, of course, we listen to you, the instructors who use *Dos mundos*. We want to express our gratitude to those of you who sent us comments and suggestions. Feedback from you is a compelling reason to undertake the task of rethinking and rewriting our textbook. Your support is definitely a motivating force. Thank you!

Those of you who have used a previous edition of *Dos mundos* know that it is a special kind of text. It offers an exciting alternative to the methodology of most Spanish-language textbooks available today: the Natural Approach. The success of the Third Edition has convinced us that many instructors are eager to try out the Natural Approach in their classrooms. We also know about instructors of other languages who are using this methodology successfully. The encouraging message is that our method allows instructors to do what they have always wanted to do as educators: enjoy their work and help students enjoy the process of acquiring a second language.

Like many of you, we were using the Natural Approach in our classrooms long before there was a name for the method or a textbook like *Dos mundos*. Of course, we didn't need a book to teach language communicatively! We taught in a manner that felt right to us, and we were happy to prepare material to supplement whatever textbook we were using. But what a difference it made to have our ideas in printed form, finally!

When we designed the First Edition of *Dos mundos*, we were uncertain about some aspects of the textbook, such as how many readings or grammar exercises to include. There was one aspect about which we had no doubts, however: Communication was to be the core of our program. Three editions later, our initial objective hasn't changed. We have placed renewed emphasis on the communicative nature of the oral activities; hence the new section title, **Actividades de comunicación y lecturas**. As in earlier editions, grammar continues to play a secondary role as an aid in the language acquisition process.

Changes in the Fourth Edition

Overview: Student Text and Workbook/Laboratory Manual

The Fourth Edition begins with three preliminary chapters (**Pasos A–C**), compared with four in the previous edition. There are still sixteen regular chapters.

The structure of the regular chapters of the student text has not changed; each chapter is still divided into three parts:

Actividades de comunicación y lecturas (oral activities and readings)
Vocabulario (most new vocabulary from the activities)
Gramática y ejercicios (grammar explanations and verification exercises)

The organization and content of the Workbook/Laboratory Manual, the *Cuaderno de trabajo*, has changed significantly. The new features of the student text and the *Cuaderno* are explained in the following sections.

The Heart of *Dos mundos*: Actividades de comunicación y lecturas

Although the name of this section has changed slightly, most of the **actividades orales** have been preserved from the previous edition. We have updated activities when appropriate, and we have added topics to reflect current student interests whenever possible. We hope that the following additional changes to the **actividades** will enhance the success of *Dos mundos* in the classroom.

➤ **The cast of characters:** While many familiar characters remain, we have updated their "look" and have made some changes to their lifestyles to reflect contemporary Hispanic cultures. (You can read more about the new cast on pages xxiii–xxiv.)

➤ **Chapter themes:** A new theme for **Capítulo 15**, technology (including computer use and the Internet), focuses on the future. In addition, the last two chapters of the Third Edition have been combined into a single chapter entitled **El mundo y las relaciones sociales**, which offers a more in-depth presentation of Hispanic culture and history.

➤ **Review:** Beginning in **Paso B**, each **Actividades de comunicación** section now ends with a new section, **En resumen**, which presents one or more cooperative learning or creative writing activities, based on the key vocabulary and grammar of the chapter. Starting in **Paso C**, all **En resumen** sections contain a **Videoteca** activity, based on the new, text-specific video. (You can learn more about the video on pages xxiv–xxv.)

➤ **Organization of the activities:** All activities now fall under fifteen different rubrics (see page xx). In addition, activities in each thematic section have been sequenced more consistently from input to output, in order to promote comprehension *before* production.

➤ **Dialogues: Diálogo** and **Diálogo abierto** activities now appear only in the first five chapters.

➤ **Visual**s: More visually based activities (many with new authentic realia) appear throughout *Dos mundos*.

What's New With the Reading Materials?

As some of you have probably noticed, the reading component of *Dos mundos* has undergone many changes since the First Edition. Over the editions, we have included more authentic material, such as newspaper articles and ads. We have also tried to feature high-interest fiction and poetry, because many students find those types of reading stimulating and exciting. (We have also found that students are encouraged by the idea that they can read real literature in a foreign language.) When preparing each edition, we reassess all the readings, discarding those that proved too difficult or not engaging enough. Our objective is to provide texts that are interesting and culturally rich, but also accessible to first-year students.

As you flip through the pages of *Dos mundos*, Fourth Edition, and the *Cuaderno de trabajo*, you will recognize all the reading features from the Third Edition. For instance, we continue to teach geography by providing maps that highlight countries and cities mentioned in many reading selections. Here are the basic reading types, all carried over from the previous edition.

➤ **Lecturas:** readings that showcase the *Dos mundos* cast of characters, realia based material such as newspaper ads and magazine articles
➤ **Notas culturales:** brief segments on Hispanic culture, with photo illustrations
➤ **Cuentos:** short fiction by Hispanic writers
➤ **Poesía:** poetry by the renowned poets José Martí, Pablo Neruda, and Amado Nervo
➤ **El mundo hispano... su gente:** first-person accounts of life and culture in Spanish-speaking countries, featuring the geography of the Hispanic world
➤ **El mundo hispano... imágenes:** selections consisting of a photograph and a short narrative that focus on specific areas of the Hispanic world

All of these readings reflect the theme and vocabulary of each chapter. Many of them (marked with a headphones icon) are recorded on the *Book on Tape*, which provides students with extra listening practice. As in previous editions, the **Lecturas, Notas culturales, Cuentos,** and **Poesía** are followed by reading activities. These include **Comprensión,** with innovative formats for checking comprehension; **Ahora... ¡usted!,** with personalized questions; and, in this edition, **Un paso más... ¡a escribir!,** a new writing activity that engages students' creativity.

In response to your requests for pre-reading strategies, we have added **Suggestions for Effective Reading** in the annotated *Instructor's Edition*, in which we discuss techniques such as skimming, scanning, cognate recognition, and using context and cues outside the text to guess at meaning. In addition, most of the reading segments are now preceded by a short synopsis and a brief vocabulary box. Both are intended to function as "advance organizers"; in this way, they provide a preview of the reading to enhance students' comprehension.

The Fourth Edition places even more emphasis on reading and literacy. You will find four new features:

➤ **El mundo hispano... en los Estados Unidos:** These brief narratives by Hispanics living in the United States include comparisons and contrasts between life in the United States and in their countries or cultures of origin.
➤ **Las palabras viven:** The phrase *Words are alive* reflects how Spanish is continually changing. In these segments you will find information on various linguistic phenomena such as colloquial expressions and word variations in the Hispanic world. There are also readings about the origin of words, including borrowings from other languages, popular idioms and proverbs, as well as readings on the indigenous languages of Latin America such as Quechua and Nahuatl.
➤ **¡Reír es vivir!:** We truly believe that laughter can help us live happier and healthier lives, so we created this entertaining feature that tells jokes—**chistes**—and presents humorous exchanges. Read these with your students for the sheer fun of it!
➤ **En nuestro mundo increíble:** These short sidebars offer interesting or extraordinary facts about the incredible world we live in.

Finally, additional reading material is available for your students through the innovative *Storyteller's Series*, the *¡A leer!* easy reader series, and the *El mundo hispano* reader (see pages xv–xvi).

The Handling of Grammar: Gramática y ejercicios

The most substantial change in the main text is the reorganization of grammar in the latter part of the book. Instructors like you told us—and we agree!—that there was too much grammar in those chapters. So we placed the most advanced concepts, along with verification exercises, in a new section of the *Cuaderno* called **Expansión gramatical.*** If you have the time and wish to do more grammar, this appendix will be very useful. If you've taught with *Dos mundos* before and have found the amount of grammar in the last chapters to be excessive, we hope you will now find the latter part of the book more manageable. Here are some additional changes of note:

➤ **Explanations:** Grammar explanations are now easier to understand and lend themselves readily to self-study.

➤ **Margin notes:** More margin notes have been added to give students hints or quick overviews of grammar points. For example, "**ser** = origin; **estar** = location" appears in the margin beside the introduction of **ser** and **estar.**

➤ **Illustrations:** Many graphics have been included in the grammar sections to provide more visual appeal. More complex grammar concepts are now illustrated with a drawing—**Gramática ilustrada**, depicting a relevant scene—to help students visualize the grammatical structure.

➤ **Reminders for review:** A new feature, **¿Recuerda?**, reminds students to review previous grammar sections.

➤ **Functional titles:** All grammar topics now have functional titles. For example, **Talking about Actions in Progress: Present Progressive** tells students how the present progressive is used.

➤ **Recognizing vs. using:** Some advanced grammar exercises that required production have been replaced by others that require recognition only.

➤ **Verbs:** Simple presentations of **-ar** and **-er/-ir** verbs are now in **Paso C** and **Capítulo 1**, preceding the introduction of **gustar** + infinitive. The present tense is now re-entered more completely in **Capítulos 2** and **3**.

---

*In addition, the most important grammar concepts and exercises from **Capítulos 12–16** of the Fourth Edition have been added to this section in the **Cuaderno de trabajo** *to accompany* **Dos mundos: En breve.**

Major Content and Organization Changes: *Cuaderno de trabajo*

The basic premise of the *Cuaderno* has not changed. It is still intended for use primarily outside of the classroom, and it still features oral texts (listening comprehension passages) and readings, as well as grammar exercises and a variety of activities, including a section that focuses on pronunciation and spelling.

In this edition we have attempted to iron out some of the organizational problems that adopters have brought to our attention and to focus on the level of difficulty of the listening passages.

Following is the new structure of each chapter of the *Cuaderno*, along with a brief explanation of each section.

➤ **Para empezar:** This new section consists of one or more brief listening activities that serve as a chapter warm-up by focusing on the grammar and vocabulary of previous chapters.

➤ **Comprensión oral** and **Actividades escritas:** These sections are now *completely coordinated* with the thematic sections of the student text. Each thematic section contains two types of activities:
   Actividades escritas: guided, form-focused exercises, followed by more open-ended, personalized writing activities for which there is generally no "right" answer.
   Comprensión oral: listening comprehension activities coordinated with the *Audiocassette Program.*

➤ **¡A repasar!:** This new section contains cumulative listening comprehension activities that focus on the theme of the chapter.

➤ **¡Adelante!:** This new, final listening comprehension activity challenges students to use their listening skills to grasp meaning in novel contexts. At the same time, it prepares them for the topics, vocabulary, and structures that will be presented in the next chapter. Instructors may prefer to work with this activity in class.

➤ **Pronunciación y ortografía:** These exercises help students work with the sound and spelling systems of Spanish.

➤ **Lecturas adicionales:** These optional readings contain the same kinds of advance organizers as those in the student text—a brief synopsis and a vocabulary box—as well as follow-up activities.

➤ **Videoteca:** In these pre- and post-viewing activities, students work with the content of each chapter's video segment.

In addition to the changes in the *Cuaderno*, the listening comprehension passages have been thoroughly revised, to promote increased comprehension by reducing the amount of new vocabulary in the listening passages and by systematically re-entering key vocabulary and grammar.

Components of the Fourth Edition

The Fourth Edition of *Dos mundos* offers a complete package of instructional materials for beginning Spanish courses whose primary goal is proficiency in communication skills. These materials are designed to encourage you and your students to interact in Spanish as naturally and as spontaneously as possible. In addition to the student text and the *Cuaderno de trabajo*, the following materials are available:

➤ The annotated *Instructor's Edition* contains marginal notes that offer extensive pre-text activities and suggestions for using and expanding materials in the student text. These notes also provide teaching hints and references to the supplementary activities in the *Instructor's Resource Kit*.

➤ The *Instructor's Manual*, with a general introduction to the Natural Approach and to the types of acquisition activities found in the program, provides step-by-step instructions for how to teach the **Pasos** and **Capítulo 1.** It also offers many pre-text activities designed for use before doing the communicative activities, as well as additional strategies for implementing the Natural Approach.

➤ The *Instructor's Resource Kit* contains the following supplementary activities and games that correspond to themes in the student text: **TPR, Veinte preguntas, Lotería, Búscalo tú, Entrevista, Actividad de firma, Intercambio, Crucigrama,** and **Encuesta.**

➤ 100 full-color *Overhead Transparencies* display drawings, color maps, and other items, most of which appear in the student text.

➤ The *Test Bank* contains listening comprehension (with *Testing Tapes*), reading, vocabulary, and grammar tests for each chapter. It also includes suggestions for testing oral achievement and writing skills.

➤ The *Audiocassette Program* presents oral texts coordinated with the **Cuaderno de trabajo** that support the topics and functions of each chapter of the student text. It also includes pronunciation exercises and vocabulary read on tape.

➤ The *Tapescript* is a transcript of all recorded materials in the *Audiocassette Program*.

➤ The optional *Book on Tape* contains recordings of many of the readings in the student text (**Lecturas, Notas culturales, Los amigos hispanos,** and **Las palabras viven**).

➤ The *Storyteller's Series* offers high-interest fiction (novellas and short stories) designed for advanced-beginning or intermediate students.

➤ The *McGraw-Hill Electronic Language Tutor* (*MHELT 2.1*), an upgraded software program based on the text's grammar exercises, is available in IBM and Macintosh formats.

➤ *Spanish Partner:* This computer tutorial, by Monica Morley and Carl Fisher, provides students with additional practice in basic Spanish vocabulary and structures.

➤ The **Destinos** *Video Modules* provide footage from the popular **Destinos** television series as well as original footage shot on location. The *Modules* offer high-quality video segments on vocabulary, functional language, situational language, and culture.

➤ The *McGraw-Hill Video Library of Authentic Spanish Materials* consists of several volumes of video materials. Three different sets of slides showing the Hispanic world are accompanied by discussion questions and activities.

➤ The *Training Video* demonstrates how to use **Dos mundos** and the Natural Approach in a variety of classroom settings.

Adopters familiar with previous editions will be pleased to see the following new components of the **Dos mundos** package of ancillary materials:

➤ The *Picture File* contains 50 thematically arranged, color photographs designed to stimulate conversation in the classroom.

▶ The *¡A leer!* easy reader series features two short readers: **Barriga llena, corazón contento**, on regional Hispanic cuisines; and **Cuentos de hadas y leyendas**. These readers, developed to reinforce vocabulary acquisition, can be used as early as the second semester and are intended for use outside the classroom.

▶ The *El mundo hispano* reader features five major regions of the Hispanic world, as well as a section on Hispanics living in the United States.

▶ The *Video to accompany* **Dos mundos**, shot on location in Mexico, Spain, Ecuador, and the United States by a nationally recognized and award-winning production company, is coordinated with the **Videoteca** sections of the student text and the **Videoteca** pre- and post-viewing activities in the **Cuaderno de trabajo**. (See pages xxiv-xxv for more information about the video.)

▶ The interactive *CD-ROM to accompany* **Dos mundos**, which incorporates Quicktime™ video with comprehension questions and engaging interactive games, is coordinated with chapters of the student text. (See page xxv for more information about the CD-ROM.)

Second-Language Acquisition: The Five Hypotheses

The materials in **Dos mundos** are based on Tracy D. Terrell's Natural Approach to language instruction, which in turn relies on Stephen D. Krashen's theoretical model of second-language acquisition. That theory consists of five interrelated hypotheses, each of which is mirrored in some way in **Dos mundos**. Along with Krashen's research, we have included in this Fourth Edition elements from Natural Learning Theory, a model developed by Brian Cambourne that is very supportive of Natural Approach principles.[1]

Many of you will be familiar with the following concepts already. But if you're not, don't feel obliged to memorize them. As you gradually work with **Dos**

---

[1] Portions of this section and the next are quoted by permission of Stephen D. Krashen, *Fundamentals of Language Acquisition*, Laredo Publications, 1992; and Brian Cambourne, *The Whole Story, Natural Learning and the Acquisition of Literacy*, Ashton Scholastic, 1994.

mundos, Terrell's and Krashen's ideas will become second nature to you. After outlining the five hypotheses below, we present nine ideas for application of the theory in the foreign-language classroom.

1 The Acquisition-Learning Hypothesis

This theory suggests that we have two independent ways of developing language ability: acquisition and learning.

▶ **Language acquisition** is a subconscious process; that is, we are not aware that it is happening. Once we have acquired a segment of language, we are not usually aware that we possess any new knowledge; the knowledge is stored subconsciously. Research strongly supports the view that adults can acquire language subconsciously, as do children.

▶ **Language learning** is a conscious process; we are aware that we are learning. When you talk about "rules" and grammar, you are usually talking about learning.

2 The Natural Order Hypothesis

This theory states that we acquire parts of a language in a *predictable order*. Some grammatical items, for example, tend to be acquired early while others are acquired late. The natural order appears to be unaffected by deliberate teaching; *we cannot change the natural order by explanation, drills, and exercises*. Indeed, more language acquisition takes place when students are given some responsibility for choosing the themes that interest them, without regard to grammatical acquisition order.

3 The Monitor Hypothesis

This hypothesis attempts to explain how acquisition and learning are used. We normally produce language using our acquired linguistic competence. The main function of conscious learning is as *monitor* or *editor*. After we produce language using the acquired system, we sometimes inspect it and use our learned system to correct errors. This self-correction can happen internally before we speak or write, or after we produce a sentence.

4 The Input Hypothesis

This concept proposes that we acquire language when we *understand messages* or obtain comprehensible input. Comprehensible input can be aural or written: Reading is an excellent source of comprehensible input. According to the Input Hypothesis, production (talking and writing) is a *result* of language acquisition, not a cause.

5 The Affective Filter Hypothesis

This theory suggests that attitudes and feelings do not impact language learning directly but can prevent students from acquiring language from input. If a student is *anxious* or does not perceive the target culture in a positive light, he or she may understand the input but a *psychological block* (the Affective Filter) will prevent acquisition.[2]

The Natural Approach and *Dos mundos*: From Theory to Action

The principles of the Natural Approach follow from the preceding hypotheses. Our goal is to make the theory work for us in the classroom. Here is how we do it:

1 Aiming for Meaning

The primary goal of the Natural Approach classroom is to provide comprehensible aural and written input, the components necessary for language acquisi-

tion. These components help students do what Cambourne calls "creating meaning." *Dos mundos* helps students create meaning through both acquired and learned knowledge.

ACQUISITION	LEARNING
Actividades de comunicación	**Gramática y ejercicios**
All readings	**En resumen**
Comprensión oral	**Actividades escritas**
Video segments	**Ejercicios de pronunciación y ortografía**

The input provided by the instructor during the **Actividades de comunicación** and the input received from reading the **Lecturas** and from listening to the **Comprensión oral** and *Book on Tape* audio texts enable students to create meaning from the new language and contribute to students' acquired knowledge. A grammatical syllabus similar to those in other beginning Spanish textbooks is the basis for the **Gramática y ejercicios** section, but the activities that encourage the acquisition of grammar are spread out over several chapters.

2 I'm Listening!

While the ability to produce language is the result of acquisition, comprehension precedes production. Thus, students' ability to use new vocabulary and grammar is directly related to the opportunities they have had to listen to and read that vocabulary and grammar in meaningful and relevant contexts. These meaningful contexts are what Cambourne calls "demonstrations." Students need many demonstrations of meaningful language; then opportunities to express their own meanings must follow.

3 Taking Our Time

Because speech emerges in stages, *Dos mundos* allows for three stages of language development: comprehension; early speech; and speech emergence.

[2]For more detailed information see the section on Natural Approach theory in the *Instructor's Manual*. See also Stephen D. Krashen and Tracy D. Terrell, *The Natural Approach: Language Acquisition in the Classroom*, Prentice Hall, 1983.

The activities in **Paso A** are designed to give students the opportunity to develop initial comprehension ability without being required to speak Spanish. The activities in **Paso B** encourage the transition from comprehension to the ability to respond naturally in single words. By the end of **Paso C** and through **Capítulo 1,** most students are making the first transitional steps from short answers to longer phrases and complete sentences. Students will continue to pass through these same three stages with the new material of each chapter. The vocabulary and structures presented in **Capítulo 1** may not be fully acquired until **Capítulo 5** or later.

The Pre-Text and Additional Activities as well as the Follow-Up and Optional Grammar Activities in the *Instructor's Edition*, the **Actividades de comunicación** and **Lecturas** in the student text, and the **Comprensión oral** in the *Cuaderno de trabajo* all provide opportunities for understanding Spanish before production is expected. As students become more fluent listeners and speakers, native speakers and teachers will automatically raise the ante and challenge students' skills with higher-level language. It is this process that helps students continue to acquire higher-level lexicon and grammatical structures.

4 We All Make Mistakes

Errors in form are not corrected in classroom activities that are aimed at acquisition. We expect students to make many errors as speech emerges. Cambourne calls student attempts to communicate with others in the new language "approximations." "The willingness to accept approximations," he writes, "is absolutely essential to the processes which accompany language learning."[3] Given sufficient exposure to Spanish, these early errors do not become permanent, nor do they affect students' future language development. We recommend correcting only factual errors and responding naturally to students' communication, expanding only when it feels normal and natural to do so, when the correction or expansion can easily be woven into the conversational thread.

In contrast, students can and should correct their responses to the self-study grammar exercises using the key in the back of the text, and to the **Comprensión oral** and the **Actividades escritas** using the key in the back of the *Cuaderno de trabajo*.

5 Relax and Let It Happen Naturally!

Students acquire language only in a low-anxiety environment and when they are truly engaged with the material. A low-anxiety atmosphere is created when the instructor: 1) provides students with truly interesting, comprehensible input, 2) does not focus excessively on form, and 3) lets students know that acquiring a new language is "doable" and is expected of them. *Dos mundos* creates such a positive classroom atmosphere by sparking student interest and encouraging involvement in two sorts of activities: those that relate directly to students and their lives, and those that relate to the Hispanic world. Hence, the **dos mundos** referred to in the title. Input and interaction in these two areas—along with the expectation from the instructor that students will be able to communicate their ideas—create a classroom environment wherein the instructor and students feel comfortable listening and talking to one another.

6 It Takes a Community

Group work encourages interaction and creates classroom community. In a Natural Approach classroom, students are encouraged to speak and interact. Group work provides valuable opportunities for students to interact in Spanish during a given class period and helps create a sense of classroom community that facilitates communication.

7 Speak Your Mind!

Speaking helps language acquisition indirectly in several ways by encouraging comprehensible input via conversation. Our extensive classroom experience has led us to believe that "learners need both the time and the opportunity to use their immature, developing language skills."[4] Speaking also gives students the positive

---

[3] Cambourne, page 38.

[4] Cambourne, page 38.

feeling of engaging in real language use. It helps create a sense of community as the instructor and students share opinions and information about themselves.

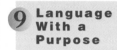

8 A Place for Grammar

Although *Dos mundos* focuses on acquisition through oral, listening, and written activities, there are practical reasons for grammar study. Formal knowledge of grammar does not contribute to second-language fluency, but it may help some students edit their written work. For others it can lead to a greater appreciation of the structure of the language and/or be a good introduction to the field of linguistics. Also, some language students derive great satisfaction when they learn about what they are acquiring. Finally, very adept language learners can utilize grammatical knowledge to make the input they hear and read more comprehensible.

9 Language With a Purpose

The goal of the Natural Approach is proficiency in communication skills: listening, reading, speaking, and writing. Proficiency is defined as the ability to understand and convey information and/or feelings in a particular situation for a particular purpose. Grammatical accuracy is one part of communicative proficiency, but it is not a prerequisite.

Additional Comments about the Student Materials

Each of the sixteen regular chapters of *Dos mundos* opens with the **Actividades de comunicación y lecturas**, which stimulate the acquisition of vocabulary and grammar. The following types of communicative activities are repeated from chapter to chapter. Those in the student text are consistently labeled.

TPR (Total Physical Response) Activities (*Instructor's Edition*)

Student-centered input (*Instructor's Edition*)
Photo-centered input (*Instructor's Edition*)
Definitions (**Definiciones**)
Association activities (**Asociaciones**)
Discussions (**Conversación**)
Realia-based activities (**Del mundo hispano**)
Description of drawings (**Descripción de dibujos**)
Culminating activities (**En resumen**)
Interactions (**Intercambios**)
Narration series (**Narración**)
Dialogues (**Diálogos** and **Diálogos abiertos**)
Identification activities (**Identificaciones**)
Situational dialogues (**Situaciones**)
Personal opinion activities (**Preferencias**)
Interviews (**Entrevistas**)
Polls (**Encuestas**)
Creative writing activities (**Un paso más...
    ¡a escribir!**; and **¡Dígalo por escrito!**)

The **Vocabulario** list that follows each **Actividades de comunicación y lecturas** section contains most of the new words that have been introduced in the vocabulary displays and activities. Students should recognize these words when they are used in a clear communicative context. Many will also be used actively by students in later chapters as the course progresses.

The readings in *Dos mundos* are by no means exhaustive; we recommend that instructors read aloud to students and, when students are ready for independent reading, allow them to select reading material of interest to them. Teachers may find the *¡A leer!* series, the *El mundo hispano* reader, or the *Storyteller's Series* appropriate for second-, third-, or fourth-semester accompaniment to *Dos mundos*.

The **Gramática y ejercicios** sections, in the "blue pages," are designed for quick reference and ease of study. (The answer key to the grammar exercises is in Appendix 4.) The purpose of the grammar exercises is for students to verify that they have understood the explanation; we do not believe that students acquire grammar by doing exercises.

Most new topics in the **Actividades de comunicación y lecturas** sections begin with references (marked **Lea Gramática...**) to the pertinent grammar section(s) of the chapter. All activities can be done without previous grammar study; it is desirable to do all **Actividades de comunicación** in a purely communicative way, with both instructor and students focusing on the meaning of what is being said.

Acknowledgments

A special note of thanks is due to Stephen D. Krashen for his research on second-language acquisition theory. Dr. Krashen continues to give us many valuable insights into creating more natural activities and providing more comprehensible input for students in both listening and reading components.

We are also grateful to Joseph Goebel of The College of New Jersey for his careful, annotated reading of the Third Edition of *Dos mundos, Instructor's Edition*, and *Cuaderno de trabajo,* as well as for his review of manuscript of the Fourth Edition. Dr. Goebel's hands-on experience in the classroom and as a trainer of teaching assistants makes his suggestions invaluable. In addition, we want to thank Dr. Goebel for his creative writing activities that appear in the **En resumen** section of each chapter.

Thanks also go to Professor Brian Cambourne at the University of Wollongong, Australia, for his annotated reading of the *Instructor's Manual* and his many comments that have helped us refine Natural Approach theory for this Fourth Edition.

We would like to thank Karen Christian for her contributions to the first *Instructor's Resource Kit* (with the Third Edition of the text). Heartfelt thanks go to Beatrice Tseng (Irvine Valley College) for her creative redesign of the Fourth Edition of the *Instructor's Resource Kit*, for her tireless search for authentic materials, and for her dedication to detail in tracking the vocabulary of **Dos mundos**. Polly Hodge (Chapman College) deserves special thanks for her exciting work on reading strategies and techniques, as well as for her **Comprensión oral** activities in the *Cuaderno*, as does Sally Sefamí for her creative work on the reader on regional cuisines, *Cocina y comidas hispanas*. Thanks also are in order to Christa Harris and Pennie Nichols-Alem for the **Videoteca** activities they developed. We owe much to our on-call computer expert, Richard Zucker (Irvine Valley College), for his invaluable expertise in keeping our computers going and our programs working for us throughout the revision process.

The authors would also like to express their gratitude to the many members of the language-teaching profession whose valuable suggestions contributed to the preparation of this revised edition. The appearance of their names here does not necessarily constitute an endorsement of the text or the Natural Approach methodology.

Marc Accornero, Mission College

Jeff Adams, Walla Walla Community College

Lucía V. Aranda, Kapiolani Community College

F. M. Arguello, Fayetteville State University

Deborah Baldini, University of Missouri–St. Louis

Linda-Jane C. Barnette, Ball State University

Lisa M. Baudler, Austin Community College

Sue Bertoleit-Valdez, Temple Junior College

Carole Byrd, University of Wisconsin at Oshkosh

Justyna M. Carlson, Southern Vermont College

Michelle Connolly, Community College of Rhode Island

James Crapotta, Barnard College

Isabel Creuch, Prescott College

Jorge H. Cubillos, University of Delaware

Marta DePierris, Mills College/College of Marin

John Dolance, Richland College

Lynda Durham, Casper College

Richard K. Evans, Geneva College

Addison Everett, Dixie College

Augustine Fernández, Paul Quinn College

Marisol Fernández García, Michigan State University

Reyes I. Fidalgo, Bowling Green State University

Emy Fischer, Texas State Technical College

Herschel Frey, University of Pittsburgh

Roseanne Fulcher, Erie Community College

Amalia V. Garzón, Del Mar College

Jeannette Harker, Florida Atlantic University

Laura Huffman, Los Medanos College

Shawna L. Kelly, Tennessee Technical University

Anne Key, Tillamook Bay Community College

Michael Langston, St. Meinrad College

Montserrat Linkletter, Tacoma Community College

Melissa Lockhart, Wake Forest University

Kim MacDonald, Azusa Pacific

Zenaida Madurka, SUNY at Stony Brook

Edward H. Mayer, University of Utah

Olga Mendell, D'Youville College

Karin Melson Meyer, Canisius College

Patricia A. Morrissey, Clatsop Community College

Jeanne Mullaney, Community College of Rhode Island

Nancy Nieman, Santa Monica College

Irma O'Connor, Canisius College

Nanette R. Pascal, Richland College

Teresinka Pereira, Bluffton College

Carole Permar, Marshalltown Community College

Ana M. Piffardi, Eastfield College

Sergio Pizarin, Sullivan County Community College

Antonio Prado, University of Oklahoma

Dawn E. Prince, Iowa State University

Rosemary Sands Ptacek, St. Norbert College

Gus Puleo, Columbia University

Lourdes Ramírez Mallis, Keene State College

Celia V. Ramírez-Owens, Big Bend Community College

Sarah Rath, Green Mountain College

Melvyn C. Resnick, University of Tulsa

P. Harlow Rhoades, East Central College

Catherine Rodgers, Wake Forest University

Ingrid Rogers, Manchester College

Ana Isabel Rueda-García, Texas Christian University

Annette Sánchez, Nashville State Technical Institute

Mireya Scheerer, Cypress College

Terry Sellars, Nashville State Technical Institute

Mary Studer Shea, Napa Valley Community College

Nancy E. Shearer, Cuesta College

William H. Shuford, Lenoir-Rhyne College

Jerry Smartt, Friends University

Celia V. Smith, Lincoln University

Laurel B. Sparks, North Dakota State University

Craig R. Stokes, Grove City College

James R. Swann, Northeast Texas Community College

Paul D. Toth, University of Pittsburgh

Myrna E. A. Vélez, Dartmouth College

Keith Watts, University of New Mexico

Estelita C. Young, Collin County Community College

Many other people participated in the preparation of the Fourth Edition of *Dos mundos*. We feel deeply indebted to Thalia Dorwick for her care and support. As editor of the First Edition, Thalia gave the text its initial push and continues to be an adviser on all major decisions regarding changes. As our first editor and now as our publisher, she has provided us with countless resources, much-needed guidance, and most importantly, the freedom to write the book we wanted to write.

Our Fourth Edition editor, Becka McGuire, was fantastic! She took our program to a new level of quality and creativity. It was reassuring to work with someone as organized and knowledgeable about the Natural Approach and as professionally enthusiastic as Becka. We also appreciate the support of Gregory Trauth, who managed the project, and Jennifer Valko, who professionally and cheerfully handled so many details of the project.

We would like to acknowledge the sales and marketing support we have received from The McGraw-Hill Companies, and specifically from Margaret Metz and Cristene Burr. We are also very grateful to the following McGraw-Hill staff and associates for their excellent work on this complex project, as well as for their patience and perseverance: Karen Judd, Diane Renda, Francis Owens, Rich DeVitto, Nicole Widmyer, and Richard Lange. Special thanks go to Sally Richardson who, for this Fourth Edition, made it possible for our cast of characters to change with the times by giving them a fresh and contemporary look! In addition, we wish to thank Laura Chastain and Wilfrido Corral for their help with questions of language usage and cultural content in the final manuscript and Charlotte Jackson for her painstaking review of the vocabulary.

And, finally, we would like to thank each other for many years of moving the Natural Approach from idea into print. We hope our contributions continue to be worthwhile.

To the Instructor and Students

The *Dos mundos* Cast of Characters, Video, and Interactive Multimedia

Most of the exercises and activites in **Dos mundos** are based on the lives of a cast of characters from different parts of the Spanish-speaking world. Here they are, followed by a description of the innovative Video and CD-ROM that accompany the Fourth Edition of **Dos mundos**.

Cast of Characters: The Textbook and the *Cuaderno de trabajo*

Two groups of characters appear in exercises and activities throughout the print materials for **Dos mundos**.

Los amigos norteamericanos (North American friends), a group of students at the University of Texas at San Antonio. Although they are all majoring in different subjects, they know each other through Professor Adela Martínez's 8:00 A.M. Spanish class.

la profesora Martínez
Luis Alberto
Mónica Carmen Esteban Nora Lan Pablo

Los amigos hispanos (Hispanic friends) live in various parts of the Spanish-speaking world. In **México** you will meet Silvia Bustamante and her boyfriend, Ignacio (Nacho) Padilla.

Silvia y Nacho

You will also get to know Raúl Saucedo and his family. Raúl lives with his parents in Mexico City but is currently studying at the University of Texas at San Antonio; he knows many of the students in Professor Martínez's class. You will meet Raúl's grandmother, doña María Eulalia González de Saucedo, as well as other members of his extended family: his three older sisters, Estela, Andrea and Paula (who are twins), and their families.

doña María Eulalia y Raúl

Raúl's sister Estela is married to Ernesto Ramírez. They have three children, Amanda, Guillermo, and Ernestito. Andrea is married to Pedro Ruiz, and they have two young daughters, Marisa and Clarisa. Paula is a single travel agent who lives and works in Mexico City.

la familia Ramírez
Estela Ernesto
Ernestito Amanda y Guillermo

la familia Ruiz
Pedro →
Clarisa Marisa
Andrea
Paula

The Ramírez children have school friends. Amanda's best friend is Graciela Herrero, whose brother is Diego Herrero. Amanda has a boyfriend, Ramón Gómez, and Graciela's boyfriend is Rafael Quesada.

Graciela   Diego   Ramón   Rafael

There are also friends and neighbors of the Ramírez and Ruiz families: don Eduardo Alvar and don Anselmo Olivera; doña Lola Batini; and doña Rosita Silva and her husband, don Ramiro.

don   don   doña   doña   don
Eduardo Anselmo Lola   Rosita Ramiro

Carla   Rogelio   Marta

In **Puerto Rico** you will meet Carla Espinosa and her friend Rogelio Varela, students at the University of Puerto Rico in Río Piedras. You will also meet Marta Guerrero, a young Mexican woman living in Puerto Rico.

In **España** (Spain) you will accompany an American student, Clara Martin, on her travels. Her friends in Spain are Pilar Álvarez and Pilar's boyfriend, José Estrada.

Pilar   Clara   José

Ricardo

You will get to know Ricardo Sícora in Caracas, **Venezuela**. He is nineteen years old and has just graduated from high school.

In **Argentina** you will meet Adriana Bolini, a young woman who works for a computer company, and her boyfriend, Víctor Ginarte.

Adriana y Víctor

On the radio you will listen to Mayín Durán, who is from **Panamá**. Mayín works as an interviewer and reporter for KSUN, Radio Sol de California, in Los Angeles.

Mayín

Susana

Armando y Andrés

You will meet the Yamasaki family in **Perú**: Susana Yamasaki González and her two sons, Armando and Andrés.

In **Miami** you will meet Professor Rubén Hernández Arenas and his wife, Doctora Virginia Béjar de Hernández.

Rubén y Virginia

The Video

New in the Fourth Edition of *Dos mundos* is a two-hour video, filmed on location in Mexico, Ecuador, Spain, and the United States. Each video segment consists of a two- to three-minute vignette that focuses on one of the three groups of featured characters, followed by a brief authentic interview with a Hispanic living in the United States. An introduction to each vignette can be found in the **Videoteca** section of **En resumen** (at the end of the **Actividades de comunicación y lecturas** sections of the textbook). Viewing activities are located in the **Videoteca** sections in the *Cuaderno de trabajo*.

Here are some of the characters you will meet in the vignettes.

México

Diego González, an American graduate student living in Mexico City.

Lupe Carrasco, an anthropology student from Mexico City.

Antonio Sifuentes, a graduate student from Mexico City.

Ecuador

Elisa Velasco, a travel writer from Quito.

José Miguel Martín Velasco (son of Elisa), a university freshman.

Paloma Velasco, José Miguel's cousin, also a university freshman.

España

Manolo Durán García, a university professor of literature in Sevilla.

Lola Benítez Guzmán, a Spanish professor for American students in Sevilla.

Marta Durán Benítez, their eight-year-old daughter.

The CD-ROM

Available in both IBM and Macintosh formats, the CD-ROM continues the emphasis on the meaningful use of Spanish that characterizes the *Dos mundos* program. Throughout the CD-ROM's innovative and visually appealing activities, students will be able to understand what they are reading or hearing, and exercise critical thinking skills. Many activities focus on the thematic sections of a given chapter. Others introduce students to characters from the video, inviting students to write to them on e-mail or to converse with them. Finally, the CD-ROM format is utilized to make the thematic vocabulary displays interactive. Recording and printing capabilities make the CD-ROM a true four-skills ancillary. The CD-ROM also contains a link to the *Dos mundos* web site on the World Wide Web.

The World Wide Web

Bringing the Spanish-speaking world more directly into the classroom, the *Dos mundos* web site provides links to other culturally authentic sites and offers additional activities for each chapter of the text. Available after June 1, 1998, the *Dos mundos* web page can be accessed through the McGraw-Hill Spanish web page at: http://www.spanish.mhhe.com

To the Student

A Few Words about *Dos mundos: En breve*

This text is a new, shorter version of the Fourth Edition of ***Dos mundos.*** It is identical to that edition of ***Dos mundos,*** except that the last five chapters have been omitted. What follows is the student preface for the Fourth Edition of ***Dos mundos*** (the complete text).

The course you are about to begin is based on a methodology called the Natural Approach. It is designed to help you develop your ability to understand and speak everyday Spanish and to help you learn to read and write in Spanish.

Researchers have distinguished two ways of developing ability in another language: 1) through a subconscious process called *language acquisition*—like "picking up" Spanish while living in Mexico or Spain; and 2) through a conscious process called *language learning*, which has to do with memorizing and applying grammar rules. *Language acquisition* gives us our fluency, much of our accuracy in speaking, and our ability to understand authentic language when we hear it. You know you've acquired a word when it "feels" and sounds right in a given context. *Language learning* is not as useful in oral communication, but it helps us edit our speech and writing. You know you've *learned* a rule when, for example, you can recall it in order to produce the right form of a verb.

The **Actividades de comunicación y lecturas** of ***Dos mundos*** will help you acquire Spanish through listening to your instructor and interacting with your classmates; the **Comprensión oral** sections of the *Cuaderno de trabajo* also provide opportunities to practice your listening comprehension skills. The **Gramática y ejercicios** section of the text and many sections of the *Cuaderno* will offer opportunities for learning Spanish and for applying the rules you have learned. Our goal in ***Dos mundos*** is to make it possible for you to *acquire* the language, not just *learn* it. Keep in mind that *language acquisition* takes place when we understand messages, that is, when we comprehend what we read or what we hear. The most effective ways for you to improve your Spanish are to listen to it, read it, and interact with native speakers of the language as much as possible!*

Classes that use ***Dos mundos*** provide you with a great deal of language you can understand. Your instructor will always speak Spanish to you and will use gestures, photos, real objects, and sound effects to make himself or herself understood. To get the most out of a class session, you only need to focus on what your instructor is saying, that is, on the *message*. You do not have to think *consciously* about grammar or try to remember all the vocabulary that is being used.

You will also have plenty of opportunities for reading. The more you read, the better your Spanish will become. When you are reading, just pay attention to the message. You don't have to know every word or figure out every grammatical structure in order to understand and enjoy what you read!

You will be speaking a lot of Spanish in the classroom, both with your instructor and with your classmates. And when you speak, you will make mistakes. Don't be overly concerned about these mistakes; they are a natural part of the language-acquisition process. The best way to eliminate your errors is not to worry or think hard about grammar when you talk, but to continue to get more language input through listening, conversation, and reading. In time, your speech will become more accurate.

---

*For a more in-depth understanding of the terms acquisition and learning you may wish to read the To the Instructor section of this preface.

Getting Acquainted With the Materials

The Textbook

	WHAT IS IT?	HOW WILL IT HELP?
Actividades de comunicación	Oral communication activities done in class with your instructor and classmates.	Give you opportunities to listen to and interact in Spanish.
Lecturas **Notas culturales** **Los amigos hispanos** **Las palabras viven** **El mundo hispano... su gente** **El mundo hispano... imágenes** **El mundo hispano... en los Estados Unidos**	Short readings on interesting topics or topics relevant to the Hispanic world.	Allow you to acquire Spanish and help you learn about the Hispanic world and the Spanish language.
¡Reír es vivir! **En nuestro mundo increíble**	Very short paragraphs with jokes and interesting facts about the world we live in.	Allow you to read short, interesting texts that are easy to comprehend.
Vocabulario	A list of the important words from the **Actividades de comunicación.**	For reference or review of vocabulary.
Gramática y ejercicios	Explanations and examples of grammar rules followed by exercises, at end of each chapter.	For self-study and reference. Refer to grammar to edit your writing.
Appendix 1	Verb charts of regular and irregular verbs in all forms.	Reference.
Appendix 2	Grammar Summary Tables. Summaries of major grammatical points introduced.	Reference.
Appendix 3	Accentuation and Spelling Summary Tables. Summaries of accent and spelling rules.	Reference.
Appendix 4	Answer Key to grammar exercises.	Use to check your answers.
Vocabulary	Spanish-English vocabulary.	Reference.

Cuaderno de trabajo (Workbook/Lab Manual)

	WHAT IS IT?	HOW WILL IT HELP?
Para empezar	Warm-up listening activities that use material from previous chapters.	Help you get started with a new chapter, while reviewing previous ones.
Actividades escritas	Written activities usually done outside of class. Coordinated with the chapter theme, vocabulary, and grammar.	Allow you to express yourself in writing and let your instructor see your progress.
Comprensión oral	Listening activities for use outside of class. Most activities have comprehension questions.	Provide you with opportunities to listen to and acquire Spanish outside the classroom.
Ejercicios de pronunciación y ortografía	Taped pronunciation and spelling exercises.	An introduction to Spanish spelling and pronunciation.
¡A repasar!	Listening comprehension activity.	Reviews the vocabulary and structures of the chapter.
¡Adelante!	Chapter-final listening comprehension activity.	Challenges you to understand Spanish in new contexts and prepares you for the next chapter.
Lecturas adicionales	Additional readings; may be done in class, as homework, or read for pleasure.	Allow you to acquire more Spanish through additional reading.
Videoteca	Written activities to accompany the **Videoteca** section of the text and the video.	Provide you with opportunities to work with and react to the video segments.
Expansión gramatical	Additional grammar points along with verification exercises.	For reference or further study.
Answer Keys	Answers to the taped **Comprensión oral** and **Ejercicios de ortografía**; answers to some **Actividades escritas** and **Videoteca** activities.	Give you quick feedback on comprehension and written activities.

Getting Started with the *Pasos*

Understanding a new language is not difficult once you realize that you can comprehend what someone is saying without knowing every word. *The key to communication is understanding the ideas*, the message the speaker wants to convey.

Several techniques can help you develop good listening comprehension skills. First and most important, *you must guess at meaning!* In order to improve your ability to guess accurately, pay close attention to the context. If someone greets you at 3:00 P.M. by saying **Buenas tardes**, chances are they have said *Good afternoon*, not *Good morning* or *Good evening*. You can make a logical guess about the message being conveyed by focusing on the greeting context and time of day. If someone you don't know says to you, **Hola. Me llamo Roberto**, you can guess from context and from the key word **Roberto** that he is telling you his name.

In class, ask yourself what you think your instructor has said even if you haven't understood most—or any—of the words. What is the most likely thing to have been said in a particular situation? Be logical in your guesses and try to follow along by paying close attention to the flow of the conversation. *Context, gestures, and body language will all help you guess more accurately.*

Another strategy for good guessing is to *listen for key words*. These are the words that carry the basic meaning of the sentence. In the class activities, for example, if your instructor points to a picture and says in Spanish, **¿Tiene el pelo castaño este hombre?** (*Does this man have brown hair?*), you will know from the context and intonation that a question is being asked. By focusing on the key words **pelo** (*hair*), **castaño** (*brown*), and **hombre** (*man*), you will be able to answer the question correctly.

Remember: *you do not need to know grammar rules* to understand much of what your instructor says to you. For example, you wouldn't need to know the words **Tiene**, **el**, or **este** in order to get the gist of the previous question. Nor would you have needed to study verb conjugations. However, if you do not know the meaning of the key vocabulary words, **pelo**, **castaño**, and **hombre**, you will not be able to make good guesses about what is said.

Vocabulary

Because comprehension depends on your ability to *recognize the meaning of key words* used in the conversations you hear, the preliminary chapters of *Dos mundos*—the **Pasos**—will help you become familiar with many new words in Spanish, probably several hundred of them. *You should not be concerned about pronouncing these words perfectly*; saying them easily will come with more exposure to spoken Spanish. Your instructor will write all key vocabulary words on the board. You may want to copy them in a vocabulary notebook as they are introduced, for future reference and study. Copy them carefully, but don't worry now about spelling rules. Include English equivalents or small drawings if they help you remember the meaning.

Go over your vocabulary lists frequently: Look at the Spanish and try to *visualize the person* (for words such as *man* or *child*), *the thing* (for words such as *chair* or *pencil*), *a person or thing with particular characteristics* (for words such as *young* or *long*), *or an activity or situation* (for phrases such as *stand up* or *is wearing*). You do not need to memorize these words, but concentrate on recognizing their meaning when you see them and when your instructor uses them in conversation with you in class.

Classroom Activities

In the preliminary chapter, **Paso** (*Step*) **A,** you will be doing three types of class activities: 1) *TPR*; 2) *descriptions of classmates*; and 3) *descriptions of pictures*.

TPR is our version of **Total Physical Response**, a technique developed by Professor James Asher at San Jose State University in Northern California. In TPR activities your instructor gives a command that you act out. This type of activity may seem somewhat childish at first, but if you relax and let your body and mind work together to absorb Spanish, you will be surprised at how quickly and how much you can understand. Remember that you do not have to understand every word your instructor says, only enough to perform the action called for. In TPR, cheating is allowed! If you don't understand a command, sneak a look at your fellow classmates to see what they are doing.

Descriptions of students: On various occasions, your instructor will describe students in your class. You should try to remember the name of each of your classmates and identify who is being described. You will begin to recognize the meaning of the Spanish words for colors and clothing, and for some descriptive words such as *tall*, *pretty*, and *new*.

Descriptions of pictures: Your instructor will bring many pictures to class and describe the people in them. Your goal is to identify the picture being described.

In addition, just for fun, *you will learn to say a few common phrases of greeting and leave-taking* in Spanish. You will practice these in short dialogues with your classmates. Don't try to memorize the dialogues; just have fun with them. Your pronunciation will not be perfect, but if you are able to communicate successfully with native speakers, then your accent is good enough. Your accent will continue to improve as you listen and interact in Spanish.

Using *Dos mundos*: Tips for Success

Actividades de Comunicación

Concentrate on topic and main idea.

Don't try to understand every word.

Expand on the activities; don't rush through them.

During these activities you should concentrate on the topic rather than on the fact that you're learning a foreign language. Remember that you will progress faster when you focus on understanding what is being said or when you are using Spanish to talk about a topic of interest to you. The point of these communicative activities is to develop natural conversations, not just to get through the assignment. Expand on the activity items. Don't rush through them; allow your partner to communicate with you and try to focus on the ideas and content. It isn't even necessary to finish every activity; as long as you are understanding and interacting in Spanish, you will acquire the language.

Some students have reported that it is helpful to look over an activity before doing it in class. Others have suggested that a quick before-class preview of new words makes it easier to participate in the activity. But regardless of which strategy works for you, it is of utmost importance to relax during the communicative activities. Don't worry if you don't understand every word your instructor says; just concentrate on getting the main idea. Nor should you be concerned about making mistakes. You will make fewer mistakes as your listening skills improve, so make every effort to understand. Keep your sentences simple, direct, and to the point. You shouldn't expect to be able to express yourself as well as you do in your native language. And don't worry about your classmates' errors either. Some students will acquire Spanish more rapidly than others, but everyone who perseveres will be successful in the long run. For now, minor grammatical or pronunciation errors do no harm. Always listen to your instructor's feedback when he or she comments on a communicated message or rephrases what a student has said in a more complete and correct manner. This is not done to embarrass anyone, but to give the entire class the chance to hear more Spanish spoken correctly.

Don't worry about making mistakes.

Listen to your instructor's feedback.

Speak Spanish; avoid English.

Finally, speak Spanish; avoid English. If you don't know a particular word in Spanish, try expressing yourself in another way. Use gestures or act things out to get your ideas across. If you can't think of a way to express an idea in Spanish, ask your instructor: **¿Cómo se dice _____ en español?** (*How do you say _____ in Spanish?*). You will find other useful classroom expressions on the inside front cover of your text.

Lecturas

Reading is a valuable activity that will help you acquire Spanish. There are many reasons to learn to read Spanish. Many of you will want to read signs, advertisements, and menus when you travel in Spanish-speaking countries. Some of you may want to read newspapers, stories, and novels in Spanish for pleasure. Others may want to read research published in Spanish in professional or academic fields.

Whatever your motivation might be for reading in Spanish, you must always try to *focus on the meaning*, that is, to "get into" the context of the story or reading selection. You do not need to know every word to understand a text. There may be a word or two that you will have to look up occasionally, to aid comprehension. But if you find yourself looking up many words in the end vocabulary and translating into English, *you are not reading*. As your ability to comprehend spoken Spanish improves, so will your reading ability, and as reading becomes easier you will, in turn, comprehend more spoken Spanish.

You may want to keep the following techniques in mind as you approach all of the reading materials in *Dos mundos*:

1. Look at the title, pictures, and any other clues outside the main text for an introduction to what the reading is about.
2. Scan the text for cognates and other familiar words.
3. Skim over the text to get the gist of it without looking up words.
4. Use context to make intelligent guesses about unfamiliar words.
5. Read in Spanish, picturing the story instead of trying to translate it in your mind as you go.

All readings in the main text of *Dos mundos* are presented within the **Actividades de comunicación y lecturas** sections. There are also many other readings in the **Lecturas adicionales** sections of the *Cuaderno de trabajo*. It is a good idea to read as much Spanish as possible. Don't wait for your instructor to assign a particular selection; feel free to explore and enjoy the many **Lecturas** featured in *Dos mundos*. Try reading Spanish newspapers, comic strips, and magazines as soon as you are able.

Gramática y ejercicios

The final section of each chapter is a grammar study and reference manual. It is usually difficult to think of grammar rules and apply them correctly while speaking. For this reason, the grammar exercises are meant to be completed at your own pace, at home, in order to allow you time to check the forms of which you are unsure. Your reference tools are the grammar explanations, the Verb Charts, Appendices, and the Answer Key to grammar exercises in Appendix 4. We advise you to use your knowledge of grammar when it does not interfere with communication; for example, when you edit your writing. If you do so, your writing will have a more polished feel. Also, some students find that studying grammar helps them understand classroom activities better.

The beginning of most **Actividades de comunicación y lecturas** sections has a reference note (**Lea** [*Read*] **Gramática…**) that tells you which subsection of grammar in that chapter to read. Keep in mind that grammar exercises teach you *about* Spanish; they do not teach you *Spanish*. Only real comprehension and communicative experiences of the type found in the communication activities and readings will do that.

• • • • • • • • • •

Take advantage of any opportunities you may have outside of class to *interact in and with Spanish:* watch Spanish-language movie videos, find Spanish-language radio and TV programs, read newspapers, talk with native speakers, listen to the **Comprensión oral** and the *Book on Tape*, watch the video, or work with the CD-ROM program to accompany *Dos mundos*. Remember that your instructor and the text materials can open the door to communicating in Spanish, but you must enter by yourself!

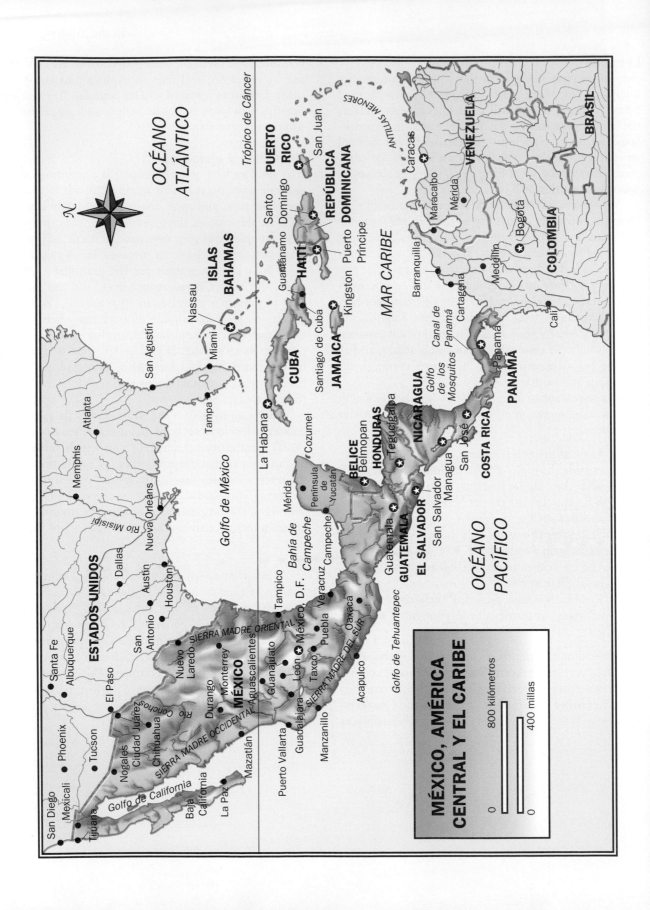

MÉXICO, AMÉRICA
CENTRAL Y EL CARIBE

0   800 kilómetros

0   400 millas

OCÉANO
ATLÁNTICO

Trópico de Cáncer

ESTADOS UNIDOS

San Diego
Mexicali
Tijuana
Phoenix
Tucson
Nogales
Ciudad Juárez
El Paso
Santa Fe
Albuquerque
San Antonio
Austin
Dallas
Houston
Memphis
Atlanta
Nueva Orleáns
Tampa
Miami
San Agustín
Nassau

ISLAS
BAHAMAS

OCÉANO
PACÍFICO

Río Misisipí

Golfo de México

La Habana
CUBA
Santiago de Cuba
Guantánamo
HAITÍ
Puerto
Príncipe
Santo
Domingo
REPÚBLICA DOMINICANA
PUERTO
RICO
San Juan
ANTILLAS MENORES

JAMAICA
Kingston
MAR CARIBE

Baja
California
La Paz
Mazatlán
Golfo de California
Río Conchos
Chihuahua
Durango
SIERRA MADRE OCCIDENTAL
Nuevo
Laredo
Monterrey
Aguascalientes
MÉXICO
Guadalajara
León
Guanajuato
SIERRA MADRE ORIENTAL
México, D.F.
Taxco
Puebla
Veracruz
SIERRA MADRE DEL SUR
Acapulco
Manzanillo
Puerto Vallarta
Tampico
Oaxaca
Golfo de Tehuantepec
Bahía de
Campeche
Campeche
Mérida
Península
de
Yucatán
Cozumel

BELICE
Belmopan
GUATEMALA
Guatemala
EL SALVADOR
San Salvador
HONDURAS
Tegucigalpa
NICARAGUA
Managua
COSTA RICA
San José
PANAMÁ
Panamá
Canal de
Panamá
Golfo
de los
Mosquitos

Barranquilla
Cartagena
Maracaibo
Caracas
VENEZUELA
Mérida
Medellín
Bogotá
COLOMBIA
Cali
BRASIL

MAR CARIBE

OCÉANO
ATLÁNTICO

PANAMÁ

Maracaibo
Barranquilla
Caracas
GUYANA

Medellín
Panamá
VENEZUELA
Georgetown
Paramaribo
Río Orinoco
Cayena

Cali
Bogotá
SURINAME
GUAYANA FRANCESA

COLOMBIA

Quito
Ecuador

ECUADOR
Río Amazonas
Belém

Guayaquil
Manaus

PERÚ
BRASIL

Recife

Cuzco
Lima
CORDILLERA DE LOS ANDES

Arequipa
La Paz
Brasília

BOLIVIA
Sucre

Antofagasta
PARAGUAY
Río de Janeiro
Trópico de Capricornio

CHILE
San Miguel
de Tucumán
Asunción
São Paulo

OCÉANO
PACÍFICO
La Serena

Córdoba
Rosario
OCÉANO
ATLÁNTICO

URUGUAY

Valparaíso
ARGENTINA

Santiago
Buenos Aires
Montevideo

Concepción
Río de la Plata

N

Bahía Blanca

Puerto Montt
Bariloche
Chiloé

Islas Malvinas

AMÉRICA DEL SUR

Estrecho de Magallanes
0   1500 kilómetros

Punta Arenas
Tierra del Fuego
0   1000 millas

Cabo de Hornos

DOS MUNDOS EN BREVE

La clase y los estudiantes

▼▼▼▼▼▼▼▼▼▼▼▼▼▼▼▼▼▼▼▼▼▼▼▼▼▼▼

Ciudad de México, Distrito Federal

ACTIVIDADES DE COMUNICACIÓN

Los mandatos en la clase

Los nombres de los compañeros de clase

¿Quién es?

Los colores y la ropa

Los números (0–39)

Los saludos

GRAMÁTICA

A.1 Responding to Instructions: Commands

A.2 Naming: The Verb **llamarse**

A.3 Identifying People and Things: Subject Pronouns and the Verb **ser**

A.4 Describing People and Things: Negation

A.5 Identifying People and Things: Gender (Part 1)

A.6 Describing People's Clothing: The Verb **llevar**

A.7 Identifying People and Things: Plural Forms (Part 1)

Actividades de comunicación

Los mandatos en la clase

Lea Gramática A.1.

Ian   Pablo   Nora   Esteban   Alberto   Carmen   Luis   Mónica

Actividad 1. Identificaciones: Los mandatos

a. Dé una vuelta.
b. Abra el libro.
c. Cierre el libro.
d. Camine.

e. Saque un bolígrafo.
f. Salte.
g. Corra.

h. Mire hacia arriba.
i. Muéstreme el pupitre.

Los nombres de los compañeros de clase

Lea Gramática A.2.

Actividad 2. Diálogos: Los amigos

—¿Cómo se llama el amigo
 de _____?
—Se llama _____.

—¿Cómo se llama la amiga de
 _____?
—Se llama _____.

¿Quién es?

Lea Gramática A.3–A.4.

Actividad 3. Asociaciones: Las descripciones de las personas famosas

¿Quién es _____?

1. rubio/a ~ moreno/a
2. alto/a ~ bajo/a
3. guapo/bonita ~ feo/a
4. joven ~ viejo/a
5. delgado/a ~ gordo/a

Roseanne
María Conchita Alonso
Lauren Bacall
Antonio Banderas
Val Kilmer
Sharon Stone
Elijah Wood
Brad Pitt
Barbra Streisand
Michael Jordan
Meryl Streep
Marlon Brando
Danny DeVito
Rosie Pérez

Estudiantes de medicina en la
Universidad de Buenos Aires,
Argentina

Los colores y la ropa

Lea Gramática A.5–A.6.

un sombrero gris

una camisa amarilla

una corbata anaranjada

un saco gris

una chaqueta verde

pantalones azules →

un traje gris

zapatos color café

Ernesto Ramírez

una blusa blanca

un suéter rojo

una falda roja

botas negras

Guillermo Ramírez   Amanda Ramírez

un abrigo morado

una camiseta blanca →

pantalones cortos azules →

zapatos de tenis →

un vestido rosado

Ernestito   Estela

Actividad 4. Asociaciones: Los colores

¿De qué color es _____?

a. un automóvil   **b.** una casa

c. un lápiz

d. una planta

e. un gato   **f.** una rosa

g. el libro de español

h. un perro   **i.** un arco iris   **j.** una naranja   **k.** la puerta

1. rojo/a   **4.** color café   **6.** azul   **8.** anaranjado/a
2. amarillo/a   **5.** blanco/a   **7.** morado/a   **9.** ¿ ?
3. verde

Actividad 5. Identificaciones: Mis compañeros de clase

Mire a cuatro compañeros de clase. Diga el nombre de cada estudiante, la ropa y el color de la ropa que lleva.

	NOMBRE		ROPA	COLOR
1.	*Carmen*	lleva	*una blusa*	*amarilla.*
2.	_____	lleva	_____	_____
3.	_____	lleva	_____	_____
4.	_____	lleva	_____	_____
5.	_____	lleva	_____	_____

Los números (0–39)

Lea Gramática A.7.

0 cero	10 diez	20 veinte
1 uno	11 once	21 veintiuno
2 dos	12 doce	22 veintidós
3 tres	13 trece	23 veintitrés
4 cuatro	14 catorce	24 veinticuatro...
5 cinco	15 quince	30 treinta
6 seis	16 dieciséis	31 treinta y uno
7 siete	17 diecisiete	32 treinta y dos
8 ocho	18 dieciocho	33 treinta y tres...
9 nueve	19 diecinueve	39 treinta y nueve

Actividad 6. Identificaciones: ¿Cuántos hay?

Cuente los estudiantes en la clase que...

LLEVAN
- _____ pantalones
- _____ lentes
- _____ reloj
- _____ blusa
- _____ falda
- _____ botas
- _____ aretes

TIENEN
- _____ barba
- _____ bigote
- _____ el pelo largo
- _____ el pelo castaño
- _____ el pelo rubio
- _____ los ojos azules
- _____ los ojos castaños

Los saludos

Actividad 7. Diálogos: Los saludos

1. Nacho Padilla saluda a Ernesto Ramírez.

   NACHO: Buenos días. ¿Cómo está usted?
   SR. RAMÍREZ: Muy bien, gracias. ¿Y usted?
   NACHO: Muy bien.

2. La señora Silva habla por teléfono con el señor Alvar.

   SRA. SILVA: Señor Alvar, ¿cómo está usted?
   SR. ALVAR: Estoy un poco cansado. ¿Y usted?
   SRA. SILVA: Regular.

3. Amanda habla con doña Lola Batini.

   DOÑA LOLA: Buenas tardes, Amanda.
   AMANDA: Buenas tardes, doña Lola. ¿Cómo está la familia?
   DOÑA LOLA: Bien, gracias.

4. Rogelio Varela presenta a Carla.

   ROGELIO: Marta, ésta es mi amiga Carla.
   CARLA: Mucho gusto.
   MARTA: Igualmente.

5. Un amigo nuevo / Una amiga nueva en la clase de español.

   USTED: _____, éste/ésta es mi amigo/a _____.
   AMIGO/A 1: _____.
   AMIGO/A 2: _____.

La Universidad de Michoacán, México

Vocabulario

Los mandatos — Commands

abra(n) (el libro)	open (the book)
baile(n)	dance
camine(n)	walk
cante(n)	sing
cierre(n)	close
corra(n)	run
cuente(n)	count
dé/den una vuelta	turn around
diga(n)	say
escriba(n)	write
escuche(n)	listen
hable(n)	speak
lea(n)	read
mire(n) (hacia arriba/abajo)	look (up/down)
muéstre(n)me	show me
pónga(n)se de pie	stand up
salte(n)	jump
saque(n) (un bolígrafo)	take out (a pen)
siénte(n)se	sit down

Las preguntas y las respuestas — Questions and Answers

¿Cómo está la familia?	How is your family?
¿Cómo está usted?	How are you?
(Muy) Bien, gracias.	(Very) Well, thanks.
Estoy bien/regular.	I am fine/OK.
Estoy un poco cansado/a.	I am a little tired.
¿Cómo se llama?	What is his/her name?
Se llama...	His/Her name is . . .
¿Cómo se llama usted?	What is your name?
Me llamo...	My name is . . .
¿Cuál es su nombre?	What is your name?
Mi nombre es...	My name is . . .
¿Cuántos/as... (hay)?	How many . . . (are there)?
¿De qué color es... ?	What color is (it) . . . ?
¿Quién (es)? / ¿Quiénes (son)?	Who (is it)? / Who (are they)?

La descripción física
Physical Description

Es...	He/She (It) is . . .
alto/a	tall
bajo/a	short
bonito/a	pretty
delgado/a	thin
famoso/a	famous
feo/a	ugly
gordo/a	fat
guapo/a	handsome
joven	young
moreno/a	brown-skinned, dark-skinned
nuevo/a	new
viejo/a	old
Tiene...	He has . . .
barba	(a) beard
bigote	(a) moustache
Tiene el pelo...	His/Her hair is . . . (He/She has . . . hair)
castaño	brown
corto	short
lacio	straight
largo	long
mediano	medium (length)
negro	black
rizado	curly
rubio	blond
Tiene los ojos...	His/Her eyes are . . . (He/She has . . . eyes)
azules	blue
castaños	brown
negros	black
verdes	green

Los colores
Colors

amarillo/a	yellow
anaranjado/a	orange
azul	blue
blanco/a	white
color café	brown
gris	gray
morado/a	purple
negro/a	black
rojo/a	red
rosado/a	pink
verde	green

La ropa
Clothes

¿Quién lleva... ?	Who is wearing . . . ?
un abrigo	coat
las botas	boots
una camisa	shirt
una camiseta	T-shirt
una chaqueta	jacket
una corbata	tie
una falda	skirt
los pantalones	pants
los pantalones cortos	shorts
un saco	sports coat
un sombrero	hat
un suéter	sweater
un traje	suit
un vestido	dress
los zapatos (de tenis)	(tennis) shoes

Las personas
People

el amigo / la amiga	friend
el compañero / la compañera de clase	classmate
don	title of respect used with a man's first name
doña	title of respect used with a woman's first name
el/la estudiante	student
la familia	family
el hombre	man
el muchacho / la muchacha	boy, young man / girl, young woman
la mujer	woman
el niño / la niña	boy/girl
el profesor / la profesora	professor
el señor / la señora	man; Mr. / woman; Mrs.
la señorita	young lady; Miss

Los saludos y las despedidas
Greetings and Goodbyes

Buenos días.	Good morning.
Buenas tardes.	Good afternoon.
Buenas noches.	Good evening. / Good night.
Hasta luego.	See you later.
Adiós.	Goodbye.

Las presentaciones
Introductions

Ésta es mi amiga...	This is my friend . . .
Éste es mi amigo...	
Mucho gusto.	Pleased to meet you.
Igualmente.	Same here.

Los verbos   Verbs

es   is
habla (por teléfono)   speaks (on the telephone)
lleva(n)   is (are) wearing
presenta   introduces
saluda   greets
tiene   he/she has / you have
   tienen   they have

Las cosas   Things

el arco iris   rainbow
los aretes   earrings
la casa   house
el gato   cat
el lápiz   pencil
los lentes   glasses
el libro (de español)   (Spanish) book
la naranja   orange
el perro   dog
la puerta   door
el pupitre   desk
el reloj   watch, clock

PALABRAS SEMEJANTES (*Cognates*): **el automóvil, la
planta, la rosa**

Palabras del texto
Words from the Text

diga   say
el español   Spanish
la gramática   grammar
los mandatos   commands
no   no, not
¿Qué?   What?
¿Quién(es)?   Who?
sí   yes

**PALABRAS SEMEJANTES: la actividad, las asocia-
ciones, la clase, la comunicación, la descripción, el
diálogo, las identificaciones, el modelo**

Los números   Numbers

cero   0
uno   1
dos   2
tres   3
cuatro   4
cinco   5
seis   6
siete   7
ocho   8
nueve   9
diez   10
once   11
doce   12
trece   13
catorce   14
quince   15
dieciséis   16
diecisiete   17
dieciocho   18
diecinueve   19
veinte   20
veintiuno   21
veintidós   22
veintitrés   23
veinticuatro   24
veinticinco   25
veintiséis   26
veintisiete   27
veintiocho   28
veintinueve   29
treinta   30
treinta y uno   31
treinta y dos   32
treinta y nueve   39

Palabras útiles   Useful Words

cada   each
con   with
de   of, from
del (de + el) / de la   of the
el, la, los, las   the
en   in, on
gracias   thank you; thanks
mi(s)   my
y   and

Gramática

Introduction

The **Gramática y ejercicios** sections of this book are written for your use outside of class. They contain grammar explanations and exercises that are presented in nontechnical language, so it should not be necessary to go over all of them in class.

The **Lea Gramática...** notes that begin most new topics in the **Actividades de comunicación y lecturas** sections give the grammar point(s) you should read at that time. Study them carefully, then do the exercises in writing and check your answers in the back of the book. If you have little or no trouble with the exercises, you have probably understood the explanation. Remember: It is not necessary to memorize these grammar rules.

Keep in mind that successful completion of a grammar exercise means only that you have understood the explanation. It does not mean that you have *acquired* the rule. True acquisition comes not from study of grammar but from hearing and reading a great deal of meaningful Spanish. Learning the rules of grammar through study will allow you to use those rules when you have time to stop and think about correctness, as during careful writing.

If you have trouble with an exercise, ask your instructor for assistance. In difficult cases, your instructor will go over the material in class to be sure everyone has understood, but probably won't spend too much time on the explanations, in order to save class time for real communication experiences.

The grammar explanations in **Paso A** contain basic information about Spanish grammar. **Paso A** has no exercises because most of the information will be explained again in subsequent chapters.

A.1 Responding to Instructions: Commands

Your instructor will give you commands during the Total Physical Response activities, as well as for instructions.*

In English the same form of the verb is used for giving commands, whether to one person (singular) or to more than one person (plural).

> Steve, please stand up.
> Mr. and Mrs. Martínez, please stand up.

In Spanish, however, singular commands end in **-a** or **-e**, while plural commands add an **-n.**

Singular commands (to one person) end in **-a** or **-e.** Plural commands (to more than one person) end in **-an** or **-en.**

> Esteban, **abra** el libro.   *Steve, open the book.*
> Alberto y Nora, **saquen** un   *Al and Nora, take out a pen,*
>   bolígrafo, por favor.   *please.*

---

*You will learn more about how to give commands in **Gramática 11.1.**

A.2   Naming: The Verb *llamarse*

To ask someone's name:
¿Cuál es su nombre?
or
¿Cómo se llama usted?
To tell someone your name:
Mi nombre es...
or
Me llamo...

The most common way to ask someone's name is to use the verb form **llama** (*call*).

—¿Cómo **se llama** usted?*   —*What is your name?*
—Nora.   —*Nora.*

You may answer the question either briefly, by saying your name (as in the preceding example), or in a complete sentence with the pronoun **me** (*myself*) and the verb **llamo** (*I call*).

Me llamo Nora.   *My name is Nora.*

To ask what someone else's name is, use the following question-and-answer pattern.

—¿Cómo **se llama** el amigo de   —*What's Nora's friend's name?*
   Nora?
—**Se llama** Luis.   —*His name is Luis.*

Here is another way to ask someone's name.

—**¿Cuál es su nombre?**   —*What is your name?*
—**Mi nombre es Esteban.**   —*My name is Steve.*

A.3   Identifying People and Things: Subject Pronouns and the Verb *ser*

ser = *to be* (identification)
Soy estudiante. (*I am a student.*)

A. Spanish uses the verb **ser** (*to be*) to identify things or people.

—¿Qué **es** eso?   —*What is that?*
—**Es** un bolígrafo.   —*It's a pen.*

—¿Quién **es?**   —*Who is it?*
—**Es** Luis.   —*It's Luis.*

B. Personal pronouns are used to refer to a person without mentioning the person's name. Here are some of the most common personal pronouns that can serve as the subject of a sentence, with the corresponding present-tense forms of **ser**. It is not necessary to memorize these pronouns. You will see and hear them again and again.

yo	soy		I	am
usted	es		you (*singular*)	are
él†/ella	es		he/she	is
nosotros/nosotras	somos		we	are
ustedes	son		you (*plural*)	are
ellos/ellas	son		they	are

---

*Literally, this means *How do you call yourself?*
†The pronoun **él** (*he*) has an accent to distinguish it in writing from the definite article **el** (*the*).

yo = *I*	nosotros = *we* (masculine)
usted = *you* (singular)	nosotras = *we* (feminine)
él = *he*	ustedes = *you* (plural)
ella = *she*	ellos = *they* (masculine)
	ellas = *they* (feminine)

¿Usted es profesor?   *Are you a professor?*

C. If is often not necessary in Spanish to use a subject pronoun (**yo, usted, nosotros, ellas,** etc.). The verb itself or the context usually tells you who the subject is.

Soy profesor de matemáticas.   *I'm a mathematics professor.*
Son estudiantes de la clase de la   *They are students in Professor*
profesora Martínez.   *Martínez's class.*

A.4 Describing People and Things: Negation

no = *not*
To say that something is not true, put **no** in front of the verb.

In a negative sentence in Spanish, the word **no** comes in front of the verb.

Ramón **no es** mi novio. Es el   *Ramón isn't my boyfriend. He's*
novio de Amanda.   *Amanda's boyfriend.*

There are no additional words in Spanish corresponding to the English negatives *don't* and *doesn't.*

Guillermo **no tiene** el pelo largo   *Guillermo doesn't have long hair*
ahora.   *now.*

A.5 Identifying People and Things: Gender (Part 1)

Masculine nouns usually end in **-o.**

Feminine nouns usually end in **-a.**

A. Nouns (words that represent people or things) in Spanish are classified as either masculine or feminine. Masculine nouns often end in **-o** (**sombrero**); feminine nouns often end in **-a** (**falda**). In addition, words ending in **-ción, -sión,** or **-dad** are also feminine.

Madrid es una ciu**dad** bonit**a.**   *Madrid is a pretty city.*
La civiliza**ción** maya fue muy   *The Mayan civilization was very*
avanzad**a.**   *advanced.*

But the terms *masculine* and *feminine* are grammatical classifications only; Spanish speakers do not perceive things such as notebooks or doors as being "male" or "female." On the other hand, words that refer to males are usually masculine (**amigo**), and words that refer to females are usually feminine (**amiga**).

Esteban es mi **amigo** y Carmen   *Esteban is my friend and Carmen is*
es una **amiga** de él.   *a friend of his.*

These endings can be learned, but are acquired late. Don't worry about them while you are speaking, only when you edit your writing.

B. Because Spanish nouns have gender, adjectives (words that describe nouns) *agree* with nouns: They change their endings from **-o** to **-a** according to the gender of the nouns they modify. Notice the two words for *black* in the following examples.

Lan tiene el pelo **negro.**   *Lan has black hair.*
Luis lleva una chaqueta **negra.**   *Luis is wearing a black jacket.*

El and **la** both mean *the*. **El** is used with masculine nouns and **la** is used with feminine nouns.

Un and **una** both mean *a/an*. **Un** is used with masculine nouns and **una** is used with feminine nouns.

C. Like English, Spanish has definite articles (*the*) and indefinite articles (*a, an*). Articles in Spanish also change form according to the gender of the nouns they accompany.

	DEFINITE (*the*)	INDEFINITE (*a, an*)
Masculine	**el** suéter	**un** sombrero
Feminine	**la** blusa	**una** chaqueta

Hoy Mónica lleva **un** vestido nuevo.	*Today Mónica is wearing a new dress.*
La chaqueta de Alberto es azul.	*Al's jacket is blue.*

A.6 Describing People's Clothing: The Verb *llevar*

The Spanish verb **llevar** corresponds to the English verb *to wear*.

Mónica **lleva** un suéter azul.	*Mónica is wearing a blue sweater.*

Notice that Spanish verbs change their endings according to the subject of the sentence.

Spanish verbs change endings. These endings tell you who is performing the action.

Yo **llevo** pantalones grises. Mis amigos **llevan** pantalones negros.	*I'm wearing gray pants. My friends are wearing black pants.*

Here are some of the common endings for Spanish verbs.* The subject pronouns are in parentheses because it is not always necessary to use them.

llevar = *to wear*

llevar (*to wear*)		
(yo)	llev**o**	*I wear*
(usted, él/ella)	llev**a**	*you (sing.) wear; he/she wears*
(nosotros/as)	llev**amos**	*we wear*
(ustedes, ellos/as)	llev**an**	*you (pl.) wear; they wear*

These endings are used on most Spanish verbs, and you will soon become accustomed to hearing and using them.

In **Paso C** you will see the forms of the verb **tener** (*to have*), which you have also heard in class.

tengo = *I have*
tiene = *he/she has*

La profesora Martínez **tiene** el pelo negro.	*Professor Martínez has black hair.*
Yo **tengo** los ojos azules.	*I have blue eyes.*

---

*You will learn more about verb endings in **Gramática C.5, 1.3,** and **3.2.**

A.7 Identifying People and Things: Plural Forms (Part 1)

Almost all plural words in Spanish end with **-s** or **-es**. Articles and adjectives agree with the nouns they modify.

Spanish and English nouns may be singular (**camisa,** *shirt*) or plural (**camisas,** *shirts*). Almost all plural words in Spanish end in **-s** or **-es: blusas** (*blouses*), **pantalones** (*pants*), **suéteres** (*sweaters*), **zapatos** (*shoes*), and so on.* In Spanish, unlike English, articles before plural nouns and adjectives that describe plural nouns must also be plural. Notice the plural ending on the Spanish word for *new* in the following example.

Nora tiene dos **faldas nuevas.**   *Nora has two new skirts.*

Here are some singular and plural nouns, accompanied by the corresponding definite articles and adjectives.

	SINGULAR	PLURAL
Masculine	el vestido gris	**los** zapatos blancos
Feminine	la chaqueta roja	**las** blusas amarillas

---

*You will learn more about how to make nouns and adjectives plural in **Gramática B.5.**

PASO B

Las descripciones

▼▼▼▼▼▼▼▼▼▼▼▼▼▼▼▼▼▼▼▼▼

METAS

In **Paso B** you will continue to develop your listening and speaking abilities in Spanish. You will learn more vocabulary with which to describe your immediate environment. You will also get to know your classmates better as you converse with them.

Sevilla, España

ACTIVIDADES DE COMUNICACIÓN

Hablando con otros

Las cosas en el salón de clase y los números (40–69)

El cuerpo humano

La descripción de las personas

EN RESUMEN

GRAMÁTICA Y EJERCICIOS

B.1 Addressing Others: Informal and Polite *you* (**tú/usted**)

B.2 Describing People: More about Subject Pronouns

B.3 Identifying People and Things: Gender (Part 2)

B.4 Expressing Existence: **hay**

B.5 Describing People and Things: Plural Forms (Part 2)

B.6 Describing People and Things: Adjective-Noun Agreement

Actividades de comunicación

Hablando con otros

Lea Gramática B.1–B.2.

Actividad 1. Identificaciones: ¿*Tú* o *usted*?

Usted habla con estas personas. ¿Usa **tú** o **usted?**

1. un amigo de la universidad
2. el profesor de matemáticas
3. una niña de diez años
4. un amigo de su papá
5. una señora de treinta y cinco años
6. una recepcionista
7. su doctor
8. su hermano/a

Actividad 2. Diálogos: ¿Cómo está usted? ¿Cómo estás tú?

El señor Olivera saluda a su joven vecina Amanda.

DON ANSELMO: Hola, Amanda.
    AMANDA: Buenos días, señor Olivera. ¿Cómo está usted?
DON ANSELMO: Muy bien, gracias. ¿Cómo está tu mamá?
    AMANDA: Ella está bien, gracias.

Amanda saluda a su amiga Graciela.

AMANDA: Buenas tardes, Graciela. ¿Cómo estás?
GRACIELA: Regular. ¿Y tú?
AMANDA: Un poco cansada.

Actividad 3. Diálogos abiertos: Más saludos

EL ESTUDIANTE NUEVO
E1: Hola, _____. ¿Cómo estás?
E2: _____. ¿Y tú?
E1: _____.
E2: ¿Quién es el chico de pelo _____?
E1: Es un amigo de _____. Se llama _____.

EN LA OFICINA
E1: Buenos días, _____. ¿Cómo está usted?
E2: Estoy _____. ¿Y usted?
E1: _____. ¿Quién es la señorita de pelo _____?
E2: Es _____. Es la secretaria.

Las cosas en el salón de clase y los números (40–69)

Lea Gramática B.3–B.4.

Actividad 4. Identificaciones: ¿Qué hay en el salón de clase?

MODELOS: En mi clase hay... → *un lápiz viejo.*
              En mi clase hay... → *una pizarra blanca.*

1. un lápiz	**a.** amarillo/a ~ azul ~ color café
2. una ventana	**b.** moderno/a ~ antiguo/a
3. una pizarra	**c.** interesante ~ aburrido/a
4. un reloj	**d.** fácil ~ difícil
5. un bolígrafo	**e.** blanco/a ~ negro/a
6. una mesa	**f.** largo/a
7. un libro	**g.** viejo/a ~ nuevo/a
8. una puerta	**h.** pequeño/a ~ grande
9. un mapa	**i.** ¿ ?
10. un cartel	

Actividad 5. Intercambios: El salón de clase

MODELO: E1: ¿Cuántos/as _____ hay en el salón de clase?
              E2: Hay _____.

1. estudiantes	**5.** ventanas
2. mesas	**6.** paredes
3. borradores	**7.** puertas
4. pizarras	**8.** luces

Actividad 6. Intercambios: ¿Cuánto cuesta?

MODELO: E1: ¿Cuánto cuesta *la mochila?*
             E2: Cuesta $50.39 (*cincuenta dólares y treinta y nueve centavos*).

40 cuarenta	50 cincuenta	60 sesenta
41 cuarenta y uno	52 cincuenta y dos	63 sesenta y tres
45 cuarenta y cinco	58 cincuenta y ocho	69 sesenta y nueve

El cuerpo humano

Lea Gramática B.5.

Actividad 7. Descripción de dibujos: ¿Quién es?

Mire a estas personas. Escuche la descripción que da su profesor(a), y diga cómo se llama la persona.

1. Rosa   2. el robot   3. Lupe   4. Reinaldo   5. Víctor   6. María

La descripción de las personas

Lea Gramática B.6.

pelo rubio
ojos azules

joven y
artística

Mónica

bonita
pelo negro
ojos negros

inteligente
y reservada

Lan

de estatura mediana
pelo castaño corto
ojos castaños

divertido
y generoso

lentes

Esteban

alto
delgado

idealista
y tímido

barba

Alberto

bajo
guapo
pelo negro rizado
ojos negros

simpático y
entusiasta

bigote

Luis

Actividad 8. Diálogo: La amiga nueva

ESTEBAN: ¿Cómo es tu amiga nueva, Luis?

LUIS: Es alta, delgada y de pelo castaño. ¡Y muy inteligente!

ESTEBAN: ¿Cómo se llama?

LUIS: Cecilia Teresa.

ESTEBAN: Es un nombre muy bonito.

LUIS: ¡Ella también es una chica muy bonita!

Actividad 9. Diálogo abierto: Los amigos nuevos

E1: ¿Tienes amigos nuevos?

E2: Sí, tengo dos.

E1: ¿Cómo se llaman?

E2: Se llaman _____ y _____ y son muy _____.

E1: ¿Y son _____ también?

E2: ¡Claro que sí! (¡Claro que no!)

Actividad 10. Intercambios: Mis compañeros y yo

Diga cómo es usted con tres descripciones, dos ciertas y una falsa. Su compañero/a va a decir si cada descripción es cierta o falsa.

> MODELO: E1: ¿Cómo eres?
> E2: Soy *simpático/a*.
> E1: Es cierto.
> E2: También soy *materialista*.
> E1: ¡No es cierto! (¡Es falso!)
> E2: Y soy *trabajador(a)*.
> E1: Es cierto.

agresivo/a	extrovertido/a	introvertido/a	reservado/a
antipático/a	filosófico/a	materialista	simpático/a
conservador(a)	generoso/a	nervioso/a	tacaño/a
considerado/a	idealista	perezoso/a	tímido/a
deportista	impulsivo/a	práctico/a	tonto/a
entusiasta	inteligente	religioso/a	trabajador(a)

EXPRESIONES ÚTILES

¿Es cierto?	¡No es cierto!
Es cierto.	¡Es falso!

Actividad 11. Entrevista: Mi mejor amigo/a

ESTUDIANTE 1	ESTUDIANTE 2
1. ¿Cómo se llama tu mejor amigo/a?	Se llama ____.
2. ¿De qué color tiene los ojos?	Tiene los ojos ____.
3. ¿Es alto/a, bajo/a o de estatura mediana?	Es ____.
4. ¿De qué color tiene el pelo?	Tiene el pelo ____.
5. ¿Tiene bigote/barba?	(No) Tiene ____.
6. ¿Cómo es? ¿Es simpático/a? ¿tímido/a? ¿trabajador(a)? ¿ ?	Es ____.

En resumen

De todo un poco

A. Un mundo ideal

Use su imaginación y complete estas descripciones.

1. El salón de clase ideal es ____ y ____.
2. En el salón de clase ideal hay ____. No hay ____.
3. El amigo / La amiga ideal es ____, ____ y ____.
4. El/La estudiante ideal es ____, ____ y ____.
5. El profesor / La profesora ideal es ____, ____ y ____.

B. Su opinión

Exprese su opinión con su compañero/a.

MODELO: E1: La clase de español *es interesante*.
          E2: Estoy de acuerdo. La clase de español *es muy interesante* (*no es aburrida*).

EXPRESIONES ÚTILES

(No) Estoy de acuerdo.

1. La clase de español es (interesante ~ aburrida).
2. Hay muchos estudiantes (inteligentes ~ tontos) en esta clase.
3. El profesor / La profesora de español es (reservado/a ~ entusiasta).
4. El salón de clase es (bonito ~ feo).
5. Yo soy (extrovertido/a ~ tímido/a).

Vocabulario

Las cosas en el salón
Things in the Classroom

el borrador	eraser
el cuaderno	notebook; workbook
el diccionario	dictionary
el escritorio	(teacher's) desk
la luz	light
la mesa	table
el papel	paper
la pared	wall
el piso	floor
la pizarra	(chalk)board
la pluma	pen (*Mex.*)
la silla	chair
el techo	ceiling
la tiza	chalk
la ventana	window

REPASO (*Review*): **el bolígrafo, el lápiz, el libro, la puerta, el pupitre, el reloj, el texto**

El cuerpo humano   The Human Body

la boca	mouth
el brazo	arm
la cabeza	head
la cara	face
el cuello	neck
la espalda	back
el estómago	stomach
el hombro	shoulder
la mano	hand
la nariz	nose
la oreja	ear
el pie / los pies	foot/feet
la pierna	leg

Las personas

el chico / la chica	young man / young woman
el hermano / la hermana	brother/sister
el niño / la niña	boy/girl
el vecino / la vecina	neighbor

PALABRAS SEMEJANTES (*Cognates*): **el doctor / la doctora, la mamá, el papá, el/la recepcionista, el robot, el secretario / la secretaria**

REPASO: la señorita

Las descripciones

¿Cómo es él/ella?	What is he/she like?
¿Cómo es usted? / ¿Cómo eres tú?	What are you like?
abierto/a	open
aburrido/a	boring; bored
antiguo/a	antique
antipático/a	unpleasant
conservador(a)	conservative
de... años	. . . years old
de estatura (mediana)	(medium) height
deportista	fond of sports
difícil	difficult
divertido/a	fun
entusiasta	enthusiastic
extrovertido/a	extroverted
fácil	easy
grande	big, large
introvertido/a	introverted
mejor	best, better
pequeño/a	small
perezoso/a	lazy
simpático/a	nice, pleasant
tacaño/a	stingy
tímido/a	shy
tonto/a	dumb, not too smart
trabajador(a)	hard-working

PALABRAS SEMEJANTES: agresivo/a, artístico/a, considerado/a, generoso/a, filosófico/a, humano/a, ideal, idealista, impulsivo/a, inteligente, interesante, materialista, moderno/a, nervioso/a, práctico/a, religioso/a, reservado/a

REPASO: feo/a

Los verbos

conteste(n)	answer
da	gives
son	are
soy	I am
tiene	has
¿Tienes... ?	¿Do you have . . . ?

Expresiones útiles — Useful Expressions

Claro que sí/no.	Of course (not).
¿Cómo estás (tú)?	How are you? (How do you feel today?)
¿Cuánto cuesta(n)... ?	How much is (are) . . . ?
Cuesta(n)...	It costs (They cost) . . .
¿De qué color tiene el pelo / los ojos?	What color is your/his/ her hair / . . . are your/his/her eyes?
de todo un poco	a bit of everything
Es verdad.	That's right (true).

Está bien.	He/She is fine.
(No) Estoy de acuerdo.	I (do not) agree.
Hola.	Hello.

REPASO: estoy bien, estoy un poco cansado/a

Palabras del texto — Words from the Text

cierto/falso	true/false
el dibujo	drawing
diga	say
la entrevista	interview
hablando	speaking
intercambios	interactions
¡Ojo!	Attention!
en resumen	to sum up

REPASO: el compañero / la compañera

Palabras útiles — Useful Words

el cartel	poster
el centavo	cent
¿Cuántos/Cuántas... ?	How many . . . ?
de	from; of
el, la, los, las	the
yo, tú, usted, él/ella	I, you (inf.), you (pol.), he/she
nosotros/as, ustedes, ellos/ellas	we, you (pl.), they
España	Spain
hay	there is / there are
más	more
la mochila	backpack
muchos/as	much; a lot
el mundo	world
muy	very
otro/a	other, another
¿Qué... ?	What . . . ?
si	if
su	his/her/your (pol.)
también	also
tu	your (inf.)

PALABRAS SEMEJANTES: el dólar / los dólares, el mapa, las matemáticas, la oficina, la universidad

REPASO: con, mi(s)

Los números

cuarenta	forty
cuarenta y uno	forty-one
cuarenta y cinco	forty-five
cincuenta	fifty
cincuenta y uno	fifty-one
cincuenta y dos	fifty-two
cincuenta y ocho	fifty-eight
sesenta	sixty
sesenta y nueve	sixty-nine

Gramática y ejercicios

B.1 Addressing Others: Informal and Polite *you* (*tú/usted*)

A. English speakers use the pronoun *you* to address a person directly, whether or not they know that person well. In older forms of English, speakers used an informal pronoun—*thou*—among friends, but today *you* is used with everyone.

Spanish has two pronouns that mean *you*, singular: **usted** and **tú**. The polite (*pol.*) pronoun **usted** is appropriate for people you do not know well, such as salespeople, receptionists, and other professionals, and especially for people older than you. The informal (*inf.*) pronoun **tú** is reserved for friends, peers, children, and other people you know well. In some places in Latin America, including Argentina and Central America, speakers use **vos** instead of **tú** as the informal pronoun for *you*. Everyone who uses **vos**, however, also understands **tú**.

In the activities and exercises, **Dos mundos** addresses you with **usted**. You should use **tú** with your classmates. Some instructors address their students with **tú**; others use **usted**.

> Both **tú** and **usted** mean *you* (singular). **Tú** is used with friends and children. **Usted** is used with people you don't know well and people older than you.

Soy puertorriqueño. ¿Y **tú?** ¿De dónde eres?	*I'm Puerto Rican. And you? Where are you from?*
Soy profesora de español. ¿Y **usted?** ¿Es **usted** estudiante?	*I'm a professor of Spanish. And you? Are you a student?*

> Use **tú** with your classmates. Use **usted** with your instructor (unless he/she asks you to use **tú**).

B. Although both **tú** and **usted** correspond to *you*, the verb forms used with each are different. Present-tense verb forms for **tú** always end with the letter **-s**. Present-tense verb forms for **usted** end in **-a** or **-e** and are always the same as the forms for **él/ella**.

> Present-tense verb forms for **tú** always end in **-s**.

¿Tien**es** (**tú**) una blusa gris?	*Do you have a gray blouse?*
¿Tien**e usted** un vestido blanco?	*Do you have a white dress?*

We introduced some forms of the verb **ser** (*to be*) in **Gramática A.3**. The **tú** form of **ser** is **eres;** the **usted** form of **ser** is **es** (the same as the form for **él/ella**).

(**Tú**) **Eres** un buen amigo.	*You are a good friend.*
Usted es muy amable, señora Ramírez.	*You are very nice, Mrs. Ramírez.*

C. Spanish distinguishes between singular *you* (**tú** or **usted**) and plural *you* (**ustedes**). Many American speakers of English make this distinction by saying "you guys" or "you all." The verb forms used with **ustedes** end in the letter **-n** and are the same as those used with the pronoun **ellos/as.**

—¿Cómo **están ustedes?**	*—How are you (all)?*
—Bien, gracias.	*—Fine, thanks.*

> The plural of both **tú** and **usted** in Latin America is **ustedes**. In Spain, the plural of **tú** is **vosotros/as** and the plural of **usted** is **ustedes**.

Most speakers of Spanish do not distinguish between informal and polite address in the plural. **Ustedes** is used with everyone. In Spain, however, most speakers prefer to use **vosotros/as** for the informal plural *you* and reserve **ustedes** for the polite plural *you*.

The regional pronouns **vos** and **vosotros/as** do not appear in the exercises and activities of **Dos mundos** because you will learn them quickly if you travel to areas where they are frequently used. The verb forms corresponding to **vosotros/as** are listed with other verb forms and are given in Appendix 1. The verb forms corresponding to **vos** are footnoted in the grammar explanations. In the listening activities of the *Cuaderno de trabajo*, the characters from countries where **vos** and **vosotros/as** are prevalent use those pronouns. This will give you an opportunity to hear **vos** and **vosotros/as** and their accompanying verb forms, even though you will not need to use them yourself.

Ejercicio 1

Usted habla con estas personas: ¿usa **tú** o **usted**?

1. una amiga de su clase de español
   a. ¿Tiene usted dos clases hoy?
   b. ¿Tienes dos clases hoy?
2. la recepcionista
   a. ¿Cómo estás?
   b. ¿Cómo está usted?
3. un niño
   a. Tú tienes una bicicleta nueva.
   b. Usted tiene una bicicleta nueva.

4. una persona de cuarenta y nueve años
   a. ¿Cómo se llama usted?
   b. ¿Cómo te llamas?
5. un vecino de setenta años
   a. Estoy bien. ¿Y tú?
   b. Estoy bien. ¿Y usted?

B.2   Describing People: More about Subject Pronouns

A. Gramática A.3 introduced some of the personal pronouns that can serve as the subject of a sentence. Here is a complete list, using the verb **ser*** as an example.

ser = *to be*

ser (*to be*)		
(yo)	soy	*I am*
(tú)	eres	*you (inf. sing.) are*
(usted, él/ella)	es	*you (pol. sing.) are; he/she is*
(nosotros/as)	somos	*we are*
(vosotros/as)	sois	*you (inf. pl., Spain) are*
(ustedes, ellos/as)	son	*you (pl.) are; they are*

Remember that subject pronouns are optional in Spanish.
(Yo) Soy estudiante. (*I'm a student.*)
(Nosotros) Somos amigos. (*We're friends.*)

The pronouns are in parentheses to remind you that Spanish verbs are generally used without an expressed subject. In fact, as the chart indicates, Spanish does not have a subject pronoun for *it* or for *they*, referring to things. When subject pronouns *are* used in Spanish, they often express emphasis.

_____

*Recognition: **vos sos**

¿Mi automóvil? Es pequeño.	*My car? It's small.*
¿Las faldas? Son caras.	*The skirts? They're expensive.*
Yo soy de Atlanta.	*I am from Atlanta.*

B. Subject pronouns may be used by themselves without verbs, either for emphasis or to point someone out.

¿Quién, **yo**? Yo no soy de Texas; soy de Nueva York.	*Who, me? I'm not from Texas; I'm from New York.*
—¿Cómo estás?	*—How are you?*
—Estoy bien. ¿Y **tú**?	*—I'm fine. And you?*

C. The pronouns **ellos** (*they*), **nosotros** (*we*), and **vosotros** (*you, inf. pl.*) can refer to groups of people that consist of males only or of males and females. On the other hand, **ellas** (*they, fem.*), **nosotras** (*we, fem.*), and **vosotras** (*you, inf. pl. fem.*) can refer only to groups of all females.

—¿Y **ellos**? ¿Quiénes son?	*—And those guys (they)? Who are they?*
—¿Esteban y Raúl? Son amigos.	*—Esteban and Raúl? They're friends.*
—¿Y **ellas**? ¿Son amigas?	*—What about them? Are they friends?*
—Sí, Nora y Carmen son compañeras de mi clase de español.	*—Yes, Nora and Carmen are classmates from my Spanish class.*

Ejercicio 2

Escoja el pronombre lógico.

> MODELO: —Y *ella*, ¿lleva pantalones? →
> —¿Quién, Mónica? Lleva una falda azul.

1. —¿_____ es profesor aquí?
   —¿Quién, Raúl? No, es estudiante.
2. —¿_____ son mexicanos?
   —Sí, Silvia y Nacho son mexicanos.
3. —¡Viejos, _____! No, doña María Eulalia y yo somos muy jóvenes.
4. —Señor Ruiz, _____ tiene bigote, ¿verdad?
5. —¿Y _____? ¿Son estudiantes aquí?
   —No, Pilar y Clara son estudiantes en Madrid.

a. ellos
b. usted
c. ellas
d. él
e. nosotros

B.3 Identifying People and Things: Gender (Part 2)

How can you determine the gender of a noun? The gender of the article and/or adjective that modifies the noun will tell you whether it is masculine or feminine. In addition, the following two simple rules will help you determine the gender of a noun most of the time.

Rule 1: A noun that refers to a male is masculine; a noun that refers to a female is feminine. Sometimes they are a pair distinguished by the endings **-o/-a**; other times they are completely different words.

un muchacho	una muchacha	*boy/girl*
un niño	una niña	*(male) child / (female) child*
un amigo	una amiga	*(male) friend / (female) friend*
un hombre	una mujer	*man/woman*

For some nouns referring to people, the masculine form ends in a consonant and the feminine form adds **-a** to the masculine noun.*

un profesor	una profesora	*(male) professor / (female) professor*
un señor	una señora	*a man (Mr.) / a woman (Mrs.)*

Other nouns do not change at all; only the accompanying article changes.

un elefante	*(male) elephant*
una elefante	*(female) elephant*
un estudiante	*(male) student*
una estudiante	*(female) student*
un joven	*young man*
una joven	*young woman*
un recepcionista	*(male) receptionist*
una recepcionista	*(female) receptionist*

Nouns that end in **-o** are usually masculine; nouns that end in **-a** are usually feminine.

Rule 2: For most nouns that refer to things (rather than to people or animals), the gender is reflected in the last letter of the word. Nouns that end in **-o** are usually grammatically masculine (**un/el cuaderno**), and nouns that end in **-a** are usually grammatically feminine (**una/la puerta**).†

Words that end in **-d** (**una/la universidad**) or in the letter combination **-ión** (**una/la nación**) are also usually feminine.

MASCULINE: -o	FEMININE: -a
un/el bolígraf**o**	una/la civilizac**ión**
un/el cuadern**o**	una/la mes**a**
un/el libr**o**	una/la sill**a**
un/el tech**o**	una/la universi**dad**

---

*This rule includes a few common animals. Some pairs end in **-o/-a**; others end in consonant / consonant + **-a**.

un gato	una gata	*(male) cat / (female) cat*
un perro	una perra	*(male) dog / (female) dog*
un león	una leona	*lion/lioness*

†Three common exceptions are **la mano** (*hand*), **el día** (*day*), and **el mapa** (*map*).

Don't worry if you can't remember all these rules! Note
where they are in this book so
you can refer to them when
you are editing your writing
and when you are unsure of
what gender a noun is.

You will develop a *feel* for
gender as you listen and read
more in Spanish.

Words that refer to things may also end in **-e** or in consonants other than **-d**
and **-ión.** Most of these words that you have heard so far are masculine, but some
are feminine.

un/el borrador	*eraser*	una/la clase	*class*
un/el cartel	*poster*	una/la luz	*light*
un/el lápiz	*pencil*		
un/el pupitre	*desk*		
un/el reloj	*clock*		

Ejercicio 3

Conteste según el modelo.

MODELO: —¿Es un bolígrafo? (lápiz) →
—No, no es un bolígrafo. Es *un* lápiz.

1. ¿Es una pizarra? (pared)
2. ¿Es una oficina? (salón de clase)
3. ¿Es una silla? (escritorio)
4. ¿Es un borrador? (cuaderno)
5. ¿Es una ventana? (silla)

Ejercicio 4

Esteban describe diferentes cosas de su universidad. Complete las oraciones con **el**
o **la.**

1. _____ estudiante es rubia.
2. _____ profesor de matemáticas es
   inteligente.
3. _____ clase es buena.
4. _____ reloj es moderno.
5. _____ papel es amarillo.
6. _____ universidad es buena.
7. _____ motocicleta es negra.
8. _____ automóvil es nuevo.
9. _____ plaza es grande.
10. _____ sombrero es nuevo.

B.4   Expressing Existence: *hay*

hay = there is / there are

Hay is used with singular or
plural nouns.

The verb form **hay** expresses the idea of existence. When used with singular
nouns it means *there is;* with plural nouns it means *there are.*

—¿Qué **hay** en el salón de clase? —*What is there in the classroom?*
—**Hay** dos puertas y una ventana. —*There are two doors and a window.*

Whereas the verb **ser** (*to be*) identifies nouns (see **Gramática A.3**), **hay** simply
states their existence.

—¿Qué **es**? —*What is that?*
—**Es** un bolígrafo. —*It's a pen.*

—¿Cuántos **hay**? —*How many are there?*
—**Hay** tres. —*There are three.*

Ejercicio 5

Imagínese qué cosas o personas hay o no hay en el salón de clase de la profesora Martínez.

MODELOS: lápices → Sí, *hay* lápices en el salón de clase.

perros → No, *no hay* perros en el salón de clase.

1. libros en la mesa
2. un reloj en la pared
3. una profesora
4. un automóvil
5. un profesor
6. papeles en los pupitres
7. un bolígrafo en el pupitre de Alberto
8. muchos cuadernos
9. una bicicleta
10. una ventana

B.5   Describing People and Things: Plural Forms (Part 2)

A. Here are the basic rules for forming plurals in Spanish. Words that end in a vowel (**a, e, i, o, u**) form their plural by adding **-s**.

SINGULAR	PLURAL
el brazo	los brazos
el ojo	los ojos
el pie	los pies
la pierna	las piernas

Words that end in a consonant add **-es**.

SINGULAR	PLURAL
el borrador	los borradores
la pared	las paredes
el profesor	los profesores

To form plurals:
Words ending in vowels add **-s**; words ending in consonants add **-es**; words ending in **-z** change to **-c** and add **-es**. In time, you will acquire a feel for the plural formations.

If the consonant at the end of a word is **-z**, it changes to **-c** and adds **-es**.

SINGULAR	PLURAL
el lápiz	los lápices
la luz	las luces

B. Adjectives that describe plural words must also be plural.

ojos azules   *blue eyes*   orejas grandes   *big ears*
brazos largos   *long arms*   pies pequeños   *small feet*

En mi salón de clase hay dos **ventanas grandes, varias sillas viejas,** cinco **pizarras verdes** y diez **luces.**

In my classroom there are two large windows, several old chairs, five green chalkboards, and ten lights.

Ejercicio 6

Marisa y Clarisa tienen muchas cosas. ¡Pero Marisa siempre tiene una y Clarisa dos!

MODELO: Marisa tiene un suéter azul, pero Clarisa tiene dos... →
suéteres azules.

1. Marisa tiene un par de zapatos, pero Clarisa tiene dos...
2. Marisa tiene un perro nuevo, pero Clarisa tiene dos...
3. Marisa tiene una chaqueta roja, pero Clarisa tiene dos...
4. Marisa tiene un lápiz amarillo, pero Clarisa tiene dos...
5. Marisa tiene una amiga norteamericana, pero Clarisa tiene dos...

Ejercicio 7

¡Ahora Clarisa tiene una y Marisa tiene dos!

MODELO: Clarisa tiene un sombrero grande, pero Marisa tiene dos... →
sombreros grandes.

1. Clarisa tiene un cuaderno pequeño, pero Marisa tiene dos...
2. Clarisa tiene un gato negro, pero Marisa tiene dos...
3. Clarisa tiene una fotografía bonita, pero Marisa tiene dos...
4. Clarisa tiene un reloj bonito, pero Marisa tiene dos...
5. Clarisa tiene un libro difícil, pero Marisa tiene dos...
6. Clarisa tiene un amigo divertido, pero Marisa tiene dos...

B.6 Describing People and Things: Adjective-Noun Agreement

A. Adjectives must agree in gender and number with the nouns they describe; that is, if the noun is singular and masculine, the adjective must also be singular and masculine. Adjectives that end in **-o** in the masculine form and **-a** in the feminine form will appear in the vocabulary lists in **Dos mundos** like this: **bonito/a.** Such adjectives have four possible forms.

> A singular adjective is used to describe a singular noun. A plural adjective is used to describe a plural noun.

	SINGULAR	PLURAL
Masculine	viej**o**	viej**os**
Feminine	viej**a**	viej**as**

Carmen lleva un suéter **bonito** y una falda **nueva.**
Mis zapatos de tenis son **viejos.**

Carmen is wearing a pretty sweater and a new skirt.
My tennis shoes are old.

B. Adjectives that end in a consonant,* the vowel **-e,** or the ending **-ista** have only two forms because the masculine and feminine forms are the same.

	SINGULAR	PLURAL
Masculine/Feminine	jove**n** interesant**e** pesim**ista** azu**l**	jóven**es** interesante**s** pesimista**s** azul**es**

Luis lleva una camisa **azul** y un sombrero **azul.**

Luis is wearing a blue shirt and a blue hat.

Mi amigo Nacho es **pesimista,** pero mi amiga Silvia es **optimista.**

My friend Nacho is pessimistic, but my friend Silvia is optimistic.

Ejercicio 8

Seleccione todas las descripciones posibles.

MODELO: Alberto → *chico, guapo, estudiante*

Nora   Alberto   Esteban   Carmen   la profesora Martínez   Luis   Mónica   Pablo

1. Nora	**a.** mujer	**i.** estudiante
2. Alberto	**b.** chico	**j.** profesor
3. Esteban y Carmen	**c.** secretaria	**k.** mexicana
4. la profesora Martínez	**d.** chica	**l.** altas
5. Luis	**e.** guapo	**m.** bajo
6. Mónica y Carmen	**f.** niñas	**n.** morena
7. Pablo	**g.** amigos	**o.** rubio
	h. estudiantes	

---

*Adjectives of nationality that end in a consonant are an exception to this, since they (like adjectives that end in **-o/-a**) have four forms: **inglés, inglesa, ingleses, inglesas.** See **Gramática C.4** for more information.

Mi familia y mis amigos

▼▼▼▼▼▼▼▼▼▼▼▼▼▼▼▼▼▼▼▼▼

In **Paso C** you will discuss your family, things you own, and people's ages. You will also talk about different languages and nationalities.

Texas, Estados Unidos

ACTIVIDADES DE COMUNICACIÓN

La familia

¿Qué tenemos?

Los números (10–100) y la edad

Los idiomas y las nacionalidades

EN RESUMEN

GRAMÁTICA Y EJERCICIOS

C.1 Expressing Possession: The Verb **tener; de(l)**

C.2 Expressing Possession: Possessive Adjectives

C.3 Expressing Age: The Verb **tener**

C.4 Describing People: Adjectives of Nationality

C.5 Talking about Habitual Actions: Present Tense of Regular **-ar** Verbs

Actividades de comunicación

La familia

Lea Gramática C.1.

Actividad 1. Identificaciones: La familia Saucedo (Parte 1)

¿Cierto o falso? Conteste según el dibujo.

1. Dora es la esposa de Javier.
2. Dora y Javier tienen cuatro hijos: tres hijas y un hijo.
3. Estela es soltera.
4. Raúl es casado.
5. Estela, Paula, Andrea y Raúl son hermanos.
6. La esposa de Pedro se llama Paula.
7. Amanda no tiene primos.
8. Dora tiene cinco nietos: tres nietas y dos nietos.
9. Pedro y Raúl son hermanos.
10. Amanda tiene dos hermanas.

Actividad 2. Intercambios: La familia Saucedo (Parte 2)

Conteste según el dibujo de la página anterior.

MODELOS: E1: ¿Cómo se llama *el hermano de Estela, Paula y Andrea*?
           E2: Se llama *Raúl*.

           E1: ¿Cuántos *hermanos* tiene *Amanda*?
           E2: Tiene *dos*.

Actividad 3. Diálogo: ¿Quién es?

Don Eduardo Alvar habla con Paula Saucedo.

DON EDUARDO: Perdón, señorita Saucedo. ¿Quién es ese joven?
PAULA SAUCEDO: Su nombre es Jorge Saucedo.
DON EDUARDO: ¿Saucedo? ¿Es su hermano?
PAULA SAUCEDO: No. Su apellido es Saucedo también, pero no es mi hermano. Mi hermano se llama Raúl.

Actividad 4. Diálogo abierto: Mis hijos

E1: ¿Cómo se llama usted, señor (señora, señorita)?
E2: Me llamo _____.
E1: ¿Es usted casado/a (soltero/a, viudo/a, divorciado/a)?
E2: Soy _____.
E1: ¿Tiene usted hijos?
E2: Sí, tengo _____ hijos y _____ hijas. (No, no tengo hijos.)

Actividad 5. Entrevista: Mi familia

1. ¿Cómo se llama tu *padre* (madre, hermano/a, abuelo/a)?
   Mi *padre* se llama _____.
2. ¿Cuántos *hermanos* (primos, abuelos, hijos, nietos) tienes?
   Tengo *dos hermanos*. (Tengo *un primo*. Tengo *una nieta*. No tengo *hijos*.)

¿Qué tenemos?

Lea Gramática C.1–C.2.

Doña Lola tiene un coche nuevo.

Los discos compactos son de Amanda.

Ernestito y su perro Lobo son amigos.

Actividad 6. Diálogo: El coche de don Eduardo

ERNESTITO: ¿Tiene usted coche, señor Alvar?
DON EDUARDO: Sí, tengo un coche azul, un poco viejo.
ERNESTITO: Yo no tengo coche pero tengo una bicicleta nueva.
DON EDUARDO: Sí, y tu bicicleta es muy bonita.

Actividad 7. Descripción de dibujos: ¿De quién... ?

1. ¿Quién tiene dos camisas nuevas?
2. ¿Quién tiene dos perros?
3. ¿De quién es el vestido nuevo?
4. ¿Quién tiene una computadora?
5. ¿De quién es el carro nuevo?
6. ¿Quiénes tienen helados?

Actividad 8. Entrevista: Mi perro y mi carro

1. ¿Tienes perro (gato)?
   Sí, tengo _____. (No, no tengo perro/gato.)
2. ¿Cómo es tu perro (gato)?
   Mi perro (gato) es _____.
3. ¿Tienes carro?
   Sí, tengo _____. (No, no tengo carro. Tengo bicicleta.)
4. ¿Cómo es tu carro (bicicleta)?
   Mi carro (bicicleta) es _____.

Los números (10–100) y la edad

Lea Gramática C.3.

10 diez	76 setenta y seis
20 veinte	80 ochenta
30 treinta	82 ochenta y dos
40 cuarenta	90 noventa
50 cincuenta	94 noventa y cuatro
60 sesenta	100 cien
70 setenta	110 ciento diez

Actividad 9. Diálogos: ¿Cuántos años tienen?

GRACIELA: Amanda, ¿quién es esa niña?

AMANDA: Es mi prima, Clarisa.

GRACIELA: ¿Cuántos años tiene?

AMANDA: Tiene sólo seis años, y es muy inteligente.

DON EDUARDO: Señor Ruiz, ¿cuántos hijos tiene usted?

PEDRO RUIZ: Tengo dos hijas.

DON EDUARDO: ¿Y cuántos años tienen?

PEDRO RUIZ: Bueno, Clarisa tiene seis años y Marisa tiene cuatro.

DON EDUARDO: ¡Sólo dos hijas! ¡Cómo cambia el mundo!

Actividad 10. Diálogo abierto: ¿Cuántos años tienes?

E1: ¿Cuántos años tienes?

E2: Tengo _____ años.

E1: ¿Tienes hermanos?

E2: Sí, tengo _____ hermanos y _____ hermanas. (No, no tengo hermanos, pero tengo _____.)

E1: ¿Cuántos años tiene tu hermano/a mayor/menor?

E2: Mi hermano/a _____ tiene _____ años.

Los idiomas y las nacionalidades

Lea Gramática C.4–C.5.

Hans Schumann es alemán y habla alemán.

Gina Sfreddo es italiana y habla italiano.

Iara Gomes y Zidia Oliveira son brasileñas y hablan portugués.

Masato Hamasaki y Goro Nishimura son japoneses y hablan japonés.

PAÍS	NACIONALIDAD	IDIOMA(S)
Alemania	alemán, alemana	alemán
Argentina	argentino/a	español
Brasil	brasileño/a	portugués
Canadá	canadiense	inglés/francés
China	chino/a	chino
Corea (del Norte / del Sur)	coreano/a	coreano
Cuba	cubano/a	español
Egipto	egipcio/a	árabe
España	español(a)	español
los Estados Unidos	(norte)americano/a	inglés
Francia	francés, francesa	francés
Inglaterra	inglés, inglesa	inglés
Israel	israelí	hebreo
Italia	italiano/a	italiano
Japón	japonés, japonesa	japonés
México	mexicano/a	español

PAÍS	NACIONALIDAD	IDIOMA(S)
la República de Sudáfrica	sudafricano/a	afrikaans / lenguas africanas / inglés
Rusia	ruso/a	ruso
Vietnam	vietnamita	vietnamés

Actividad 11. Asociaciones: ¿Qué nacionalidad? ¿Qué idioma?

Diga cuál es la nacionalidad de estas personas y qué idiomas hablan.

MODELO: Gloria Estefan... Cuba →
Gloria Estefan es *cubana* y habla *inglés y español.*

	PERSONA	PAÍS
1.	Nelson Mandela	la República de Sudáfrica
2.	el príncipe Carlos	Inglaterra
3.	Luciano Pavarotti	Italia
4.	Boris Yeltsin	Rusia
5.	Xuxa	Brasil
6.	Hosni Mubarak	Egipto
7.	Gérard Depardieu	Francia
8.	Arantxa Sánchez Vicario	España
9.	Benjamín Netanyahu	Israel

Actividad 12. Diálogo abierto: Amigos internacionales

E1: ¿Tienes un amigo *japonés* (una amiga *japonesa*)?
E2: Sí, se llama _____.
E1: ¿Hablas *japonés* o *inglés* con él (ella)?
E2: Hablamos *inglés.* (Normalmente hablamos *inglés,* pero a veces hablamos *japonés.*)

Actividad 13. Intercambios: En la agencia de viajes

MODELO: CLIENTE: Señorita (Señor, Señora), quiero viajar *a París.*
              AGENTE: ¿Habla usted *francés?*
             CLIENTE: Sí, hablo *un poco de francés.* (No, no hablo *nada de francés.* / Sí, hablo *francés muy bien.*)

CIUDADES

Roma	Madrid	Río de Janeiro
Londres	Buenos Aires	Montreal
Toronto	Moscú	Berlín
Los Ángeles	Pekín	Tokio

IDIOMAS

italiano	ruso	francés
inglés	chino	alemán
español	portugués	japonés

FRASES ÚTILES

un poco de	nada de	muy bien

En resumen

De todo un poco

Entrevista: Su familia y sus amigos

Entreviste a su compañero/a. Tome apuntes y luego comparta la información con la clase.

1. —¿Son norteamericanos tus padres?
   —Sí/No, mis padres son _____.
2. —¿Cuántos años tienen ellos?
   —Mi padre tiene _____ años y mi madre tiene _____ años.
3. —¿Qué idiomas hablan?
   —Mis padres hablan _____. (Mi padre habla _____ y mi madre habla _____.)
4. —¿Cuántos años tienen tus abuelos?
   —Mi abuelo tiene _____ y mi abuela tiene _____. (Mis abuelos están muertos.)
5. —¿Qué idiomas hablan tus abuelos?
   —Hablan _____. (Mi abuelo habla _____ y mi abuela habla _____.)
6. —¿Tienes muchos hermanos?
   —Sí, tengo _____. (No, tengo sólo _____. / No, soy hijo único / hija única.)
7. —¿Cómo se llaman tus hermanos?
   —Mis hermanos se llaman _____ y _____. (Mi hermano/a se llama _____.)

8. —¿Tienes amigos de (*país*)?
   —Sí, tengo amigos (un amigo / una amiga) de _____ .
9. —¿Cómo se llaman tus amigos? (¿Cómo se llama tu amigo/a?)
   —Se llaman _____ y _____ . (Se llama _____ .)
10. —¿Qué idiomas hablan ellos? (¿Qué idiomas habla él/ella?)
    —Hablan _____ . (Habla _____ .)

VIDEOTECA

In this first segment of the *Video to accompany Dos Mundos,* you will meet two students at **la Universidad Nacional Autónoma de México.** Try to identify where the students are from and how old they are. **Paso C** of the *Cuaderno de trabajo* contains additional activities for you to do after you have seen this video segment.

Vocabulario

La familia

el abuelo / la abuela	grandfather/grandmother
los abuelos	grandparents
el esposo / la esposa	husband/wife
el hijo / la hija	son/daughter
el hijo único / la hija única	only child (only son / only daughter)
los hijos	sons (sons and daughters; children)
la madre	mother
el nieto / la nieta	grandson/granddaughter
el padre	father
los padres	parents
el primo / la prima	cousin

Los países — Countries

Alemania	Germany
Corea del Norte / del Sur	North/South Korea
(los) Estados Unidos	United States
Inglaterra	England
(la) República de Sudáfrica	South Africa

PALABRAS SEMEJANTES: Brasil, Canadá, China, Cuba, Egipto, Francia, Israel, Italia, Japón, México, Rusia, Vietnam

REPASO: España

Las nacionalidades

alemán/alemana	German
brasileño/a	Brazilian
chino/a	Chinese
coreano/a	Korean
egipcio/a	Egyptian
español(a)	Spanish
francés/francesa	French
inglés/inglesa	English
norteamericano/a	North American
ruso/a	Russian
sudafricano/a	South African
vietnamita	Vietnamese

PALABRAS SEMEJANTES: americano/a, árabe, argentino/a, canadiense, cubano/a, israelí, italiano/a, japonés/japonesa, mexicano/a, portugués/portuguesa

Los idiomas — Languages

el alemán	German
el chino	Chinese
el español	Spanish
el francés	French
el hebreo	Hebrew
el inglés	English
las lenguas africanas	African languages
el ruso	Russian

PALABRAS SEMEJANTES: el afrikaans, el árabe, el coreano, el italiano, el japonés, el portugués, el vietnamés

Las ciudades — Cities

Londres	London
Moscú	Moscow
Pekín	Beijing

PALABRAS SEMEJANTES: Berlín, Buenos Aires, Los Ángeles, Madrid, Montreal, Río de Janeiro, Roma, Tokio, Toronto

Los adjetivos

casado/a	married
divorciado/a	divorced
mayor	older
menor	younger
muerto/a	dead
soltero/a	single
viudo/a	widowed

Las personas

el gemelo / la gemela	twin
la princesa	princess
el príncipe	prince

Los verbos

quiero	I want
tener	to have
viajar	to travel

Expresiones útiles

¡Cómo cambia el mundo!	How the world changes!
¿Cuántos años tiene(s)?	How old are you?
Tengo... años.	I am . . . years old.

¿Cuántos... tiene(s)?	How many . . . do you have?
¿De quién es/son... ?	Whose is/are . . . ?
más/menos de	more/less than
nada de	nothing; any (at all)
perdón	pardon me; excuse me
un poco de	a little
¿Qué tiene(n)... ?	What do/does . . . have?
¿Quién(es) tiene(n)... ?	Who has . . . ?

Palabras útiles

la agencia de viajes	travel agency
el apellido	last name
a veces	sometimes
la bicicleta	bicycle
bueno...	well . . .
el carro / el coche	car
¿Cuál... ?	Which . . . ?
la edad	age
el helado	ice cream
pero	but
según	according to
sólo	only

PALABRAS SEMEJANTES: la computadora, el disco compacto, normalmente

REPASO: un poco

Palabras y frases del texto

comparta(n)	share
conteste(n)	answer
la frase	phrase, sentence
luego	then
la página anterior	preceding page
Tome apuntes.	Take notes.

PALABRAS SEMEJANTES: la información, internacional, la parte

Los números

setenta	seventy
ochenta	eighty
ochenta y dos	eighty-two
noventa	ninety
noventa y cuatro	ninety-four
cien	one hundred
ciento diez	one hundred ten

Gramática y ejercicios

C.1 Expressing Possession: The Verb *tener; de(l)*

Just like English, Spanish has several ways of expressing possession. Unlike English, however, Spanish does not use an apostrophe and *s*.

tener = *to have*

A. Perhaps the simplest way of expressing possession is to use the verb **tener*** (*to have*). Like the verb **ser, tener** is classified as an irregular verb because of changes in its stem.[†] The endings that attach to the stem, however, are regular.

tener (*to have*)		
(yo)	tengo	*I have*
(tú)	tienes	*you (inf. sing.) have*
(usted, él/ella)	tiene	*you (pol. sing.) have; he/she has*
(nosotros/as)	tenemos	*we have*
(vosotros/as)	tenéis	*you (inf. pl., Spain) have*
(ustedes, ellos/as)	tienen	*you (pl.) have; they have*

—Profesora Martínez, ¿**tiene** usted un automóvil nuevo?
—Sí, **tengo** un Toyota verde.

—*Professor Martínez, do you have a new automobile?*
—*Yes, I have a green Toyota.*

English: *'s*
  Mike**'s** new car
  Sarah**'s** friends
Spanish: **de** + person
  el carro nuevo **de Miguel**
  los amigos **de Sara**

B. The verb **ser** (*to be*) followed by the preposition **de** (*of*) can also be used to express possession. The equivalent of the English word *whose* is **¿de quién?** (literally, *of whom?* or *to whom?*).

—¿**De quién es** el cuaderno?

—**Es de** Carmen.

—*To whom does the notebook belong?*

—*It's Carmen's.*

de + **el** = **del**
de + **la** remains **de la**

C. The preposition **de** (*of*) followed by the masculine article **el** (*the*) contracts to **del** (*of the*).

—¿**De quién es** el bolígrafo?
—**Es del** profesor.

—*Whose pen is this?*
—*It's the professor's.*

The other combinations of **de** + article do not contract: **de la, de los, de las.**

Los zapatos **de la** niña son nuevos.

The girl's shoes are new.

---

*Recognition: **vos tenés**
[†]See **Gramática C.5** for more information on verb stems.

Ejercicio 1

Diga qué tienen estas personas. Use las formas del verbo **tener**.

> MODELO: Luis *tiene* una bicicleta negra.

1. Pablo _____ una chaqueta negra.
2. Esteban y yo _____ un coche viejo.
3. Mónica, tú no _____ el libro de español, ¿verdad?
4. (Yo) _____ dos lápices y un cuaderno sobre mi pupitre.
5. Nora y Alberto no _____ hijos, ¿verdad?

Ejercicio 2

Diga de quién son estas cosas.

> MODELO: Mónica / bolígrafo → El bolígrafo *es de* Mónica.

1. la profesora Martínez / carro

2. Luis / camisa

3. Nora / perro

4. Esteban / lentes

5. Alberto / saco

6. Carmen / bicicleta

C.2   Expressing Possession: Possessive Adjectives

Possession can be indicated by the following possessive adjectives. The particular adjective you choose depends on the owner, but the adjective itself, like other Spanish adjectives, agrees in number and gender with the word it describes: that is, with the *object owned*, not with the owner.

SINGULAR OWNER		PLURAL OWNER	
mi* tu*	*my* *your (inf. sing.)*	nuestro/a vuestro/a	*our* *your (inf. pl., Spain)*
su	*your (pol. sing.), his/her*	su	*your (pl.); their*

¿**Mi** hermano? Tiene el pelo negro.

My brother? He has black hair.

Nuestro carro nuevo es rojo.

Our new car is red.

Nuestra profesora es Adela Martínez.

Our professor is Adela Martínez.

SINGULAR POSSESSION (PLURAL POSSESSIONS)		SINGULAR POSSESSION (PLURAL POSSESSIONS)	
mi(s) tu(s)	*my* *your (inf. sing.)*	nuestro(s)/a(s) vuestro(s)/a(s)	*our* *your (inf. pl., Spain)*
su(s)	*your (pol. sing.), his/her*	su(s)	*your (pl.); their*

Mi falda es vieja pero **mis** zapatos son nuevos.

My skirt is old but my shoes are new.

Clarisa y Marisa tienen una casa grande. **Su** casa es grande.

Clarisa and Marisa have a big house. Their house is big.

Raúl, ¿**tus** hermanas son gemelas?

Raúl, are your sisters twins?

Clarisa y Marisa tienen dos tías y un tío. **Su** tío se llama Raúl.

Clarisa and Marisa have two aunts and one uncle. Their uncle's name is Raúl.

su = *his, her, your, their* (one item)
sus = *his, her, your, their* (multiple items)

Keep in mind that the pronoun **su(s)** can have various meanings: *your, his, her,* or *their.* The context normally clarifies to whom **su(s)** refers.

Luis no tiene **sus** libros.

Luis doesn't have his books.

El señor y la señora Ruiz tienen **su** coche aquí.

Mr. and Mrs. Ruiz have their car here.

Generally speaking, use **usted** and **su(s)** when addressing a person by his or her last name.

Señor Ramírez, ¿es **usted** mexicano? ¿Y **sus** padres?

Mr. Ramírez, are you Mexican? And your parents?

*****Tú** (with an accent mark) corresponds to *you;* **tu** (without an accent mark) corresponds to *your.*

Remember that you will acquire much of this material in time as you listen to and read Spanish.

When using a first name to address someone, use **tú** and **tu(s)**.

> Raúl, **tu** amiga es inglesa pero **tú** y **tus** padres son mexicanos, ¿no?

> *Raúl, your friend is English but you and your parents are Mexican, aren't you?*

Ejercicio 3

Complete estas oraciones con la forma apropiada del adjetivo posesivo: **mi(s)**, **tu(s)**, **su(s)** o **nuestro(s)/a(s)**.

> MODELO: Estela, ¿dónde están *tus* hijos?

1. Mi novia no tiene ＿＿＿ libro de matemáticas.
2. El profesor no tiene ＿＿＿ botas.
3. No tienes ＿＿＿ reloj, ¿verdad?
4. No tengo ＿＿＿ zapatos de tenis.
5. No tenemos ＿＿＿ cuadernos.
6. —Señores Ruiz, ¿dónde están ＿＿＿ hijas?
   —＿＿＿ hijas, Clarisa y Marisa, están en casa.
7. Guillermo no tiene ＿＿＿ chaqueta.
8. Estela y Ernesto no tienen ＿＿＿ automóvil todavía.
9. Graciela, ＿＿＿ ojos son muy bonitos.
10. No tengo ＿＿＿ bicicleta aquí.

Ejercicio 4

Complete los diálogos con la forma apropiada del adjetivo posesivo.

> MODELO: RAÚL: ¡Qué inteligente es *tu* amiga!
>   ALBERTO: Sí, y ella es idealista, también.

1. RAÚL: Silvia, ＿＿＿ perro, Sultán, es muy inteligente.
   SILVIA: Gracias, Raúl, pero no es ＿＿＿ perro. Es de Nacho.

2. CLARA: Pilar, ¿tienen un carro ＿＿＿ padres?
   PILAR: Sí, ＿＿＿ padres tienen un Seat rojo.

3. JOSÉ: ¿Cómo se llama la novia de Andrés?
   PILAR: ＿＿＿ novia se llama Ana.

4. ABUELA: Marisa y Clarisa, ¡qué bonitas son ＿＿＿ faldas! ¿Son nuevas?
   MARISA: Sí, abuelita. Y ＿＿＿ zapatos son nuevos también.

C.3   Expressing Age: The Verb *tener*

English: **I am** 24 (years old).
Spanish: **Tengo** 24 (años).

In English, the verb *to be* is used for telling age (*I am 21 years old*), but in Spanish the verb **tener** expresses age. To ask about age, use the question **¿Cuántos años... ?** (*How many years . . . ?*)

> —Señora Ramírez, **¿cuántos años tiene** usted?
> —**Tengo** treinta y cinco (años).

> —*Mrs. Ramírez, how old are you?*
> —*I'm 35 (years old).*

¿RECUERDA?

In **Gramática C.1** you learned the present-tense forms of the verb **tener.** Review them now, if necessary.

Ejercicio 5

Escriba la edad de estos amigos.

> MODELO: Rogelio Varela / 21 → Rogelio Varela *tiene 21 años.*

1. Adriana Bolini / 35
2. Carla Espinosa / 22
3. Rubén Hernández Arenas / 38
4. Susana Yamasaki González / 33
5. doña María Eulalia González de Saucedo / 79
6. yo / _____ años

Ejercicio 6

Escriba la edad de estas personas.

don Eduardo Alvar (n. 1918)   Estela Ramírez (n. 1963)   Ernestito Ramírez (n. 1990)   Amanda Ramírez (n. 1984)   doña Lola Batini (n. 1956)

¿RECUERDA?

In **Gramática B.6** you learned that adjectives that end in **-o/-a** have four forms.
 roj**o** *masc. sing.*
 roj**a** *fem. sing.*
 roj**os** *masc. pl.*
 roj**as** *fem. pl.*

C.4 Describing People: Adjectives of Nationality

A. Adjectives of nationality that end in **-o/-a,** just like other adjectives that end in **-o/-a,** have four forms.

	SINGULAR	PLURAL
Masculine	chin**o**	chin**os**
Feminine	chin**a**	chin**as**

Victoria no es **china,** pero habla chino muy bien.

Victoria is not Chinese, but she speaks Chinese very well.

B. Adjectives of nationality that end in a consonant have four forms also.

	SINGULAR	PLURAL
Masculine	inglés*	ingles**es**
Feminine	ingles**a**	ingles**as**

John es **inglés,** pero su madre es **española.**

John is English, but his mother is Spanish.

---

*See the *Cuaderno de trabajo*—**Capítulo 2** and Appendix 3—for details on written accent marks.

Do capitalize names of countries in Spanish.
Colombia
Panamá
Inglaterra
Do not capitalize nationalities and languages in Spanish.
colombiano
panameñas
español
inglés

C. Adjectives of nationality that end in **-e** have only two forms.

	SINGULAR	PLURAL
Masculine/Feminine	canadiens**e**	canadiens**es**

D. Adjectives of nationality and the names of languages are not capitalized in Spanish. Names of countries, however, are capitalized.

Ejercicio 7

¿De qué nacionalidad son estas personas?

MODELO: el señor Shaoyi He → *Es chino.*

1. _____ la señorita Fernández
2. _____ los señores Watanabe
3. _____ el señor Hartenstein
4. _____ las hermanas Lemieux
5. _____ la señorita Cardinale y la señorita Lomeli
6. _____ la señorita Tang
7. _____ el señor Thatcher

a. alemán/alemana
b. chino/china
c. español/española
d. francés/francesa
e. inglés/inglesa
f. italiano/italiana
g. japonés/japonesa

C.5   Talking about Habitual Actions: Present Tense of Regular *-ar* Verbs

¿RECUERDA?

In Spanish the forms of a verb change to show who is performing the action. You have already seen the forms of **ser** (**Gramática A.3**), **llevar** (**Gramática A.6**), and **tener** (**Gramática C.1**). Now look at the drawings at the bottom of this page and notice the forms of the verb **hablar** (*to speak*).

infinitive = verb form ending in **-ar**, **-er**, or **-ir**

You will not find the conjugated forms of a verb—**hablo**, **hablas**, **habla**, and so forth—as main entries in a dictionary. You must know the infinitive in order to look up the verb.

A. The verb form listed in the dictionary and in most vocabulary lists is the *infinitive*. In Spanish many infinitives end in **-ar** (**llamar, llevar**), but some end in **-er** (**tener**) or in **-ir** (**vivir**). The forms of the verb are called its *conjugation*. Here is the present-tense conjugation of the regular **-ar** verb **hablar.*** Regular verbs are classified as such because their *stem* (the infinitive minus the ending) remains the same in all forms; the only change is in the endings, which are added to the stem.

*Recognition: **vos hablás**

hablar (*to speak*)	
(yo) habl**o**	*I speak*
(tú) habl**as**	*you (inf. sing.) speak*
(usted, él/ella) habl**a**	*you (pol. sing.) speak; he/she speaks*
(nosotros/as) habl**amos**	*we speak*
(vosotros/as) habl**áis**	*you (inf. pl., Spain) speak*
(ustedes, ellos/as) habl**an**	*you (pl.) speak; they speak*

B. Remember that Spanish verb endings indicate, in many cases, who or what the subject is, so it is not always necessary to mention the subject explicitly. That is why the pronouns are in parentheses in the preceding table.

—¿**Hablas** español?　　　　　　　　—*Do you speak Spanish?*
—Sí, y **hablo** inglés también.　　　　—*Yes, and I speak English too.*

These endings take time to acquire. You can understand and communicate with an incomplete knowledge of them, but they are important; make sure you include them when you write.

Ejercicio 8

Estamos en una fiesta en casa de Esteban. Complete estas oraciones con la forma correcta del verbo **hablar**.

1. Esteban, las dos chicas rubias _____ alemán, ¿verdad?
2. Mónica, ¿_____ francés tu padre?
3. Alberto y Luis no _____ francés.
4. Nora, ¿_____ tú chino?
5. No, yo no _____ chino, pero _____ un poco de japonés.

Ejercicio 9

¿Qué idiomas hablan estas personas? Complete cada oración con la forma correcta del verbo **hablar** y el idioma apropiado.

1. Susana Yamasaki González es peruana y _____ español y _____.
2. Los señores Ramírez son mexicanos y _____ _____.
3. Li Yuan Tseng y Mei Chang son chinos y _____ _____.
4. Kevin Browne y Stephen Craig son ingleses. _____ _____.
5. Talia Meir y Behira Sefamí son israelíes. _____ _____.
6. ¿Eres rusa? Entonces, tú _____ _____.

CAPÍTULO 1

Los datos personales y las actividades

METAS

In **Capítulo 1** you will learn to tell time and give personal information: your address, your phone number, and your birthday. You and your classmates will talk about sports and other leisure-time activities you enjoy.

Torreón, México

Actividades de comunicación y lecturas

Las fechas y los cumpleaños

Lea Gramática 1.1.

*Feliz cumpleaños
a mi querido
esposo*

Virginia

Actividad 1. Intercambios: El cumpleaños

Hágale preguntas a su compañero/a sobre los dibujos de la página anterior.

MODELOS: E1: ¿Cuándo nació *José Estrada*?
E2: Nació el *15 de abril.*

E1: ¿Quién nació el *15 de octubre*?
E2: *Raúl Saucedo.*

Actividad 2. Intercambios: Los amigos de Esteban Brown

MODELO: E1: ¿Quién nació el *30 de mayo de 1977*?
E2: *Rogelio Varela.*
E1: ¿Dónde nació?
E2: Nació en *San Juan, Puerto Rico.*

NOMBRE	LUGAR DE NACIMIENTO	FECHA DE NACIMIENTO
Raúl Saucedo	Guanajuato, México	15 de octubre de 1979
Rogelio Varela	San Juan, Puerto Rico	30 de mayo de 1977
Pilar Álvarez	Madrid, España	4 de abril de 1976
Ricardo Sícora	Caracas, Venezuela	12 de octubre de 1979
Carmen Bradley	Corpus Christi, Texas	23 de junio de 1979
Nora Morales	San Antonio, Texas	4 de julio de 1973

Actividad 3. Intercambios: ¿Qué quieres para tu cumpleaños?

MODELO: E1: ¿Quieres *un reloj* para tu cumpleaños?
E2: Sí, quiero *un reloj.* (No, no quiero *un reloj*, quiero *una mochila.*)

1. un reloj
2. una computadora
3. una bicicleta
4. un reproductor para discos compactos
5. una camisa
6. un suéter
7. unos esquíes
8. entradas para un concierto

9. un coche

10. una mochila

11. una cámara

12. un televisor

13. discos compactos

14. un equipo de música

El horóscopo

Aquí está el horóscopo, con información para todos. Lea la descripción de su signo y ¡descubra su personalidad!

CAPRICORNIO (del 22 de diciembre al 20 de enero): Usted es una persona muy organizada; tiene buen sentido del humor y una personalidad muy atractiva. Su color es el verde claro.

ACUARIO (del 21 de enero al 18 de febrero): Usted es una persona elegante y creativa; es un poco idealista y muy independiente. Colores: rosado y blanco.

PISCIS (del 19 de febrero al 20 de marzo): Usted es muy independiente y entusiasta. No es una persona idealista, pero sí muy trabajadora. Color: amarillo.

ARIES (del 21 de marzo al 19 de abril): Usted tiene una personalidad muy expresiva; es una persona activa, enérgica ¡y un poquito impulsiva! Su color es el rojo brillante.

TAURO (del 20 de abril al 20 de mayo): Usted es un poco temperamental. ¡Pero tiene buen sentido del humor! Es una persona muy generosa con sus amigos. Colores: café y negro.

GÉMINIS (del 21 de mayo al 20 de junio): Usted es versátil y muy sociable. No es muy sentimental. La familia y los amigos son muy importantes para usted. Su color favorito es el azul.

CÁNCER (del 21 de junio al 22 de julio): Usted es una persona romántica y un poco sentimental. Pero también es muy activa y trabajadora. Colores: crema y blanco.

LEO (del 23 de julio al 22 de agosto): Usted tiene una personalidad agresiva; es persistente en todas sus actividades. Tiene pocos, pero buenos, amigos. Color: anaranjado.

VIRGO (del 23 de agosto al 22 de septiembre): Usted es de carácter serio y práctico. ¡Tiene mucha energía! Es una persona muy selectiva en sus relaciones. Colores: café oscuro y verde.

LIBRA (del 23 de septiembre al 22 de octubre): Usted es una persona artística y un poco tímida. Es muy jovial y tiene muchos buenos amigos. Su color favorito: azul.

ESCORPIÓN (del 23 de octubre al 22 de noviembre): Usted tiene una personalidad reservada. Es una persona intuitiva, organizada y persistente. Colores: rojo y negro.

SAGITARIO (del 23 de noviembre al 21 de diciembre): ¡Usted es muy optimista! Es una persona sociable y sincera. También es idealista y un poco impulsiva. Colores: azul oscuro y violeta o morado.

Comprensión

Todas las siguientes oraciones son falsas. Cambie las palabras incorrectas para decir la verdad, según la lectura.

> MODELO: Capricornio es del *21 de junio al 22 de julio.* →
> Capricornio es del *22 de diciembre al 20 de enero.*

1. Libra es del *23 de julio al 22 de agosto.*
2. Las personas del signo Sagitario son *muy pesimistas.*
3. Un hombre del signo Virgo normalmente es *impulsivo.*
4. El signo de una mujer que nació el 25 de marzo es *Piscis.*
5. Si una muchacha es del signo Leo, entonces es *muy tímida.*
6. Los colores del signo Acuario son *el café oscuro y el negro.*
7. Una joven del signo Cáncer es *muy práctica.*
8. Generalmente, las personas del signo Géminis son *aburridas.*
9. Las personas del signo Libra tienen *pocos amigos.*
10. Un joven del signo Escorpión probablemente es *agresivo.*

Ahora... ¡usted!

1. ¿Le gusta leer el horóscopo? ¿Por qué?
2. ¿Cree usted que el horóscopo dice la verdad?
3. ¿Tiene amigos del mismo signo que usted? ¿Qué aspectos de la personalidad tienen ustedes en común?

Un paso más... ¡a escribir!

Lea su signo y díganos, ¿es usted así? ¿Qué características de su personalidad *no* se mencionan? Escriba una breve descripción de su signo con más características.

> MODELO: Mi signo es _____. ¡Soy muy _____! Soy una persona _____ y
> _____. También soy _____ y un poco _____. Mi color favorito es
> el _____.

Datos personales: El teléfono y la dirección

Lea Gramática 1.2–1.4.

UNIVERSIDAD NACIONAL AUTÓNOMA DE MÉXICO

Nombre: Ignacio Padilla León
Dirección: Calle Juárez 528, México D.F.
Teléfono: 5-66-57-42
Fecha de Nacimiento: 26-II-77
Sexo: M
Ojos: negros   Edo. Civil: soltero
                      Pelo: castaño
Ciudadanía: mexicana
Nº. de Estudiante: 156-87-40-94

UNIVERSIDAD COMPLUTENSE DE MADRID

Nombre: Pilar Álvarez Cárdenas
Dirección: Calle Almendras 481, Madrid
Teléfono: 4-71-94-55
Fecha de Nacimiento: 4-IV-76
Sexo: F   Edo. Civil: soltera
Ojos: castaños   Pelo: castaño
Ciudadanía: española
Nº. de Estudiante: 115-38-95-42

Actividad 4. Del mundo hispano: El pasaporte

```
Nº M56   44937   26257
CIUDADANÍA  peruana
ESTADO CIVIL
  ☐ casado(a)        ☐ soltero(a)
  ☒ divorciado(a)    ☐ viudo(a)
NOMBRE DE ESPOSO(A)

PROFESIÓN  secretaria / guía
de turistas
OJOS  negros      PELO  negro
ESTATURA  1.62  mts.  PESO  59  kg.

FIRMA  Susana Yamasaki González
```

```
NOMBRE
Susana Yamasaki González
DIRECCIÓN   Carabaya   883
            Calle      No.
            Cuzco      Perú
            Ciudad     País
FECHA DE NACIMIENTO
     27   abril   1965
     Día   Mes    Año
LUGAR DE NACIMIENTO
     Lima,  Perú
```

1. ¿Cómo se llama la señora?
2. ¿Dónde vive?
3. ¿En qué mes nació?
4. ¿Cuál es su estado civil?
5. ¿De qué color tiene los ojos?

Actividad 5. Intercambios: ¿Cómo se escribe?

Usted habla por teléfono con el operador / la operadora.

MODELO: OPERADOR(A): Su nombre y apellido, por favor.
          USTED: *Ted Klamath.*
          OPERADOR(A): Perdón, no entendí bien. ¿Cómo se escribe su apellido?
          USTED: *Ca-ele-a-eme-a-te-hache.*

OPERADOR(A): Su nombre y apellido, por favor.
     USTED: _____.
OPERADOR(A): Perdón, no entendí bien. ¿Cómo se escribe su apellido?
     USTED: _____.

Actividad 6. Diálogo abierto: ¿Dónde vives?

E1: ¿Cómo te llamas?
E2: _____. ¿Y tú?
E1: _____. ¿Dónde vives?
E2: En la calle _____, número _____. ¿Y tú?
E1: Vivo en la calle _____, número _____.
E2: ¿Cuál es tu número de teléfono?
E1: Es el _____. ¿Tienes teléfono tú?
E2: Sí, es el _____.

EL MUNDO HISPANO... su gente

Ana Lilia Gaitán es de Chile y tiene 31 años.

¿Cuáles son sus gustos y pasatiempos?

Me encanta[1] escuchar todo tipo de música, especialmente la latinoamericana. A veces[2] me gusta leer algún libro de Isabel Allende[3] o artículos de revistas[4] que, por lo general, son muy interesantes y son otra forma de aprender sobre otras culturas.

[1]Me... *I really like*   [2]A... *Sometimes*   [3]Isabel... *Famous Chilean novelist, author of the novel* La casa de los espíritus (*House of the Spirits*), *published in 1982. The film version was made in 1993.*   [4]*magazines*

SUDAMÉRICA

EL OCÉANO PACÍFICO

Chile

EL OCÉANO ATLÁNTICO

EL MUNDO HISPANO... en los Estados Unidos

Elizabeth Álvarez nació en los Estados Unidos, de padres mexicanos. Elizabeth tiene 34 años y vive en Perrysburg, Ohio.

Describa a un buen amigo o a una buena amiga.

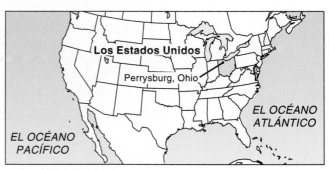

Los Estados Unidos

Perrysburg, Ohio

EL OCÉANO ATLÁNTICO

EL OCÉANO PACÍFICO

Una buena amiga es una persona que está disponible[1] para escucharte cuando más lo necesitas. Es esa persona que te brinda una amistad[2] sincera y que te acepta tal como eres.[3] Mi buena amiga se llama Juanita García. Vive en Calexico, California. Juanita celebra su cumpleaños el cinco de septiembre. Nos gusta celebrar juntas su cumpleaños cuando se puede,[4] porque yo vivo en otro estado. Lo que más nos gusta hacer cuando estamos juntas es conversar. Hablamos mucho de eventos especiales de nuestra niñez.[5]

[1]*available*   [2]te... *offers you a friendship*   [3]tal... *just as you are*   [4]cuando... *when it's possible*   [5]*childhood*

La hora

Lea Gramática 1.5.

 ¿Qué hora es?

Es la una.

Son las nueve menos diez.

Son las tres.

Es la una y media.

Son las diez
menos veinte.

Son las once y cuarto.

Es mediodía.

Es medianoche.

Son las tres menos veinticinco.
(Son las dos y treinta y cinco.)

Son las siete y cinco.

Actividad 7. Diálogo: ¿Qué hora es?

SRA. SILVA: Perdón, don Anselmo, ¿qué hora tiene?
DON ANSELMO: *Son las siete y cuarto.*
SRA. SILVA: Muchas gracias.

PAULA SAUCEDO: Oye, Ernesto, ¿qué hora tienes?
ERNESTO RAMÍREZ: *Es casi medianoche.*
PAULA SAUCEDO: *¡Ya es tarde!*

Actividad 8. Intercambios: ¿Qué hora es?

Escuche a su profesor(a). Diga el número del reloj que corresponde a la hora que él/ella dice. Luego, hágale preguntas a su compañero/a según el modelo.

MODELO: E1: ¿Qué hora es?
          E2: Es la _____. / Son las _____.

1.   2.   3.   4.   5.

6.   7.   8.   9.   10.

11.   12.   13.   14.   15.

EL TIEMPO ESTA DE TU LADO.
es tu hora
V
Viceroy

Actividad 9. Del mundo hispano: Programas de televisión

Hágale preguntas sobre el siguiente horario a un compañero / una compañera.

1. ¿A qué hora es el programa «Treinta minutos»?
2. ¿A qué hora es el «Informativo de la mañana»?
3. ¿En qué canal se presenta el «Festival de cine»?
4. ¿En qué canal se presenta el programa «Hola Raffaella»?
5. ¿Qué canal presenta más programas de deportes?

Sábado 22 Mayo

MAÑANA

tve1

07. 00 Carta de ajuste.
(Sonido de Radio1, de RNE).
07. 30 Pinnic.
Espacio diario dedicado al público infantil que incluye las siguientes series:
– "Los fruittis".
– "Mucho cuento".
– "Las mil y una Américas".
– "Alfred J. Kwak".
– "El mundo de Maxie".
– "La isla del príncipe".
11. 00 Hola Raffaella.
(Redifusión del programa del pasado jueves, día 20 de mayo).
14. 00 El rescate del talismán.

2 TVE

05. 45 Carta de ajuste.
05. 59 Apertura y presentacón.
06. 00 El informativo de la mañana.
09. 25 Testimonio.
09. 30 Grandes intérpretes. Orquesta Filarmónica de Arthur Rubinstein.
10. 00 Últimas preguntas.
10. 30 Jara y sedal.
(Repetición).
11. 00 El mejor deporte.
Espacio deportivo que icluye los siguientes escuentros:
– Pelota.
– Fútbol sala.
– Balonmano.

TELEMADRID

08. 30 Baloncesto. NBA.
(Partido sin confirmar al cierre de esta edición).
10. 15 La Liga. Fútbol alemán. Programa que repasa los encuentros más importantes del fútbol alemán.
12. 00 La liga. Fútbol.
Transmisión del encuentro de fútbol de Segunda División B: Leganés – Atlético de Madrid.
Comentarios: Fernando Burgos y Santiago Acedo.
14. 00 Treinta minutos.
Presenta: Jesús López Jordán.

TARDE

14. 30 El sábado cocino yo. Presenta: Karlos Arguiñano.
15. 00 Telediario -1.
15. 30 Pato aventuras.
(Dibujos animados).
16. 00 Sesión de tarde.
«Los inconquistables».
Dir: Cecil B. Demille.
Con Gary Cooper, Paulette Goddard, Boris Karloff.
18. 40 Segunda sesión.
«Blue Bayou».
Dir: Karen Arthur.
Con Alfred Woodard, Mario Van Peebles, Elizabeth Ashley.

– Gimnasia rítmica.
(Campeonato de Europa).
– Automovilismo.
(Entrenamientos del Gran Premio de Mónaco).
– Motociclismo.
(24 horas de Montjuich).
– Baloncesto.
(All Star Games. Encuentro: Italia – España).
18. 10 Sala 2.
«Un reportero bajo sospecha». Dir: Miguel Courtois.
Con Gerarad Darmon, Anaïs Jeanneret.
20. 00 El informe del día.

14. 30 Telenoticias.
15. 00 Parker Lewis nunca pierde.
15. 30 Cine. Una de risa.
«El divorcio que viene».
Dir: Pedro Masó. Con José Luis López Vázquez, José Sacristán.
17. 35 Cine. Una de aventuras.
«La batalla del río Neretva».
Dir: Velijko Bulajic.
19. 15 La Liga. Fútbol.
– Fútbol previo.
Presentador: Javier Reyero.

NOCHE

20. 30 Juguemos al Trivial.
21. 00 Telediario -2.
21. 30 Informe semanal.
22. 25 Viéndonos.
Dirección del programa: Martes y Trece. Realización: Pepa Martí Maqueda.
00. 00 Cine de medianoche.
«El recuperador».
Dir: Álex Cox. Con Emilio Estevez, Harry Dean Stanton.
01. 40 Deporte noche.
04. 00 Despedida y cierre.

20. 30 La tabla redonda.
21. 30 Área reservada.
Programa musical presentado por Antonio Fernández
22.20 Festival de cine.
«El ruido y la furia»
Dir.: Martin Ritt
00.20 Decálogo 4.
Dir.: Uwe Janson
01.15 Cine Club. gentes de Europa.
«Los caminos de la supervivencia»
Dir: Krzysztof Kieslowski
03.00 Despedida y cierre.

– (20.30) Liga española de fútbol:
Valencia – Athletic de Bilbao.
22. 15 La gran noche del espectáculo.
Incluye:
– Avance informativo.
– Entre amigos.
02. 15 Cine. Sala de madrugada.
«Ángeles sin paraíso».
Dir: John Cassavetes.
04. 05 Información cultural de la Comunidad de Madrid.

Las actividades y los deportes

Lea Gramática 1.6.

Un fin de semana típico de los Ramírez

A Guillermo y a sus amigos
les gusta jugar al fútbol.

A Amanda y a Graciela
les gusta jugar al tenis.

A Ernestito le gusta
andar en bicicleta.

A Estela le gusta ir
de compras.

A Ernesto le
gusta leer.

A Amanda le gusta ver su
telenovela favorita.

A los Ramírez les gusta cenar
en restaurantes italianos.

A Ernesto y a Guillermo les gusta
ver un partido de béisbol en el estadio.

Actividad 10. Intercambios: El fin de semana

MODELOS: E1: ¿A quién le gusta *jugar al basquetbol*?
             E2: A *Ricardo Sícora.*

             E1: ¿Qué le gusta hacer a *Ricardo los sábados*?
             E2: Le gusta *ir al cine.*

NOMBRE	LOS SÁBADOS LE GUSTA	LOS DOMINGOS LE GUSTA...
Ricardo Sícora, 18 años Caracas, Venezuela	ir al cine	jugar al basquetbol
Adriana Bolini, 35 años Buenos Aires, Argentina	cocinar	jugar al tenis
Raúl Saucedo, 19 años México, D.F., México	salir a bailar	ver un partido de fútbol
Nacho Padilla, 21 años México, D.F., México	ver la televisión	jugar al voleibol
Carla Espinosa, 22 años San Juan, Puerto Rico	ir de compras	ir a la playa

Actividad 11. Preferencias: Los gustos

Diga sí o no.

1. Durante las vacaciones me gusta...
   a. viajar.
   b. bailar por la noche.
   c. andar en bicicleta.
   d. dormir todo el día.
2. No me gusta...
   a. nadar en una piscina.
   b. acampar.
   c. jugar en la nieve.
   d. patinar en el hielo.
3. Por la noche, a mis padres les gusta...
   a. ver la televisión.
   b. cenar en restaurantes elegantes.
   c. ir a fiestas.
   d. leer el periódico.
4. A mi profesor(a) de español le gusta...
   a. ir a fiestas.
   b. hacer ejercicio.
   c. cocinar.
   d. llevar ropa elegante.

Y TÚ, ¿QUÉ DICES?

¡Qué interesante!	¡No lo creo!	A mí no me gusta.
¡Qué divertido!	A mí sí me gusta.	A mí tampoco me
¡Qué aburrido!	A mí también me gusta.	gusta.

E1: (A mí) No me gusta acampar.
E2: A mí sí me gusta. (A mí tampoco me gusta.)

Actividad 12. Entrevista: ¿Qué te gusta hacer?

MODELO: E1: ¿Te gusta *viajar*?
E2: Sí, *me gusta mucho* viajar. (No, *no me gusta* viajar.)

1. ver la televisión
2. cenar en restaurantes
3. pescar
4. bailar en discotecas
5. escribir cartas
6. viajar en carro
7. escuchar música
8. cocinar
9. sacar fotos
10. trabajar

Actividad 13. Intercambios: Los juegos panamericanos

MODELOS: E1: ¿Qué días hay competición de *baloncesto* (*basquetbol*)?
E2: Del *11 al 21 de marzo*, y del *23 al 26*.

E1: ¿Cuándo hay competición de *nado sincronizado* el *13 de marzo*?
E2: Por *la tarde*.

XII JUEGOS DEPORTIVOS PANAMERICANOS MARZO 1995
PROGRAMA DIARIO DE ACTIVIDADES

EVENTO	V 10	S 11	D 12	L 13	M 14	M 15	J 16	V 17	S 18	D 19	L 20	M 21	M 22	J 23	V 24	S 25	D 26
ACTO DE INAUGURACIÓN	●																
ATLETISMO		●	●	●		●	●		●	●							
BALONCESTO		●	●	●	●	●	●	●	●	●	●	●		●	●	●	●
BALONMANO			●	●	●	●		●	●								
BÉISBOL			●	●	●	●		●	●	●	●			●	●		
BOXEO						●	●	●	●	●	●	●	●		●	●	
CANOA/KAYAK		●	●														
CICLISMO				●			●	●	●	●	●		●				
ECUESTRE					●	●	●	●		●							
FÚTBOL			●	●	●	●		●		●		●		●		●	
GIMNASIA ARTÍSTICA		●	●	●	●		●	●	●	●							
GIMNASIA RÍTMICA														●	●	●	●
JUDO								●	●	●							
LEVANTAMIENTO DE PESAS				●	●	●	●	●									

EVENTO	V 10	S 11	D 12	L 13	M 14	M 15	J 16	V 17	S 18	D 19	L 20	M 21	M 22	J 23	V 24	S 25	D 26
LUCHA					●	●	●		●	●	●						
CLAVADOS (ACUÁTICOS)		●	●		●	●			●	●							
NATACIÓN (ACUÁTICOS)												●	●	●		●	●
NADO SINCRONIZADO (ACUÁTICOS)				●	●	●	●	●	●	●	●						
POLO ACUÁTICO (ACUÁTICOS)					●	●	●		●	●	●						
PATINAJE													●	●	●	●	●
TAEKWONDO															●	●	●
TENIS					●	●	●	●	●	●		●	●	●			
TENIS DE MESA				●	●	●	●	●	●	●	●						
TIRO					●	●	●	●	●								
TIRO CON ARCO						●	●	●	●								
VOLEIBOL											●	●	●	●		●	●
PELOTA VASCA					●	●	●	●	●								
CEREMONIA DE CLAUSURA																	●

LEYENDA: ● MAÑANA   ◐ TARDE   ● NOCHE

EL MUNDO HISPANO... imágenes

Un deporte muy popular en España es el jai alai, un juego de origen vasco.[1] Las personas que juegan al jai alai necesitan ser ágiles y rápidas. Los dos jugadores de la foto se entrenan para un partido.

[1]*Basque*

NOTA CULTURAL

Los deportes

Los hispanos practican muchos deportes, pero hay dos que son muy populares. Antes de leer esta Nota cultural, mire las palabras **en negrilla** y descubra rápidamente el nombre de varios deportes importantes.

VOCABULARIO ÚTIL

Antes de leer	*Before reading*
mire	*look at*
la natación	*swimming*
el ciclismo	*cycle racing*
ha ganado	*has won*
la carrera Tour-de-France	*Tour-de-France race, a bicycle touring race that covers approximately 2,500 miles (4,000 kilometers) in France and neighboring countries such as Spain.*
la Serie Mundial	*World Series (baseball)*
De hecho	*In fact*

A los hispanos les gusta practicar deportes individuales, **el esquí** y **la natación,** por ejemplo. Muchas personas esquían en la Sierra Nevada, que está en España, y también esquían en Chile y Argentina. **El ciclismo** es muy popular en Colombia, México y España. Un ciclista español, Miguel Indurain, ha ganado varias veces la carrera Tour-de-France.

Todas las ciudades hispanas grandes tienen gimnasios donde es posible **nadar, levantar pesas, hacer gimnasia** o **ejercicios aeróbicos** y **jugar al ráquetbol** y **al tenis.** Y hablando del tenis, dos de las mejores tenistas son hispanas: una es una joven argentina que se llama Gabriela Sabatini, y la otra es una española que se llama Arantxa Sánchez Vicario.

Los dos deportes de más popularidad en el mundo hispano son sin duda **el fútbol** y **el béisbol.** (Cuando uno dice «fútbol» en español, habla del *soccer;* lo que en inglés se llama *football,* en español se llama **fútbol norteamericano**). El fútbol es el deporte favorito de los argentinos, los uruguayos y los chilenos, entre otros.

El béisbol, deporte de origen norteamericano, es el que más se juega en los países del Caribe: Puerto Rico, Cuba, Venezuela y la República Dominicana. Muchos caribeños miran la Serie Mundial en la televisión o la escuchan en la radio. ¡El programa tiene un público enorme en esa región!

Uno de los beisbolistas profesionales más jóvenes en los Estados Unidos, Manny Ramírez, nació en la República Dominicana. Pero también en México y otros países de América Latina hay gran entusiasmo por este deporte. De hecho, el famoso jugador profesional de béisbol Fernando Valenzuela es mexicano.

En realidad, la pasión por los deportes es un aspecto esencial del carácter hispano.

Comprensión

¿Cierto o falso?

1. El fútbol se practica mucho en Chile y Argentina.
2. Es posible esquiar en los gimnasios.
3. Hay muchos jugadores de béisbol en el Caribe.
4. Normalmente, los hispanos no practican deportes individuales.
5. Hay un ciclista español muy famoso.

Ahora... ¡usted!

1. ¿Le gustan los deportes? ¿Cuáles practica?
2. ¿Hay deportistas famosos que juegan su deporte favorito? ¿Quiénes son? ¿Es usted admirador(a) de esas personas?
3. ¿Cuáles de los deportes mencionados en la Nota cultural le gusta practicar a usted? Indique si le gusta practicarlos mucho, a veces o nunca.

	MUCHO	A VECES	NUNCA
el béisbol	☐	☐	☐
el ciclismo	☐	☐	☐
el esquí	☐	☐	☐
el fútbol	☐	☐	☐
el fútbol norteamericano	☐	☐	☐
la natación	☐	☐	☐
el ráquetbol	☐	☐	☐
el tenis	☐	☐	☐

 ## Un paso más... ¡a escribir!

Imagínese que usted es un deportista famoso / una deportista famosa. ¿Cuál es su deporte? ¿Tiene muchos admiradores? ¡Descríbase! Puede incluir una descripción física y también de su personalidad.

Me llamo _____ y juego al _____. Soy muy famoso/a; tengo (*número*) admiradores. Practico este deporte (*frecuencia*). Soy (*descripción física*). ¿Mi personalidad? Pues... soy _____ y _____.

En resumen

De todo un poco

A. La correspondencia

Estos muchachos y muchachas de México quieren entablar correspondencia con otros muchachos y muchachas. Hágale preguntas a su compañero/a acerca de la información que hay sobre ellos.

MODELOS:
E1: ¿Cuántos años tiene _____?
E2: Tiene _____.

E1: ¿Cuál es el deporte favorito de _____?
E2: Su deporte favorito es el/la _____.

E1: ¿Cuál es la dirección de _____?
E2: Su dirección es _____.

E1: ¿Qué le gusta hacer a _____?
E2: Le gusta _____.

Y TÚ ¿QUIÉN ERES?

✆ MIGUEL ÁNGEL OJEDA CEGUEDA (19 años)

Calz. I. Zaragoza 1111, Col. Agrícola Oriental, México, D.F., C.P. 08500.
Pasatiempos: natación, baloncesto, fútbol americano y ciclismo.

✆ JOSÉ GUADALUPE AYALA RAMÍREZ (18 años)

Julio V. Plata 74, Col. Héroe de Nacozari, México, D.F., C.P. 07780.
Pasatiempos: jugar al fútbol y tener amigos por correspondencia.

✆ LUIS MANUEL GALVÁN O. (20 años)

Alzate 100, Ozumba, Edo. de México, C.P. 56800.
Pasatiempos: ir a las discos, jugar al basquetbol y leer *Eres*.

✆ LETICIA VILLANUEVA R. (24 años)

Ardilla 341, Col. Benito Juárez, Cd. Neza, Edo. de México, D.P. 57000.
Pasatiempos: escuchar música, bailar, pasear y tener amigos.

✆ MARÍA GUADALUPE E IRMA PRECIADO MENDOZA (16 y 23 años)

Calle Carretera a Tesistán 1051, Col. Arcos de Zapopan, Zapopan, Jal., C.P. 45130.
Pasatiempos: escuchar música, ver la televisión y leer.

✆ MARÍA CRUZ RODRÍGUEZ P. (22 años)

Motolinía 237, Centro, Morelia, Mich., C.P. 58000.
Pasatiempos: ir a la playa, escuchar música y tener muchos amigos.

Abreviaturas:

Calz.–calzada	C.P.–código postal	Gpe.–Guadalupe
Cd.–ciudad	D.F.–Distrito Federal	Jal.–Jalisco
Col.–Colonia	Edo.–Estado	Mich.–Michoacán

B. La curiosidad

Trabaje con otros dos o tres estudiantes para escribir por lo menos dos preguntas interesantes para hacerles a estas personas famosas.

1. al presidente de los Estados Unidos
2. a un actor de cine muy guapo
3. a una actriz famosa y bonita
4. a una mujer muy bonita en una fiesta
5. a un hombre muy joven en su clase
6. a su profesor(a) de español

 ¡Dígalo por escrito!

Descripción de personas

De su revista favorita, seleccione una foto que tenga una o más personas y tráigala a clase. Trabajando con un compañero / una compañera, describan cada foto en detalle. ¡Usen su imaginación! Por ejemplo, pueden incluir información sobre los siguientes aspectos de la(s) persona(s) de la foto.

- ¿Cómo se llama?
- ¿De dónde es?
- ¿Dónde vive ahora? ¿Con quién(es) vive?
- ¿Cuántos años tiene?
- ¿Cuál es su fecha de nacimiento? ¿su signo?
- ¿Cómo es?
- ¿Qué ropa lleva?
- ¿Qué hace?
- ¿ ?

Después de la clase, cada uno de ustedes debe escribir una breve descripción de la foto de su compañero/a, basándose en su conversación en clase y también incluyendo todos los otros detalles que puedan. ¡No se olviden de entregar las fotos con las descripciones!

VIDEOTECA

 En este segmento de video, usted va a conocer a dos primos de Ecuador, Paloma y José Miguel. También va a conocer a Gustavo, un amigo de Paloma. Mientras mira el video, escuche bien para distinguir las frases y palabras que ya conoce. Por ejemplo, ¿qué deporte le gusta a Gustavo? ¿Cuál es la fecha del cumpleaños del padre de Paloma? También, trate de apuntar el número de teléfono de Paloma. En el Capítulo 1 del *Cuaderno de trabajo* hay más actividades para hacer después de ver el video.

Vocabulario

Los meses del año — Months of the Year

enero — January

PALABRAS SEMEJANTES: febrero, marzo, abril, mayo, junio, julio, agosto, septiembre, octubre, noviembre, diciembre

Las estaciones — Seasons

la primavera — spring
el verano — summer
el otoño — fall, autumn
el invierno — winter

Los días de la semana — Days of the Week

(el) lunes — Monday
(el) martes — Tuesday
(el) miércoles — Wednesday
(el) jueves — Thursday
(el) viernes — Friday
(el) sábado — Saturday
(el) domingo — Sunday

¿Cuándo? — When?

anteayer — day before yesterday
ayer — yesterday
durante — during
hoy — today
mañana — tomorrow
la mañana — morning
pasado mañana — day after tomorrow
por la mañana/tarde/ — in the morning / afternoon
   noche — (evening) / at night

Los datos personales — Personal Data

la calle — street
la ciudadanía — citizenship
el cumpleaños — birthday
la dirección — address
¿Dónde vive usted — Where do you live?
   (vives tú)?
el estado civil — marital status

la fecha (de nacimiento) — date (of birth)
el lugar (de nacimiento) — place (of birth)
el peso — weight

PALABRAS SEMEJANTES: el pasaporte, el sexo

REPASO: el apellido, casado/a, divorciado/a, soltero/a, viudo/a

La hora — Time; Hour

¿A qué hora (es)... ? — At what time (is) . . . ?
   (Es) A la(s)... — (It is) At . . .
la medianoche — midnight
el mediodía — noon
¿Qué hora es? — What time is it?
   Es la una y media. — It is one-thirty.
   Son las nueve menos — It is ten (minutes) to nine.
      diez (minutos).
Oye, ¿qué hora tienes? — Hey, what time do you have?
Perdón, ¿qué hora tiene? — Excuse me, what time do you
      have?
y cuarto / menos cuarto — quarter after / quarter till
y media — half past

Los deportes y los juegos — Sports and Games

el basquetbol — basketball
   (baloncesto)
el equipo — team
el esquí — ski; skiing
el estadio — stadium
el fútbol — soccer
el fútbol americano — football
jugar — to play
nadar — to swim
el partido — game (in sports), match
patinar (en el hielo) — to skate (on ice)
pescar — to fish

PALABRAS SEMEJANTES: el bate, el béisbol, la competición, el tenis, el voleibol

Las actividades

acampar — to camp (go camping)
andar en bicicleta — to ride a bicycle
bailar — to dance
cenar — to dine, have dinner

cocinar	to cook
dormir (todo el día)	to sleep (all day)
escuchar (música)	to listen (to music)
escribir (cartas)	to write (letters)
hacer	to do; to make
hacer ejercicio	to exercise
ir	to go
a fiestas	to parties
de compras	shopping
jugar (en la nieve)	to play (in the snow)
leer (el periódico)	to read (the newspaper)
sacar fotos	to take photos
salir (a bailar)	to go out (dancing)
trabajar	to work
ver	to see; to watch
la televisión	television
una telenovela	a soap opera
un partido de...	a . . . game

REPASO: hablar por teléfono

Los lugares   Places

el cine	movie theater
la piscina	swimming pool
la playa	beach

PALABRAS SEMEJANTES: la discoteca, el restaurante

Los verbos

decir	to say
dice	he/she says; you (*pol. sing.*) say
querer	to want
quieren	they want
vivir	to live
vivo	I live
vives	you (*inf. sing.*) live
vive	he/she lives; you (*pol. sing.*) live

Palabras y expresiones del texto

¡Dígalo por escrito!	Say it in writing!
los gustos	likes (preferences)
Hágale preguntas a...	Ask . . . questions.
la lectura	reading (*n.*)
se presenta	is shown
sobre	about
trabaje(n)	work (*command*)

PALABRAS SEMEJANTES: corresponde, la nota cultural, la preferencia

Palabras útiles

a	to
casi	almost
¿Cuándo... ?	When . . . ?
¿Dónde... ?	Where . . . ?
del (de + el)	of the (*required contraction*)
las entradas (para un concierto)	tickets (for a concert)
el equipo de música	stereo
este/esta	this
feliz	happy
el fin de semana	weekend
la firma	signature
el horario	schedule
para	for
querido/a	dear
el reproductor para discos compactos	CD player
el televisor	television set
todo/a	all, every

PALABRAS SEMEJANTES: el actor / la actriz, la cámara, el canal, la correspondencia, la curiosidad, elegante, famoso/a, favorito/a, hispano/a, la información, la música, nacional, el operador / la operadora, panamericano/a, el presidente / la presidenta, la profesión, el programa, el teléfono, las vacaciones

Expresiones útiles

¿A quién le gusta... ?	Who likes to . . . ?
¿Cómo te llamas (tú)?	What is your name?
¿Cómo se escribe... ?	How do you spell . . . ?
¿Cuándo (¿Dónde) nació?	When (Where) were you (was he/she) born?
¡Felicidades!	Congratulations!
¡Feliz cumpleaños!	Happy birthday!
No entendí bien.	I didn't understand well.
No lo creo.	I don't believe it.
Por favor.	Please.
¡Qué aburrido!	How boring!
¡Qué divertido!	How fun!
¡Qué interesante!	How interesting!
¿Qué le/te/les gusta hacer?	What do you (*pol. sing. / inf. / pl.*) like to do?
Le gusta...	He/She likes (You [*pol. sing.*] like) (to) . . .
Les gusta...	They/You (*pl.*) like (to) . . .
Te gusta...	You (*inf.*) like (to) . . .
(No) Me gusta...	I (don't) like (to) . . .
A mí también/tampoco.	I do too. / I don't either.
Ya es tarde.	It's late already.
Y tú, ¿qué dices?	And you? What do you say?

Gramática y ejercicios

1.1 Counting: Numbers 100–1000 and Dates

100 = cien
101 = ciento uno
161 = ciento sesenta y uno
doscientos (200) hombres
doscientas (200) mujeres
quinientos (500) edificios
quinientas (500) sillas

A. Here are the hundreds, from 100 to 1000. Note particularly the pronunciation and spelling of 500, 700, and 900. The word for *one hundred* is **cien,** but when combined with other numbers it is usually **ciento(s).** From 200 to 900, there is also a feminine form.

154 ciento cincuenta y cuatro	600 seiscientos/as
200 doscientos/as	700 setecientos/as
300 trescientos/as	800 ochocientos/as
400 cuatrocientos/as	900 novecientos/as
500 quinientos/as	1000 mil

—¿Cuántos estudiantes de España hay en el grupo? ¿Hay **cien**?

—No, hay **ciento cincuenta y cuatro.**

—*How many students from Spain are in the group? Are there a hundred?*

—*No, there are one hundred and fifty-four.*

—¿Cuántas sillas hay?
—Hay **doscientas diez.**

—*How many chairs are there?*
—*There are two hundred and ten.*

B. To state a year in Spanish, use **mil** (1000) followed by hundreds in the masculine form (if necessary).

1832 mil ochocientos treinta y dos
1993 mil novecientos noventa y tres
2000 dos mil

Ejercicio 1

Diga las siguientes fechas.

1. 1876
2. 1588
3. 1775
4. 1991
5. 2000
6. 1945
7. 1011
8. 1929
9. 1615
10. 2025

1.2   Spelling: The Spanish Alphabet

LETTER	NAME	EXAMPLE	LETTER	NAME	EXAMPLE
a	a	Ana	ñ	eñe	Íñigo
b	be, be grande	Bárbara	o	o	Olga
c	ce	Celia	p	pe	Pedro
d	de	David	q	cu	Quintín
e	e	Ernesto	r	ere	Mario
f	efe	Franco	rr	erre, doble ere	Roberto
g	ge	Gerardo	s	ese	Sara
h	hache	Hortensia	t	te	Tomás
i	i	Isabel	u	u	Úrsula
j	jota	Juan	v	uve, ve chica	Vicente
k	ca	Kati	w	doble ve, ve doble	Walter
l	ele	Laura	x	equis	Ximena
m	eme	Miguel	y	i griega	Yolanda
n	ene	Nora	z	zeta	Zulema

Learn how to spell your first and last names in Spanish; that is what you will be expected to spell most frequently.

A. Letters are feminine: **la «ele», la «i», la «equis».** The letter combination **ll** (often referred to as **doble ele**) is pronounced like a *y*. The letter combinations **ch, ll,** and **rr** cannot be divided when splitting a word into syllables.*

B. **B** and **v** are pronounced identically, so speakers use different devices to differentiate them; the most common is to call one **la be grande** and the other **la ve chica** (or **la b larga** and **la v corta**). Many people say **la be de burro, la ve de vaca** (**b** as in **burro, v** as in **vaca**). The letters **k** and **w** are used mostly in words of foreign origin: **kilo, whisky.**

C. Spanish speakers do not normally spell out entire words, but rather tend to refer only to the letters that might cause confusion. For example, if the name is **Rodríguez,** one might ask: **¿Se escribe con *zeta* o con *ese*?** (*Is it written with a* z *or with an* s?) Common spelling questions asked by most Latin Americans are the following.

s, z	¿Con **ese** o con **zeta**?	y, ll	¿Con **i griega** o con **doble ele**?
c, s	¿Con **ce** o con **ese**?	g, j	¿Con **ge** o con **jota**?
c, z	¿Con **ce** o con **zeta**?	v, b	¿Con **ve chica** o con **be grande**?

Because the letter **h** is never pronounced in Spanish, a common question is: **¿Con o sin hache?** (*With or without* h?)

---

*Until recently, the letter combinations **ch** and **ll** were considered single units, had separate names (**che** and **elle**), and affected alphabetization (for example, **chico** after **cumpleaños, llamar** after **luna**). You will still see this pattern of alphabetization in many dictionaries and textbooks.

Only with foreign words (or perhaps very unfamiliar Spanish words) do Spanish speakers spell out the entire word.

—¿Cómo se escribe *Dorwick*, por favor?
—Se escribe: **de, o, ere, doble ve, i, ce, ca.**
—Gracias.

Ejercicio 2

Escoja la respuesta correcta.

MODELO: ¿Cómo se escribe _____apato?
          (a.) con zeta
          b.   con ese

1. ¿Cómo se escribe _____ien?
   a. con ce
   b. con zeta
2. ¿Cómo se escribe _____aponés?
   a. con ge
   b. con jota
3. ¿Cómo se escribe nue_____o?
   a. con ve chica
   b. con be grande
4. ¿Cómo se escribe _____iudad?
   a. con ce
   b. con ese
5. ¿Cómo se escribe _____amar?
   a. con doble ele
   b. con i griega (y)

6. ¿Como se escribe _____ermano?
   a. con hache
   b. sin hache
7. ¿Cómo se escribe amari_____o?
   a. con doble ele
   b. con i griega (y)
8. ¿Cómo se escribe _____ombre?
   a. con hache
   b. sin hache
9. ¿Cómo se escribe piza_____a?
   a. con ere
   b. con erre
10. ¿Cómo se escribe ma_____or?
    a. con doble ele
    b. con i griega (y)

In **Gramática A.6** you learned that Spanish verbs change endings, letting you know who is performing the action. You saw these endings for regular -ar verbs, like **hablar,** in **Gramática C.5.** The verb form that appears in the dictionary and in most vocabulary lists, however, is the *infinitive;* Spanish infinitives always end in **-ar, -er,** or **-ir.** The endings are added to the *stem* (the infinitive minus **-ar, -er,** or **-ir**).

1.3 Talking About Habitual Actions: Present Tense of Regular *-er* and *-ir* Verbs

Following are the present-tense conjugations of the regular **-er** and **-ir** verbs **leer** and **vivir.**[*]

leer (*to read*)	
(yo) **leo**	*I read*
(tú) **lees**	*you (inf. sing.) read*
(usted, él/ella) **lee**	*you (pol. sing.) read; he/she reads*
(nosotros/as) **leemos**	*we read*
(vosotros/as) **leéis**	*you (inf. pl., Spain) read*
(ustedes, ellos/as) **leen**	*you (pl.) read; they read*

*For recognition: **vos leés, vivís**

It takes time to acquire these endings. As you read, listen, and interact more in Spanish, you will be able to use them with greater accuracy.

vivir (*to live*)		
(yo)	viv**o**	*I live*
(tú)	viv**es**	*you (inf. sing.) live*
(usted, él/ella)	viv**e**	*you (pol. sing.) live; he/she lives*
(nosotros/as)	viv**imos**	*we live*
(vosotros/as)	viv**ís**	*you (inf. pl., Spain) live*
(ustedes, ellos/as)	viv**en**	*you (pl.) live; they live*

Remember that, because Spanish verb endings indicate in many cases who or what the subject is, it is not necessary to use subject pronouns in every sentence.

—¿Dónde vives?　　　　　　—*Where do you live?*
—Vivo en San Juan.　　　　　—*I live in San Juan.*

Ejercicio 3

leer = *to read*

Complete estas oraciones con la forma correcta del verbo **leer**.

1. Muchos españoles _____ el periódico *El País*.
2. ¿_____ (tú) muchas novelas?
3. Mi amigo _____ la Biblia todos los días.
4. (Yo) _____ libros en español.
5. Profesora, ¿_____ (usted) muchas composiciones?

Ejercicio 4

vivir = *to live*

Complete estas oraciones con la forma correcta del verbo **vivir**.

1. Pablo _____ en Texas.
2. (Nosotros) No _____ en México.
3. Susana y sus hijos _____ en Perú.
4. ¿_____ (vosotros) en España?
5. (Yo) _____ en los Estados Unidos.
6. ¿_____ (ustedes) en Panamá?

¿RECUERDA?

As you saw in **Gramática C.5** and **1.3**, Spanish verb endings usually indicate who the subject is, so it is generally not necessary to use subject pronouns (**tú, usted, él/ella, nosotros/as, vosotros/as, ustedes, ellos/as**) in questions.

¿Tienes (tú) teléfono?
¿Dónde vive (ella)?
¿Cómo se llaman (ustedes)?

1.4   Asking Questions: Question Formation

You have already seen and heard many questions in Spanish.

¿Cómo se llama usted?
¿Qué hora es?
¿Cuándo nació José?
¿Es alto Guillermo?
¿Habla usted español?
¿Tienen (ustedes) hijos?
¿Eres (tú) extrovertida?
¿Qué tiene Amanda?

A. Statements in Spanish are normally formed by using a subject, then the verb, and then any object or description.

Ernestito tiene un perro grande.
subject   verb   object adjective

Amanda es delgada.
subject verb adjective

Questions, however, are generally formed by placing the subject *after* the verb, with any object or description either following or preceding the subject.

STATEMENT:	Ernestito tiene un perro grande.	*Ernestito has a big dog.*
QUESTION:	¿Tiene Ernestito un perro grande?	*Does Ernestito have a big dog?*
STATEMENT:	Amanda es delgada.	*Amanda is thin.*
QUESTION:	¿Es delgada Amanda?	*Is Amanda thin?*
STATEMENT:	Susana vive en Perú.	*Susana lives in Peru.*
QUESTION:	¿Vive Susana en Perú?	*Does Susana live in Peru?*
STATEMENT:	(Tú) Lees muchas novelas.	*You read a lot of novels.*
QUESTION:	¿Lees (tú) muchas novelas?	*Do you read a lot of novels?*
STATEMENT:	Ellos hablan árabe.	*They speak Arabic.*
QUESTION:	¿Hablan ellos árabe?	*Do they speak Arabic?*

Note that in Spanish no additional words, such as *does* or *do*, are needed to turn a statement into a question.

Question words always have a written accent.
¿Qué? = *What?*
¿Cuándo? = *When?*
¿Quién(es)? = *Who?*
¿De quién? = *Whose?*
¿Dónde? = *Where?*
¿Cuánto/a/os/as? = *How much? / How many?*
¿Cómo? = *How?; What?*
¿Cuál(es)? = *Which?; What?*
¿Por qué? = *Why?*

B. Sometimes interrogative (question) words like **¿Qué?, ¿Cuándo?, ¿(De) Quién?, ¿Dónde?, ¿Cuántos?, ¿Cómo?, ¿Cuál?,** or **¿Por qué?** are used. These words are placed at the beginning of the question, before the verb.

¿**Cuántos** años tiene Guillermo?
¿**Qué** tiene Ernestito?
¿**Dónde** vive Susana?
¿**De quién** es el coche nuevo?
¿**Cuál** es tu número de teléfono?

¿**Cómo** está usted?
¿**Quién** es ese muchacho?
¿**Cuándo** nació usted?
¿**Por qué** no hablamos inglés en clase?

Ejercicio 5

Cambie las siguientes oraciones por preguntas.

MODELO: Amanda tiene 14 años. →
           ¿Cuántos años tiene Amanda?

1. Rubén Hernández vive en Florida.
2. Susana habla japonés.
3. Usted se llama Pedro Ruiz.
4. Ernesto y Estela tienen tres hijos.
5. Tú eres estudiante.

Ejercicio 6

Haga todas las preguntas posibles según los dibujos.

MODELO: →

¿Estás cansado? / ¿Cómo estás?

1.5   Telling Time: Hours and Minutes

¿Qué hora es? = *What time is it?*

1.15: Es la una y cuarto.
2.30: Son las dos y media.
3.25: Son las tres y veinticinco.
5.45: Son las seis menos cuarto.

The phrase **¿Qué hora es?** is often used in Spanish to ask what time it is. Another common question is **¿Qué hora tiene usted?** (*What time do you have?*) In both cases, the answer usually begins with **son.**

—¿Qué hora es?   —*What time is it?*
—**Son** las tres.   —*It's three o'clock.*

Es (not **son**) is used to tell the time with one o'clock and between one o'clock and two o'clock.

—¿**Es** la una?   —*Is it one o'clock?*
—No, **es** la una y veinte.   —*No, it's one twenty.*

Use **y** (*and*) to express minutes after the hour.

—¿Son las seis **y** diez?   —*Is it ten after six?*
—No, son las seis **y** veinte.   —*No, it's twenty after six.*

Use **menos** (*less*) or **para** (*to, till*) to express minutes before the hour.

Son las siete **menos** veinte.   *It's twenty to seven. (Literally: It's seven less twenty.)*

Son veinte **para** las siete.   *It's twenty to (till) seven.*

Use **cuarto** (*quarter*) and **media** (*half*) for fifteen and thirty minutes, respectively.

—¿Qué hora tiene usted?   —*What time do you have?*
—Son las tres y **cuarto** (**media**).   —*It's a quarter after (half past) three.*

Salvador Dalí, *La persistencia de la memoria*

a la una = **at** *one o'clock*
a las siete menos cuarto =
  at *six forty-five*

Use **a** to express *when* (*at what time*) an event occurs.

a la una	*at one o'clock*
a las cuatro y media	*at four thirty*
Tengo clase **a** las nueve.	*I have class at nine.*

Ejercicio 7

¿Qué hora es?

MODELOS: 2:20 → *Son las dos y veinte.*
2:40 → *Son las tres menos veinte.*

1.	4:20	**5.**	7:07	**9.**	12:30
2.	6:15	**6.**	5:30	**10.**	5:15
3.	8:13	**7.**	3:00		
4.	1:10	**8.**	1:49		

1.6 Expressing Likes and Dislikes: *gustar* + Infinitive

Gustar is used to express likes and dislikes.

Me gusta bailar. (*I like to dance.*)

A. The Spanish verb **gustar** expresses the meaning of English *to like*. From a grammatical point of view, however, it is similar to the English expression *to be pleasing to someone.**

Me gusta leer.	*I like to read.* (*Reading is pleasing to me.*)

---

*You will learn more about the verb **gustar** and similar verbs in **Gramática 8.2.**

Gustar is usually used with pronouns that tell *to whom* something is pleasing. Here are the pronoun forms.*

¿*Te* gusta patinar?
(*Do you like to skate?*)
A Ernestito *le* gusta jugar al fútbol.
(*Ernestito likes to play soccer.*)
A Estela y a Ernesto *les* gusta ir al cine.
(*Estela and Ernesto like to go to the movies.*)
***Nos* gusta cocinar.**
(*We like to cook.*)

	SINGULAR		PLURAL
me te le	*to me* *to you* (*inf. sing.*) *to you* (*pol. sing.*); *to him/her*	nos os les	*to us* *to you* (*inf. pl., Spain*) *to you* (*pl.*); *to them*

—¿Qué **te** gusta hacer?　　　　—*What do you like to do?*
—**Me** gusta aprender cosas　　—*I like to learn new things.*
　nuevas.

—¿Qué **les** gusta hacer?　　　 —*What do you like to do?*
—**Nos** gusta cocinar.　　　　　—*We like to cook.*

B. Since **le gusta** can refer to *you* (*pol. sing.*), *him*, or *her*, and **les gusta** can refer to *you* (*pl.*) or *them*, Spanish speakers often expand the sentence to be more specific. They use phrases with **a** (*to*), such as **a mi papá** (*to my father*), **a Juan** (*to Juan*), or **a los estudiantes** (*to the students*), in addition to using the pronoun **le** or **les**.†

A **Carmen le** gusta cantar.　　　*Carmen likes to sing.*

—¿**A usted le** gusta lavar su carro?　—*Do you like to wash your car?*
—No, no **me** gusta.　　　　　　　 —*No, I don't like to.*

—¿**Les** gusta acampar **a Guillermo** y　—*Do Guillermo and Ernestito like*
　a Ernestito?　　　　　　　　　　*to go camping?*
—Sí, **les** gusta mucho.　　　　　　 —*Yes, they like to very much.*

C. The verb form that follows **gustar** is an infinitive, such as **hablar** (*to speak*), **leer** (*to read*), or **vivir** (*to live*).

PRONOUN	+	*gusta*	+	INFINITIVE
me te le nos os les	+	gusta	+	estudiar (*to study*) jugar (*to play*) comer (*to eat*) correr (*to run*) competir (*to compete*) escribir (*to write*)

---

*Recognition: (**A vos**) **Te gusta**
†You will learn more about phrases with **a, le,** and **les** in **Gramática 7.4, 8.2,** and **10.5.**

Ejercicio 8

¿Qué les gusta hacer a Ernestito y a Guillermo? Complete los diálogos con **me, te, les** o **nos.**

> MODELO: AMANDA: Graciela, ¿*te* gusta bailar?
> GRACIELA: Sí, *me* gusta mucho bailar.

1. MAESTRA: Ernestito, ¿_____ gusta andar en bicicleta?
ERNESTITO: Sí, _____ gusta mucho. Tengo una bici nueva.

2. ERNESTITO: Guillermo, ¿_____ gusta jugar al béisbol?
GUILLERMO: No, pero _____ gusta jugar al fútbol.

3. PEDRO: Ernestito y Guillermo, ¿_____ gusta escuchar la música rock?
LOS CHICOS: ¡Claro que sí! _____ gusta mucho.

Ejercicio 9

¿Qué le(s) gusta hacer a las siguientes personas?

1. A Ernestito _____ gusta _____.
2. A Estela (la madre de Ernestito) no _____ gusta _____.
3. A Clarisa y a Marisa (las primas de Ernestito) _____ gusta _____.
4. A Ernestito _____ gusta _____.
5. Al perro _____ gusta _____.
6. A mí _____ gusta _____.

CAPÍTULO 2

Mis planes y preferencias

▼▼▼▼▼▼▼▼▼▼▼▼▼▼▼▼▼▼▼▼▼▼

METAS

In **Capítulo 2** you will discuss your plans for the future and your preferences. You will also talk about your classes and the weather.

Salamanca, España

ACTIVIDADES DE COMUNICACIÓN Y LECTURAS

Los planes

Las clases

Lectura   Los amigos hispanos: Nora Morales

Las preferencias y los deseos

El mundo hispano... su gente

Nota cultural   ¡Vamos a pasear!

El tiempo

El mundo hispano... imágenes

El mundo hispano... en los Estados Unidos

EN RESUMEN

GRAMÁTICA Y EJERCICIOS

2.1 Expressing Future Plans: **ir** + **a** + Infinitive

2.2 Sequencing: Ordinal Adjectives

2.3 Stating Preferences and Desires: **preferir** and **querer** + Infinitive

2.4 Describing the Weather: Common Expressions

Actividades de comunicación y lecturas

Los planes

Lea Gramática 2.1.

Los planes de Pedro y Andrea para el fin de semana

El viernes por la noche Pedro y Andrea van a ver una película.

El sábado Pedro va a lavar el carro.

El sábado por la tarde, Pedro y Andrea van a dar una fiesta.

También van a bailar en una discoteca.

El domingo por la mañana, los Ruiz van a ir a misa con sus hijas.

Luego van a almorzar en un restaurante.

El domingo por la tarde Pedro va a escribir una carta.

El domingo por la noche Andrea va a escuchar música.

Actividad 1. Preferencias: Los planes

Diga sí o no. También agregue otra actividad en cada caso.

1. El sábado por la mañana voy a...
   - **a.** reparar mi carro.
   - **b.** pasear por el centro.
   - **c.** dormir.
   - **d.** ¿ ?
2. El viernes por la noche mis padres van a...
   - **a.** salir a cenar.
   - **b.** ver la televisión.
   - **c.** dar una fiesta.
   - **d.** ¿ ?
3. El domingo por la tarde voy a...
   - **a.** limpiar mi cuarto.
   - **b.** practicar algún deporte.
   - **c.** ir al cine.
   - **d.** ¿ ?
4. Durante las vacaciones mis amigos y yo vamos a...
   - **a.** viajar.
   - **b.** descansar.
   - **c.** jugar al tenis.
   - **d.** ¿ ?
5. Este invierno voy a...
   - **a.** esquiar.
   - **b.** estudiar mucho.
   - **c.** patinar en el hielo.
   - **d.** ¿ ?

Y TÚ, ¿QUÉ DICES?

¡Qué aburrido!	¿Dónde?	Yo también.
¡Qué divertido!	¿Con quién?	Yo no.
¡Qué buena idea!	¿Cuándo? / ¿A qué hora?	

MODELO: E1: El domingo por la tarde voy a *limpiar mi cuarto.*
          E2: *¡Qué aburrido!*

Actividad 2. Narración: ¿Qué va a hacer Carmen el sábado?

PALABRAS ÚTILES

primero
luego
después
más tarde
por la mañana
por la tarde
por la noche
finalmente
por último

Actividad 3. Entrevista: Tus planes

Pregúntele a su compañero/a qué va a hacer en las siguientes ocasiones.

MODELO: E1: ¿Qué vas a hacer *en tu próximo cumpleaños?*
          E2: Voy a *salir a cenar con mi familia.*

OCASIONES	ACTIVIDADES	
en tu próximo cumpleaños	acampar	viajar
hoy, después de clases	ir al cine	salir a cenar
esta noche	descansar	estudiar
el próximo fin de semana	ir a la playa	nadar en un lago/río
durante las próximas vacaciones	trabajar	ir a muchas
el próximo verano	ver la televisión	fiestas
el viernes por la noche	leer un buen libro	ir de compras

Actividad 4. Intercambios: Madrid en el verano

Imagínese que usted está en Madrid en el mes de julio. Mire la lista de actividades posibles y decida qué va a hacer.

MODELO: E1: Voy a *nadar en la piscina.*
         E2: ¿Dónde?
         E1: En *el Polideportivo de San Blas.*

Actividades posibles: jugar al boliche, levantar pesas, nadar, pasear en barca, salir a bailar, salir a cenar, tomar el sol, ver los animales, viajar a la ciudad en tren

PREGUNTAS Y RESPUESTAS ÚTILES

¿Cuánto cuesta la entrada?   Cuesta *650* pesetas.
¿Dónde está?   Está en *la calle de Alcalá.*
¿A qué hora abren/cierran?   Abren/Cierran a *las 9:00.*
¿A qué hora sale/llega el tren? Sale/Llega a *las 10:30.*
¿En qué restaurante (piscina,)? En *el Café de Oriente.*

Madrid en verano

Barcas

En los lagos del Retiro y la Casa de Campo y en el río Manzanares, a la altura del puente de Segovia. Desde las 10 de la mañana a la puesta del sol. El precio oscila entre 300 pesetas que cuesta una barca para dos personas y 200 pesetas por persona cuando son tres o más. Paseos de una hora.

Trenes turísticos

•**Trenes de ida y regreso en el día:**
«Ciudad de Toledo» (electrotrén, domingos). Salida de Chamartín a las 9,05 h.; regreso de Toledo a las 19,45 h. Precio: adultos, 1.650 pesetas; niños de cuatro a doce años, 1.200 pesetas.
«Murallas de Ávila» (sábados). Salida de Chamartín a las 9,15 h.; regreso de Ávila a las 19,40 h. Precios: adultos, 1.650 pesetas; niños de cuatro a doce años, 1.200 pesetas.
•**Trenes de fin de semana:**
«Tierras del Cid» (TER). Salida de Chamartín el sábado a las 8,30 h.; regreso de Burgos a las 17,45 h.
«Ciudad Encantada de Cuenca» (TER). Salida de Atocha los sábados

a las 9,30 h.; regreso de Cuenca, el domingo a las 19 h.

Parques acuáticos

Acuópolis. Toboganes, Rompeolas, Atlantic-Surf, Lago de la Aventura, Poblado del Oeste. Restaurantes, Terrazas, Parking gratuito. Abierto todos los días de 1 a 20 h. Precios: adultos, 1.550 ptas.; menores de catorce años, 1.000 ptas.
Lagosur. Km. 9 carretera de Toledo a Leganés (Leganés). Abierto de 11 a 19 h. Precios: adultos, 1.400 ptas. Viernes y sábado abierto también desde las 23 h. hasta la madrugada. Precios: hombres, 1.100 ptas.; mujeres, 700 ptas., con derecho a consumición.

Boleras

Bolera Club Stella. Arlabán, 7. Tel. 231 01 92.
Bowling Chamartín. Estación de Chamartín. Tel. 315 71 19.

Gimnasios

Gimnasio Ángel López. Primer Centro Polaris de España. Squash (nueva instalación), karate, gimna-

sia, pesas, aerobic, gim-jazz, ballet infantil y adulto, baile español y rítmica. Amparo Usera, 14.
Gimnasio Argüelles. Karate, squash, aerobic, gimnasia, jazz, culturismo, musculación. Máquinas Polaris. Andrés Mellado, 21-23.

Piscinas

Municipales
Los precios de estas piscinas del Ayuntamiento son de 350 pesetas para los adultos y 150 para los niños. El horario de las piscinas es de 10 a 20 h., ininterrumpidamente.
Centro. Polideportivo de la Latina (plaza de la Cebada, 1), una piscina climatizada.
Ciudad Lineal. Polideportivo de la Concepción (Virgen del Portillo, s/n.), una piscina climatizada y una olímpica.
San Blas. Polideportivo de San Blas (avda. de Hellín, 79), una piscina climatizada, una olímpica, una para nadadores no expertos, una infantil y una piscina de 1.875 metros cuadrados.

Discotecas al aire libre

La Fiesta. Paseo Virgen del Puerto (puente Segovia).
El Jardín Del Sur. Disco-piscina. Ctra. Toledo, km. 8. Tels. 688 13 35 y 688 92 83.
Oh! Madrid. Disco-piscina. Ctra. Coruña, km. 8,700 (dirección Madrid). Tel. 207 86 97.

Restaurantes con terraza

Café Oriente. Pza. de Oriente, 2. Tels. 241 39 74 y 247 15 64.
Casa Domingo. Alcalá, 39. Tel. 276 01 37.
Casa Mingo. P° de la Florida, 2. Tel. 247 79 18.
Casa Rafa. Narváez, 68. Tel. 273 10 87.
Cuarto y Mitad. Bolivia, 21. Tel. 250 83 84.
Currito. Pabellón de Vizcaya de la Feria del Campo. Tel. 464 57 04.

Zoo

Casa de Campo. Tels. 711 98 50/54 16. Metro Batán. Horario apertura, 10 h. Cierre del parque, 21,30 h. Menores de ocho años, 490 pesetas; mayores, 680 pesetas. Pases delfinario: mañana y tarde.

Las clases

Lea Gramática 2.2.

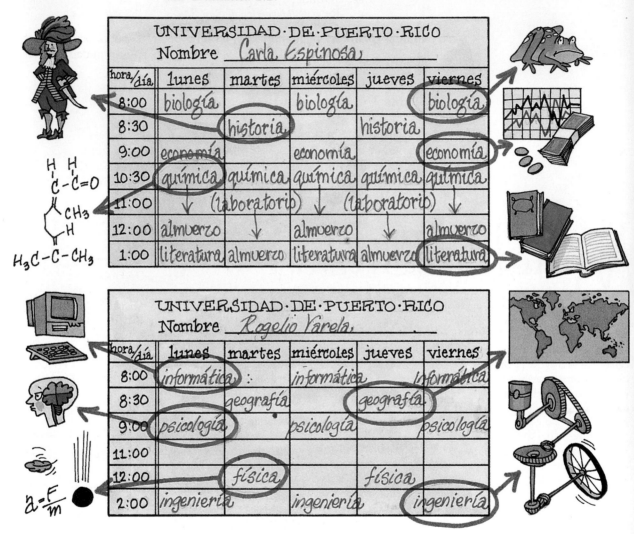

UNIVERSIDAD·DE·PUERTO·RICO

Nombre *Carla Espinosa*

hora/día	lunes	martes	miércoles	jueves	viernes
8:00	biología		biología		biología
8:30		historia		historia	
9:00	economía		economía		economía
10:30	química	química	química	química	química
11:00	↓	(laboratorio)	↓	(laboratorio)	↓
12:00	almuerzo	↓	almuerzo	↓	almuerzo
1:00	literatura	almuerzo	literatura	almuerzo	literatura

UNIVERSIDAD·DE·PUERTO·RICO

Nombre *Rogelio Varela*

hora/día	lunes	martes	miércoles	jueves	viernes
8:00	informática		informática		informática
8:30		geografía		geografía	
9:00	psicología		psicología		psicología
11:00					
12:00		física		física	
2:00	ingeniería		ingeniería		ingeniería

Actividad 5. Diálogo: Las clases

Raúl, un estudiante mexicano, habla de sus clases con Esteban, su amigo norte-americano.

RAÚL: Tengo cuatro clases este semestre.

ESTEBAN: Yo tengo cinco.

RAÚL: ¿Son muy difíciles?

ESTEBAN: Solamente la clase de física es difícil. Las otras son fáciles.

RAÚL: Mi clase de arte es difícil pero muy interesante.

ESTEBAN: No tengo clase de arte, pero sí tengo una clase de sociología que me gusta mucho.

Actividad 6. Intercambios: Las clases

Ramón tiene muchas clases en su primer año de preparatoria. Pregúntele a su
compañero/a cuál es la primera (segunda, tercera, cuarta, etcétera) clase de
Ramón, a qué hora es y quién es el profesor / la profesora.

MODELO: E1:   ¿Cuál es la *primera* clase de Ramón?
          E2:   Su primera clase es la clase de *inglés.*
          E1:   ¿A qué hora es?
          E2:   Es a *las 7:45.*
          E1:   ¿Quién es el profesor o la profesora?
          E2:   Es *el señor García.*

SAGRADO CORAZÓN

Nombre: **Ramón Gómez**   Año: **Primero de preparatoria**

hora	materia	salón de clase	profesor(a)
7:45→8:30	inglés	403	Manuel García
8:40→9:25	matemáticas	207	Eugenia Ibarra
9:35→10:20	geografía	201	Daniel Contino
10:30→11:05	alemán	402	Alma Morales de Braun
11:05→11:20	descanso		
11:30→12:15	literatura española	405	Consuelo Acuña de Ramos
12:25→1:10	historia de México	408	Héctor Magaña M.
1:20→3:20	almuerzo		
3:30→4:15	biología	214	Isabel Santizo de Barragán
4:25→5:10	música	311	Víctor Álvarez

Actividad 7. Entrevista: Las clases

1.   E1:   ¿Qué clases tienes este semestre/trimestre?
         E2:   Tengo _____, _____ y _____.

2.   E1:   ¿Cuál es tu clase favorita? ¿A qué hora es?
         E2:   Mi clase favorita es la de _____. Es a la(s) _____.

3.   E1:   ¿Cuál es tu clase más fácil/difícil? ¿A qué hora es?
         E2:   Mi clase más fácil/difícil es la de _____. Es a la(s) _____.

Actividad 8. Del mundo hispano: La Universidad del Valle de México

Éstas son las especialidades más importantes en el México actual. Trabaje con un compañero / una compañera para contestar las preguntas.

UNIVERSIDAD DEL VALLE DE MEXICO	CENTRO		SUR		EDO. MEX.	QRO.
ESPECIALIDADES	SAN RAFAEL	GUADALUPE INSURGENTES	SAN ANGEL	TLALPAN	LOMAS VERDES	JURIQUILLA
AREA ECONOMICO-ADMINISTRATIVA						
ADMINISTRACION		•	•	•	•	
ADMINISTRACION DE EMPRESAS TURISTICAS	•	•		•	•	•
CONTADURIA PUBLICA		•		•	•	
ECONOMIA	•				•	•
FINANZAS					•	•
MERCADOTECNIA		•		•	•	•
RELACIONES INDUSTRIALES	•				•	
RELACIONES PUBLICAS	•				•	•
AREA DE CIENCIAS Y TECNOLOGIA						
ECOLOGIA				•	•	
INGENIERIA CIVIL					•	
INGENIERIA EN ECOLOGIA					•	
INGENIERIA EN ELECTRONICA Y TELECOMUNICACIONES					•	
INGENIERIA INDUSTRIAL ELECTRICA				•	•	
INGENIERIA INDUSTRIAL ELECTRONICA				•	•	
INGENIERIA INDUSTRIAL MECANICA				•	•	
INGENIERIA INDUSTRIAL QUIMICA				•	•	
INGENIERIA INDUSTRIAL EN PRODUCCION				•	•	•
SISTEMAS DE COMPUTACION ADMINISTRATIVA	•				•	•
AREA DE CIENCIAS SOCIALES						
CIENCIAS DE LA COMUNICACION	•			•	•	•
DERECHO	•			•	•	•
PEDAGOGIA				•	•	
PSICOLOGIA				•	•	
AREA DE ARTE Y HUMANIDADES						
ARQUITECTURA	•			•	•	•
DISEÑO GRAFICO	•			•	•	•

1. ¿Qué campus ofrece todas las especialidades? ¿Cuál ofrece menos especialidades?
2. ¿Cuántos campus ofrecen la especialidad en ingeniería industrial química?
3. Nombren las especialidades más atractivas, en su opinión.
4. ¿Se ofrecen esas especialidades en su universidad? ¿Estudian ustedes alguna de esas especialidades?
5. ¿Cuáles son las especialidades en el área de ciencias sociales?
6. En su opinión, ¿cuáles son las especialidades más importantes en el presente? ¿Por qué?

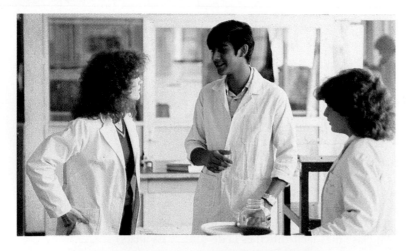

Estudiantes mexicanos en un laboratorio de biología en México, D.F.

Los amigos hispanos: Nora Morales

VOCABULARIO ÚTIL	
sobre	*about*
la mitad	*half*
chistoso	*funny*
A veces	*Sometimes*

Esta lectura es sobre una estudiante mexicoamericana de San Antonio, Texas. Ella habla aquí de su ciudad y de las clases que tiene este semestre.

Las palabras en negrilla son *cognados*, palabras similares en español y en inglés; por ejemplo, **personas** (*persons*). Antes de leer, mire esas palabras para tener una idea general.

Hola, amigos. Me llamo Nora Morales y soy **estudiante de historia** en la Universidad de Texas en San Antonio. Me gusta vivir en San Antonio. Aquí hay muchas **personas** que hablan español, y la **cultura** de esta ciudad tiene gran **influencia hispana.** Caray, pues es **lógico:** ¡la mitad de la **población** de San Antonio es hispana!

Nací el cuatro de **julio** de 1973. Entonces... ¿cuál es mi edad? Soy de estatura mediana; tengo el pelo castaño y los ojos verdes. **Me fascina** la **historia,** especialmente la historia de **México,** porque de allí son mis padres. Y también me gusta mucho el idioma español; este **semestre** tengo una **clase** muy divertida con la **profesora** Martínez.

Tengo también una clase de química y otra de **biología.** En la clase de biología hay un muchacho **mexicano** muy amable y chistoso; se llama Raúl Saucedo. A veces **practico** el español con él y hablamos de México.

Comprensión

Diga si las siguientes oraciones son ciertas o falsas. Si son falsas, haga las correcciones necesarias.

MODELO: Los padres de Nora son de España. →
Es falso. Los padres de Nora son de *México.*

1. Nora nació el Día de la Independencia de los Estados Unidos.
2. Nora habla en español con un amigo norteamericano en la clase de biología.
3. A Nora le gusta mucho su clase de español.
4. Nora es alta y tiene el pelo negro.

Ahora... ¡usted!

1. ¿Tiene clases que le gustan mucho? ¿Cuáles son sus favoritas?
2. ¿Le gusta su clase de español? ¿Por qué?
3. ¿Cuáles son sus actividades favoritas en la clase de español?

 Un paso más... ¡a escribir!

Describa a su mejor amigo/a. ¿Cuándo nació? ¿Qué edad tiene? ¿Cuáles son sus características físicas? ¿Qué les gusta hacer a ustedes cuando están juntos?

Las preferencias y los deseos

Lea Gramática 2.3.

Los planes para el sábado

Doña Lola quiere coser.

Guillermo quiere montar a caballo.

El señor Ramírez prefiere nadar.

Doña Rosita quiere ir al parque.

Don Anselmo quiere pescar.

Ramón prefiere andar en motocicleta.

Andrea y Pedro prefieren descansar y charlar.

La familia Ruiz quiere merendar en el parque.

Actividad 9. Diálogo: Una invitación

ESTEBAN: ¿Te gusta *jugar al tenis*?

LAN: Sí, me gusta mucho.

ESTEBAN: ¿Quieres *jugar al tenis en el parque* el *domingo*?

LAN: ¿A qué hora?

ESTEBAN: A *las once*.

LAN: Perfecto. Nos vemos el *domingo* a *las once*.

Actividad 10. Intercambios: ¿Cuáles son sus actividades favoritas?

Converse con su compañero/a sobre sus preferencias.

MODELO: E1: ¿Qué prefieres hacer *los lunes a las cuatro de la tarde*?

E2: Prefiero *escribir cartas*.

HORA Y DÍA

1. Los sábados, a las siete de la mañana, prefiero...
2. Los viernes, a las ocho de la noche, prefiero...
3. Los lunes, a las cuatro de la tarde, prefiero...
4. Los domingos, a las diez de la mañana, prefiero...
5. Los sábados, a las tres de la tarde, prefiero...

ACTIVIDADES

a. jugar al tenis.
b. cocinar.
c. descansar.
d. correr.
e. escribir cartas.
f. montar a caballo.
g. bailar.
h. ver la televisión.
i. dormir.
j. leer el periódico.
k. ¿ ?

Actividad 11. Entrevista: Mis actividades favoritas

MODELO: E1: ¿Prefieres *nadar en la piscina o en el mar*?

E2: Prefiero *nadar en el mar.*

1. ¿cenar en casa o en un restaurante?
2. ¿jugar al boliche o al billar?
3. ¿jugar al basquetbol o al fútbol?
4. ¿andar en motocicleta o en bicicleta?
5. ¿escribir cartas o recibir cartas?
6. ¿leer el periódico o ver la televisión?
7. ¿lavar el carro o trabajar en el jardín?
8. ¿merendar en un parque o comer en casa?
9. ¿ir a la playa o a las montañas?
10. ¿leer una novela o explorar la red mundial?

Actividad 12. Del mundo hispano: ¿Qué prefieren hacer los españoles en su tiempo libre?

Converse con un compañero / una compañera sobre la tabla a continuación.

MODELOS: E1: ¿Cuál es la *primera preferencia* de los españoles?
           E2: *Pasar tiempo con la familia y los niños.*

           E1: En general, ¿los europeos prefieren *recibir visitas* o *escuchar la radio*?
           E2: Prefieren *recibir visitas.*

Actividad 13. Conversación: El perfil del hombre perfecto

Trabajando en grupos, organicen estas descripciones en dos columnas: (1) el macho y (2) el hombre liberado.

- Le gusta ver películas violentas.
- Prefiere jugar al fútbol americano.
- Va a bailar con frecuencia.
- Le gusta jugar al tenis.
- Prefiere montar en motocicleta.
- Le gusta escuchar la música rock.
- Prefiere la música romántica.

- Prefiere manejar un jeep.
- Prefiere salir con los amigos.
- Prefiere llevar ropa deportiva.
- Le gusta mucho salir por la noche.
- Prefiere cenar en familia.
- Siempre quiere llevar vaqueros, botas y chaqueta negra.

Ahora, escriban una lista para describir uno de los siguientes estereotipos de mujer.

1. la mujer tradicional
2. la mujer liberada

3. la mujer perfecta

EL MUNDO HISPANO... su gente

Cecilia Ortega tiene 24 años y es de España.

¿Qué le gusta hacer en su tiempo libre?

Leer me apasiona;[1] prácticamente devoro[2] los libros. Me gustan especialmente las novelas policíacas o de misterio, y las biografías. También voy al cine una vez por semana. Me gustan las películas europeas. En general, detecto las películas violentas y las comedias de chiste fácil,[3] aunque me gustan mucho las comedias inteligentes.

[1]*me... is my passion*   [2]*I devour*   [3]*de... simplistic*

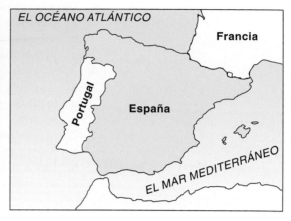

EL OCÉANO ATLÁNTICO

Francia

Portugal

España

EL MAR MEDITERRÁNEO

NOTA CULTURAL

VOCABULARIO ÚTIL

planificar	*to plan*
disfrutar de	*to enjoy*
una fuente	*fountain*
los bancos	*benches*
las damas	*checkers*

¡Vamos a pasear!

En esta Nota cultural se describen dos lugares en las ciudades hispanas donde hay mucha actividad social: las calles y la plaza. La plaza, especialmente, es el lugar que muchos hispanos prefieren para estar con los amigos.

En las calles de las ciudades hispanas siempre hay mucha actividad de todo tipo: hay personas que conversan, que caminan, que van de compras. Los hispanos, en general, prefieren no planificar demasiado su tiempo libre. A muchos les gusta disfrutar del momento presente y hacer las cosas de un modo espontáneo. La gente sale con el pretexto de visitar a un amigo, de comprar algo o para pasear por la plaza.

La plaza está generalmente en el centro de la ciudad. Muchas plazas tienen una fuente, árboles y bancos. En algunos pueblos, la gente juega allí a diferentes juegos como el dominó, las damas o las cartas. Pero a la mayoría de los hispanos les gusta ir a la plaza para sentarse y conversar o simplemente para mirar a las personas que pasan.

¡Me gusta la lluvia en la plaza!

Comprensión

Complete las siguientes oraciones lógicamente según la Nota cultural. Puede haber más de una respuesta correcta.

1. Generalmente, los hispanos prefieren...
   a. planificar todas sus actividades.
   b. ser espontáneos respecto al tiempo libre.
   c. pensar más en el momento presente.
2. A los hispanos les gusta pasear por...
   a. las calles.
   b. la plaza.
   c. su casa.
3. Normalmente, en la plaza, las personas...
   a. juegan a varios juegos y conversan.
   b. hacen su tarea o trabajan.
   c. se sientan y miran a otras personas.

Ahora... ¡usted!

1. ¿Tiene esta ciudad un lugar donde la gente puede ir a pasear? ¿Qué lugar es? ¿Qué le gusta hacer a usted allí normalmente?
2. ¿Qué le gusta hacer en su tiempo libre?
3. Generalmente, ¿planifica muy bien sus actividades? ¿Por qué?

Un paso más... ¡a escribir!

Describa su lugar favorito. ¿Dónde está? ¿Por qué le gusta pasar tiempo allí? ¿Prefiere estar solo/a en ese lugar o con otras personas? ¿Con quién(es) prefiere estar?

El tiempo

Lea Gramática 2.4.

¿Qué tiempo hace?

Hace buen tiempo.

Hace sol.

Hace mucho calor.

Hace mucho frío.

Nieva.

Llueve.

Hace viento.

Hace fresco.

Está nublado.

Actividad 14. Definiciones: Las estaciones y el clima

Lea estas descripciones y diga qué estación representa cada una: la primavera, el verano, el otoño o el invierno.

1. Hace mucho frío y a veces nieva.
2. Llueve mucho, a veces hace viento, nacen muchos animales y hay muchas flores y plantas nuevas.
3. Las clases empiezan y hay árboles de hojas amarillas, anaranjadas y de color café. Es la temporada del fútbol norteamericano.
4. Es la estación de las vacaciones. Hace mucho calor y muchas personas van a nadar al lago o a la piscina.

Ahora, mire el país y los meses y diga qué estación es.

1. España: diciembre, enero, febrero. Es _____.
2. Chile: diciembre, enero, febrero. Es _____.
3. México: septiembre, octubre, noviembre. Es _____.
4. Perú: septiembre, octubre, noviembre. Es _____.
5. Uruguay: marzo, abril, mayo. Es _____.
6. Argentina: junio, julio, agosto. Es _____.

Actividad 15. Intercambios: El clima

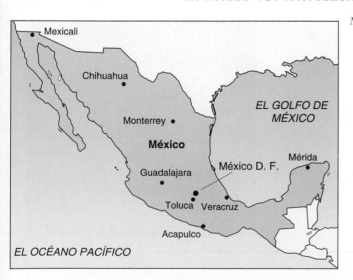

MODELOS:
E1: ¿Cuál va a ser la temperatura *máxima* en *Mexicali mañana*?
E2: Va a ser de *treinta y nueve grados*.

E1: ¿Cuál fue la temperatura *mínima* en *Acapulco ayer*?
E2: Fue de *veinticinco grados*.

CLIMA				
CIUDAD	TEMPERATURA DE AYER		PRONOSTICO	
	MAXIMA	MINIMA	MAXIMA	MINIMA
DF	21	12	22	12
Mexicali	37	25	39	24
Mérida	34	22	33	23
Toluca	18	8	18	8
Chihuahua	33	30	34	19
Monterrey	34	22	36	22
Guadalajara	26	16	25	16
Acapulco	32	25	32	24
Veracruz	25	23	29	24

Actividad 16. Descripción de dibujos: ¿Qué tiempo hace?

Escuche la descripción de estos dibujos y diga el número del dibujo indicado.

1.

2.

3.

4.

5.

6.

Ahora, hágale preguntas sobre los dibujos a su compañero/a.

MODELO: E1: ¿Qué tiempo hace en el *dibujo número 3*?
         E2: *Hace mucho calor.*
         E1: ¿Qué estación es?
         E2: Es *el verano.*

EL MUNDO HISPANO... imágenes

Una plaza en el Barrio de Santa Cruz, en Sevilla, España. Cuando hace buen tiempo, a los hispanos les gusta ir a la plaza para sentarse, para pasear o para reunirse[1] con los amigos. Sólo cuando hace mucho frío hay muy pocas personas en este lugar.

En la foto vemos a varias personas, algunas alrededor de la fuente[2] y otras que comen en un café. ¡Todo el mundo se reúne en la plaza!

[1]*meet* [2]*fountain*

EL MUNDO HISPANO... en los Estados Unidos

Sofía Panagiotidis tiene 24 años y es de Venezuela. Lleva cinco años en los Estados Unidos y vive en Pensilvania.

¿Cómo es el clima en su país? ¿Hace mucho frío en el invierno? ¿mucho calor en el verano? Generalmente, ¿llueve mucho o poco? ¿Es muy diferente el clima de su país al de la ciudad donde usted vive ahora? ¿Qué clima le gusta más? ¿Por qué?

Yo soy de Caracas y el clima allí es muy agradable, nunca hace ni mucho frío ni mucho calor.[1] En general, Venezuela no tiene cuatro estaciones. Sólo hay épocas[2] de lluvia y épocas de sequía.[3] Donde vivo ahora, en el noreste[4] de los Estados Unidos, los inviernos son muy fríos y con mucha nieve, y los veranos son muy calurosos[5] y húmedos. Yo prefiero el clima de Venezuela porque uno no tiene que llevar abrigo cuando hace un poco de frío, y no hay mucha humedad cuando hace un poco de calor. ¡Es como vivir una eterna primavera!

[1]nunca... *it's never too cold nor too hot* [2]*seasons* [3]de... *dry* [4]*northeast* [5]*hot*

En resumen

De todo un poco

A. La ropa y el clima

> MODELO: E1: ¿Qué ropa llevas *cuando hace frío?*
> E2: Cuando hace frío *llevo abrigo y botas.*

¿Qué ropa llevas...

1. cuando hace fresco?
2. cuando hace mucho calor?
3. cuando hace viento?
4. cuando nieva?
5. cuando llueve?
6. cuando hace mucho sol?

B. ¿Qué actividades asocia usted con el tiempo?

MODELO: E1: ¿Qué te gusta hacer *cuando hace viento*?
E2: Cuando hace viento me gusta *volar una cometa en la playa*.

¿Qué te gusta hacer...

1. cuando hace fresco?
2. cuando hace mucho calor?
3. cuando hace mucho frío?
4. cuando nieva?
5. cuando llueve?
6. cuando hace mucho sol?

C. ¡De vacaciones!

Imagínese que usted está de vacaciones. Lea estos pronósticos del tiempo y diga cuáles son sus planes. Luego, invente un pronóstico para la ciudad y el día de su preferencia, y léaselo a la clase para ver cuáles son los planes de sus compañeros.

1. Madrid, 2 de agosto: Va a hacer mucho calor. La temperatura máxima va a ser de 40°C.
2. México, D.F., 22 de julio: Va a hacer fresco y va a estar nublado por la mañana. Va a llover toda la tarde.
3. Los Ángeles, California, 28 de diciembre: Este fin de semana va a nevar en las montañas. Aquí en la ciudad va a hacer mucho frío y va a llover casi todos los días. La temperatura va a bajar a 51°F.
4. ¿ ?

¡Dígalo por escrito!

Las actividades de verano

En la página 81 hay una descripción de algunas de las actividades que se puede hacer en Madrid en el verano. Mire esa descripción otra vez y luego trabaje con dos o tres compañeros de clase para comentar algunos de los pasatiempos de verano típicos en su ciudad. Después, trabaje solo/a para escribir una descripción de su ciudad en verano.

VIDEOTECA

 Manolo, Lola y su hija Marta, los personajes de este segmento de video, viven en Sevilla, en la región de España que se llama Andalucía. Lola quiere hacer planes para el fin de semana. ¿Qué tiempo va a hacer? ¿Qué quiere hacer Lola con su familia? En el Capítulo 2 del *Cuaderno de trabajo* hay más actividades para hacer después de ver el video.

Vocabulario

Las actividades favoritas

almorzar	to have lunch
andar en motocicleta/ bicicleta	to ride a motorcycle/bicycle
caminar	to walk
charlar	to chat
comer	to eat
correr	to run
coser	to sew
dar una fiesta	to give a party
desayunar	to have breakfast
descansar	to rest
divertirse	to have fun
esquiar	to ski
estudiar	to study
explorar (la red mundial)	to explore (the Internet)
ir	to go
va	you go; he/she goes
van	they go
lavar	to wash
levantar pesas	to lift weights
limpiar	to clean
merendar (en el parque)	to have a picnic (in the park)
montar a caballo	to ride a horse
pasar tiempo	to spend time
pasear	to go for a walk
pasear en barca	to go for a boat ride
practicar un deporte	to play a sport
preferir	to prefer
prefiero	I prefer
prefiere	you prefer; he/she prefers
recibir una visita	to have company
reparar	to fix
tomar (una siesta)	to take (a nap)
tomar el sol	to sunbathe
volar una cometa	to fly a kite

Las materias — School Subjects

la especialidad	major
la informática	data processing
la ingeniería	engineering
la química	chemistry

PALABRAS SEMEJANTES: la antropología, el arte, la biología, las ciencias sociales, el curso, la economía, la física, la geografía, la historia, la literatura, la música, la psicología, la sociología

REPASO: el español, el francés, el inglés, las matemáticas

El tiempo — The Weather

el clima	weather; climate
Está nublado.	It is overcast (cloudy).
el grado	degree
Hace (muy) buen/mal tiempo.	The weather is (very) fine/bad.
Hace fresco.	It's cool.
Hace (mucho) calor.	It's (very) hot.
Hace (mucho) frío.	It's (very) cold.
Hace (mucho) sol.	It's (very) sunny.
Hace (mucho) viento.	It's (very) windy.
llover	to rain
Llueve (mucho).	It rains (a lot).
nevar	to snow
Nieva (mucho).	It snows (a lot).
el pronóstico del tiempo	weather forecast
¿Qué tiempo hace?	What is the weather like?

PALABRAS SEMEJANTES: la temperatura máxima/ mínima

¿Cuándo?

ahora	now
a la(s)	at (*time*)
... de la mañana	. . . in the morning
... de la tarde	. . . in the afternoon
... de la noche	. . . in the evening
con frecuencia	frequently
después	after
esta noche	tonight
finalmente	finally
más tarde	later
por último	lastly
siempre	always

REPASO: ¿A qué hora... ?, ayer, anteayer, hoy, luego, mañana, pasado mañana, por la mañana/tarde/noche

Los lugares

el centro	downtown
el jardín	garden

el lago	lake
el mar	sea
la montaña	mountain
el parque	park
la preparatoria	prep school; high school
el río	river

PALABRAS SEMEJANTES: el campus, el laboratorio

REPASO: la playa

Los números ordinales
Ordinal Numbers

primer, primero/a	first
segundo/a	second
tercer, tercero/a	third
cuarto/a	fourth
quinto/a	fifth
sexto/a	sixth
séptimo/a	seventh
octavo/a	eighth
noveno/a	ninth
décimo/a	tenth

Las descripciones

actual	present-day
algún, alguno/a	some
buen, bueno/a	good
deportivo/a	sport related
europeo/a	European
próximo/a	next
solo/a	alone

PALABRAS SEMEJANTES: atractivo/a, importante, industrial, liberado/a, macho/a, perfecto/a, romántico/a, tradicional, violento/a

REPASO: aburrido/a, interesante

Otros verbos útiles   Other Useful Verbs

abrir	to open
bajar	to go down
cerrar (ie)	to close
cierran	they close
contestar	to answer
empezar (ie)	to start, begin
llegar	to arrive
manejar	to drive
nacer	to be born
ofrecer	to offer
recibir	to receive
ser	to be

REPASO: hablar, leer

Los sustantivos   Nouns

el almuerzo	lunch
el árbol	tree
el billar	billiards, pool
el boliche	bowling
el café	coffee
el descanso	break
el deseo	wish
el estereotipo	stereotype
la(s) flor(es)	flower(s)
la(s) hoja(s)	leaf/leaves
la misa	Mass
los (pantalones) vaqueros	jeans
el pasatiempo	hobby
la película	film, movie
la red mundial	Internet
la respuesta	answer
la revista	magazine
el té	tea
la temporada	season
el tiempo libre	free time

PALABRAS SEMEJANTES: el animal, el área, el cereal, el fútbol americano, el grupo, la invitación, la lista, la música rock, la novela, el plan / los planes, las preferencias, el presente, la radio, el semestre, el trimestre

Palabras del texto

conversar	to converse
converse(n)	converse (command)
decidir	to decide
decida(n)	decide (command)
siguiente	following
la tabla	table (graph)

PALABRAS SEMEJANTES: asociar, el caso, la columna, la conversación, la definición, describir, inventar, la narración, la ocasión, organizar, la palabra, representar

Palabras y expresiones útiles

aquí	here
en general	in general
fue	(it) was
más/menos	more (most) / less (least)
Nos vemos.	See you.
por	by, for
¿Por qué... ?	Why . . . ?
¡Qué buena idea!	What a good idea!
solamente	only
el tren	train
¿Verdad?	Isn't that true?

Gramática y ejercicios

2.1 Expressing Future Plans: *ir* + *a* + Infinitive

ir = *to go*
¿Qué vas a hacer esta noche? (*What are you going to do tonight?*)
Voy a estudiar. (*I'm going to study.*)

The most common way of expressing future plans is to use the verb **ir** (*to go*) plus the preposition **a** (*to*) followed by an infinitive. This construction is commonly referred to as the *informal future*, because Spanish has another future tense, generally reserved for talking about more long-term future plans.*

—¿Qué **vas a hacer** mañana?

—**Voy a esquiar.**

—¿Qué **van a hacer** ustedes este fin de semana?
—**Vamos a ir** al cine.

—¿Qué **van a hacer** Esteban y Alberto después de la clase?
—**Van a jugar** al basquetbol.

—*What are you going to do tomorrow?*

—*I am going to ski.*

—*What are you going to do this weekend?*
—*We're going to go to the movies.*

—*What are Steven and Al going to do after class?*
—*They're going to play basketball.*

Here are the forms of the irregular verb **ir**.†

ir (*to go*)		
(yo)	voy	*I am going*
(tú)	vas	*you (inf. sing.) are going*
(usted, él/ella)	va	*you (pol. sing.) are going; he/she is going*
(nosotros/as)	vamos	*we are going*
(vosotros/as)	vais	*you (inf. pl., Spain) are going*
(ustedes, ellos/as)	van	*you (pl.) are going; they are going*

Ejercicio 1

A continuación tiene usted una conversación sobre los planes de algunos compañeros de clase. Complete las oraciones con las formas correctas del verbo **ir**.

MODELO: Luis *va* a hacer ejercicio en el parque.

1. —¿Qué _____ a hacer tú después de la clase?
   —(Yo) _____ a ir de compras con una amiga.

---

*See the **Expansión gramatical** in your *Cuaderno de trabajo* for information about the future tense.
†Recognition: **vos vas**

2. —¿Y qué _____ a hacer Esteban y Carmen?
   —Esteban _____ a estudiar y Carmen _____ a trabajar.
3. —¿Y la profesora Martínez? ¿Qué _____ a hacer ella?
   —Creo que _____ a leer la tarea de sus estudiantes, pero nosotros _____ a ir al cine.
4. —Pablo, ¿cuándo _____ a estudiar tú?
   —(Yo) _____ a estudiar más tarde, probablemente esta noche.
5. —¿Y tú, Alberto? ¿Cuándo _____ a hacer la tarea para la clase de español?
   —(Yo) _____ a hacer mi tarea mañana por la mañana.

2.2 Sequencing: Ordinal Adjectives

primer, primero/a = *first*
segundo/a = *second*
tercer, tercero/a = *third*
cuarto/a = *fourth*
quinto/a = *fifth*
sexto/a = *sixth*
séptimo/a = *seventh*
octavo/a = *eighth*
noveno/a = *ninth*
décimo/a = *tenth*

Ordinal adjectives are used to put things and people into a sequence or order. The ordinals in English are *first, second, third, fourth*, and so on. Here are the ordinals from *first* to *tenth* in Spanish.

primero/a	sexto/a
segundo/a	séptimo/a
tercero/a	octavo/a
cuarto/a	noveno/a
quinto/a	décimo/a

Mi **segunda** clase es difícil.　　　*My second class is difficult*

As with **uno** (*one*), the words **primero** and **tercero** drop the final **-o** when used before a masculine singular noun.

Estoy en el **primer** (**tercer**) **año**.　　　*I am in the first (third) grade.*

Ejercicio 2

Conteste las preguntas según el dibujo.

Ernesto
Estela
doña Lola
Guillermo
Amanda
Ramón
don Anselmo

1. ¿Quién es la primera persona*?
2. ¿Quién es la segunda persona?
3. ¿Es Guillermo la quinta?
4. ¿Es Amanda la primera?
5. ¿Es doña Lola la tercera?
6. ¿Quién es la sexta persona?
7. Don Anselmo es la quinta persona, ¿verdad?
8. ¿Quién es el primer hombre?
9. ¿Quién es la segunda mujer?
10. ¿Es don Anselmo el tercer hombre?

*****Persona** is a feminine word, even when it refers to a man.

preferir = *to prefer, would rather*

querer = *to want*

¿Qué quieres hacer ahora? (*What do you want to do now?*)

Quiero descansar. (*I want to rest.*)

¿Qué prefieres hacer? (*What do you prefer to do? [What would you rather do?]*)

Prefiero comer ahora. (*I prefer to eat now.*)

2.3 Stating Preferences and Desires: *preferir* and *querer* + Infinitive

The verbs **preferir*** (*to prefer, would rather*) and **querer*** (*to want*) are used to express preferences and desires. They are often followed by an infinitive. (Remember that infinitives are the non-conjugated verb forms that end in **-ar**, **-er**, or **-ir**.)

—¿Qué **quieres** hacer este invierno?
—**Quiero** esquiar.
—¿Qué **prefiere** hacer Pablo?
—**Prefiere** viajar.

—*What do you want to do this winter?*
—*I want to ski.*
—*What does Paul prefer to do?*
—*He would rather travel.*

Note that the **e** of the stem of these verbs changes to **ie**, except in the **nosotros/as** and **vosotros/as** forms.[†]

querer (*to want*)			preferir (*to prefer*)
(yo)	quiero	prefiero	*I want/prefer*
(tú)	quieres	prefieres	*you (inf. sing.) want/prefer*
(usted, él/ella)	quiere	prefiere	*you (pol. sing.) want/prefer; he/she wants/prefers*
(nosotros/as)	queremos	preferimos	*we want/prefer*
(vosotros/as)	queréis	preferís	*you (inf. pl., Spain) want/prefer*
(ustedes, ellos/as)	quieren	prefieren	*you (pl.) want/prefer; they want/prefer*

Ejercicio 3

Complete estas oraciones según el modelo.

MODELO: Nora *quiere* patinar, pero Luis *prefiere* jugar al tenis.

1. Yo _____ ir al cine, pero Esteban _____ salir a bailar.
2. Nora _____ver la televisión, pero Alberto _____ ir de compras.
3. Lan _____ pasear por el parque, pero yo _____ dormir todo el día.
4. Nora _____ comer comida china, pero Carmen y Pablo _____ cocinar en casa.
5. Mónica _____ dar una fiesta, pero Alberto _____ bailar en una discoteca.
6. El padre de Esteban _____ acampar, pero yo _____ ir a la playa.
7. Carmen _____ sacar fotos, pero Lan _____ escribir una carta.
8. Luis _____ dibujar, pero yo _____ tocar la guitarra.
9. Mónica y Pablo _____ ir a pasear por el centro, pero yo _____ dormir toda la tarde.
10. Luis y Alberto _____ descansar, pero Esteban _____ leer el periódico.

---

*Recognition: **vos preferís, querés**
[†]Verbs like **preferir** and **querer** that use more than one stem in their conjugation are known as *irregular verbs*. You will learn more about this type of verb beginning in **Gramática 3.3**.

Ejercicio 4

¿Qué quieren hacer estas personas? Conteste según el modelo.

MODELO: ¿Qué quiere hacer Guillermo? → *Quiere jugar al basquetbol.*

1. ¿Qué quiere
hacer Ernestito?

2. ¿Qué prefiere hacer
el señor Ramírez?

3. ¿Qué quieren hacer
Estela y Andrea?

4. Luis y Nora, ¿qué
prefieren hacer ustedes?

5. ¿Qué prefieren hacer
Diego y Rafael?

6. ¿Qué quiere hacer
Amanda?

Ejercicio 5

Escriba los planes y las preferencias de estas personas.

	PLANES		PREFERENCIAS/DESEOS
MODELO: Nora	*va a leer*	pero	*prefiere (quiere) dormir.*

1. Lan   2. Carmen

3. Esteban

4. Alberto

5. Pablo

6. Mi compañera

7. Yo

2.4 Describing the Weather: Common Expressions

Spanish speakers use several verbs to describe weather conditions.

A. If a weather expression refers to a phenomenon that can be felt (good weather, heat, cold, wind), use **hacer.**

> —¿Qué tiempo **hace** hoy?   —*What's the weather like today?*
> —**Hace frío.**   —*It's cold.*

Other weather expressions with **hacer** are **hace calor** (*it's hot*), **hace buen/mal tiempo** (*the weather is good/bad*), **hace viento** (*it's windy*), **hace sol** (*it's sunny*), and **hace fresco** (*it's cool*).

B. If a weather expression refers to a phenomenon that can be seen, use **haber.**

> —**Hay neblina** por la costa.   —*It's foggy (There is fog) along the coast.*
> —**Hay nubes** hoy.   —*It's cloudy (There are clouds) today.*

C. For resultant states (that is, conditions that result from a specific phenomenon, such as **Hay nubes** or **Hace sol**), use **estar** with the appropriate adjective.

> —**Está nublado** hoy.   —*It's cloudy today.*
> —**Está soleado** en las montañas.   —*It's sunny in the mountains.*

Most Spanish weather expressions use either **hacer** or **haber.**
Hace frío. (*It's cold.*)
Hace calor. (*It's hot.*)
Hace buen/mal tiempo. (*The weather is good/bad.*)
Hay neblina. (*It's foggy.*)

But to talk about resultant states, use **estar** + adjective.
Está nublado. (*It's cloudy.*)

Nevar and **llover** use just the verb.
Nieva. (*It's snowing.* [*It snows.*])
Llueve. (*It's raining.* [*It rains.*])

D. To talk about rain and snow, use only the corresponding verb (**llover** or **nevar**).

—Siempre **llueve** aquí por la tarde.   —*It always rains here in the afternoon.*

—**Nieva** mucho en Montana.   —*It snows a lot in Montana.*

Note in all of these weather expressions that Spanish does not use a pronoun corresponding to English *it*.

Ejercicio 6

Diga qué tiempo hace.

1.   2.   3.   4.   5.   6.

Ejercicio 7

Diga si son posibles o imposibles estas combinaciones.

1. —¿Hace sol?
   —Sí, y también hace calor.
2. —¿Hace mal tiempo?
   —Sí, y llueve mucho.
3. —¿Hace buen tiempo?
   —Sí, y hace mucho frío.
4. —¿Hace calor?
   —Sí, y también nieva.
5. —¿Hace frío?
   —Sí, y también hace mucho calor.

Las actividades y los lugares

Tegucigalpa, Honduras

ACTIVIDADES DE COMUNICACIÓN Y LECTURAS

¿Dónde está?

Lectura   Una tarjeta postal desde Madrid

Las actividades diarias

Lectura   Los amigos hispanos: Adela Martínez

El mundo hispano... imágenes

¿De dónde es usted?

El mundo hispano... su gente

Nota cultural   Los hispanos en los Estados Unidos

Las actividades del momento

El mundo hispano... en los Estados Unidos

EN RESUMEN

GRAMÁTICA Y EJERCICIOS

3.1 Locating People and Objects: **estar**

3.2 Talking About Habitual Actions: Present Tense of Regular Verbs

3.3 Using Irregular Verbs: **hacer, salir, jugar**

3.4 Describing Origin and Location: **ser de / estar en**

3.5 Referring to Actions in Progress: Present Progressive

Actividades de comunicación y lecturas

¿Dónde está?

Lea Gramática 3.1.

Actividad 1. Intercambios: La Universidad Estatal del Oriente

Mire el plano de la página siguiente. Escuche mientras su profesor(a) describe dónde están varios edificios. Escriba el nombre del edificio en el espacio en blanco.

Edificios: la biblioteca, la cafetería, la Facultad de Ciencias Sociales, la Facultad de Medicina, el gimnasio, el teatro

Ahora, pregúntele a su compañero/a dónde están los edificios en el plano.

MODELOS: E1: ¿Dónde está *el teatro*?

E2: Está *enfrente de la Facultad de Bellas Artes.*

E1: ¿En qué calle está *la cafetería*?

E2: Está en la *avenida de las Rosas, enfrente de la librería.*

LA·UNIVERSIDAD·ESTATAL·DEL·ORIENTE

Actividad 2. Diálogo abierto: Las clases

E1: Hola, _____. ¿Tienes clases hoy?

E2: Sí, tengo _____ y _____.

E1: ¿Dónde?

E2: En el edificio de _____.

E1: ¿Dónde está ese edificio?

E2: Está al lado del / de la _____.

Actividad 3. Entrevista: En nuestra universidad

Pregúntele a su compañero/a dónde están los siguientes lugares en su universidad.
Use al lado de, enfrente de, detrás de, entre, en el edificio de...

MODELO: E1: ¿Dónde está *la cafetería*?

E2: Está *detrás de...*

1. la biblioteca

2. el gimnasio

3. la librería

4. el teatro

5. la Facultad de _____

6. ¿ ?

Una tarjeta postal desde Madrid

Clara Martin es una joven norteamericana que ahora estudia en Madrid. El año pasado Clara fue estudiante de la profesora Martínez; gracias a esa clase, ahora Clara habla muy bien el español.

Ésta es la primera tarjeta postal que Clara manda a su profesora. ¡Adela Martínez va a recibir muchas postales más!

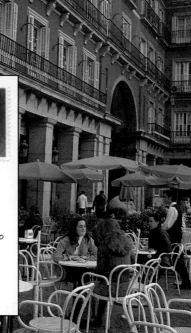

Estimada profesora:

¡Por fin estoy en Madrid! Es una ciudad muy grande y tiene mucho más tráfico que San Antonio. Estoy ansiosa por verlo todo. Me gusta mucho el Parque del Retiro. ¡Y el Museo del Prado es impresionante! Esta tarjeta es de la Plaza Mayor, un lugar interesante adonde va mucha gente a tomar café y a conversar. (Es mi lugar favorito.) Bueno, hasta muy pronto.
Un abrazo,
                        Clara
P.D. ¡Estoy hablando muchísimo español!

Prof. Adela Martínez
Department of Foreign Languages
University of Texas at San Antonio
San Antonio, TX 78285
USA

Madrid, España

Comprensión

¿Cierto o falso? Si la oración es falsa, haga las correcciones necesarias.

1. San Antonio tiene menos tráfico que Madrid.
2. Clara va a ver pocos lugares.
3. Clara no practica mucho el español en Madrid.
4. El lugar favorito de Clara es el Museo del Prado.
5. En la Plaza Mayor la gente toma café y conversa.

Ahora... ¡usted!

1. Cuando usted viaja, ¿les manda tarjetas postales a su familia y amigos? Por lo general, ¿le gusta escribir mucho en las postales o prefiere decir poco?
2. ¿Le gusta recibir tarjetas postales de sus amigos y familiares cuando viajan? ¿Por qué?

Un paso más... ¡a escribir!

A. Imagínese que usted está de vacaciones y que va a mandarle una tarjeta postal a alguna persona. ¿Quién es esa persona? ¿Qué va a decirle? Use la tarjeta de Clara como guía y... ¡escriba!

Querido/a ——:

Por fin estoy en ——. Es un lugar muy —— y tiene ——. Me gusta mucho ——. Esta tarjeta postal es de ——.

Hasta muy pronto.

Un abrazo,

(su firma aquí)

P.D. ¡——!

B. Ahora, léale el texto de su tarjeta postal a su compañero/a, ¡pero no mencione el lugar! Su compañero/a va a tratar de adivinar ese detalle.

Las actividades diarias

Lea Gramática 3.2–3.3.

Un día típico en la vida de la familia Ramírez

Ernesto lee el periódico todas las mañanas.

Los Ramírez y sus hijos desayunan juntos.

Ernesto sale de la casa a las 8:30.

Ernesto espera el autobús.

Amanda y sus hermanos caminan al parque.

Guillermo juega al fútbol con sus amigos.

Berta limpia la casa.

Estela prepara la cena.

La familia Ramírez cena a las 8:00.

Actividad 4. Intercambios: Las actividades diarias

MODELOS: E1: ¿Quién *va a misa*?
E2: *Silvia.*

E1: ¿Cuándo *hace ejercicio Mayín*?
E2: *Los viernes por la mañana.*

	SILVIA BUSTAMANTE MÉXICO, D.F.	**ADRIANA BOLINI BUENOS AIRES**	**MAYÍN DURÁN LOS ÁNGELES**
lun., por la mañana	va en metro al trabajo	va en carro a su oficina	va en coche a la estación de radio
mié., por la tarde	trabaja en la estación de autobuses	trabaja con una computadora	escribe un reportaje
vie., por la mañana	estudia	asiste a una reunión	hace ejercicio en el gimnasio
sáb., por la mañana	lleva su ropa a la lavandería	pasea por el parque	lee el periódico
dom., por la mañana	va a misa	juega al tenis	ve la televisión

Actividad 5. Asociaciones: Las actividades típicas

¿Cuáles son las actividades típicas de estas personas?

1. un profesor / una profesora
2. un hombre / una mujer de negocios
3. una ama de casa
4. un(a) estudiante

Actividades posibles: almuerza en un restaurante, charla con un amigo en la cafetería, cocina, habla por teléfono, lee las tareas de los estudiantes, lee una revista, limpia la casa, prepara las lecciones, trabaja en su oficina, va a la biblioteca

Actividad 6. Narración: Un día en la vida de Carla Espinosa

PALABRAS ÚTILES

primero	después	finalmente
luego	más tarde	por último
entonces	¿A qué hora?	
	A la(s)...	

Actividad 7. Preferencias: ¿Con qué frecuencia?

Diga con qué frecuencia usted hace estas actividades durante la semana. Use
siempre, con frecuencia, a veces, varias veces y **nunca**.

1. Veo la televisión por la noche.
2. Salgo a cenar con amigos.
3. Juego al basquetbol.
4. Voy al cine.
5. Lavo el carro.
6. Hago ejercicio aeróbico.
7. Preparo la cena.
8. Como en el carro.
9. Escucho la radio mientras estudio.
10. Tomo refrescos.

Actividad 8. Asociaciones: Las actividades de mi familia

En su familia, ¿quién hace las siguientes actividades?

> MODELOS: estudia(n) en la universidad →
> *Mis hermanos* estudian en la universidad.
>
> trabaja(n) los sábados →
> *Nadie* en mi familia trabaja los sábados.

1. sale(n) mucho con sus amigos
2. esquía(n) en el invierno
3. ve(n) la televisión
4. va(n) al cine los fines de semana
5. lee(n) el periódico por la mañana
6. escucha(n) música clásica
7. trabaja(n) los sábados
8. nada(n) en el verano

Actividad 9. Entrevista: El fin de semana

GENERALMENTE LOS VIERNES POR LA NOCHE...
1. ¿Sales con tus amigos? ¿Vas al cine? ¿Vas a una discoteca o a un club?
2. ¿Trabajas? ¿Hasta qué hora?
3. ¿Cenas en algún restaurante?
4. ¿Lees un libro?
5. ¿Vas a (Das) una fiesta? ¿Dónde? ¿Con quién(es)?

GENERALMENTE LOS SÁBADOS...
6. ¿Practicas algún deporte? ¿Cuál prefieres?
7. ¿Ves la televisión? ¿Qué programas te gustan?
8. ¿Vas de compras? ¿Adónde?
9. ¿Trabajas? ¿Dónde? ¿Cuántas horas?
10. ¿Estudias? ¿Dónde? ¿Con quién(es)?

Actividad 10. Entrevista: La música

1. ¿Escuchas mucho la radio? ¿Cuándo y dónde? ¿En casa? ¿En el carro? ¿Los fines de semana? ¿Por la mañana?
2. ¿Qué clase de música prefieres? ¿Qué emisora escuchas, generalmente?
3. ¿Cuáles son tus artistas preferidos?
4. ¿Prefieres escuchar la radio o poner discos compactos?

Los amigos hispanos: Adela Martínez

VOCABULARIO ÚTIL	
la política	politics
de vez en cuando	once in a while
me pone	makes me
le hago la lucha	I try
estadounidense	U.S. citizen

La profesora Martínez nació en San Antonio, Texas, de padres mexicanos. Ella habla aquí de sus actividades favoritas y de su trabajo de verano en Guanajuato, México. A Adela le gusta conversar con los amigos, montar a caballo, escuchar música, tocar la guitarra y cantar.

¡Hola! Ya saben que soy profesora. Me gusta mucho enseñar español, pero no quiero hablarles solamente de mi trabajo. Voy a contarles, primero, de mis pasatiempos y de las actividades que hago en mi tiempo libre. Uno de mis pasatiempos favoritos es conversar con los amigos en algún café o restaurante. Los temas que más discutimos —¡y siempre con entusiasmo!— son la cultura hispana, la literatura y la política internacional. Pero también hablamos de cosas personales.

De vez en cuando monto a caballo; es un pasatiempo muy divertido. En mi tiempo libre, también escucho música. Creo que tengo un gusto bastante variado: me gusta la música clásica, la folclórica y la popular. Cuando estoy triste, toco la guitarra y canto. ¡La guitarra siempre me pone contenta! A mis estudiantes les fascina escucharme cantar canciones tradicionales como «Cielito lindo». Les confieso que no canto muy bien, pero, como dicen los mexicanos, le hago la lucha.

Durante los veranos enseño español en la ciudad de Guanajuato, México. Guanajuato es la capital del estado del mismo nombre, que está en el centro del país. Es una ciudad pequeña, muy hermosa, de aspecto colonial y con una historia muy interesante. En Guanajuato es fácil llegar a todas partes y la gente es muy amable y amistosa. Es la ciudad ideal para los cursos de verano, creo yo.

Me gustan mucho mis cursos de verano, además, porque llegan a mis clases personas de diferentes países. Normalmente tengo estudiantes árabes, chinos, japoneses, franceses y un gran número de canadienses y estadounidenses. Juntos hacemos excursiones, visitamos los museos y salimos por la noche a bailar. A veces los invito a mi casa a merendar. ¡Cuánto les gusta hablar de México cuando vienen a mi casa!

Comprensión

Complete los siguientes comentarios. ¡Cuidado! A veces hay más de una respuesta correcta.

1. Cuando la profesora Martínez está triste...
   a. conversa con sus amigos en algún café.
   b. toca la guitarra y canta.
   c. monta a caballo.

2. La profesora viaja a Guanajuato todos los veranos porque...
   a. enseña un curso de español en esa ciudad.
   b. sus padres viven en Guanajuato.
   c. no hay cursos de verano en otras ciudades.

3. A los estudiantes de la profesora Martínez les gusta escucharla cantar porque...
   a. ella tiene una voz de soprano fantástica.
   b. ella sabe cantar canciones mexicanas muy bonitas.
   c. con la música, ellos pueden comprender la cultura de México.

4. A la profesora le gusta tener tiempo libre porque...
   a. entonces sale a cenar con sus amigos.
   b. necesita escribir libros sobre la política mexicana.
   c. detesta su trabajo.

Ahora... ¡usted!

1. ¿Qué le gusta hacer, generalmente, durante los veranos? ¿estudiar? ¿trabajar? ¿viajar?

2. Compare las actividades de Adela Martínez con las actividades de verano que a usted le gusta hacer.

3. ¿Le gustaría viajar a otro país para estudiar? ¿Adónde le gustaría ir? ¿Por qué?

Un paso más... ¡a escribir!

Describa la ciudad donde usted nació o la ciudad donde vive ahora. Utilice como guía la descripción de Guanajuato que hace Adela Martínez. Para empezar, ¿es grande o pequeña su ciudad? ¿Cómo se llama? ¿En qué estado del país está? Describa a la gente de allí: ¿es amistosa, indiferente, alegre, amable? Termine su descripción con esta oración: *Mi ciudad es ideal para...*

EL MUNDO HISPANO... imágenes

En muchas ciudades hispanas, como Guanajuato, México, se conservan los edificios y la arquitectura de la época colonial. Guanajuato es una ciudad muy hermosa. Es famosa en todo el mundo hispano por su Festival de Teatro Cervantino,[1] que se celebra todos los años en octubre.

Un sitio muy interesante —¡y diferente!— en Guanajuato es el Museo del Panteón.[2] Allí se exhíben muchas momias;[3] algunas son del siglo[4] pasado, pero también hay varias más recientes. ¿Cómo es posible esto? Bueno, se dice que la tierra de Guanajuato contiene minerales que conservan intactos los cadáveres. ¡Es algo fantástico!

[1]*Theater festival named after the great Spanish writer Miguel de Cervantes (1547–1616), author of* Don Quijote. [2]*Located on a hilll outside the city, this museum is also known as* El museo de las momias, *the Museum of the Mummies.* [3]*mummies* [4]*century*

Guanajuato, México

¿De dónde es usted?

Lea Gramática 3.4.

ESPAÑA
español
española

Pilar Álvarez
Madrid, España

PORTUGAL
portugués
portuguesa

MÉXICO, AMÉRICA CENTRAL y EL CARIBE

Rubén Hernández
Miami, Florida
La Habana, Cuba

Silvia Bustamante
México, D.F.

CUBA
cubano/a

PUERTO RICO
puertorriqueño/a

Carla Espinosa
San Juan, P.R.

LA REPÚBLICA DOMINICANA
dominicano/a

MÉXICO
mexicano/a

GUATEMALA
guatemalteco/a

PANAMÁ
panameño/a

EL SALVADOR
salvadoreño/a

NICARAGUA
nicaragüense

COSTA RICA
costarricense

Mayín Durán
Los Ángeles, California
Colón, Panamá

HONDURAS
hondureño/a

COLOMBIA
colombiano/a

Ricardo Sícora
Caracas, Venezuela

VENEZUELA
venezolano/a

Susana Yamasaki
Lima, Perú

ECUADOR
ecuatoriano/a

BRASIL
brasileño/a

PERÚ
peruano/a

BOLIVIA
boliviano/a

PARAGUAY
paraguayo/a

CHILE
chileno/a

URUGUAY
uruguayo/a

ARGENTINA
argentino/a

SUDAMÉRICA

Adriana Bolini
Buenos Aires, Argentina

La presencia hispana en los Estados Unidos es fuerte y se expresa de muchas formas. En la foto, un mural hispano en el distrito de La Misión (*Mission District*) de la ciudad de San Francisco, California.

Actividad 11. Diálogo: ¿De dónde eres tú?

ROGELIO: Buenos días. Yo soy Rogelio Varela. ¿Cómo te llamas?
MARTA: Me llamo Marta Guerrero. ¿De dónde eres tú?
ROGELIO: Soy de aquí, de San Juan. ¿Y tú?
MARTA: Soy de México, pero vivo en San Juan ahora.

Actividad 12. Entrevista: ¿De dónde...?

1. E1: ¿De dónde eres?
   E2: Soy de _____.
2. E1: ¿De dónde es tu padre?
   E2: Es de _____.
3. E1: ¿De dónde es tu madre?
   E2: Es de _____.
4. E1: ¿Tienes algún amigo de otro país?
   E2: Sí, tengo un amigo / una amiga de _____.
5. E1: ¿Cómo se llama tu amigo/a?
   E2: Se llama _____.

EL MUNDO HISPANO... su gente

María Diana Suárez tiene 17 años y es costarricense.

¿Qué tipo de música le gusta más?

Escucho todo tipo de música, pero me gusta más el rock en inglés y en español. Mis cantantes favoritos son Luis Miguel[1] y Whitney Houston. Y mis conjuntos[2] favoritos son Green Day y Los Sobraos.[3] Me gusta la música latina —la salsa, el merengue[4]— por su ritmo y su sabor,[5] y porque es nuestra. ¡Amo toda la música!

[1]Luis Miguel es un famoso cantante mexicano que canta canciones románticas. (*In 1994, Luis Miguel recorded "Come Fly With Me" with Frank Sinatra for* Duets II, *Sinatra's second collection of duets with renowned American and international performers.*)   [2]grupos musicales   [3]Conjunto español; sus alegres canciones son una combinación de rock, música de baile y ritmos flamencos; su disco más popular es *Rumba mola* (1996).   [4]La salsa y el merengue son parte de la música tradicional del Caribe.   [5]energy, vitality (lit., *flavor*)

Los hispanos en los Estados Unidos

La palabra *Hispanic* se usa con frecuencia para describir a todos los hispanos que viven en los Estados Unidos. Pero dentro de la comunidad hispana hay personas de varios países que forman grupos diferentes, como los mexicoamericanos y los puertorriqueños. En esta lectura se describen estos grupos y otros que también son hispanos.

Jackson Heights, Ciudad de Nueva York

Los hispanos que viven en los Estados Unidos contribuyen de manera importante a la vida cultural y social de este país. Los más famosos trabajan en el mundo artístico —el cine, la música— y en los deportes. Pero también están presentes en otros campos, como la política y la educación, por ejemplo.

Hay hispanos en casi todas las ciudades estadounidenses. Algunos son emigrantes de España, muchos otros de toda América Latina. Los hispanos en los Estados Unidos forman cuatro grandes grupos. Es importante saber cuáles son, pues cada uno tiene una historia interesante y muy particular.

El primer grupo es el de los **mexicoamericanos** o **chicanos**, que viven principalmente en el suroeste, en los estados de California, Nuevo México, Arizona, Texas y Colorado. Dentro de esta población hay descendientes de los primeros exploradores españoles.

El segundo grupo lo forman los **puertorriqueños**, muchos de los cuales viven en Nueva York. Y los **cubanos** forman el tercer grupo; éstos residen en varios estados, pero especialmente en la Florida, Nueva Jersey y California. El cuarto grupo es el de los **centroamericanos**, que se encuentran en California y los estados del este. Por ejemplo, en la ciudad de Takoma Park, Maryland, y en el área de Washington, D.C., hay una comunidad muy grande de **salvadoreños**.

Hay 24 millones de hispanos en los Estados Unidos. Dentro de este enorme grupo, existe una gran variedad de culturas y de historias nacionales. A algunos hispanos les gusta llamarse *Hispanic* o *Hispanic American*; otros usan las palabras *Latino* y *U.S. Latino*; también hay los que prefieren especificar su nacionalidad: salvadoreño, cubano o salvadoreñoamericano y cubanoamericano.

Sea cual sea la palabra preferida, la presencia de esta comunidad —y de cada uno de sus grupos— es cada día más visible y relevante en los Estados Unidos.

Comprensión

A. Diga qué grupo(s) de hispanos predomina(n) en cada ciudad.

CIUDAD	GRUPO(S)	CIUDAD	GRUPO(S)	CIUDAD	GRUPO(S)
Houston	_____	Nueva York	_____	Los Ángeles	_____
Miami	_____	Albuquerque	_____	Takoma Park	_____

B. ¿Quién habla en cada caso? Indique si es una persona mexicanoamericana (**M**), puertorriqueña (**P**) o cubanoamericana (**C**).

1. _____ Vivo en Nuevo México; mi familia y yo somos descendientes de los primeros colonizadores españoles.
2. _____ Soy bilingüe y vivo en Los Ángeles. Mis padres nacieron en Guadalajara.
3. _____ Soy de una isla que es un estado libre asociado. Me consideran ciudadano de los Estados Unidos.
4. _____ Nací en una isla del Caribe. Ahora vivo con muchos de mis compatriotas en Miami.

Ahora... ¡usted!

1. ¿Tiene amigos hispanos? ¿Son chicanos o de otros grupos?
2. ¿Cuántos hispanos famosos puede mencionar? ¿De qué países son?

Un paso más... ¡a escribir!

Usando **Comprensión B** como guía, describa a algunos de sus amigos hispanos. Si no tiene ningún amigo hispano, describa a dos hispanos famosos.

Las actividades del momento

Lea Gramática 3.5.

Son las 5:00 de la tarde y éstas son las actividades de algunos de los vecinos mexicanos.

Ramón está levantando pesas.

El bebé está llorando.

Guau. Guau.

El perro está ladrando.

Pedro está leyendo el periódico.

Doña Lola está planchando la ropa.

Marisa y Clarisa están masticando chicle.

Don Anselmo está fumando.

Actividad 13. Asociaciones: ¿Acciones extrañas?

El gato está buceando.

El caballo está fumando.

El bebé está
levantando pesas.

Diga si estas actividades son extrañas o normales. Después, justifique sus respuestas.

1. una muchacha que está caminando
2. un pez que está nadando
3. un caballo que está fumando
4. un bebé que está llorando
5. una profesora que está masticando tabaco en clase
6. un hombre que está planchando
7. un pájaro que está patinando
8. un perro que está ladrando
9. un gato que está buceando
10. un bebé que está levantando pcsas

Actividad 14. Narración: ¿Qué está haciendo Rogelio?

Actividad 15. Descripción de dibujos: La hora y las actividades

Diga qué están haciendo las siguientes personas y a qué hora. (Diga la hora usando **menos** o **para**.)

MODELO: Son las ocho menos diez y Guillermo está haciendo su tarea.
(Son diez para las ocho...)

1. Estela

2. Guillermo

3. Amanda

4. Ernesto

5. Berta

6. Pedro

EL MUNDO HISPANO... en los Estados Unidos

Ilia Rolón tiene 25 años y nació en Nueva York, de padres puertorriqueños. Ilia vive en la ciudad de Nueva York.

¿Qué hace usted para divertirse o descansar?

Mi pasatiempo favorito es bailar. Cuando estoy bailando, ¡se me olvida casi todo![1] No me gusta bailar en pareja[2] porque me es difícil coordinar mis pasos con los pasos de mi pareja. Tengo mi propio estilo de baile con influencia latina y africana. A todo el que me ve bailar le impresiona la sensualidad de mi baile. Como puede imaginar, esto a veces causa malentendidos.[3] Pero yo no bailo para impresionar a nadie. El baile me alegra porque me permite una libertad física de la que carezco[4] en mi vida diaria.

los Estados Unidos

Ciudad de Nueva York

EL OCÉANO ATLÁNTICO

EL OCÉANO PACÍFICO

[1]¡se... *I forget almost everything!*   [2]en... *with a partner*   [3]*misunderstandings*   [4]*I lack*

En resumen

De todo un poco

A. Una encuesta sobre las actividades diarias

Diga qué hace usted a estas horas todos los días.

A las 3:00 p.m., _____.
A las 5:00 p.m., _____.
A las 6:30 p.m., _____.
A las 8:00 p.m., _____.
A las 10:00 p.m., _____.
A las 12:00 (medianoche), _____.

Ahora, compare sus actividades con las de varios compañeros. ¿Hacen ustedes las mismas actividades a la misma hora?

MODELO: E1: A las 12:00 *duermo*.
         E2: Yo no, yo *estudio*.

Finalmente, hable con varios compañeros para encontrar una persona que haga las mismas actividades que usted, a la misma hora.

B. El mapa de Sudamérica: ¿Dónde están estos países?

Trabajen en grupos de cuatro. Una persona debe leer las instrucciones a continuación; las otras tres personas deben seguir las instrucciones y escribir los nombres de los países en el mapa que el profesor / la profesora va a darles.

INSTRUCCIONES

1. Miren Venezuela. Está al norte, *arriba de* Brasil. Brasil es un país muy grande que está *al lado derecho del* mapa, *debajo de* Venezuela.
2. Ahora vamos a Colombia. Está *al lado izquierdo* de Venezuela.
3. Ahora escriban «Ecuador» en el país muy pequeño que está al sur, *debajo de* Colombia y al lado del Océano Pacífico.
4. *Al lado izquierdo de* Brasil, *en medio del* mapa, está Bolivia. Está *lejos del* mar.
5. *Al lado izquierdo de* Brasil y *debajo de* Ecuador y Colombia, escriban «Perú.» Este país está *entre* Brasil, Bolivia y el Océano Pacífico.
6. *Debajo de* Perú, al sur, está Chile. Éste es un país largo y angosto (delgado). Está *al lado del* Océano Pacífico.
7. *Al lado derecho de* Chile está otro país muy grande, Argentina.
8. *Al lado derecho de* Argentina, y *al lado izquierdo del* Océano Atlántico, está Uruguay. Éste es un país muy pequeño.
9. *Arriba de* Argentina, al norte, y *debajo de* Bolivia y Brasil está otro país pequeño, Paraguay. No está *cerca del* mar.

Ahora, revisen su trabajo con el mapa que está en la página 113.

¡Dígalo por escrito!

Los pasatiempos y las actividades

Imagínese que usted acaba de recibir una carta de un(a) estudiante de un pueblo pequeño de México. Él/Ella le pregunta: «¿Cómo pasa usted el tiempo libre?» ¿Qué le va a contestar usted? Primero, trabaje con otros dos o tres compañeros de clase para comentar las actividades en que ustedes participan en su tiempo libre y por qué les gustan esas actividades. ¿Las hacen a solas o con otras personas? ¿Con quién(es)? Después, cada uno de ustedes debe escribirle una carta al / a la estudiante, contestando sus preguntas y también incluyendo algunas preguntas que hacerle a él/ella.

VIDEOTECA

¿Recuerda usted al estudiante Diego González? Es de los Estados Unidos, pero ahora estudia en la Ciudad de México. En este segmento de video, Diego está en la librería y habla con Lupe, una compañera de clase. ¿Qué pasa entre los dos? ¿Cuál es la materia preferida de Diego? ¿Qué tienen en común Lupe y Diego? Al final del segmento, ¿qué planes hacen? En el Capítulo 3 del *Cuaderno de trabajo* hay más actividades para hacer después de ver el video.

Vocabulario

¿Dónde está... ?	**Where is . . . ?**
a la derecha/izquierda de	to the right/left of
al lado de	to the side of
alrededor de	around
aquí	here
arriba de	above; on top of
cerca de	close to
debajo de	under
detrás de	behind
encima de	on top of
enfrente de	in front of
en medio de	in the middle of
entre	between
lejos de	far from
al norte/sur	to the north/south

Los lugares en la universidad	
la biblioteca	library
el edificio	building
el estacionamiento	parking lot
la Facultad de Bellas Artes	School of Fine Arts
la Facultad de Ciencias Naturales	School of Natural Science
la Facultad de Ciencias Sociales	School of Social Sciences
la Facultad de Derecho	School of Law
la Facultad de Filosofía y Letras	School of Humanities
la Facultad de Medicina	School of Medicine
la librería	bookstore

la parada del autobús — bus stop
la rectoría — office of the president
el teatro — theater

PALABRAS SEMEJANTES: la cafetería, el gimnasio, el hospital

REPASO: el laboratorio

Los lugares en la ciudad

la avenida — avenue
la lavandería — laundromat
la tienda — store

El origen

¿De dónde es usted (eres tú)? — Where are you from?
  Soy de... — I am from . . .
¿De dónde es... ? — Where is . . . from?
  Es de... — He/She is from . . .

Los países hispanos y las nacionalidades
Hispanic Countries and Nationalities

Bolivia — boliviano/a
Chile — chileno/a
Colombia — colombiano/a
Costa Rica — costarricense
Cuba — cubano/a
Ecuador — ecuatoriano/a
El Salvador — salvadoreño/a
Guatemala — guatemalteco/a
Honduras — hondureño/a
Nicaragua — nicaragüense
Panamá — panameño/a
Paraguay — paraguayo/a
Perú — peruano/a
Puerto Rico — puertorriqueño/a
la República Dominicana — dominicano/a
Uruguay — uruguayo/a
Venezuela — venezolano/a

REPASO: Argentina, argentino/a; Brasil, brasileño/a; España, español(a); México, mexicano/a

Otros lugares

el Caribe — Caribbean
Sudamérica — South America

PALABRAS SEMEJANTES: América Central, el Océano Atlántico, el Océano Pacífico, Portugal

Los verbos

asistir (a) — to attend
bucear — to skin-dive/scuba dive; to snorkle
caminar — to walk
ducharse — to take a shower
esperar — to wait (for)
fumar — to smoke
ladrar — to bark
llorar — to cry
masticar (chicle) — to chew (gum)
mirar — to look
planchar — to iron
poner discos compactos — to play CDs
recoger — to gather, pick up
regresar — to return
tocar la guitarra — to play the guitar
tomar (el autobús, una clase) — to take (the bus, a class)

PALABRAS SEMEJANTES: preparar, usar

REPASO: desayunar, hablar, levantar pesas, manejar, practicar un deporte

Las personas

el ama de casa — housewife
el hombre / la mujer de negocios — businessman/businesswoman
nadie — no one, nobody
el novio / la novia — boyfriend/girlfriend

PALABRAS SEMEJANTES: el/la artista, el/la bebé

Los sustantivos

la cama — bed
la cena — dinner
el metro — subway
el pájaro — bird
el pez — fish
el refresco — soft drink
el reportaje — newspaper report, article
la reunión — meeting
la tarea — homework
el trabajo — work
la vida — life

PALABRAS SEMEJANTES: la acción, el autobús, el club, la ensalada, la estación, el tabaco

REPASO: el caballo, la misa

¿Cuándo?

a la misma hora	at the same time
desde (+ *time*)	since, from
generalmente	usually; generally
hasta	until; up to
mientras	meanwhile
nunca	never
todos los días	everyday
varias veces	several times

REPASO: con frecuencia, esta noche, siempre

Los adjetivos

diario/a	daily
ese (edificio)	that (building)
extraño/a	strange
juntos/as	together
preferido/a	favorite

PALABRAS SEMEJANTES: aeróbico/a, clásico/a, normal, posible, típico/a

Palabras del texto

comparar	to compare
deber (debe)	should

encontrar	to find
la encuesta	survey
el espacio en blanco	blank (space)
el momento	moment
revisar	to check; to revise
revise(n)	check (*command*)
seguir las instrucciones	to follow directions
varios/as	several

Palabras y expresiones útiles

¿Dónde... ?	Where . . . ?
la emisora	radio station
el estado	state
esto	this (in general)
el plano	map (of a room or city)
¿Qué está haciendo... ?	What are you (is he/she) doing?
Estoy...	I am . . .
Está...	He/She is . . .

PALABRA SEMEJANTE: la lección

Gramática y ejercicios

3.1 Locating People and Objects: *estar*

Estar is used for location.
¿Dónde está Susana?
(*Where is Susan?*)
Está en casa. (*She's at home.*)

Use the verb **estar*** (*to be*) to locate people and objects.

—¿Dónde **está** la profesora Martínez?   —*Where is Professor Martínez?*
—**Está** en clase.   —*She's in class.*

—Esteban, ¿dónde **está** su libro?   —*Steve, where is your book?*
—**Está** en casa.   —*It's at home.*

Here are the present-tense forms of the irregular verb **estar**.

estar = *to be*

estar (*to be*)		
(yo)	est**oy**	*I am*
(tú)	est**ás**	*you (inf. sing.) are*
(usted, él/ella)	est**á**	*you (pol. sing.) are; he/she is*[†]
(nosotros/as)	est**amos**	*we are*
(vosotros/as)	est**áis**	*you (inf. pl., Spain) are*
(ustedes, ellos/as)	est**án**	*you (pl.) are; they are*

Ejercicio 1

Diga dónde están estas personas.

MODELO: Mi hijo *está* en la escuela.

1. Yo _____ en la biblioteca.
2. Luis y Nora _____ en su clase de biología.
3. Tú _____ en la rectoría.
4. Esteban y yo _____ en el edificio de Ciencias Naturales.
5. La profesora Martínez _____ en su oficina.
6. Nora y yo _____ enfrente del hospital.
7. Esteban, ¿_____ detrás del teatro?
8. Profesora Martínez, ¿_____ usted en la librería ahora?
9. Alberto y Pablo _____ en la universidad.
10. Nosotros _____ aquí en la Facultad de Derecho.

---

*Recognition: **vos estás**
[†]Remember that there is no Spanish equivalent for the English subject pronoun *it*. The third-person verb form conveys the meaning of *it* as well as of *he* or *she*.

3.2   Talking About Habitual Actions: Present Tense of Regular Verbs

As you have seen in **Gramática A.6, C.5,** and **1.3,** Spanish verb endings tell us who is performing the action. The subject pronouns (**yo, tú, usted, ella, nosotros,** etc.) are often omitted.

A. You already know that the endings of Spanish verbs must correspond to the subject of the sentence: that is, to the person or thing that does the action.

—Nora, ¿cuándo estudi**as**?
—Estudi**o** por la mañana.

—*Nora, when do you study?*
—*I study in the morning.*

—¿Qué hac**en** ustedes los domingos?
—Visit**amos** a nuestros abuelos.

—*What do you do on Sundays?*
—*We visit our grandparents.*

B. Most Spanish verbs end in **-ar.** Here are the endings for **-ar** verbs.*

llegar = *to arrive*

llegar (*to arrive*)

(yo)	lleg**o**	*I arrive*
(tú)	lleg**as**	*you (inf. sing.) arrive*
(usted, él/ella)	lleg**a**	*you (pol. sing.) arrive; he/she arrives*
(nosotros/as)	lleg**amos**	*we arrive*
(vosotros/as)	lleg**áis**	*you (inf. pl., Spain) arrive*
(ustedes, ellos/as)	lleg**an**	*you (pl.) arrive; they arrive*

—¿A qué hora lleg**as** a la escuela?

—Generalmente lleg**o** a las 9:00.

—*What time do you arrive at school?*

—*Generally I arrive at 9:00.*

C. Verbs that end in **-er** and **-ir** use identical endings, except for the **nosotros/as** and **vosotros/as** forms.[†]

comer = *to eat*

comer (*to eat*)

(yo)	com**o**	*I eat*
(tú)	com**es**	*you (inf. sing.) eat*
(usted, él/ella)	com**e**	*you (pol. sing.) eat; he/she eats*
(nosotros/as)	com**emos**	*we eat*
(vosotros/as)	com**éis**	*you (inf. pl., Spain) eat*
(ustedes, ellos/as)	com**en**	*you (pl.) eat; they eat*

---

*Recognition: **vos llegás**
[†]Recognition: **vos comés, escribís**

escribir = *to write*

escribir (*to write*)		
(yo)	escrib**o**	*I write*
(tú)	escrib**es**	*you (inf. sing.) write*
(usted, él/ella)	escrib**e**	*you (pol. sing.) write;* *he/she writes*
(nosotros/as)	escrib**imos**	*we write*
(vosotros/as)	escrib**ís**	*you (inf. pl., Spain) write*
(ustedes, ellos/as)	escrib**en**	*you (pl.) write; they write*

—¿Dónde com**en** al mediodía?   —*Where do you eat at noon?*
—Com**emos** en casa.   —*We eat at home.*

—¿Escrib**es** la tarea a máquina?   —*Do you type the homework?*
—No, escrib**o** los ejercicios a   —*No, I write the exercises by hand.*
mano.

These agreement rules take some time to acquire. Think about them when you are editing your writing; don't be overly concerned about them in speech.
Note that the principal difference between **-ar, -er,** and **-ir** verbs are the vowels **a** and **e**.

D. The verb form must agree with the subject even when the subject is not explicitly stated. When the subject is expressed, it may be a pronoun, as in the preceding table, or a noun.

> **La profesora Martínez** no **habla** francés.
>
> *Professor Martínez does not speak French.*

The subject may also consist of a noun + pronoun. A subject combining a noun or pronoun with **yo** takes the **nosotros/as** form.

> **Nora y yo** no **hablamos** italiano.
>
> *Nora and I don't speak Italian.*

A subject combining a noun or pronoun with **tú** or **usted** takes the plural form.

> **Alberto y tú hablan** español con Raúl.
>
> *Al and you speak Spanish with Raúl.*

In Central America, Argentina, and Uruguay, **vos** = **tú**.

E. Central America, Argentina, and Uruguay use a different subject pronoun—**vos**—and verb form for informal singular address.*

> —¿Qué hora ten**és vos**?   —*What time do you have?*
> —Tengo las 6:30.   —*I have 6:30.*
>
> —¿Cuándo lleg**ás vos**?   —*When do you arrive?*
> —Llego a las 9:00 de la noche.   —*I arrive at 9:00 p.m.*

---

*You may learn more about **vos** forms in the **Expansión gramatical** section of the *Cuaderno de trabajo*.

Ejercicio 2

Combine las personas de la lista A con las actividades de la lista B.

MODELO: Mi hermano y yo jugamos al tenis.

LISTA A	LISTA B
1. la profesora Martínez	**a.** hacen la tarea para mañana
2. yo	**b.** maneja un carro nuevo
3. tú	**c.** jugamos al tenis
4. mi hermano y yo	**d.** como demasiado
5. mis compañeros de clase	**e.** habláis español
6. vosotros	**f.** lees el periódico

Ejercicio 3

Éstas son las actividades de Amanda, su familia y sus amigos. Escriba la forma correcta del verbo entre paréntesis.

MODELO: Amanda *llama* a Graciela muy temprano en la mañana. (llamar)

1. Graciela y yo _____ las composiciones juntas. (escribir)
2. Mi novio Ramón _____ ropa muy elegante. (llevar)
3. Mi mamá y yo _____ la casa los sábados. (limpiar)
4. Mis padres _____ juntos por la mañana. (desayunar).
5. Mi hermano Guillermo _____ las tiras cómicas los domingos. (leer)
6. Andrea y Pedro Ruiz _____ juntos al mediodía. (comer)
7. Ernestito _____ mucho en su bicicleta. (montar)
8. (Yo) _____ por teléfono con mi amiga Graciela. (hablar)
9. Amanda, Guillermo y Ernestito _____ a la escuela de lunes a viernes. (asistir)
10. Ramón, Graciela y yo siempre _____ los últimos discos en la radio. (escuchar)

Ejercicio 4

Imagínese que usted es Amanda. Escriba preguntas según los modelos. Use la forma correcta de **tú**, **usted** o **ustedes**.

MODELOS: Pregúntele a doña Lola si va en metro al trabajo. →
Doña Lola, ¿va usted en metro al trabajo?

Pregúntele a Rafael si lee el periódico por la mañana. →
Rafael, ¿lees el periódico por la mañana?

1. Pregúntele a su papá si toma mucho café en el trabajo.
2. Pregúntele a Diego si él y sus amigos juegan al béisbol.
3. Pregúnteles a Graciela y a Diego si tienen una computadora.
4. Pregúntele a Raúl si hace ejercicio en un gimnasio.
5. Pregúntele a Pedro Ruiz si trabaja por la noche.
6. Pregúntele a don Eduardo si prepara café por la mañana.
7. Pregúntele a su mamá si cocina por la mañana o por la tarde.
8. Pregúntele a Clarisa si ve la televisión por la noche.
9. Pregúntele a doña Rosita Silva si asiste a misa los domingos.
10. Pregúntele a doña Lola si lava su ropa en casa o en una lavandería.

3.3 Using Irregular Verbs: *hacer*, *salir*, *jugar*

A verb that uses more than one stem in its conjugation is considered irregular. Here are the forms of three common irregular verbs.

A. The present tense of **hacer*** (*to do; to make*) uses two stems: **hag-** for the **yo** form and **hac-** for all others.

hacer (*to do; to make*)		
(yo)	hag**o**	*I do*
(tú)	hac**es**	*you (inf. sing.) do*
(usted, él/ella)	hac**e**	*you (pol. sing.) do; he/she does*
(nosotros/as)	hac**emos**	*we do*
(vosotros/as)	hac**éis**	*you (inf. pl., Spain) do*
(ustedes, ellos/as)	hac**en**	*you (pl.) do; they do*

—¿Qué **haces** después de clases?   —*What do you do after school?*
—**Hago** mi tarea.   —*I do my homework.*

B. The present tense of **salir**[†] (*to leave; to go out*) uses the stems **salg-** for the **yo** form and **sal-** for all others.

salir (*to leave; to go out*)		
(yo)	salg**o**	*I leave*
(tú)	sal**es**	*you (inf. sing.) leave*
(usted, él/ella)	sal**e**	*you (pol. sing.) leave; he/she leaves*
(nosotros/as)	sal**imos**	*we leave*
(vosotros/as)	sal**ís**	*you (inf. pl., Spain) leave*
(ustedes, ellos/as)	sal**en**	*you (pl.) leave; they leave*

To express a point of departure with **salir**, use the preposition **de**, even if the preposition *from* is not used in English.

—¿A qué hora **sales de** tu casa por la mañana?   —*What time do you leave home in the morning?*
—**Salgo** a las 7:30.   —*I leave at 7:30.*

---

*Recognition: **vos hacés**
[†]Recognition: **vos salís**

C. The present tense of the verb **jugar*** (*to play*) uses the stem **jug-** for the infinitive and the **nosotros/as** and **vosotros/as** forms and **jueg-** for all other forms. This verb follows the same pattern as **preferir** and **querer** in **Gramática 2.3.**

jugar = *to play*
(Yo) Juego. = *I play.*
(Tú) Juegas. = *You (inf. sing.) play.*
(Nosotros) Jugamos. = *We play.*

jugar (*to play*)		
(yo)	**jue**go	*I play*
(tú)	**jue**gas	*you (inf. sing.) play*
(usted, él/ella)	**jue**ga	*you (pol. sing.) play; he/she plays*
(nosotros/as)	jug**amos**	*we play*
(vosotros/as)	jug**áis**	*you (inf. pl., Spain) play*
(ustedes, ellos/as)	**jue**gan	*you (pl.) play; they play*

Remember that there are two words spelled **juego: el juego** (*the game*) and **(yo) juego** (*I play*).

Los sábados **juego** al fútbol con mis amigos.	*Saturdays I play soccer with my friends.*
¡Me gusta mucho ese **juego**!	*I like that game a lot!*

Ejercicio 5

Complete las conversaciones con la forma correcta de **hacer**, **salir** o **jugar**.

> MODELO: —Luis, ¿cuándo *haces* las tareas?
> —*Hago* las tareas por la tarde.

1. —Señor Ramírez, ¿a qué hora _____ usted de casa para su trabajo?
   —_____ a las 8:30.
2. —Guillermo, ¿_____ al fútbol por la tarde?
   —Sí, _____ después de clases.
3. —Señor Padilla, ¿_____ usted ejercicio todos los días?
   —No, _____ ejercicio en el gimnasio solamente los lunes y los miércoles.
4. —Ernesto y Estela, ¿_____ ustedes al tenis?
   —Sí, _____ al tenis los sábados.

3.4   Describing Origin and Location: *ser de / estar en*

¿RECUERDA?

In **Gramática A.3** you saw how the verb **ser** is used to identify people and things, whereas the verb **estar** is used to locate people and objects (**Gramática 3.1**). Review those verbs and their conjugations now, if necessary.

A. A form of the verb **ser** (*to be*) followed by **de** (*from, of*) can specify origin. The following questions show you how to ask where someone is from.

—¿**De dónde es** Adriana Bolini?	—*Where is Adriana Bolini from?*
—**Es de** Buenos Aires.	—*She's from Buenos Aires.*
—Raúl, ¿**de dónde eres**?	—*Raúl, where are you from?*
—**Soy de** México.	—*I'm from Mexico.*

*Recognition: **vos jugás**

ser = origin; **estar** = location

¿De dónde es usted? (*Where are you from?*)
Soy de Perú. (*I'm from Peru.*)
¿Dónde está usted? (*Where are you?*)
Estoy aquí, en el patio. (*I'm here, on the patio.*)

The distinction between **ser** and **estar** takes a while to acquire. Keep listening to and reading Spanish and you will develop a feel for it.

As you know, **ser** can be followed directly by an adjective of nationality (see **Gramática C.4**).

—Sr. Ramírez, ¿**es** usted argentino?

—No, **soy** mexicano.

—*Mr. Ramírez, are you Argentinean?*

—*No, I'm Mexican.*

B. Remember that two verbs in Spanish correspond to the English verb *to be*. **Ser** is used to tell where someone is from; **estar** is used to express location (see **Gramática 3.1**).

Clara **es de** los Estados Unidos, pero este año **está en** España. Ernesto y Estela **son de** México, pero ahora **están** en Italia.

Clara is from the United States, but she's in Spain this year. Ernesto and Estela are from Mexico, but now they're in Italy.

Ejercicio 6

Diga de dónde son las siguientes personas y dónde están ahora.

MODELO: Adriana es de Argentina, pero ahora está en Washington, D.C.

3.5   Referring to Actions in Progress: Present Progressive

The present progressive (**estar** + verb ending in **-ndo**) is used to express actions in progress.
Estoy leyendo un libro. (*I am reading a book.*)

To describe an action that is taking place at the moment, Spanish uses a form of **estar** (*to be*) and an **-ndo** (*-ing*) form called a present participle.* This combination is called the *present progressive*.

estar + -ndo	
estoy	jugando (*playing*)
estás	caminando (*walking*)
está +	fumando (*smoking*)
estamos	escuchando (*listening*)
estáis	escribiendo (*writing*)
están	comiendo (*eating*)

—¿Qué **está haciendo** Paula? — *What is Paula doing?*
—**Está lavando** su carro. — *She's washing her car.*

—Guillermo, ¿qué **estás haciendo**? — *Guillermo, what are you doing?*
—**Estoy escribiendo** una composición. — *I'm writing a composition.*

Present participles:
-ar verbs: replace **-ar** of infinitive with **-ando**
-er and **-ir** verbs: replace **-er/-ir** of infinitive with **-iendo**

The present participle (**-ando, -iendo**) is formed from the infinitive.

jugar → jug**ando**   comer → com**iendo**
hablar → habl**ando**   vivir → viv**iendo**

When a present participle is irregular, it will be noted as follows: **dormir** (**dur-miendo**), **leer** (**leyendo**).

—**¿Está durmiendo** Ernestito ahora? — *Is Ernestito sleeping now?*
—Sí, está muy cansado. — *Yes, he's very tired.*

—Estela, ¿qué **estás leyendo**? — *Estela, what are you reading?*
—**Estoy leyendo** una novela. — *I'm reading a novel.*

Ejercicio 7

1. ¿Qué está haciendo Guillermo?

2. ¿Qué están haciendo don Eduardo y don Anselmo?

3. ¿Qué está haciendo Amanda?

---

*Recognition: **vos estás jugando**

4. ¿Qué está haciendo la señora Ramírez?

5. ¿Qué están haciendo Pedro y Andrea?

6. ¿Qué está haciendo Javier Saucedo?

Ejercicio 8

Don Anselmo tiene curiosidad hoy y le hace muchas preguntas a don Eduardo. Conteste las preguntas que hace don Anselmo.

MODELO: —¿Y Amanda? ¿Va a ver la televisión más tarde?
—No, Amanda ya está *viendo la televisión.*

1. —¿Y Raúl? ¿Va a dormir esta noche?
—No, Raúl ya está _____.

2. —¿Y Ernestito? ¿Va a jugar con sus amigos esta tarde?
—No, Ernestito ya está _____ con ellos.

3. —¿Y doña Lola? ¿Va a leer cl periódico más tarde?
—No, doña Lola ya está _____ el periódico.

4. —¿Y Estela Ramírez? ¿Va a lavar la ropa mañana?
—No, Estela ya está _____ la ropa.

5. —¿Y Guillermo Ramírez? ¿Va a tocar la guitarra esta noche?
—No, Guillermo ya está _____ la guitarra.

La vida diaria y los días feriados

▼▼▼▼▼▼▼▼▼▼▼▼▼▼▼▼▼▼▼▼▼▼▼▼

METAS

In **Capítulo 4** you will discuss where events take place, daily activities, and how you feel. You will share your family's holiday customs with your classmates and you will also learn about holidays and celebrations in the Hispanic world.

San Antonio, Texas: celebración de La Posada

Actividades de comunicación y lecturas

Los lugares

Lea Gramática 4.1.

Actividad 1. Descripción de dibujos: ¿Dónde está?

Escuche a su profesor(a) y escriba el nombre de estos lugares en los cuadros correspondientes.

Videocentro

Hotel Los Cabos

Bar El Gato Verde

Farmacia Cruz Blanca

Café de Paco

Biblioteca Municipal

Museo Nacional

Actividad 2. Asociaciones: ¿Qué hacemos cuando vamos a estos lugares?

Empareje las actividades a continuación con los lugares apropiados.

MODELOS: el parque →
Cuando vamos al parque, *merendamos con nuestros amigos.*

la papelería →
Cuando vamos a la papelería, *compramos papel, lápices y cuadernos.*

LUGAR	ACTIVIDAD
1. el cine	a. bailamos
2. una tienda de ropa	b. compramos zapatos
3. la playa	c. vemos las exhibiciones
4. el mercado	d. caminamos y conversamos
5. una discoteca	e. rezamos
6. una panadería	f. vemos una película
7. un museo	g. compramos pan o pasteles
8. la iglesia	h. tomamos el sol y nadamos
9. la plaza	i. compramos vestidos y camisas
10. un hospital	j. compramos comida
11. una zapatería	k. leemos y estudiamos
12. la biblioteca	l. visitamos a un enfermo

Actividad 3. Preferencias: ¿Cuándo?

Diga sí o no, o complete cada oración con una frase adecuada.

1. Voy a estudiar en la biblioteca...
   a. este fin de semana.
   b. esta noche.
   c. ahora mismo.
   d. ¿ ?
2. Voy a ir con mis amigos a una discoteca...
   a. mañana por la noche.
   b. esta noche.
   c. el próximo sábado.
   d. ¿ ?
3. Mi profesor(a) de español va a comer en un restaurante...
   a. hoy.
   b. pasado mañana.
   c. mañana por la noche.
   d. ¿ ?
4. Mi novio/a va a ir conmigo al cine...
   a. el próximo sábado.
   b. este viernes.
   c. el lunes por la tarde.
   d. ¿ ?
5. Voy a salir de vacaciones...
   a. el próximo mes.
   b. mañana por la mañana.
   c. el próximo fin de semana.
   d. ¿ ?

Y TÚ, ¿QUÉ DICES?

¿De veras?   Buena idea.   ¡Qué aburrido!
¿De verdad?   Yo también.   ¡Qué lástima!
¡No lo creo!   ¡Qué divertido!

MODELO: E1: Voy a estudiar en la biblioteca a las 5:00 de la mañana.
E2: *¡No lo creo!*

Actividad 4. Intercambios: El cine en Sevilla

Lea esta guía del cine en Sevilla. Luego, hágale preguntas sobre la guía a su compañero/a.

MODELO: E1: ¿Quieres ir al cine?
E2: Hummm... no sé. ¿Qué película quieres ver?
E1: En el *cine Alameda* ponen *Fenómeno*.
E2: ¿A qué hora?
E1: A *las 12.00, 17.45, 20.15 y 22.45 horas.*
E2: ¿Cuánto cuesta?
E1: *650 pesetas.*
E2: Perfecto.

Guía del ocio — el cine en Sevilla

Alameda Multicines 4 salas.
Tel. (95) 438 01 56.
El Día de la Independencia. De Roland Emmerich. Con Will Smith y Jeff Goldblum. 15.45, 18.00, 20.15 y 22.30 horas. No recomendada para menores de 18 años. 550 pesetas.
Las aventuras de Pinocho. De Steve Barron. Especial para toda la familia. 16.00, 19.00, 22.00 y 0.45 horas. Todos los públicos. 600 pesetas.
Fenómeno. De John Turteltaub. Con John Travolta. 12.00, 17.45, 20.15 y 22.45 horas. No recomendada para menores de 18 años. 650 pesetas.
El hombre de California. De George Zaloom. 12.30, 17.00, 19.00, 21.00 y 23.00 horas. Todos los públicos. 475 pesetas.

Azul Multicines 2 salas.
Tel. (95) 441 53 09 / La Florida, 15.
Los últimos días del Edén. 18.00, 20.15 y 22.30 horas. No recomendada para menores de 18 años. 500 pesetas.
Borrador. De Carles Russell. Con Arnold Schwarzenegger. 17.30, 20.00 y 22.30 horas. No recomendada para menores de 18 años. 650 pesetas.

Regina
Tel. (95) 421 42 12 / Jerónimo Hernández 19.
Sensatez y sentimiento. De Ang Lee. Con Emma Thompson y Hugh Grant. 17.45, 20.15 y 22.45 horas. Todos los públicos. 700 pesetas.

Rialto Multicines 3 salas.
Tel. (95) 425 44 88 / Plaza del Padre Jerónimo de Córdoba, 7.
El mundo perdido. 16.45, 18.45, 20.45 y 22.45 horas. Todos los públicos. 550 pesetas.
El jorobado (Cuasimodo) de Notre Dame. Especial infantil. Dibujos animados. 12.30, 17.00, 18.30, 20.00, 21.30 y 23.00 horas. Todos los públicos. 550 pesetas.
Como agua para chocolate. De Alfonso Arau. Con Lumi Cavazos y Marco Leonardi. Libreto de Laura Esquivel basado en su novela. 17.00, 19.00, 21.00 y 22.45 horas. No recomendada para menores de 18 años. 600 pesetas.

Madrid: El cine es uno de los pasatiempos favoritos de los españoles. En España se exhiben muchas películas españolas, que hoy tienen una reputación internacional, y películas extranjeras dobladas (*dubbed*) al español.

Actividad 5. Entrevista: ¿Qué haces tú?

1. ¿Qué te gusta hacer cuando vas a la playa? ¿Te gusta andar en velero?
2. ¿Qué haces cuando estás en una biblioteca? ¿Lees periódicos?
3. ¿Qué haces en un parque? ¿Practicas algún deporte? ¿Cómo se llama tu parque favorito? ¿Caminas mucho allí? ¿Corres? ¿Cuándo?
4. ¿Vas mucho al cine? ¿Adónde vas? ¿Con quién(es)? ¿Qué tipo de películas te gusta? ¿Te gustan las películas de acción?
5. ¿En qué mercado o supermercado compras la comida? ¿Por qué? ¿Está cerca de tu casa? ¿Tiene precios módicos?

Una tarjeta de Clara: Los lugares en Madrid

Ésta es la segunda tarjeta postal que Clara Martin le manda a la profesora Martínez.

Estimada profesora:

¡Qué divertido es vivir en Madrid! La ciudad es grande, pero es fácil llegar a todos los lugares porque el transporte público es muy bueno. Me gusta mucho ir de compras aquí. Hay dos almacenes muy populares: Galerías Preciados y El Corte Inglés. (Esta postal es de mi almacén favorito.) Pero lo ideal es que cerca de mi apartamento hay de todo: una panadería (¡qué rico es el pan caliente!), un mercado enorme, una plaza muy bonita, un cine, una discoteca... ¡de todo! ¡Hasta la próxima!
Un abrazo,

Clara

Prof. Adela Martínez
Department of Foreign Languages
University of Texas at San Antonio
San Antonio, TX 78285
USA

Madrid: El Corte Inglés es el almacén más grande de España.

Comprensión

1. ¿Por qué es Madrid un lugar divertido para Clara?
2. ¿Cuál es una de sus actividades favoritas?
3. Mencione los dos almacenes que le gustan a Clara.
4. Según Clara, ¿cuál es el aspecto ideal de Madrid?

Ahora... ¡usted!

1. ¿Le gusta ir de compras? ¿Por qué? Explique.
2. ¿Va de compras con frecuencia? ¿Adónde va, normalmente?
3. ¿Prefiere ir a los almacenes grandes o a las tiendas pequeñas? ¿Por qué?

Un paso más... ¡a escribir!

Imagínese que usted va a mandarle una tarjeta postal de su ciudad a un amigo o a una amiga. Mencione sus lugares favoritos en la ciudad donde vive. ¿Cuáles son las actividades más divertidas que hace?

Puede usar el siguiente modelo para escribir la postal.

> Querido/a ———:
>
>   Aquí tienes una postal de mi ciudad, (*nombre*). Mis lugares favoritos son ——— y ———. En mi ciudad hago varias actividades divertidas. Por ejemplo, me gusta ———, ——— y ———.
>
>   Bueno, ¡hasta la próxima!
>
>   Un abrazo,
>
> (firma)

Los días feriados y las celebraciones

Actividad 6. Definiciones: ¿Qué día es?

1. Generalmente hay regalos y un pastel cuando uno celebra su _____.
2. En México se celebra el 16 de septiembre; en Argentina es el 9 de julio; en los Estados Unidos es el 4 de julio. Es el _____.
3. El _____ es un día de fiesta en los Estados Unidos. Las familias se reúnen y preparan una comida abundante.
4. Los hispanos celebran este día más que los norteamericanos. Es el día antes de la Navidad, _____.
5. Es la semana antes del Domingo de Pascua. Las personas religiosas, especialmente en España y en Latinoamérica, asisten a varias ceremonias en las iglesias. Es la _____.
6. Mucha gente le da la bienvenida a este primer día de enero con bailes y fiestas muy alegres. Esperan las 12:00 de la noche con impaciencia. Es el _____.
7. En muchos países hispanos, los niños no reciben regalos el 25 de diciembre. Los reciben el 6 de _____, el Día de _____.
8. El _____ es una fiesta de ocho noches. Cada noche se enciende una vela más, hasta 9. A veces los niños reciben un regalo.

LAS PALABRAS VIVEN

Hay varios nombres para los días feriados en el mundo hispano. Por ejemplo, en México el Día de la Madre es **el Día de las Madres**. En España, el Día de la Raza es **el Día de la Hispanidad**. En algunos países *Easter* es **la Pascua**, pero también se le llama **las Pascuas, la Pascua Florida, el domingo de Pascua** o **la Pascua de Resurrección**. Y en muchos países la expresión ¡**Felices Pascuas**! quiere decir lo mismo que ¡**Feliz Navidad**!

Actividad 7. Entrevista: Las fiestas

¿Qué prefiere usted hacer para celebrar...

1. su cumpleaños?
2. el Día de la Independencia?
3. la Navidad u otro día feriado? (el Jánuca, la Pascua, la Pascua Judía, el Ramadán)
4. su aniversario de boda u otro aniversario importante?
5. el Día de la Madre o el Día del Padre?
6. la Nochevieja o el Año Nuevo?

Actividades posibles: celebrar con mis parientes, cenar en casa, comer pastel, dar una fiesta, ir a la playa, ir al cine, ir a un café, ir de compras, merendar en el parque, quedarme en casa, salir a bailar, salir a cenar en un restaurante, ver la televisión

Ahora, entreviste a un compañero / una compañera de clase.

MODELO: E1: ¿Qué prefieres hacer para celebrar *tu cumpleaños?*
          E2: Durante el día, prefiero *quedarme en casa* y *ver la televisión*. Por la noche, me gusta *salir a cenar en un restaurante* con mis amigos.

Actividad 8. Entrevista: Los días feriados

1. ¿Cómo te gusta celebrar tu cumpleaños? ¿Quién hace los preparativos para celebrar tu cumpleaños?

2. ¿Qué haces el Día de Acción de Gracias? ¿Celebras esta fiesta en casa con tu familia o vas a la casa de otros parientes o amigos? ¿Qué comen ustedes?

3. ¿Qué aspecto del Año Nuevo te gusta más? ¿Qué aspecto te gusta menos? ¿Celebras el Año Nuevo con tu familia o con tus amigos? ¿Qué hacen ustedes para celebrarlo?

4. ¿Cómo celebras el Día de la Independencia, con tu familia o con tus amigos? ¿Van a un parque o se quedan en casa? ¿Celebran solos o invitan a otros parientes/amigos? ¿Ven los fuegos artificiales? ¿De dónde los ven, de casa o de un parque? ¿A qué hora vuelves a tu casa?

5. ¿Qué otras fiestas celebras con tu familia o tus amigos? ¿Qué hacen ustedes para celebrar esas fiestas? ¿Dan muchos regalos? ¿Ponen decoraciones en casa?

EL MUNDO HISPANO... en los Estados Unidos

Óscar M. Ramírez es cubano, tiene 40 años y vive en Miami, Florida. Óscar lleva[1] 30 años en los Estados Unidos.

Describa algunos de los días feriados que usted celebra con su familia.

El único día feriado que mi familia todavía celebra en los Estados Unidos «a la hispana» es la Nochebuena, el 24 de diciembre. Se celebra dándole a la ocasión todo su significado religioso. La noche es «buena» porque es cuando celebramos el nacimiento del Niño Jesús. Aquí la palabra «buena» quiere decir «santa».

Siempre hay en la sala de la casa un pesebre,[2] con una figurita del Niño Jesús, recién nacido.[3] Están con él su madre, la Virgen María, y su padre en la

[1]*has been* [2]*manger* [3]*recién... just born*

(Continúa)

Tierra, San José. Los rodean una vaca, un burro y muchos pastores con sus ovejas.[4] A todo esto se le llama el «Nacimiento».[5] También están los tres Reyes Magos, que dan al Niño regalos preciosos. Pero los Reyes Magos no se ponen en el Nacimiento hasta[6] el 6 de enero, cuando llegan al pesebre guiados por una estrella,[7] la Estrella de Belén. (En mi país los niños no reciben regalos el 25 de diciembre, sino el 6 de enero.)

Delante del Nacimiento se sirve una gran cena: puerco asado, cidra, uvas, turrones de almendras y nueces[8] de diferentes tipos; se cantan villancicos,[9] y a medianoche todos vamos a misa.[10]

[4]Los... *They are surrounded by a cow, a donkey, and many shepherds with their sheep.*
[5]el... *Nativity scene* [6]*until* [7]guiados... *guided by a star* [8]puerco... *pork roast, cider, grapes, almond nougat, nuts* [9]*Christmas carols* [10]*Mass*

NOTA CULTURAL

VOCABULARIO ÚTIL	
los artesanos	*craftsmen*
la artesanía	*crafts*
los toros	*bulls*
el pañuelo	*handkerchief*
la faja	*waistband*
arriesgan la vida	*they risk their lives*

Celebraciones del mes de julio

El mes de julio es un mes de fiestas por todo el mundo hispano. Julio es un mes de invierno en algunos países, como en Argentina. Los argentinos celebran con fuegos artificiales la emocionante Fiesta de la nieve en Bariloche. Y México tiene la Fiesta de Uruapan, que se celebra en Michoacán. Puerto Rico ofrece la alegre Feria Artesanal de Barranquitas. En esta feria hay bailes folclóricos, música y canciones. Los artesanos de todo el país llevan sus artesanías para venderlas.

Bariloche, Argentina: Fiesta de la nieve

Michoacán, México: Fiesta de Uruapan

Puerto Rico: Feria Artesanal de Barranquitos

En Pamplona, España, se celebran las Fiestas de San Fermín, que duran una semana. Estas fiestas tienen un espectáculo impresionante. Varias calles de la ciudad se cierran por la mañana y entonces... ¡salen los toros! Muchísimos hombres (dos mil, más o menos) esperan la salida de estos animales. Los hombres van vestidos de blanco, con un pañuelo rojo al cuello y una faja roja a la cintura. Todos corren aproximadamente un kilómetro por las calles... ¡pero corren con los toros! Y algunos arriesgan la vida.

El espectáculo de Pamplona dura sólo cuatro minutos, ¡pero son cuatro minutos de pura emoción!

Pamplona, España: las Fiestas de San Fermín

Comprensión

Busque la definición correcta. ¡Cuidado! Hay varias respuestas posibles.

1. _____ las Fiestas de San Fermín
2. _____ la Fiesta de Uruapan
3. _____ la Fiesta de la nieve, en Bariloche
4. _____ la Feria Artesanal de Barranquitas

a. Hay un espectáculo corto, pero impresionante.
b. Se celebra en Michoacán, México.
c. Aquí los artesanos venden su trabajo.
d. Duran siete días.
e. Hay música y bailes.
f. En esta fiesta los hombres corren con los toros.
g. Hay fuegos artificiales.
h. Es una celebración de invierno.

Ahora... ¡usted!

1. ¿Celebra usted el 4 de Julio, el Día de la Independencia de los Estados Unidos? ¿Cómo celebra este día feriado?
2. ¿En qué otras celebraciones participa usted?
3. ¿Conoce fiestas de otros países que se celebran en julio?
4. Mire las fotos que acompañan la Nota cultural e imagínese que usted está en esas fiestas. ¿Qué ve? ¿Qué está haciendo?

 Un paso más... ¡a escribir!

Usted tiene un amigo o una amiga de otro país. Esta persona quiere saber cuáles son los días feriados que usted celebra. Escríbale una tarjeta postal con una breve descripción de sus fiestas favoritas. ¿Por qué le gustan? ¿Qué hace en estas fiestas? ¿Las celebra con la familia o con amigos?

La rutina diaria

Lea Gramática 4.2–4.4.

Una mañana en la casa de los Ramírez

Ernesto se afeita.

Estela se maquilla.

Ernestito se lava los dientes.

Amanda se pone la ropa.

Guillermo se levanta.

Actividad 9. Orden lógico: Primero... luego... y después...

Ponga en orden estas actividades. Use las palabras **primero**, **luego** y **después**.

1. **a.** Me seco.   **b.** Me lavo los dientes.   **c.** Me baño.
2. **a.** Me maquillo.   **b.** Me levanto.   **c.** Me pongo la ropa.
3. **a.** Me peino.   **b.** Me afeito.   **c.** Me ducho.
4. **a.** Me baño.   **b.** Me levanto.   **c.** Me despierto.
5. **a.** Me lavo el pelo.   **b.** Me quito la ropa.   **c.** Me seco el pelo.
6. **a.** Me lavo los dientes.   **b.** Desayuno.   **c.** Preparo el desayuno.
7. **a.** Me pongo el pijama.   **b.** Me acuesto.   **c.** Me quito la ropa.

Actividad 10. Descripción de dibujos: La rutina

Escuche mientras su profesor(a) describe uno de los dibujos a continuación. Diga el título que corresponde al dibujo.

Un lunes a las 6:30 con la familia Ramírez.

Un jueves a las 6:30 con la familia Ramírez.

Un sábado a las 9:00 de la mañana con los amigos norteamericanos.

Un domingo a las 9:00 de la mañana con los amigos norteamericanos.

Ahora, escoja uno de los dibujos y descríbaselo a un compañero / una compañera de clase. Él/Ella va a decir qué dibujo es.

Actividad 11. Narración: La rutina de Adriana

PALABRAS ÚTILES

primero
luego
después
más tarde
finalmente
por último
a la(s)...
desde la(s)...
hasta la(s)...

EL MUNDO HISPANO... su gente

Gregorio Merino Díaz tiene 32 años y es de Chile.

Describa un día típico de su vida.

Un día típico es un día de trabajo. Soy Inspector General[1] de un colegio particular[2] de Santiago. Para mi esposa y para mí el día comienza a las 6:00 de la mañana, pues vivimos muy lejos de nuestro trabajo. Nos duchamos y luego desayunamos café y tostadas. A las 7:00 nos vamos al trabajo. Tomamos locomoción colectiva.[3] Luego de cuarenta y cinco minutos de viaje, llegamos al colegio; yo voy a mi oficina y mi esposa a la biblioteca, donde trabaja. Por lo general tomamos un café alrededor de[4] las 10:00. Regresamos a casa a las 15 horas, cuando termina la jornada de trabajo.[5]

[1]Inspector... *administrator*   [2]colegio... *private school*   [3]locomoción... *public transportation*
[4]alrededor... *around*   [5]jornada... *workday*

Actividad 12. Entrevista: Preguntas personales

1. ¿Te gusta levantarte temprano o tarde? ¿Quién se levanta primero donde tú vives?
2. ¿Te bañas o te duchas? ¿Cuándo prefieres bañarte? ¿Qué marca de jabón usas?
3. ¿Te afeitas con navaja o con rasuradora eléctrica?
4. ¿Te maquillas todos los días? ¿Te maquillas más cuando sales de noche?
5. ¿Te lavas el pelo todos los días? ¿Qué marca de champú prefieres? ¿Usas un acondicionador? ¿De qué marca es?
6. ¿Te pones perfume/colonia todos los días? ¿Qué marca prefieres?

Los estados físicos y anímicos

Lea Gramática 4.5–4.6.

(Ernesto)

está contento

(Estela)

están tristes

está enojado

está enferma

está aburrido   está ocupada   está preocupado

tienen hambre   tienen prisa   tiene sueño   tiene sed

tiene calor   tiene frío   tiene miedo

Actividad 13. Conversación: Las emociones

Diga si usted está de acuerdo o no con las siguientes afirmaciones.

FRASES ÚTILES

(No) Estoy de acuerdo.
Depende.

1. Es bueno gritar si uno está enojado.
2. Si uno está deprimido, es mejor comer algo.
3. Si uno tiene frío, es mejor tomar una limonada.
4. Si uno está de mal humor, es buena idea hablar con un buen amigo o un pariente.
5. Si uno está aburrido, es preferible ver la televisión.
6. Si uno tiene prisa y va a llegar tarde a clase, es mejor manejar muy rápido.
7. Es recomendable quedarse en casa cuando uno está enfermo.
8. Si uno tiene miedo, es buena idea comerse las uñas.

Actividad 14. Preferencias: ¿Qué hace usted en estas situaciones?

1. Cuando estoy triste,...
   a. quiero estar solo/a.
   b. escucho música.
   c. compro ropa nueva.
   d. ¿ ?

2. Cuando estoy contento/a,...
   a. salgo en el carro.
   b. voy de compras.
   c. prefiero estar solo/a.
   d. ¿ ?

3. Cuando estoy cansado/a,...
   a. duermo.
   b. leo.
   c. me baño.
   d. ¿ ?

4. Cuando estoy aburrido/a,...
   a. como.
   b. llamo a mi novio/a
      o a un amigo / una amiga.
   c. me quedo en casa.
   d. ¿ ?

5. Cuando tengo hambre,...
   a. como hamburguesas.
   b. tomo un vaso de leche.
   c. me lavo los dientes.
   d. ¿ ?

6. Cuando tengo frío,...
   a. me quito la chaqueta.
   b. me baño con agua caliente.
   c. me pongo un suéter.
   d. ¿ ?

7. Cuando tengo calor,...
   a. tomo un refresco.
   b. tomo café caliente.
   c. me ducho.
   d. ¿ ?

8. Cuando tengo prisa,...
   a. camino rápidamente.
   b. tomo el autobús.
   c. doy un paseo.
   d. ¿ ?

Y TÚ, ¿QUÉ DICES?

Sí, yo también. (Sí, a mí también me gusta eso.)	Yo sí.	¡Excelente idea!
	Yo no.	¡Qué buena idea!
Yo tampoco. (A mí tampoco me gusta eso.)	Es mejor.	¡Ni pensarlo!
	Es peor.	¡Qué ocurrencia!

Actividad 15. Asociaciones: Los estados anímicos

¿Qué estado de ánimo asocia usted con las siguientes ocasiones?

1. Es su cumpleaños.
2. Está tomando un examen de español.
3. Es un sábado de primavera. Hace sol y buen tiempo. Usted está en el parque con su perro.
4. Es la Nochevieja.
5. Usted tiene una entrevista para un trabajo en 10 minutos y de pronto recibe una llamada de su abuela.
6. Usted recibe una buena nota en su examen de biología.
7. Encuentra a su perro comiendo su mejor camisa.
8. Su gato está muy enfermo.

Actividad 16. Entrevista: Soluciones

¿Qué haces cuando estás...

1. deprimido/a?
2. nervioso/a?
3. de buen/mal humor?
4. enamorado/a?

¿Qué haces cuando tienes...

1. frío?
2. sueño?

3. sed?
4. miedo?

«Versos sencillos» de José Martí (selecciones)

Varios de los *Versos sencillos* de este famoso poeta cubano (1853–1895) son parte de la canción popular «Guantanamera». En las siguientes selecciones, Martí hace una descripción de su personalidad: es un hombre sincero y artístico, a quien le gusta la naturaleza.[1] El poeta también habla de su poesía y de su hijo.

Yo soy un hombre sincero
De donde crece la palma,[2]
Y antes de morirme[3] quiero
Echar[4] mis versos del alma.[5]

Yo vengo de todas partes,
Y hacia[6] todas partes voy:
Arte soy entre[7] las artes.
En los montes,[8] monte soy.

Oigo un suspiro,[9] a través
De[10] las tierras y la mar,
Y no es un suspiro, —es
Que mi hijo va a despertar.

Con los pobres de la tierra
Quiero yo mi suerte[11] echar:
El arroyo[12] de la sierra
Me complace[13] más que el mar.

Todo es hermoso y constante,
Todo es música y razón,
Y todo, como el diamante,
Antes de luz es carbón.[14]

Mi verso es de un verde claro
Y de un carmín encendido:[15]
Mi verso es un ciervo herido[16]
Que busca en el monte amparo.[17]

Camagüey, Cuba: Una de las características del paisaje (*landscape*) cubano es la hermosa palma real (*royal*).

[1]*nature* [2]*crece... the palm tree grows* [3]*antes... before I die* [4]*To cast; To express* [5]*soul* [6]*toward* [7]*among* [8]*forests* [9]*sigh* [10]*a... through* [11]*luck* [12]*brook* [13]*Me... Pleases me* [14]*coal* [15]*carmín... bright crimson* [16]*ciervo... wounded deer* [17]*shelter*

Comprensión

Escoja las respuestas correctas. ¡Cuidado! Hay más de una posibilidad.

1. ¿Cómo es la personalidad del poeta? Martí es...
   a. sincero. **b.** agresivo. **c.** artístico. **d.** como el monte.
   e. tímido. **f.** perezoso.
2. ¿De qué color son los versos de José Martí? Son...
   a. rojos. **b.** verdes. **c.** amarillos. **d.** negros.
   e. de color carmín. **f.** azules.
3. ¿Con qué se relaciona el despertar del hijo de Martí? Con...
   a. el llanto. **b.** el suspiro. **c.** la tierra. **d.** el mar.
   e. el bosque. **f.** su casa.
4. ¿Qué elementos de la naturaleza menciona el poeta? Martí menciona...
   a. la palma. **b.** el arroyo. **c.** el monte. **d.** el árbol.
   e. el océano. **f.** el carbón.

Ahora... ¡usted!

1. ¿Le gusta leer poesía? ¿Por qué? ¿Hay un poeta o una poeta que le guste mucho? ¿Por qué le gusta?
2. ¿Escribe usted poemas u otros tipos de escritura? ¿Cuáles son los temas de su poesía / su escritura en general?

 Un paso más... ¡a escribir!

Use los versos de Martí como guía y escriba un poema para expresar sus propios sentimientos.

Yo soy _____
De donde _____,
Y antes de morirme quiero _____.

Yo vengo de _____
Y hacia _____ voy:
_____ soy entre _____
En _____, _____ soy.

En resumen

De todo un poco

A. ¡Los Reyes Magos vienen mañana!

Mire los dibujos de la siguiente página y ponga en orden las oraciones a continuación para que coincidan con los dibujos.

a. _____ Se lavan los dientes.

b. _____ Finalmente son las siete y media. Se ponen el pijama.

c. _____ Se despiertan a las cinco de la mañana. Tienen miedo de mirar la ventana.

d. _____ Se acuestan pero no se duermen. Hablan de los juguetes que esperan recibir.

e. _____ Su madre quiere llevarlas al museo y a la biblioteca pero ellas prefieren quedarse en casa.

f. _____ Es el cinco de enero. Son las 5:00 de la tarde. Clarisa y Marisa están nerviosas e impacientes.

g. _____ Rezan antes de acostarse.

h. _____ Corren a la ventana. Ahí están los juguetes que quieren. ¡Qué contentas están!

i. _____ Les dicen «Buenas noches» a sus padres con un beso.

j. _____ Ponen los zapatos en la ventana y esperan... ¡Los Reyes Magos van a venir mañana muy temprano!

k. _____ Por fin se duermen. Sueñan que los Reyes Magos no les traen nada.

l. _____ Cenan con sus padres y charlan sobre los juguetes que quieren.

B. Entrevista con su profesor(a)

Trabaje con dos o tres estudiantes. Escriban preguntas para entrevistar a su profesor(a). Cada grupo va a escribir ocho buenas preguntas para saber más sobre él/ella. Escriban preguntas sobre su vida en casa, su rutina diaria, sus estados de ánimo, sus actividades favoritas, sus preferencias, cómo celebra los días feriados, etcétera.

MODELOS: ¿A qué hora se levanta usted durante la semana?
             ¿Qué le gusta hacer después del trabajo?
             ¿Qué hace usted cuando está aburrido/a?
             ¿Cómo celebra el Año Nuevo?
             ¿Qué le gusta hacer los viernes por la noche?

Después, cada grupo debe hacerle sus preguntas al profesor / a la profesora. Tomen apuntes sobre la información para luego escribir una composición sobre él/ella.

¡Dígalo por escrito!

Los días feriados

¿Cuál es el día feriado que más le gusta a usted? ¿Por qué? Trabaje con varios compañeros de clase para hablar de sus días feriados favoritos, por qué les gustan esos días y por qué *no* les gustan otros. Luego, en casa, escriba una descripción de su propio día feriado favorito. ¿Cómo lo celebra? ¿Dónde? ¿Con quién(es)? ¿Qué hace usted para prepararse para esa celebración?

VIDEOTECA

En este segmento de video, la familia Durán, de Sevilla, celebra la primera comunión de Marta. Para muchas familias hispanas, la primera comunión es una ceremonia religiosa muy importante. ¿Quiénes vienen a la ceremonia? ¿Dónde la celebran? En el Capítulo 4 del *Cuaderno de trabajo* hay más actividades para hacer después de ver el video.

Vocabulario

Los lugares

abajo	below
ahí (allí)	there
el almacén	department store
el colegio	private school
la escuela	school
la iglesia	church
el mercado	market
la panadería	bakery
la papelería	stationery store
el supermercado	supermarket
el videocentro	video store
la zapatería	shoe store

PALABRAS SEMEJANTES: la América Latina (Latinoamérica), el bar, el café, la discoteca, la farmacia, el hotel, el museo, el parque, la plaza

REPASO: el cine, el lago, la tienda

Los días feriados y las celebraciones
Holidays and Celebrations

el Año Nuevo	New Year's Day
el Día de Acción de Gracias	Thanksgiving Day
el Día de las Brujas	Halloween
el Día de los Enamorados	Valentine's Day
el Día de la Independencia	Independence Day
el Día de la Madre	Mother's Day
el Día de los Muertos	All Souls' Day (November 2nd)
el Día del Padre	Father's Day
el Día de los Reyes Magos	Epiphany, Day of the Magi (January 6th)
el día del santo	saint's day
el Día de Todos los Santos	All Saints' Day (November 1st)
el Domingo de Pascua	Easter Sunday
el Jánuca	Hanukkah

la(s) Navidad(es)	Christmas
la Nochebuena	Christmas Eve
la Nochevieja	New Year's Eve (December 31st)
la Pascua Judía	Passover
el Ramadán	Ramadan
la Semana Santa	Holy Week

La rutina diaria   Daily Routine

acostarse (ue)	to go to bed
me acuesto / se acuesta	
afeitarse	to shave
bañarse	to bathe
despertarse (ie)	to wake up
me despierto / se despierta	
dormir (ue)	to sleep
dormirse (ue)	to fall asleep
me duermo / se duerme	
lavarse los dientes	to brush one's teeth
lavarse el pelo	to wash one's hair
levantarse	to get up
maquillarse	to put on makeup
peinarse	to comb one's hair
ponerse (perfume / la ropa)	to put on (perfume/ clothes)
me pongo / se pone	
quitarse (la ropa)	to take off (one's clothes)
secarse (el pelo)	to dry (one's hair)
venir	to come
vengo/viene	
volver (ue)	to return, go back
(vuelvo/vuelve)	

REPASO: almorzar (ue), cenar, ducharse, hacer (hago/hace), ir de compras, manejar

Los estados físicos y anímicos
Physical and Mental States

estar...	to be . . .
alegre	happy
contento/a	happy
de buen/mal humor	in a good/bad mood
deprimido/a	depressed
enamorado/a	in love
enfermo/a	sick
enojado/a	angry
ocupado/a	busy
preocupado/a	worried
triste	sad
tener...	to be . . .
calor	hot
frío	cold

hambre	hungry
miedo	afraid
prisa	in a hurry
sed	thirsty
sueño	sleepy

REPASO: (estar) aburrido/a

¿Cuándo?

ahora mismo	right now
antes de	before
cuando	when
de pronto	suddenly
desde la(s)... hasta la(s)...	from (hour) to (hour)
después de	after
la próxima semana	next week
tarde	late
temprano	early
todos los días	every day

REPASO: ayer, después, hoy, luego, mañana, pasado mañana

Los verbos

andar en velero	to go sailing
aprender	to learn
beber (un refresco)	to drink (a soft drink)
comprar	to buy
dar (doy/da)	to give
dar la bienvenida	to welcome
dar un paseo	to go for a walk
escoger	to choose
escojo/escoge	
gritar	to yell, scream
llamar	to call (on the phone)
poner	to put
poner una película	to show a movie
quedarse (en casa)	to stay (at home)
reunirse	to get together
me reúno / se reúne	
rezar	to pray
saber	to know
sé/sabe	
soñar (ue) (con)	to dream (about)
traer	to bring
traigo/trae	

PALABRAS SEMEJANTES: celebrar, coincidir, conversar, corresponder, invitar, visitar

Palabras del texto

| correspondiente | corresponding |
| la oración | sentence |

La gente — People

el médico	doctor
el/la paciente	patient
el pariente / la parienta	relative

Los sustantivos

el acondicionador	conditioner
el agua	water
el árbol (de Navidad)	(Christmas) tree
el beso	kiss
la boda	wedding
la colonia	cologne
la comida	food
el cuadro	box, square
el desayuno	breakfast
los fuegos artificiales	fireworks
la fuente	fountain
la guía	guide; guidebook
el jabón	soap
el juguete	toy
la leche	milk
la llamada	(telephone) call
la marca	brand
la natación	swimming
la navaja	razor blade
la nota	note; grade
el pan	bread
el pastel	cake
la peseta	*monetary unit of Spain*
el precio	price
la rasuradora eléctrica	electric razor
el regalo	gift
el tipo	type
el título	title
el vaso	glass

PALABRAS SEMEJANTES: la afirmación, el aniversario, el aspecto, la celebración, la ceremonia, el champú, la composición, el condominio, la decoración, la emoción, el examen, la exhibición, la fruta, la hamburguesa, la impaciencia, la limonada, el/la patriota, el pijama, la situación, la solución

Los adjetivos

caliente	hot
hermoso/a	beautiful
módico/a	affordable

PALABRAS SEMEJANTES: abundante, impaciente, municipal, preferible, recomendable

Palabras y expresiones útiles

¿Adónde va usted... ?	Where do you go . . . ?
algo	something
conmigo	with me
depende	(it) depends
¿De veras? / ¿De verdad?	Really?
¿Dónde está... ?	Where is . . . (located)?
es mejor/peor	it is better/worse
especialmente	especially
¡Excelente idea!	Excellent idea!
nada	nothing
¡Ni pensarlo!	Don't even think of it!
¡Qué lástima!	What a pity!
¡Qué ocurrencia!	What a silly idea!
rápidamente	quickly, rapidly
rápido	quick
tampoco	neither

Gramática y ejercicios

Remember from
Gramática 2.1 that the
present-tense forms of **ir**
are **voy, vas, va, vamos,
vais,** and **van.*** These
verb forms can mean
going or simply *go(es)*.

4.1 Talking about Location: *ir + a(l); estar + en*

Gramática ilustrada

Raúl y Mónica **van al** cine.

Raúl y Mónica **están en** el cine.

---

adónde = *where (to)*
ir a = *to go to*
Voy al cine. (*I'm going to the movies.*)

A. **¿Adónde?** (*[To] Where?*) is used to ask where someone is going. The verb **ir** (*to go*) followed by the preposition **a** (*to*) is used to express the idea of movement toward a location. Note that **a** + **el** contracts to **al** (*to the*).

—¿**Adónde vas**?   —*Where are you going?*
—**Voy al** parque.   —*I'm going to the park.*

—¿**Adónde van** ustedes los sábados?   —*Where do you go on Saturdays?*
—**Vamos al** trabajo y luego **vamos a la** biblioteca para estudiar.   —*We go to work and then we go to the library to study.*

—¿**Adónde va** la profesora Martínez?   —*Where's Professor Martínez going?*
—**Va a la** universidad.   —*She's going to the university.*

Ir a + infinitive is used to express the future.
Mañana voy a trabajar.
(*Tomorrow I'm going to work.*)
este viernes = *this Friday*
el próximo viernes = *next Friday*
El próximo mes vamos a empezar las clases. (*Next month we're going to start classes.*)

The expression **ir** + **a** + *location*, used with the following expressions of time, indicates when you are going.

este viernes	*this Friday*	el próximo sábado	*next Saturday*
este fin de semana	*this weekend*	la próxima semana	*next week*
esta primavera	*this spring*	el próximo mes	*next month*

Vamos a ir al restaurante El Tecolote **la próxima semana**.   *We're going to go to the Tecolote Restaurant next week.*

---

*Recognition: **vos vas**

B. The verb **estar** + **en** is used to express the idea of being at a location.

—¿**Está** Guillermo **en** la biblioteca?   —*Is Guillermo at the library?*
—No, **está en** el gimnasio.   —*No, he's at the gym.*

Ejercicio 1

¿Adónde van estas personas? Complete las oraciones con la forma apropiada del verbo **ir** y **al** o **a la**.

MODELO: Usted *va al* parque los domingos.

1. Mis compañeros y yo ＿＿＿ tienda nueva enfrente de la universidad.
2. Mis hermanos siempre ＿＿＿ cine los sábados.
3. (Nosotros) ＿＿＿ supermercado a comprar fruta.
4. La profesora Martínez ＿＿＿ oficina a trabajar.
5. (Yo) ＿＿＿ playa a tomar el sol y nadar.
6. (Yo) Siempre ＿＿＿ biblioteca a leer y estudiar.
7. Esteban y Carmen ＿＿＿ restaurante chino que hay cerca de aquí para cenar.
8. Luis ＿＿＿ plaza a pasear con una amiga.
9. (Nosotros) ＿＿＿ librería a comprar el libro de español.
10. (Tú) ＿＿＿ trabajo después de las clases.

4.2   Discussing Habitual Actions: Verbs with Stem-Vowel Changes (*ie*, *ue*) in the Present Tense

A. Here is the present tense of several commonly used verbs that follow the same pattern of stem-vowel changes as **querer** and **preferir: cerrar** (*to close*), **pensar** (*to think*), **empezar** (*to begin*), **perder** (*to lose*), and **encender** (*to light; to turn on*).[†]

	cerrar	pensar	empezar	perder	encender
(yo)	cierro	pienso	empiezo	pierdo	enciendo
(tú)	cierras	piensas	empiezas	pierdes	enciendes
(usted, él/ella)	cierra	piensa	empieza	pierde	enciende
(nosotros/as)	cerramos	pensamos	empezamos	perdemos	encendemos
(vosotros/as)	cerráis	pensáis	empezáis	perdéis	encendéis
(ustedes, ellos/as)	cierran	piensan	empiezan	pierden	encienden

cierro = *I close*
cerramos = *we close*
empiezo = *I begin*
empezamos = *we begin*

—¿A qué hora **cierran** ustedes la Nochevieja?
—**Cerramos** a las 5:00 de la tarde.

—*What time do you close on New Year's Eve?*
—*We close at 5:00 P.M.*

---

*Recognition: **vos querés, preferís**
[†]Recognition: **vos cerrás, pensás, empezás, perdés, encendés**

—**¿Encienden** ustedes las velas de Jánuca cada año?

—*Do you light Hanukkah candles every year?*

—Sí, las **encendemos** por ocho noches seguidas.

—*Yes, we light them for eight nights in a row.*

B. Three other verbs follow the same pattern as **jugar**: **dormir** (*to sleep*), **volver** (*to return, go back*), and **almorzar** (*to have lunch*).*

	jugar	dormir	volver	almorzar
(yo)	**jue**go	**due**rmo	**vue**lvo	alm**ue**rzo
(tú)	**jue**gas	**due**rmes	**vue**lves	alm**ue**rzas
(usted, él/ella)	**jue**ga	**due**rme	**vue**lve	alm**ue**rza
(nosotros/as)	jugamos	dormimos	volvemos	almorzamos
(vosotros/as)	jugáis	dormís	volvéis	almorzáis
(ustedes, ellos/as)	**jue**gan	**due**rmen	**vue**lven	alm**ue**rzan

juego = *I play*
jugamos = *we play*
vuelvo = *I return*
volvemos = *we return*

These forms may be difficult to remember, but they will feel more natural as you hear and read more Spanish. Therefore, don't try to memorize all this, but do refer to the rules when you edit your writing.

—¿A qué hora **vuelven** a casa después de una fiesta?

—*What time do you return home after a party?*

—A veces no **volvemos** hasta las 3:00 o 4:00 de la madrugada.

—*Sometimes we don't return until 3:00 or 4:00 in the morning.*

Ejercicio 2

¿Qué hacen usted y sus amigos? Complete estas oraciones con la forma correcta del verbo entre paréntesis.

MODELO: —¿*Cierran* ustedes los ojos en clase? (cerrar) →
—No, no *cerramos* los ojos en clase.

1. —¿_____ ustedes en su clase de español? (dormir)
—¡Claro que no! Nunca _____ en clase, porque nos divertimos.
2. —¿_____ ustedes en casa o en el trabajo? (almorzar)
—Generalmente _____ en casa con la familia.
3. —¿_____ ustedes al trabajo después de almorzar? (volver)
—Sí, _____ a las 2:00.
4. —¿_____ ustedes al tenis los fines de semana? (jugar)
—A veces _____, a veces no.
5. —¿_____ ustedes mucho al tenis en el invierno? (jugar)
—No, _____ poco porque hace demasiado frío.
6. —¿_____ ustedes frecuentemente cuando _____ al basquetbol? (perder, jugar)
—No, casi nunca _____ cuando _____ al basquetbol.
7. —¿_____ ustedes ir al cine por la tarde? (preferir)
—No, _____ ir por la mañana con los niños.
8. —¿_____ ustedes las vacaciones en mayo o en junio? (empezar)
—Normalmente _____ las vacaciones en junio.

---

*Recognition: **vos jugás, dormís, volvés, almorzás**

4.3   Discussing Habitual Actions: Irregular Verbs

vengo = *I come*
viene = *he/she comes; you come*
venimos = *we come*

A. As you know, an irregular verb is one that uses more than one stem to form its conjugation. (In many cases the irregularity is only in the **yo** form.) Here are some common verbs that add a **g** in the **yo** form: **tener** (*to have*), **venir** (*to come*), **salir** (*to leave; to go out*), and **poner** (*to put*).*

	tener	venir	salir	poner
(yo)	tengo	vengo	salgo	pongo
(tú)	tienes	vienes	sales	pones
(usted, él/ella)	tiene	viene	sale	pone
(nosotros/as)	tenemos	venimos	salimos	ponemos
(vosotros/as)	tenéis	venís	salís	ponéis
(ustedes, ellos/as)	tienen	vienen	salen	ponen

—¿Siempre **viene** usted temprano?
—Sí, casi siempre **vengo** a las 8:00.

—*Do you always come early?*
—*Yes, I almost always come at 8:00.*

—¿Dónde **pongo** mi ropa?
—Aquí mismo, encima de esta silla.

—*Where do I put my clothes?*
—*Right here, on this chair.*

digo = *I say*
dice = *he/she says; you say*
decimos = *we say*

B. The verbs **traer** (*to bring*) and **oír** (*to hear*) insert **ig** in the **yo** form.† In addition, **oír** adds a **y** in all but the **yo, nosotros/as,** and **vosotros/as** forms. The verbs **hacer** and **decir** change the **c** to **g** in the **yo** form. **Decir** (*to say, tell*) also changes the stem vowel **e** to **i** in all but the **nosotros/as** and **vosotros/as** forms.‡

	traer	oír	hacer	decir
(yo)	traigo	oigo	hago	digo
(tú)	traes	oyes	haces	dices
(usted, él/ella)	trae	oye	hace	dice
(nosotros/as)	traemos	oímos	hacemos	decimos
(vosotros/as)	traéis	oís	hacéis	decís
(ustedes, ellos/as)	traen	oyen	hacen	dicen

—¿Qué **traes** a las fiestas?
—**Traigo** mis discos compactos y algo de comer.

—*What do you bring to parties?*
—*I bring my CDs and something to eat.*

—¿No **oyes** un ruido extraño?
—No, no **oigo** nada.

—*Don't you hear a strange noise?*
—*No, I don't hear anything.*

---

*Recognition: **vos tenés, venís, salís, ponés**
†Recognition: **vos traés, oís**
‡Recognition: **vos hacés, decís**

Ejercicio 3

Un amigo le hace preguntas sobre su clase de español. Contéstele según el modelo.

MODELO: —Generalmente, ¿vienes temprano a la clase de español?
—Sí, *vengo* temprano todos los días.

1. —¿Traes tu perro a la clase de español?
—¡Claro que no! _____ solamente el libro y el cuaderno.
2. —¿Pones tu libro de español debajo de la mesa?
—No, _____ el libro encima de la mesa.
3. —¿Le dices «Buenos días» en español al profesor / a la profesora?
—¡Qué va! A las 2:00 de la tarde le _____ «Buenas tardes».
4. —¿Oyes música en tu clase?
—Sí, _____ canciones en español, naturalmente.
5. —¿Sales de tu clase a las 3:00?
—No, _____ a las 2:50.
6. —¿Siempre vienes a la clase preparado/a?
—Sí, casi siempre _____ preparado/a.
7. —¿Tienes mucha tarea?
—Sí, _____ tarea todos los días excepto el domingo.
8. —¿Qué haces en tu clase?
—_____ un poco de todo: converso, leo, escribo.

4.4. Describing Daily Routine: Reflexives

A. In English, pronouns that indicate that the subject of a sentence does something to himself or herself are called *reflexive;* they end in *-self* (*-selves*).

He cut himself.	Babies often talk to themselves.
She looked at herself in the mirror.	We didn't blame ourselves.

Some actions that the subject does to himself or herself are not expressed with reflexive pronouns in English. For example, *I get up at 7:00. I take a bath and then get dressed.* In such sentences, Spanish always uses a reflexive pronoun: **Yo me levanto a las 7:00. Me baño y luego me pongo la ropa.**

B. Here is the present tense of the verb **levantarse** (*to get up*) with reflexive pronouns.*

> Actions done to oneself are expressed using reflexive words.
> **Me afeito**. (*I shave* [*myself*].)
> **Nos ponemos la ropa.** (*We put on our clothes.*)

levantarse (*to get up*)		
(yo)	me levanto	*I get up*
(tú)	te levantas	*you (inf. sing.) get up*
(usted, él/ella)	se levanta	*you (pol. sing.) get up; he/she gets up*
(nosotros/as)	nos levantamos	*we get up*
(vosotros/as)	os levantáis	*you (inf. pl., Spain) get up*
(ustedes, ellos/as)	se levantan	*you (pl.) get up; they get up*

*Recognition: **vos te levantás**

C. Following is a list of verbs with the reflexive pronouns **me** (*myself*) and **se** (*himself, herself, yourself* [*pol. sing.*]) that you can use to describe your daily routine or that of someone else. Notice that the infinitives with the reflexive pronoun end in **se**.

	INFINITIVE	
Me acuesto. / Se acuesta.*	acostarse	*I go to bed. / He/She goes to bed; You (pol. sing.) go to bed.*
Me despierto. / Se despierta.†	despertarse	*I wake up. / He/She wakes up; You (pol. sing.) wake up.*
Me levanto. / Se levanta.	levantarse	*I get up (out of bed). / He/She gets up; You (pol. sing.) get up.*
Me baño. / Se baña.	bañarse	*I take a bath. / He/She takes a bath; You (pol. sing.) take a bath.*
Me ducho. / Se ducha.	ducharse	*I take a shower. / He/She takes a shower; You (pol. sing.) take a shower.*
Me lavo el pelo. / Se lava el pelo.	lavarse el pelo	*I wash my hair. / He/She washes his/her hair; You (pol. sing.) wash your hair.*
Me seco. / Se seca.	secarse	*I dry off. / He/She dries off; You (pol. sing.) dry off.*
Me afeito. / Se afeita.	afeitarse	*I shave. / He/She shaves; You (pol. sing.) shave.*
Me lavo los dientes. / Se lava los dientes.	lavarse los dientes	*I brush my teeth. / He/She brushes his/her teeth; You (pol. sing.) brush your teeth.*
Me peino. / Se peina.	peinarse	*I comb my hair. / He/She combs his/her hair; You (pol. sing.) comb your hair.*
Me maquillo. / Se maquilla.	maquillarse	*I put on makeup. / He/She puts on makeup; You (pol. sing.) put on makeup.*
Me pongo la ropa. / Se pone la ropa.	ponerse la ropa	*I put on my clothes. / He/She puts on his/her clothes; You (pol. sing.) put on your clothes.*
Me quito la ropa. / Se quita la ropa.	quitarse la ropa	*I take off my clothes. / He/She takes off his/her clothes; You (pol. sing.) take off your clothes.*

Me levanto temprano y **me ducho** en seguida. General-mente **me lavo** el pelo. Luego **me seco** y **me peino**.

Alberto **se levanta** tarde. **Se ducha** rápidamente, pero no **se afeita**. **Se pone la ropa** y **se peina**.

I get up early and I take a shower immediately. Generally I wash my hair. Afterward I dry off and I comb my hair.

Al gets up late. He showers quickly, but doesn't shave. He dresses and combs his hair.

D. Reflexive pronouns are normally placed directly before the verb (**me seco**), but they may be attached to infinitives (**secarme**) and present participles (**secándome**).

*Acostarse is a stem-changing verb: the stem vowel **o** changes to **ue** in all but the **nosotros/as** and **vosotros/as** forms.

†**Despertarse** is also a stem-changing verb: the stem vowel **e** changes to **ie** in all but the **nosotros/as** and **vosotros/as** forms.

Me gusta **afeitarme** primero y luego **bañarme**.	*I like to shave first and then take a bath.*
Ernesto va a **levantarse** y **bañarse** inmediatamente.	*Ernesto is going to get up and take a bath immediately.*
—Amanda, ¿qué estás haciendo?	—*Amanda, what are you doing?*
—Estoy **lavándome** los dientes.	—*I'm brushing my teeth.*

Ejercicio 4

¿Qué oración describe mejor los siguientes dibujos?

1. _____

2. _____   3. _____

4. _____   5. _____

6. _____   7. _____

a. Él se quita la camisa, pero ella se pone los zapatos.

b. Él sale para el trabajo a las 8:00, pero su hijo sale para la escuela a las 8:30.

c. Ella lee novelas después de trabajar, pero él prefiere ver la televisión.

d. Este joven se ducha por la mañana, pero las niñas prefieren bañarse por la noche.

e. Él se afeita la cara, pero su esposa se afeita las piernas.

f. A él no le gusta bañarse, pero le gusta bañar al perro.

g. Se acuesta a las 11:30 y se levanta a las 6:00.

Ejercicio 5

Imagínese que su hermanito de tres años le hace estas preguntas tontas. Contéstele correctamente.

> MODELO: ¿Te lavas los dientes con jabón? →
>   No, me lavo los dientes con pasta de dientes.

1. ¿Te bañas antes de las 5:00 de la mañana?
2. ¿Te lavas el pelo con detergente?
3. ¿Te afeitas en la lavandería?
4. ¿Te levantas temprano los domingos?
5. ¿Te quitas la ropa en la universidad?
6. ¿Te peinas en la biblioteca?
7. ¿Te maquillas en la clase de español?
8. ¿Te duchas por la noche?

4.5   Describing States: *estar* + Adjective

Estar (*to be*) describes a state (how someone is at a particular time).
—¿**Cómo estás?** (*How are you?*)
—**Estoy cansada**. (*I'm tired.*)

Use **estar** (**estoy, estás, está, estamos, estáis, están**) to describe how someone is, or is feeling, at a particular time.

—¿Cómo **estás**?	—*How are you?*
—**Estoy** un poco deprimido.	—*I'm a bit depressed.*
—¿Cómo **está** José Luis hoy?	—*How is José Luis today?*
—**Está** enfermo.	—*He's sick.*
—¿Cómo **están** ustedes?	—*How are you?*
—**Estamos** muy bien, gracias.	—*We are fine, thank you.*

Remember that **ser** is used to identify or describe the relatively permanent characteristics of someone or something, *not* to tell how that person or thing is (feeling) at a particular moment.

Alberto **es alto, delgado, joven y muy guapo.**	*Al is tall, thin, young, and very handsome.*
Hoy **está confundido y cansado.**	*Today he's confused and tired.*

Ejercicio 6

Describa el estado físico o anímico de estas personas.

> MODELOS: Carmen → Carmen *está nerviosa.*
>
>   yo → Yo *estoy cansado.*

1.	yo	a.	está nervioso
2.	mi primo	b.	están ocupados
3.	Luis y yo	c.	estoy enojado/a
4.	Nora	d.	estamos preocupados
5.	tú (*f.*)	e.	estás contenta
6.	Pablo y Mónica	f.	está deprimida

Graciela

Ejercicio 7

Mire los dibujos y haga preguntas. Use la forma correcta de **estar** y adjetivos como (**un poco**) **triste**, **ocupado/a**, **cansado/a**, **enojado/a**, **deprimido/a**, **interesado/a en...**, **irritado/a**, **contento/a**, **enamorado/a**, etcétera.

MODELO: ¿Está cansada Graciela?

Clarisa y Marisa

1.

Ernesto

2.

Ramón ♡ Amanda

3.

Guillermo

4.

AGENCIA DE VIAJES

Silvia   Nacho

5.

Tener + noun is used to describe some states.
¿Tienes hambre, Yolanda?
(*Are you hungry, Yolanda?*)

4.6   Describing States: *tener* + Noun

Some states of being are described in Spanish with the verb **tener** (*to have*), although they correspond to the verb *to be* in English. Common states expressed with **tener** are **tener hambre** (*to be hungry*), **tener sueño** (*to be sleepy*), **tener sed** (*to be thirsty*), **tener prisa** (*to be in a hurry*), **tener frío** (*to be cold*), **tener calor** (*to be hot*), and **tener miedo** (*to be afraid*).

—Ernesto, ¿cuándo quieres comer? **Tengo** mucha **hambre**.

—*Ernesto, when do you want to eat? I'm very hungry.*

—Estela, ¿quieren ir al cine tú y Ernesto esta noche?
—No, gracias. **Tenemos** mucho **sueño** y queremos acostarnos.

—*Estela, do you and Ernesto want to go to the movies tonight?*
—*No, thanks. We're very sleepy and want to go to bed.*

—Guillermo, ¿**tienes sed**?
—Sí, **tengo** mucha **sed**. Vamos a tomar algo.

—*Guillermo, are you thirsty?*
—*Yes, I'm very thirsty. Let's get something to drink (drink something).*

—¿Por qué **tiene prisa** Amanda?
—Porque su clase empieza a las 8:00.

—*Why is Amanda in a hurry?*
—*Because her class begins at 8:00.*

With the words **calor/frío** (*heat/cold*) and **caliente** (*hot*), several combinations are possible.

To describe people, use **tener** + **calor/frío**.

—Nora, ¿tú no **tienes calor**? —*Nora, aren't you hot?*
—No, no **tengo calor**. Me —*No, I'm not hot. I love*
 gusta mucho el sol.   *the sun.*

To describe things, use **estar** + **caliente/frío**.

Lan, cuidado. No toques la *Lan, be careful. Don't touch the*
estufa. **Está** muy **caliente**.   *stove. It's very hot.*

To describe the weather, use **hacer** + **calor/frío**.

Ay, Pablo, **hace mucho frío** *Paul, it's really cold today. I'm*
hoy. Voy a ponerme un abrigo.   *going to put on a coat.*

Ejercicio 8

Describa el estado de estas personas. Estados posibles: **tener calor**, **frío**, **hambre**, **prisa**, **sed**, **sueño**, **miedo**.

MODELO: (Yo) *Tengo prisa* porque la clase empieza a las 4:00.

1. A mediodía, Mayín _____.
2. Si (tú) _____, ¿por qué no te pones un suéter?
3. (Nosotros) _____ porque la temperatura está a 45°C hoy.
4. A medianoche (yo) _____.
5. Estoy en casa. Son las 8:55 y tengo una clase a las 9:00. (Yo) _____.
6. Hace mucho sol hoy. Guillermo y Ernestito quieren tomar agua fría porque _____.
7. Cuando estoy solo/a de noche, a veces _____.
8. ¿Tienes algo para tomar? (Yo) _____.

Ejercicio 9

Mire los dibujos. ¿Cuál es la oración que mejor identifica cada dibujo?

MODELO: Tiene sed.

a. Tienen miedo.	**e.** Hace mucho calor.	**i.** Está preocupado.
b. Tiene prisa.	**f.** Nieva hoy.	**j.** Está deprimido.
c. Tiene calor.	**g.** Está enojado.	**k.** Tiene hambre.

1. _____

2. _____

3. _____

4. _____

5. _____

Las clases y las carreras

▼▼▼▼▼▼▼▼▼▼▼▼▼▼▼▼▼▼▼▼▼▼▼▼▼▼▼▼

METAS

In **Capítulo 5,** you will discuss classroom activities and your classmates' talents and abilities. You will also talk about careers and recreational plans for the future.

Santiago, República Dominicana: la Universidad de Madre y Maestra

Actividades de comunicación y lecturas

Las actividades de la clase de español

Lea Gramática 5.1.

Alberto les habla a sus compañeros.

Mónica le escribe
una carta a su amigo.

La profesora nos dice «Buenos días».

La profesora nos hace preguntas.

Le contestamos a la profesora.

Nora le lee las Notas
culturales a Esteban.

Carmen le hace una pregunta
a la profesora Martínez.

La profesora le explica la
gramática a Carmen.

Actividad 1. Encuesta: ¿Con qué frecuencia?

¿Con qué frecuencia hacen ustedes las siguientes actividades en la clase de español?

MODELOS: Escribimos las palabras nuevas en el cuaderno *todos los días*.

A veces leemos las Notas culturales.

La profesora *siempre* nos hace preguntas.

PALABRAS ÚTILES

nunca	muchas veces
raras veces	siempre
a veces	todos los días

1. Les hablamos a los compañeros de clase.
2. Escribimos las palabras nuevas en el cuaderno.
3. Merendamos en el salón de clase.
4. Contestamos las preguntas del profesor / de la profesora.
5. Escuchamos las opiniones de los compañeros de clase.
6. Jugamos juegos de video.
7. Aprendemos palabras nuevas.
8. Le hacemos preguntas al profesor / a la profesora.
9. Hacemos la tarea en clase.
10. Dormimos una siesta.
11. Le decimos «Buenas noches» al profesor / a la profesora.
12. Les escribimos cartas a los parientes.

Actividad 2. Preferencias: La clase de español

Aquí hay varias actividades relacionadas con la clase de español. Póngalas en orden, del número 1 (¡Me gusta mucho!) al número 7 (¡No me gusta nada!). Después, compare sus respuestas con las de sus compañeros de clase.

1. En el salón de clase:
   a. _____ tomar exámenes
   b. _____ trabajar en grupos
   c. _____ escuchar al profesor / a la profesora cuando nos habla
   d. _____ hablarles a mis compañeros en español
   e. _____ ver videos
   f. _____ participar en conversaciones
   g. _____ escuchar música hispana o cantar en español

2. Fuera del salón de clase:
   a. _____ estudiar para los exámenes
   b. _____ escribir composiciones
   c. _____ hacer la tarea de gramática
   d. _____ escuchar las cintas de comprensión oral
   e. _____ hablarles a mis amigos hispanos en español
   f. _____ ver la televisión en español
   g. _____ escuchar una emisora de radio hispana

Actividad 3. Descripción de dibujos: En la universidad

Escuche a su profesor(a) mientras él/ella describe las actividades de los estudiantes norteamericanos. Diga el número del dibujo que corresponde a cada descripción.

1.   2.

3.   4.

Ahora, escoja uno de los dibujos y descríbaselo a su compañero/a. Él/Ella va a decir cuál de los dibujos usted describe.

Actividad 4. Entrevista: La clase de español

1. ¿Te asigna mucha tarea el profesor / la profesora? ¿Lees todas las lecturas? ¿Dónde escuchas las cintas de comprensión oral: en tu coche, en casa o en el laboratorio de lenguas?

2. ¿Les explicas a tus compañeros cómo hacer la tarea cuando ellos no comprenden las instrucciones del profesor / de la profesora? ¿Te ayudan ellos?

3. ¿A veces llegas tarde a clase? Cuando llegas tarde, ¿qué le dices al profesor / a la profesora?

4. ¿Te gusta cuando el profesor / la profesora te hace una pregunta? ¿Siempre le contestas al profesor / a la profesora en español? ¿Piensas en español cuando hablas español?

5. ¿Te gusta la clase de español? ¿Qué cosas *no* te gusta hacer en la clase?

LAS PALABRAS VIVEN

VOCABULARIO ÚTIL	
extranjeras	*foreign*
el jonrón	*home run*
los préstamos	*borrowed words; lit. loan*
pertenecían	*belonged*
la pista	*clue; hint*
encontrar	*to find*

El inglés y el español

La adopción de palabras extranjeras ocurre con frecuencia en todos los idiomas. ¡Es un proceso natural! Por ejemplo, en el idioma español se usan diariamente palabras inglesas. En la comida, **bistec** —que viene de *beef steak*— y **sándwich.** En la ropa, **suéter** y **jeans.** Cuando se habla de deportes, los hispanos juegan al **fútbol,** al **basquetbol,** al **voleibol,** y hacen un **jonrón** o meten un **gol.** Entre los préstamos más recientes están los anglicismos el **estrés** y, del campo de las computadoras, **formatear.**

El inglés también tiene palabras que normalmente se consideran parte del idioma español: por ejemplo, *vista, plaza, sierra, rodeo, patio* y *siesta.* Otras palabras inglesas de origen español, un poco modificadas, son *cigar* (**cigarro**) y *lasso* (**lazo**). El inglés también usa palabras de origen indígena que ya forman parte del español que se habla hoy en día: *tamale* (**tamal**), de la lengua náhuatl en México; y *hurricane* (**huracán**) y *barbecue* (**barbacoa**), de la lengua de los indígenas del Caribe.

La influencia del español es muy evidente en los nombres geográficos. *Colorado, California, Nevada, San Francisco, San Diego, Los Angeles, Santa Fe, El Paso, Amarillo, Pueblo* y muchos otros nombres de ciudades y estados norteamericanos son españoles. ¿Sabe usted por qué tienen nombres en español estos lugares? La razón es que muchos de estos sitios pertenecían a México antes de formar parte de los Estados Unidos. Toda la región suroeste era territorio mexicano.

¿Puede usted nombrar otras palabras de origen extranjero que se usan en el inglés? Pista: En el vocabulario de la comida, ¡va a encontrar varias!

Las habilidades

Lea Gramática 5.2.

—Señora Ramírez, ¿sabe usted montar a caballo?
—Sí, y también sé jugar al polo.

—Y sus hijos, ¿saben ellos montar a caballo también?
—No, pero saben patinar.

Ahora mi hijo Guillermo no puede patinar; tiene una pierna fracturada. Sólo puede leer y ver la televisión.

Actividad 5. Descripción de dibujos: ¿Qué saben hacer estas personas?

Escuche a su profesor(a) mientras él/ella describe los talentos de las siguientes personas. Diga quién es cada persona que describe.

Actividad 6. Orden lógico: Ernestito quiere bañar al perro

Busque el orden correcto de estas oraciones.

_____ ERNESTITO:	Mamá, tengo ocho años. ¡Sé bañar a un perro!
_____ ESTELA:	Perfecto, pero también vas a...
_____ ESTELA:	Bueno, hijo, después de bañarlo, vas a secarlo muy bien.
_____ ERNESTITO:	Ya sé, mamá.
_____ ESTELA:	Sí, hijo, pero antes de traer al perro, prepara el agua y el jabón.
_____ ERNESTITO:	Mamá, mamá, ¿puedo bañar a Lobo?
_____ ERNESTITO:	Ya está todo listo, mamá.

Actividad 7. Entrevistas: ¿Qué sabes hacer? ¿Qué puedes hacer?

LAS HABILIDADES

MODELO: E1: ¿Sabes *esquiar*?
         E2: Sí, sé *esquiar*. (No, no sé *esquiar*. / Sí, sé *esquiar un poco*.)

1. patinar en el hielo
2. jugar al basquetbol
3. nadar
4. preparar comida mexicana
5. reparar carros
6. montar en motocicleta
7. bucear
8. hablar otro idioma (¿cuál?)
9. tocar algún instrumento musical (¿cuál?)
10. pintar

EN TU CASA O EN LA RESIDENCIA ESTUDIANTIL

MODELO: E1: ¿Puedes *hacer la tarea en casa (en la residencia estudiantil)*?
         E2: No, no puedo *hacer la tarea en casa porque hay muchas distracciones*.

1. cenar a la hora que quieras
2. tener animales domésticos donde vives
3. ver la televisión a cualquier hora
4. dormir hasta las 10:00 de la mañana
5. escuchar música y hacer la tarea a la vez

NOTA CULTURAL

Los gestos

Aunque comunicamos las ideas con palabras, también usamos el cuerpo para la comunicación. Por ejemplo, cuando conocemos a una persona por primera vez, le damos la mano. Y para despedirnos o saludar a alguien también usamos las manos a veces.

(Continúa)

Hay gestos que son universales; hay otros que varían de cultura a cultura. ¡Tenga cuidado! En algunos casos, un gesto que se usa en un país puede crear grandes problemas en otro, porque significa algo diferente.

Aquí tiene usted algunos de los gestos que caracterizan a los hispanos. Éstos son los más usados en España y en América Latina.

1. No.   **2.** Quiero comer.   **3.** ¡Excelente!   **4.** furioso/a (enojado/a)   **5.** tacaño/a

6. muy amigos   **7.** Un momentito...   **8.** dinero (cuesta mucho)   **9.** ¡Ojo! ¡Tenga cuidado!

Comprensión

Mire los dibujos y después indique qué gesto se puede usar en las siguientes situaciones.

1. Un chico tiene mucha hambre.
2. El profesor está muy contento con la clase.
3. La recepcionista de una oficina le dice que usted tiene que esperar.
4. Una muchacha ve a su novio con otra chica.
5. Un hombre no quiere llevar a su esposa a un restaurante caro.

Ahora... ¡usted!

1. Haga algunos gestos que caracterizan a los norteamericanos (o a las personas de su país de origen). ¿Qué significan?
2. ¿Conoce algunos gestos similares a los de los hispanos, pero que signifiquen otra cosa? ¿Cómo son y qué significan?

Un paso más... ¡a escribir!

Escoja una de las situaciones de la actividad de Comprensión y escriba un diálogo corto entre las personas, haciendo referencia a los gestos que hacen cuando hablan. Aquí tiene un ejemplo para la primera situación.

MODELO: HIJO: Papá, tengo mucha hambre.
                    (*Hace un gesto; pone la mano cerca de la boca y mueve la mano.*)
              PAPÁ: Bueno, estoy preparando los sándwiches. Un momentito.
                    (*Hace un gesto con los dedos.*)
              HIJO: ¿Sándwiches? ¡Súper! ¡Excelente!
                    (*Hace un gesto; se besa los dedos y luego los extiende.*)

EL MUNDO HISPANO... en los Estados Unidos

Heidi Mercado-Littles tiene 45 años y es chilena. Heidi lleva 20 años en los Estados Unidos y ahora vive en Filadelfia.

¿Qué cosas sabe usted hacer muy bien? ¿Qué le gustaría poder hacer que no puede hacer ahora? ¿Piensa aprender a hacer eso?

Muchas de las cosas que hago bien son cosas artísticas. Toco el piano, la guitarra y canto bien. También dibujo y pinto bastante bien. Me gusta trabajar con las manos. Siempre les hago los regalos[1] de cumpleaños a mis niños. Me gustaría aprender a usar una computadora. Espero hacerlo en un futuro cercano.[2]

[1]presents [2]near

SUDAMÉRICA

EL OCÉANO PACÍFICO

Chile
Santiago

EL OCÉANO ATLÁNTICO

Las carreras y las actividades del trabajo

Lea Gramática 5.3.

El médico examina a los enfermos.

El cocinero prepara la comida y el mesero les sirve a los clientes.

Los bomberos apagan los incendios.

La cajera recibe el dinero en un banco o en una tienda.

El plomero repara la tubería.

La abogada defiende a los acusados y la jueza decide casos criminales.

El peluquero corta el pelo.

La enfermera cuida a los enfermos.

El terapeuta trabaja con un paciente.

Los obreros trabajan en una fábrica.

la supervisora

Esta dependienta habla con una clienta.

Aquella dependienta habla con la supervisora.

Ese dependiente arregla la ropa.

La mecánico repara el automóvil.

Actividad 8. Asociaciones: ¿Dónde trabaja?

MODELO: Un mecánico trabaja en un taller de reparaciones.

1. _____ un(a) electricista
2. _____ un mesero / una mesera
3. _____ un peluquero / una peluquera
4. _____ un médico / una doctora
5. _____ un(a) piloto
6. _____ un cajero / una cajera
7. _____ un secretario ejecutivo / una secretaria ejecutiva
8. _____ un dependiente / una dependienta
9. _____ un(a) cantante
10. _____ un profesor / una profesora
11. _____ un obrero / una obrera industrial
12. _____ un(a) mecánico
13. _____ un cocinero / una cocinera
14. _____ un(a) chofer
15. _____ un programador / una programadora

a. en un cuarto con muchas computadoras
b. en su consultorio y en un hospital
c. en un autobús
d. en un restaurante
e. en la cocina de un restaurante
f. en la calle o en una casa, con cables eléctricos
g. en una fábrica
h. en un banco
i. en una tienda
j. en una peluquería
k. en un avión
l. en una universidad
m. en un taller de reparaciones
n. en una oficina
o. en un club nocturno

Actividad 9. Encuesta: Su opinión, por favor

Lea esta lista de profesiones y oficios y marque el más interesante (= 1), el más aburrido (= 2), el más peligroso (= 3), el más necesario (= 4) y el más prestigioso (= 5).

____ agente de seguros	____ hombre/mujer de negocios
____ ama de casa	____ plomero/a
____ asistente de médico	____ programador(a)
____ (mujer) policía	____ secretario ejecutivo /
____ contador(a)	secretaria ejecutiva
____ (mujer) bombero	____ abogado/a
____ electricista	____ trabajador(a) social
____ gerente	

Ahora, compare su opinión con las de sus compañeros y diga por qué usted piensa así.

Actividad 10. Identificaciones: Un juego

Trate de adivinar la profesión de estas seis personas: los Hurtado (Jaime y Ana), los Pérez (Hugo y Cecilia) y los Salinas (Alejandro y Olivia). Las posibilidades son **doctor(a), dentista, ingeniero/a, maestro/a, secretario/a** y **abogado/a.** Use la siguiente información para encontrar la solución.

1. Ana trabaja en un hospital, pero no es doctora.
2. El esposo de la abogada es ingeniero.
3. La secretaria está casada con un doctor.
4. El esposo de la dentista trabaja en una escuela.
5. Jaime trabaja con enfermeras.
6. Alejandro enseña matemáticas.

Actividad 11. Entrevistas: Las carreras y el trabajo

LAS CARRERAS

1. ¿Cuál es tu clase favorita en la universidad?
2. ¿Es requisito esa clase para tu especialidad?
3. ¿Qué carrera quieres seguir? ¿Cuántos años tienes que estudiar?
4. ¿Son buenos los sueldos en esa carrera?
5. Después de la graduación, ¿dónde quieres trabajar?

EL TRABAJO

6. ¿Tienes trabajo de jornada completa o de media jornada ahora?
7. ¿Dónde trabajas? ¿Cuánto tiempo tardas en ir de tu casa al trabajo?
8. ¿A qué hora entras al trabajo? ¿A qué hora sales? ¿Te gustan tus horas de trabajo? ¿Por qué? Explica.
9. ¿Qué haces en tu trabajo? ¿Haces actividades diferentes o siempre la misma? De todas las actividades de tu trabajo, ¿cuál te gusta más? ¿Por qué?
10. ¿Cuáles son los aspectos desagradables de tu trabajo? ¿Por qué?

Actividad 12. Del mundo hispano: ¿Busca empleo?

Conteste las preguntas según la información en estos avisos clasificados.

SE NECESITA cocinero/a con experiencia en comida mexicana. Venga personalmente a la Calle Obregón 838.

BAR «Noche de Ronda» necesita meseras/os para atender mesas. Sueldo y comisión. Si le interesa, favor de llamar al 45-67-94.

SECRETARIA/O con tres años de experiencia. Algo de inglés y que escriba a máquina mínimo 50 ppm, para trabajo estable de oficina cerca del centro. Llame sólo de 5 a 7 P.M. 58-03-49.

GUARDIA h/m. Para trabajo de noche, 4 días a la semana. Llame al 49-05-34.

CHOFER h/m. Con experiencia. Debe hablar inglés. Compañía «Transportes El Blanco» en Coyoacán. 67-45-93.

CARPINTERO h/m. Con experiencia en todo tipo de muebles. Llame de 9–11 A.M. al Sr. Varniz. 80-34-76.

ATENCIÓN: Compañía Hnos. Menéndez necesita varias personas bilingües para sus oficinas en Laredo y Ciudad Juárez. Llame al 56-94-93 o al 93-57-00 desde las 10 hasta las 2.

TALLER DE REPARACIONES busca mecánico con experiencia. Cinco días por semana. Buen sueldo. 56-94-83.

1. ¿Qué tienen que hacer las personas que trabajan en el bar Noche de Ronda?
2. ¿Qué aptitudes necesita tener el/la chofer?
3. Si usted quiere el trabajo de secretario/a, ¿qué experiencia necesita tener?
4. Si usted sabe hacer muebles, ¿a quién tiene que llamar?
5. ¿Qué tiene que saber hacer el cocinero / la cocinera?
6. ¿Es necesario ser hombre para obtener el trabajo de guardia?
7. ¿Qué compañía necesita personas que hablen inglés y español?
8. Si usted sabe reparar coches, ¿a qué número tiene que llamar?

EL MUNDO HISPANO... imágenes

El sistema escolar en el mundo hispano se divide, por lo general, en cuatro partes: la educación primaria, la secundaria, la preparatoria y la universitaria. La primaria dura seis años. Después, los estudiantes reciben enseñanza preparatoria si quieren seguir estudios universitarios. En la universidad escogen[1] una carrera —Medicina, Filosofía y Letras, Derecho, Ingeniería— y estudian de cuatro a cinco años en la facultad[2] de su elección.

[1]*they choose*   [2]*department*

San José, Costa Rica: Estos estudiantes de secundaria participan en un experimento en su clase de química.

Lima, Perú

EL MUNDO HISPANO... su gente

Su nombre es Erick Mario Braun Santizo y tiene 21 años. Erick es costarricense.

Háblenos de las profesiones de sus padres.

Mi padre es técnico en telecomunicaciones y trabaja para el Instituto Costarricense de Electricidad, empresa[1] que también está encargada[2] del servicio telefónico del país. Mi madre es empresaria[3] y tiene su propio negocio;[4] tiene una fábrica procesadora de productos de maíz.

EL MAR CARIBE

EL OCÉANO PACÍFICO

Costa Rica

[1]*company*   [2]*está... is in charge*   [3]*businesswoman*   [4]*su... her own business*

Las actividades futuras

Lea Gramática 5.4–5.6.

Éstos son los planes y los deseos de Pilar Álvarez, José Estrada y Clara Martin.

Estudio informática, porque quisiera ganar mucho dinero.

Después de graduarse, José va a ir de vacaciones a México.

Nos gustaría ir a bailar este viernes por la noche.

Clara piensa quedarse en casa el viernes por la noche. Tiene ganas de descansar.

Actividad 13. Intercambios: Los planes y los deseos

Escuche a su profesor(a) mientras él/ella describe estos dibujos. Diga quién es la persona en ellos. Ahora, pregúntele a su compañero/a cuáles son los planes y deseos de las siguientes personas. Use **le gustaría, quisiera, piensa** y **antes de** o **después de.**

MODELO: E1: ¿Qué le gustaría hacer a Amanda *después de jugar al tenis?*
E2: Le gustaría *tomar un refresco.*

1. Paula

2. Guillermo

3. Pedro

4. Raúl

5. doña Lola

6. don Eduardo

7. doña Rosita

8. Ernesto

Actividad 14. Preferencias: Los planes

Diga sí o no.

1. El sábado por la noche pienso...
   a. salir con los amigos.
   b. ir al cine.
   c. quedarme en casa.
   d. ¿ ?

2. Este fin de semana voy a...
   a. levantarme temprano.
   b. dormir todo el día.
   c. limpiar la casa.
   d. ¿ ?

3. Este fin de semana mi padre tiene ganas de...
   a. acostarse tarde.
   b. trabajar en el jardín.
   c. merendar con la familia.
   d. ¿ ?

4. Durante las vacaciones mis hermanos quisieran...
   a. estudiar.
   b. divertirse mucho.
   c. leer varias novelas policíacas.
   d. ¿ ?

5. El próximo verano a mi amigo/a le gustaría...
   a. trabajar de mesero/a en un restaurante.
   b. viajar a España.
   c. tomar una clase de fotografía.
   d. ¿ ?

Y TÚ, ¿QUÉ DICES?

| ¿Dónde? | ¡Qué divertido! | ¿Por qué? |
| ¿Con quién(es)? | Yo también. | ¿Otra vez? |

MODELO: E1: Este fin de semana mi padre tiene ganas de merendar con la familia.

E2: ¿Dónde? ¿En qué parque?

Actividad 15. Encuesta: ¿Cuáles son sus planes?

1. Mañana, antes de ir a clases,...
2. Hoy, después de clases,...
3. Esta noche, antes de acostarme,...
4. Hoy, después de hacer la tarea,...
5. Antes de salir para el trabajo,...
6. Este fin de semana,...
7. Durante las vacaciones de invierno (verano, primavera),...

a. voy a _____ .
b. pienso _____ .
c. quisiera _____ .
d. me gustaría _____ .
e. tengo ganas de _____ .

Estudiantes de Derecho en la Universidad de La Habana, Cuba.

Actividad 16. Intercambios: ¿Qué quieres hacer?

Miren los dibujos a continuación. ¿Qué sugerencias hacen las personas? Inventen su diálogo.

MODELO: E1: ¿Qué quieres hacer?
         E2: Vamos a *jugar al voleibol*.

1.

2.

3.

4.

5.

6.

7.

8.

Los amigos hispanos: Adriana Bolini

LECTURA

VOCABULARIO ÚTIL

la informática	*data processing*
entrena	*she trains*
los empleados	*employees*
los negocios	*business*

En esta lectura se describe a una mujer argentina que sabe mucho de computadoras.[1] Ella vive en Buenos Aires.

Adriana Bolini tiene treinta y cinco años y trabaja en el Centro Argentino de Informática. Parte de su trabajo es estudiar los últimos modelos de computadoras y programas de informática que llegan al país. Adriana también entrena a los nuevos empleados del Centro en el uso de algunos programas.

---

[1]En español se usan las siguientes palabras para *computer*: **computadora** y **computador** (que son traducciones del inglés) en Hispanoamérica; **ordenador,** del francés *ordinateur*, en España.

Para Adriana, su profesión está llena de estímulos. Varias veces al año hace viajes de negocios a Brasil, Venezuela, México y los Estados Unidos. Asiste con frecuencia a exposiciones donde se presentan los últimos avances tecnológicos en el campo de las computadoras. Además del español, Adriana habla italiano —el idioma de sus padres[2]— y también inglés y francés. Le gustaría aprender japonés.

Adriana se divierte cuando puede; sale con sus amigos y va a fiestas, al teatro y al cine. Piensa casarse algún día porque le gustaría tener su propia familia, un esposo e hijos. Pero por el momento, prefiere disfrutar de su independencia y de su trabajo. Por ahora su profesión tiene prioridad en su vida.

---

[2]Muchos argentinos son de ascendencia italiana.

Comprensión

Indique si estas actividades de Adriana son negocios (**N**), diversión (**D**) o los dos (**LD**).

1. _____ Adriana va diariamente al Centro Argentino de Informática.
2. _____ Sale con sus amigos.
3. _____ Entrena a otros empleados.
4. _____ Viaja a Brasil, Venezuela, México y los Estados Unidos.
5. _____ Asiste a exposiciones internacionales.
6. _____ Usa su computadora personal.
7. _____ Va al teatro y al cine.
8. _____ Habla español, italiano, inglés y francés.

Ahora... ¡usted!

1. ¿Cree usted que hay más trabajo que diversión en su propia vida? ¿Qué aspectos de su rutina o de sus actividades quisiera cambiar?
2. ¿Usa usted una computadora? ¿Para qué la usa? ¿Cree que es importante hoy día saber usar la computadora? ¿Por qué sí o por qué no?

 Un paso más... ¡a escribir!

Imagínese que su amigo/a es un personaje (*character*) de un libro de texto como *Dos mundos*. ¡Escriba una descripción de ese personaje! Puede usar la lectura como modelo.

(*Nombre*) tiene (*edad*) y trabaja en (*lugar*). Parte de su trabajo es...

En resumen

De todo un poco

¿Qué oficio o carrera deben escoger?

Trabajen en grupos de tres para adivinar qué carreras son más apropiadas para las siguientes personas.

1. **Juan Limón:** Es una persona activa; nunca descansa. Nunca tiene miedo, y le gustaría ser héroe. Sabe manejar muy bien y maneja muy rápido.
2. **Guadalupe Morales:** Siempre contesta todas las preguntas que le hace la profesora de biología. Sabe mucho del cuerpo humano. No necesita dormir muchas horas. Le gusta ayudar a la gente enferma.
3. **Ángela López:** Les hace muchas preguntas a los profesores. No es tímida. Siempre quiere hacer presentaciones en clase. Nunca está nerviosa cuando habla en público. Cree que la justicia es muy importante y le gustaría defender a las personas inocentes. Quisiera ser famosa y millonaria.
4. **Lilián Torreón:** Piensa trabajar en un hospital o en una clínica. Es muy simpática, y sabe bastante sobre el cuerpo humano. También sabe usar las manos para tratar a los deportistas que tienen accidentes.

¡Dígalo por escrito!

Descripciones de los compañeros de clase

Trabajando en el mismo grupo, escriban descripciones de dos o tres compañeros para la clase. Hablen de los planes y deseos de la persona, de sus habilidades y de su personalidad. Usen las descripciones de la actividad anterior como modelos. ¡No se olviden de ponerle nombre y apellido(s) a cada persona que describan! Después de escribir las descripciones, escojan a un miembro del grupo para leerlas en voz alta. ¡A ver qué tal adivinan los otros compañeros de clase!

VIDEOTECA

En este episodio, usted regresa a la Ciudad de México. Lupe Carrasco, la amiga de Diego, busca trabajo. Diego le lee a Lupe los anuncios clasificados. ¿Qué quisiera hacer Lupe? ¿Qué le sugiere Diego? ¿Dónde tiene Lupe la entrevista? ¿Qué le pregunta a Lupe la señora Ibáñez? ¿Por qué son importantes las horas de trabajo? En el Capítulo 5 del *Cuaderno de trabajo* hay más actividades para hacer después de ver este segmento de video.

Vocabulario

Las actividades en la clase de español
Activities in Spanish Class

comprender	to understand
enseñar	to teach
explicar	to explain
hacer preguntas	to ask questions
llegar (tarde / a tiempo)	to arrive (late / on time)
pensar (ie)	to think
pensar en	to think about

PALABRA SEMEJANTE: asignar

REPASO: aprender

Las habilidades   Abilities

poder (ue)	to be able to
saber (+ *infin.*)	to know how to (*do something*)

Las profesiones y las carreras
Professions and Careers

el abogado / la abogada	lawyer
el/la agente de seguros	insurance agent
el bombero / la mujer bombera	firefighter
el cajero / la cajera	cashier
el/la cantante	singer
el/la chofer	driver
el cocinero / la cocinera	cook
el contador / la contadora	accountant
el dependiente / la dependienta	clerk, salesperson
el/la electricista	electrician
el enfermero / la enfermera	nurse
el/la gerente	manager
el ingeniero / la ingeniera	engineer
el juez / la jueza	judge
el maestro / la maestra	teacher
el médico	doctor
el mesero / la mesera	waiter / waitress
el obrero / la obrera (industrial)	(industrial) worker
el peluquero / la peluquera	hairdresser
el plomero / la plomera	plumber
el policía / la mujer policía	policeman / policewoman
el/la terapeuta	therapist
el trabajador / la trabajadora social	social worker

PALABRAS SEMEJANTES: el/la asistente, el/la carpintero, el/la dentista, el/la guardia, el/la mecánico, el/la piloto, el programador / la programadora, el secretario (ejecutivo) / la secretaria (ejecutiva), el supervisor / la supervisora

REPASO: el doctor / la doctora

Los lugares del trabajo   Workplaces

el avión	(air)plane
el club nocturno	nightclub
el consultorio	doctor's office
el empleo	job
la fábrica	factory
la peluquería	beauty parlor
el taller de reparación	garage

PALABRAS SEMEJANTES: el banco, la clínica, la compañía

Las actividades del trabajo
Work Activities

apagar (incendios)	to put out (fires)
arreglar	to fix
atender (ie) mesas	to wait on tables
cortar (el pelo)	to cut (hair)
cuidar (de)	to take care of
entrar al trabajo	to start work
escribir a máquina	to type
ganar dinero	to earn money
pintar	to paint
seguir (i) una carrera	to have a career
servir (i)	to serve
sirvo/sirve	

PALABRAS SEMEJANTES: defender, examinar

Los verbos

ayudar	to help
buscar	to look for
cantar	to sing
creer	to believe
dibujar	to draw
divertirse (ie)	to have fun
escalar montañas	to go mountain climbing

181

hornear	to bake
necesitar	to need
obtener	to obtain
olvidar	to forget
poner en orden	to put in order
preguntar	to ask
sacar buenas/malas notas	to get good/bad grades
tener que (+ *infin.*)	to have to (*do something*)
tratar de (+ *infin.*)	to try to (*do something*)

PALABRAS SEMEJANTES: graduarse, marcar, participar

Los sustantivos

el acusado / la acusada	accused (person)
el aviso (comercial)	commercial
el aviso clasificado	classified ad
el/la cliente	customer
la cocina	kitchen
el dinero	money
la fotografía	photography
el incendio	fire
los juegos de video	video games
los muebles	furniture
el oficio	job, position
el requisito	requirement
la residencia estudiantil	(college) dormitory
el sueldo	salary
la sugerencia	suggestion

PALABRAS SEMEJANTES: el accidente, el animal doméstico, la aptitud, el caso criminal, la comprensión, la distracción, el examen, la experiencia, la graduación, el héroe, el instrumento, la justicia, la novela policíaca, el/la paciente, el plan, la posibilidad, la presentación, el talento, el violín

Los adjetivos

desagradable	unpleasant
(estar) listo/a	(to be) ready
el mismo / la misma	the same
peligroso/a	dangerous

PALABRAS SEMEJANTES: activo/a, apropiado/a, bilingüe, correcto/a, diferente, fracturado/a, inocente, millonario/a, musical, necesario/a, prestigioso/a

¿Con qué frecuencia?   How Often?

a cualquier hora	at any time
a la vez	at the same time

muchas veces	many times
nunca	never
otra vez	again
rara vez	rarely

REPASO: a veces, nunca, ... veces a la / por semana

Mi futuro   My Future

me (te, le, nos, os, les)	I (you [*inf. sing.*], you [*pol. sing.*] /he/she, we, you [*inf. pl., Spain*], you [*pl.*]/they)
gustaría (+ *infin.*)	would like to (*do something*)
pensar (ie) (+ *infin.*)	to plan to (*do something*)
quisiera (+ *infin.*)	I (you [*pol. sing.*], he/she) would like to (*do something*)
tener ganas de (+ *infin.*)	to feel like (*doing something*)

REPASO: ir a (+ *infin.*), querer (ie) (+ *infin.*)

Palabras y frases del texto
Words and Phrases from the Text

la cinta	(audio)tape
corresponder	to correspond
fuera	outside
el laboratorio de lenguas	language lab
en voz alta/baja	in a loud/low voice

Palabras y frases útiles

aquel/aquella	that
así	this way
este/esta	this
esto	this (*in general*)
favor de...	please . . .
jornada completa	full time (*work*)
media jornada	part time (*work*)
porque	because
vamos a (+ *infin.*)	let's (*do something*)
ya	already

Gramática y ejercicios

¿RECUERDA?

In **Gramática 1.4** you learned to use indirect object pronouns with the verb **gustar** to say to whom something is pleasing. Review that construction now, if necessary.

5.1 Telling to Whom Something Is Said: Indirect Object Pronouns with Verbs of Informing

Gramática ilustrada

Indirect object pronouns: **me, te, le, nos, os, les**

A. Indirect object pronouns (**los pronombres de complemento indirecto**) are used with verbs of informing, which tell to whom something is said, told, explained, reported, asked, answered, and so on.*

It takes a good deal of time to acquire these forms. Begin by understanding them and using them to describe pictures.

me	*to me*		nos	*to us*
te	*to you (inf. sing.)*		os	*to you (inf. pl., Spain)*
le	*to you (pol. sing.); to him/her*		les	*to you (pl.); to them*

---

*Recognition: The indirect object pronoun for **vos** is **te**.

—¿Qué **les explica** la profesora
Martínez?

—**Nos explica** el significado de las
palabras nuevas.

Amanda ya no **me habla**.

¡Pobre Ernestito! Su mamá siempre
le dice que no.

—*What does Professor Martínez
explain to you?*

—*She explains the meaning of new
words to us.*

*Amanda doesn't speak to me
anymore.*

*Poor Ernestito! His mother always
says no to him.*

**Indirect object pronouns are
placed before the verb or attached to the infinitive.**
Mi novia ya no me habla.
(*My girlfriend doesn't talk to
me anymore.*)
**Mi novia ya no quiere
hablarme.** (*My girlfriend
doesn't want to talk to me
anymore.*)

It takes time to acquire these
forms. As you read and listen
to more Spanish, you will get
a feel for these pronouns and
how to use them.

B. Just like reflexive pronouns, indirect object pronouns are placed before the
main verb or attached to infinitives (the **-ar, -er,** or **-ir** form of the verb) and present participles (the **-ndo** form of the verb).

—¿Qué **te va** a decir tu papá?

—No sé qué va a **decirme**.

Esteban **nos está** leyendo la
respuesta.
Esteban está **leyéndonos** la
respuesta.

—*What is your father going to say
to you?*

—*I don't know what he is going to
say to me.*

Steve is reading the answer to us.

C. When using **le** or **les,** it is very common to use a phrase with **a** to specify the
person (or thing) involved. Spanish requires the pronoun even when the phrase
with **a** is used.

—¿**A quién le** escribe Clara la carta?

—**Le** escribe la carta **a
su amiga Norma**.

Yo siempre **le** aviso **a mi jefe**
con tiempo si no voy a ir al trabajo.

—*To whom is Clara writing the letter?*

—*She's writing the letter to
her friend Norma.*

*I always tell my boss ahead of time
if I'm not going to go to work.*

Ejercicio 1

Complete las siguientes oraciones basándose en los dibujos. Use **me, te, le, nos** o **les.**

MODELO: Carmen *les* dice «Buenos días» a sus amigas.

1. Esteban dice:
—____ contesto a
mis compañeros.

2. La profesora Martínez
____ explica la
lección a los
estudiantes.

3. Nosotros ____
hacemos muchas
preguntas a la
profesora.

4. Nora ____ lee la
Nota cultural a
nosotros.

5. —Lan, ¿_____ dices
qué tenemos de tarea?
—Sí, Luis, ahora
_____ digo cuál es la
tarea para mañana.

6. Carmen _____
escribe una carta
a sus padres.

7. _____ decimos
«Adiós» a la
profesora, y ella
_____ dice
«Hasta luego».

8. —Nora, ¿_____ dices
la respuesta número
5, por favor?
—Sí, Lan, en un
momento _____ digo
todas las respuestas.

Ejercicio 2

Complete estos diálogos con **me, te, le, nos** o **les**.

In **Gramática 3.3** you learned that a verb that uses more than one stem in its conjugation is considered irregular. Some verbs, like **hacer** (*to do; to make*), use a different stem only in the **yo** form; other verbs, like **jugar** (*to play*), use the different stem in all but the infinitive and the **nosotros/as** and **vosotros/as** forms. Review those conjugations now, if necessary.

saber = *to know facts, information*
saber + inf. = *to know how to do something*
¿Sabes bucear? (*Do you know how to scuba dive?*)
No, no sé bucear, pero sé nadar. (*No, I don't know how to scuba dive, but I know how to swim.*)

poder = *can, to be able to*
¿Puedes salir esta noche? (*Can you go out tonight?*)
No, no puedo; mañana tengo un examen de biología. (*No, I can't; I have a biology test tomorrow.*)

5.2 Expressing Abilities: *saber* and *poder* + Infinitive

A. In the present tense, the verb **saber** (*to know facts, information*)* is irregular only in the **yo** form: **sé, sabes, sabe, sabemos, sabéis, saben.**

—**¿Sabes** cuándo va a llegar Alberto?
—No, no **sé.**

—*Do you know when Al is going to arrive?*
—*No, I don't know.*

Saber followed by an infinitive means *to know how to do something*. Note that there is no need to include a separate word to convey the English *how to.*

—**¿Sabes hablar** francés?

—No, pero **sé hablar** un poco de árabe.

—**¿Quién sabe jugar** al ajedrez?
—Yo **sé jugar** al dominó, pero no al ajedrez.

—*Do you know how to speak French?*

—*No, but I know how to speak a little Arabic.*

—*Who knows how to play chess?*
—*I know how to play dominoes, but not chess.*

B. The verb **poder**† followed by an infinitive usually indicates potential (*can, to be able to do something*) or permission (*may*). **Poder** is a stem-changing verb and so uses two stems: **pod-** for the infinitive and the **nosotros/as** and **vosotros/as** forms and **pued-** for all other present-tense forms: **puedo, puedes, puede, podemos, podéis, pueden.**

—¿Van a correr una vuelta más Carmen y Nora?
—No **pueden**. Ya están cansadas.

—*Are Carmen and Nora going to run another lap?*
—*They can't. They're already tired.*

—Guillermo, ¿vas a jugar al fútbol el domingo?
—No **puedo**. Tengo un examen el lunes.

—*Guillermo, are you going to play soccer on Sunday?*
—*I can't. I have an exam on Monday.*

Ejercicio 3

¿Qué (no) saben hacer estos vecinos hispanos? Complete las oraciones con la forma apropiada de **saber**.

MODELO: Ernestito dice: «Yo no *sé* mucho de matemáticas.»

1. Doña Lola dice: «Yo _____ montar a caballo.»
2. Don Eduardo, ¿_____ usted hablar italiano?
3. Clarisa y Marisa no _____ montar en bicicleta todavía, porque son muy pequeñas.
4. Ernestito le pregunta a Guillermo: «¿_____ esquiar?»
5. Amanda le dice a Ramón: «Graciela y yo todavía no _____ manejar.»

---

*Recognition: **vos sabés**
†Recognition: **vos podés**

Ejercicio 4

¿Qué (no) pueden hacer estos vecinos hispanos? Complete las oraciones con la forma apropiada de **poder**.

> MODELO: Nosotros no *podemos* esperarte hoy después de clase, porque tenemos mucha prisa.

1. Ernestito le pregunta a Guillermo: «¿_____ salir a jugar conmigo?»
2. Andrea les pregunta a Estela y a Ernesto: «¿_____ venir a cenar con nosotros mañana?»
3. Silvia no _____ salir con Nacho mañana porque va a trabajar.
4. Doña Lola y doña Rosita no _____ ver su programa favorito de televisión mañana porque van a ir de compras.
5. Amanda le pregunta a su mamá: «¿_____ Graciela y yo ir a la plaza a pasear después de comer?»

5.3 Pointing out People and Objects: Demonstrative Adjectives

Demonstrative adjectives are normally used to point out nouns.

Quiero terminar **esta lección** primero.	*I want to finish this lesson first.*
Esos tres **muchachos** quieren ser médicos.	*Those three boys want to be doctors.*

A demonstrative adjective must agree in gender and number with the noun it modifies.

este/esta = *this*
este libro = *this book*
esta fotografía = *this photo*

estos/estas = *these*
estos cuadernos = *these notebooks*
estas tareas = *these homework assignments*

ese/esa = *that*
ese cartel = *that poster*
esa silla = *that chair*

esos/esas = *those*
esos papeles = *those papers*
esas chicas = *those girls*

aquí/acá (*here*) (*close to the person speaking*)

Singular		Plural	
este libro	*this book*	estos pantalones	*these pants*
esta señora	*this lady*	estas casas	*these houses*

allí/allá (*there*) (*at some distance from the person speaking*)

ese libro	*that book*	esos pantalones	*those pants*
esa señora	*that lady*	esas casas	*those houses*

—Amanda, ¿no te gusta **esta blusa**?	—*Amanda, don't you like this blouse?*
—No, prefiero **esa blusa** roja.	—*No, I prefer that red blouse.*
—**Estos pantalones** son nuevos. ¿Te gustan?	—*These pants are new. Do you like them?*

esto/eso = *this/that* (*unidentified object*)

aquel/aquella = *that*
aquel edificio = *that building*
aquella plaza = *that plaza*

aquellos/aquellas = *those*
aquellos árboles = *those trees*
aquellas puertas = *those doors*

Use the demonstrative pronouns **esto** or **eso** when the object has not been identified.

—Estela, ¿sabes qué es **esto**?   —*Estela, do you know what this is?*
—No, no sé.   —*No, I don't know.*

The demonstratives **aquel, aquellos, aquella,** and **aquellas** indicate that the person or thing pointed out is more distant (generally far away in space or in time from both speakers).

—¿Ves **aquella casa**?   —*Do you see that house (over there)?*

—¿**Aquella casa** de los árboles grandes?   —*That house with the big trees?*

Estudio biología en **este edificio**, y estudio química en **aquel edificio**.   *I study biology in this building, and I study chemistry in that building (over there).*

Ejercicio 5

Amanda está hablando con Graciela de su ropa. Complete las oraciones con **este, esta, estos** o **estas.**

MODELO: Me gusta *esta* blusa azul.

1. _____ blusa es mi favorita.
2. _____ zapatos son muy viejos.
3. _____ pantalones son nuevos.
4. _____ faldas son bonitas pero un poco viejas.
5. _____ suéter es de mi mamá.

Ejercicio 6

Doña Lola y doña Rosita están en la plaza hablando de sus vecinos. Complete las oraciones con **ese, esa, esos** o **esas.**

MODELO: *Esa* señora es una cocinera magnífica.

1. _____ señoritas trabajan en la oficina con Paula Saucedo.
2. _____ chico es Guillermo, el hijo de Ernesto y Estela Ramírez.
3. _____ muchacha se llama Amanda. Tiene 14 años.
4. _____ señores juegan al ajedrez con don Anselmo.
5. _____ muchachos son compañeros de escuela de Ernestito.

Ejercicio 7

Imagínese que usted está en una fiesta con Esteban. Él no conoce a muchas personas y por eso le hace a usted las siguientes preguntas. Complete las preguntas de Esteban con formas de **este** o **ese.**

1. ¿Cómo se llama _____ señora que está hablando con Nora allí en el rincón?
2. Creo que _____ señor que está aquí a la derecha es amigo de tu padre, ¿verdad?
3. ¿Son arquitectos _____ dos jóvenes que están allí en la cocina?
4. ¿Se llama Jesús _____ muchacho que está aquí detrás de nosotros?
5. ¿Cómo se llaman _____ muchachas que están sentadas aquí justamente enfrente de nosotros?

Ejercicio 8

Usted sale a comprar zapatos. ¿Cuáles recomienda? Use formas de **este, ese** y **aquel,** según la distancia entre usted y los dibujos.

Usted está aquí.

1. _____ zapatos son mejores para jugar al tenis.
2. _____ zapatos son para un señor que trabaja en una oficina.
3. _____ zapatos me parecen muy incómodos.
4. _____ zapatos son para una mujer que trabaja en una oficina.
5. _____ botas son para un obrero.
6. _____ sandalias me gustan mucho.

5.4 Expressing Plans and Desires: *pensar, quisiera, me gustaría, tener ganas de*

A. The verb **pensar** *⋆†* (*to think*) followed by an infinitive expresses the idea of *to think about* or *to plan on doing* something. Here are the forms of **pensar (ie):** **pienso, piensas, piensa, pensamos, pensáis, piensan.**

—¿Qué **piensan hacer** ustedes durante las vacaciones?
—**Pensamos viajar** a Europa.

—*What are you thinking about doing for vacation?*
—*We're planning on traveling to Europe.*

B. Quisiera and **me (le) gustaría**‡ are also frequently used to indicate future desires, especially those that are speculative. Both forms are equivalent to English *would like.* Neither has a **yo** form ending in **-o.**

You already know that the verbs **ir** + **a** (see **Gramática 2.1**) and **querer** (see **Gramática 2.3**) followed by infinitives are commonly used to talk about future actions in Spanish.

---

pensar = *to think*
pensar + inf. = *to think about, plan on doing (something)*
¿Qué piensas hacer después de clases? (*What are you planning to do after school?*)
Pienso ir a la biblioteca y luego voy a trabajar. (*I'm planning to go to the library and then I'm going to work.*)

---

*Recognition: **vos pensás**
†When not followed by an infinitive, **pensar (ie)** usually expresses *to think:* **pensar que** (*to think that*), **pensar de** (*to think about, have an opinion of*), **pensar en** (*to think about someone or something, have one's thoughts on*).

—¿Qué **piensas del** nuevo plan?
—**Pienso que** es muy bueno.

—*What do you think about the new plan?*
—*I think that it's very good.*

—Ramón, ¿**piensas** mucho **en** Amanda?
—No, **pienso en** ella solamente de vez en cuando.

—*Ramón, do you often think about Amanda?*
—*No, I think about her only from time to time.*

‡Recognition: **vos quisieras, a vos te gustaría**

(yo)	quisiera	me gustaría	*I would like*
(tú)	quisieras	te gustaría	*you (inf. sing.) would like*
(usted, él/ella)	quisiera	le gustaría	*you (pol. sing.) would like; he/she would like*
(nosotros/as)	quisiéramos	nos gustaría	*we would like*
(vosotros/as)	quisierais	os gustaría	*you (inf. pl., Spain) would like*
(ustedes, ellos/as)	quisieran	les gustaría	*you (pl.) would like; they would like*

quisiera = *I would like*
me gustaría = *I would like*
Quisiera salir a cenar esta noche. (*I'd like to eat out tonight.*)
Me gustaría ver una película. (*I'd like to see a movie.*)

tener ganas de + infinitive = *to feel like (doing something)*

Quisiéramos viajar este verano si tenemos tiempo.

We would like to travel this summer if we have time.

A mi esposa **le gustaría viajar** a España.

My wife would like to travel to Spain.

Estoy cansado; **quisiera descansar** un poco.

I'm tired; I would like to rest a while.

C. Tener ganas de (*to feel like [doing something]*) is also followed by an infinitive.

Tenemos ganas de quedarnos en casa esta noche.

We feel like staying home tonight.

Tengo ganas de salir a bailar.

I feel like going out dancing.

Ejercicio 9

¿Qué quisieran hacer estos estudiantes el próximo sábado? Escoja la forma correcta: **quisiera, quisieras, quisiéramos** o **quisieran**.

1. Luis _____ ir al campo a montar a caballo.
2. Carmen y yo _____ ir de compras.
3. Alberto y Pablo _____ merendar con unas amigas.
4. Mónica, ¿_____ quedarte en casa a descansar?
5. Esteban dice: «Yo _____ jugar al tenis.»

Ejercicio 10

¿Qué les gustaría hacer a Estela Ramírez y a su familia? Escoja la forma correcta del pronombre: **me, te, nos, le** o **les**.

1. A Guillermo _____ gustaría no tener un examen de matemáticas el viernes.
2. A mis hijos Amanda y Guillermo _____ gustaría ir al campo a merendar.
3. A mi esposo Ernesto _____ gustaría ir al cine.
4. A mí _____ gustaría salir a comer a un buen restaurante.
5. A Andrea y a mí _____ gustaría jugar a las cartas el sábado en la noche.

Ejercicio 11

¿Qué piensan hacer Pilar y sus amigos?

1. El hermano de Pilar _____ quedarse en casa esta noche para estudiar.
2. Clara, ¿_____ tú ir de compras mañana?
3. José y yo _____ visitar a mis abuelos el sábado.
4. José y Clara _____ ir al Museo del Prado por la tarde.
5. Pilar dice: «Yo _____ hacer mi tarea el domingo por la noche.»

5.5 Ordering Events: Infinitives after Prepositions

A. When telling a story or relating a sequence of events, speakers use "sequencing" words to let listeners know the order in which the events occur. You have already used many of these sequencing words in the **Narración** activities, for example:

primero	*first*		antes	*before*
luego	*then*		finalmente	*finally*
después	*afterward*		por último	*at last*
más tarde	*later (on)*			

Primero me baño y **luego** me cepillo los dientes. **Después**, preparo el desayuno. **Luego** voy al trabajo y trabajo hasta las 6:00 de la tarde. **Finalmente** vuelvo a casa a eso de las 8:00.	*First I take a bath and then I brush my teeth. Afterward, I fix breakfast. Then I go to work and work until 6:00 p.m. Finally I return home about 8:00.*

B. The words **después** and **antes** by themselves express the meanings *after(ward)* and *before*.

Después, vamos a cenar con Pedro y Andrea Ruiz.	*Afterward, we're going to have dinner with Pedro and Andrea Ruiz.*

antes de + infinitive
Antes de ducharse, Ramón se afeita. (*Before showering, Ramón shaves.*)
después de + infinitive
Después de estudiar, vamos a salir a bailar. (*After studying, we are going out dancing.*)

C. The preposition **de** follows **antes** and **después** before a noun or an infinitive. (English uses the *-ing* form instead of the infinitive.) Don't forget to attach any object pronouns to the end of the infinitive.

Antes de acostarme, quiero terminar la tarea.	*Before going to bed, I want to finish my homework.*
Vamos a terminar la tarea **antes de (después de) la comida.**	*We are going to finish our homework before (after) the meal.*
Después de jugar al béisbol, voy a ir a la playa.	*After playing baseball, I'm going to go to the beach.*

Ejercicio 12

¿Qué oración describe mejor cada dibujo?

1. _____

2. _____

3. _____

4. _____

5. _____

a. Prepara la cena después de trabajar.
b. Limpian la casa antes de salir a jugar.
c. Siempre se lava los dientes después de comer.
d. Después de hacer ejercicio se ducha.
e. Antes de acostarse, apaga la luz.

Ejercicio 13

Complete las oraciones lógicamente.

1. Nos gusta lavar el coche después de...
2. El señor Ramírez acostumbra leer el periódico antes de...
3. Pedro Ruiz dice: «Después de levantarme por la mañana, me gusta... »
4. Antes de acostarse, es necesario...
5. Guillermo siempre ayuda a su papá antes de...

a. desayunar.
b. apagar las luces.
c. almorzar.
d. salir a jugar con sus amigos.
e. salir a pasear.

Ejercicio 14

Haga una oración lógica con **antes de** o **después de**.

MODELO: terminar la tarea / ver la televisión (nosotros) →
Después de terminar la tarea, vamos a ver la televisión.
(Antes de ver la televisión, vamos a terminar la tarea.)

1. preparar la comida / hacer la compra (Estela)
2. limpiar la casa / invitar a unos amigos (Pedro y Andrea Ruiz)
3. dormir una siesta / ayudar a su papá (Guillermo)
4. correr / bañarse (tú)
5. salir a bailar / ponerse la ropa (nosotros)

5.6 Making Suggestions: *Let's*

¡Vamos a + infinitive! = *Let's _____ !*
¡Vamos a escuchar música! (*Let's listen to music!*)
¡Vámonos! (*Let's go!*)

To make a suggestion in Spanish, most speakers use the expression **vamos a** + infinitive.

No tengo ganas de estudiar esta noche. **¡Vamos a dar** una fiesta!

I don't feel like studying tonight. Let's give a party!

No quiero quedarme en casa este fin de semana. **¡Vamos a salir** a bailar!

I don't want to stay home this weekend. Let's go out dancing!

The use of **nos** makes the **¡vamos!** command more emphatic. When **nos** is added, the **-s** of **vamos** is dropped.

¡Vámonos!   *Let's go! (Let's get going!)*

Ejercicio 15

Usted está hablando con unos amigos después de clase. Haga sugerencias usando **vamos a** + infinitivo.

MODELO: Tengo mucha sed. (tomar un refresco) →
¡Vamos a tomar un refresco!

1. Tengo frío.
2. Necesito hacer ejercicio.
3. No tengo comida en casa.
4. Estoy cansado/a.
5. No estoy listo/a para el examen mañana.

a. hacer la compra
b. estudiar esta noche
c. preparar chocolate caliente
d. nadar en la piscina
e. sentarnos debajo de ese árbol

6 La residencia

▼▼▼▼▼▼▼▼▼▼▼▼▼▼▼▼▼▼▼▼▼

METAS

In **Capítulo 6,** you will talk about where you live and what you do there. You and your classmates will discuss what you have done recently. You will also learn how to introduce people to each other.

Caracas, Venezuela: una zona residencial

Actividades de comunicación y lecturas

La casa, los cuartos y los muebles

Lea Gramática 6.1.–6.2.

Tropicano 10 F.
Calienta. Refresca.

taurus

Rápida y silenciosamente.

Calienta o refresca cualquier ambiente.

En calefacción: Ahorra energía gracias a su sistema de control de temperatura y a su rapidez de acción.

En ventilación: Refresca inmediatamente.

Disfrútelo todo el año.

Actividad 1. Encuesta: ¿Qué hay en su casa?

Diga sí o no. Si la respuesta es **no,** explique por qué no.

MODELO: En mi casa hay tres dormitorios. En mi casa no hay cancha de tenis porque no soy rico/a.

1. En mi casa hay...
   a. una cancha de tenis.
   b. tres dormitorios.
   c. una cocina pequeña.
   d. un garaje para dos carros.
   e. un patio detrás de la casa.
   f. ¿ ?

2. En la sala de mi casa hay...
   a. una cama.
   b. un lavabo.
   c. varias lámparas.
   d. muchas plantas.
   e. una alfombra.
   f. ¿ ?

3. En la cocina de mi casa hay...
   a. una estufa.
   b. un lavaplatos.
   c. un refrigerador.
   d. un estante con libros.
   e. un horno de microondas.
   f. ¿ ?

4. En mi cuarto hay...
   a. una cama matrimonial.
   b. una bañera.
   c. un armario.
   d. muchas almohadas.
   e. una cómoda.
   f. ¿ ?

Actividad 2. Identificaciones: ¿Para qué sirve?

Mire los siguientes objetos y aparatos y diga para qué sirven.

MODELO: Una lámpara sirve para ver y leer de noche.

FRASES ÚTILES

para apoyar la cabeza cuando
   uno duerme
para barrer
para calentar la comida rápidamente
para guardar la ropa
para lavarse las manos

para lavarse los dientes
para preparar el té o calentar agua
para secarse
para verse la cara
para ver y leer de noche

1. una lámpara

2. un horno de microondas

3. una almohada

4. una escoba

5. una cómoda

6. un cepillo de dientes

7. una tetera

8. un lavabo

9. un espejo

10. una toalla

Actividad 3. Intercambios: Los aparatos domésticos

MODELO: E1: ¿Cuál cuesta más, el calentador o la cafetera?
E2: El calentador cuesta más. (El calentador cuesta más que la cafetera.)

1. ¿Cuál cuesta más, el horno de microondas o la cafetera? ¿el ventilador o el secador de pelo?
2. ¿Cuál cuesta menos, la cafetera o el cepillo de dientes eléctrico? ¿la aspiradora o el tostador?
3. ¿Cuál de estos tres objetos es el más caro: el tostador, la rasuradora eléctrica o la cafetera?
4. ¿Cuál de estas tres cosas es la más cara: el lavaplatos, la rasuradora eléctrica o la aspiradora?
5. ¿Cuál de estas tres cosas cuesta menos: el secador de pelo, el calentador o el cepillo de dientes eléctrico?
6. ¿Cuál cuesta más, el ventilador o el tostador?
7. ¿Cuál cuesta menos, la rasuradora eléctrica o el cepillo de dientes eléctrico?

Actividad 4. Entrevista: Tu casa

1. ¿Vives en una residencia estudiantil, en un apartamento o en una casa?
2. ¿Vives con otras personas? ¿Cómo son? Si vives solo/a, ¿te gusta? ¿Por qué? Explica.
3. ¿Es grande el lugar donde vives o es pequeño? ¿Es de uno o dos pisos tu casa (apartamento)?
4. ¿Tiene comedor tu casa (apartamento)? ¿Comes allí con frecuencia? Si no, ¿dónde sueles comer?
5. ¿Tienes tu propio dormitorio? ¿O compartes un dormitorio con alguien? ¿Con quién? ¿Qué muebles y aparatos eléctricos hay en tu dormitorio?
6. ¿Tiene patio o terraza tu casa (apartamento)? ¿Cómo es? ¿Hay piscina? ¿Es grande? ¿Nadas allí con frecuencia? ¿Qué otros lugares hay allí para hacer ejercicio?
7. ¿Tu casa (apartamento) tiene garaje para dos coches? ¿Qué hay en tu garaje?
8. De todas las cosas que tienes, ¿cuál te gusta más? ¿Cuál es el aparato más útil que tienes en tu casa (apartamento)?

LAS PALABRAS VIVEN

Cuartos y lugares en la casa: En algunos países **la sala** es también **el living.** Y **el cuarto** es **el dormitorio** en Argentina y varios otros países, **la recámara** en México y **la alcoba** o **la habitación** en España. **La piscina** tiene dos nombres más: **la pileta** en Argentina y **la alberca** en México.

Algunos aparatos: En España y varios países **la televisión** es **la tele.** Otras palabras que se usan para **el refrigerador** son **la heladera** en México, **el frigorífero** o **frigorífico** en Argentina y **la nevera** en España.

La casa y el vecindario

Actividad 5. Del mundo hispano: Un departamento en México

Imagínese que usted va a pasar tres meses en la Ciudad de México y necesita alquilar un departamento. En el periódico mexicano *La Prensa* encuentra los siguientes anuncios. ¿Cuál le parece mejor? ¿Qué departamento o habitación le gustaría alquilar? ¿Por qué?

ANUNCIOS

SE ALQUILA departamento. Dos recámaras. Sala. Comedor. Cocina. Baño. Lugar céntrico. Alquiler módico. Llamar a Luz María Galván. Tel. 6-59-50-69. Calle 12 no. 49, México 22, D.F.

SE ALQUILA departamento amueblado. Dos recámaras. Dos baños. Cocina amplia: estufa, refrigerador, gabinetes grandes y todos los utensilios. Ascensor. Avenida Juárez no. 420, México, D.F.

SE ALQUILA habitación amueblada. Preferible: joven estudiante, callado y serio. Alquiler bajo. Derecho a cocina. Favor de enviar datos personales. Isabel la Católica 96 (centro), México, D.F. Tel. 5-85-72-44.

DEPARTAMENTO Una recámara. Bien decorado. Ventanas grandes. Vista agradable. Cerca de todo transporte. Llamar al 7-79-09-22 o escribir a: Sres. Gallegos, Luis Kuhne no. 755, México 20, D.F.

Actividad 6. Descripción de dibujos: Comparación de casas

Escuche las preguntas que le hace su
profesor(a), y contéstelas según los
dibujos que se ven a continuación.

la casa de los Ramírez:
  5 dormitorios
  3 baños
  1 biblioteca
  3 balcones

la casa de los Ruiz:
  3 dormitorios
  2 baños
  2 balcones

la casa de los Silva:
  2 dormitorios
  1 baño

Ahora, hágale preguntas sobre las casas a su compañero/a. (Se puede comparar
baños, dormitorios, puertas, ventanas, balcones, pisos y **árboles**.)

MODELO: E1:   ¿Cuántas *ventanas* tiene la casa de los *Ramírez*?
          E2:   Tiene *ocho*. Tiene *más que* la casa de los *Ruiz*.
          E1:   ¿Cuántos *árboles* tiene la casa de los *Silva*?
          E2 : Tiene *tres*. Tiene *tantos como* la casa de los *Ruiz*. Tiene *menos
                que* la casa de los *Ramírez*.

LAS PALABRAS VIVEN

El vecindario: La palabra **vecindad** también se usa con frecuencia en varios
sitios. En España, México y otros países, la gente normalmente dice **el barrio**
cuando habla de su vecindario. Y en México usan la palabra **colonia** para
referirse a los barrios más nuevos de la ciudad.

Actividad 7. Entrevista: Tu vecindario

1. ¿Vives en un vecindario viejo o nuevo? ¿Te gusta vivir allí? ¿Por qué? Explica.
2. ¿Hay edificios de apartamentos en tu vecindario? ¿condominios?
3. ¿Hay muchos edificios comerciales en tu vecindario?
4. ¿Hay alguna gasolinera cerca de tu casa (apartamento)? ¿Dónde está la más
   cercana?
5. ¿Cuál es el centro comercial más cercano a tu casa (apartamento)? ¿Vas de
   compras allí a menudo? ¿Por qué?
6. ¿Llevas tu ropa a la lavandería o tienes lavadora y secadora en tu casa
   (apartamento)?
7. ¿Hay alguna piscina pública en tu vecindario? ¿Te gusta nadar allí?
8. ¿Hay algún parque en tu vecindario? ¿Vas mucho allí? ¿Qué haces allí?

NOTA CULTURAL

VOCABULARIO ÚTIL	
antiguas	*ancient*
reconstruida	*reconstructed*
las afueras	*outskirts, suburbs*
debido a	*due to*
el crecimiento	*growth*

Las ciudades hispanas

Aquí tiene una breve descripción de algunas ciudades típicas en el mundo hispano. Entre otras características, son antiguas, grandes y tienen centros de mucha actividad comercial. ¡Visitemos estas ciudades hispanas!

Muchas ciudades hispanas son muy antiguas. Algunas tienen entre trescientos y cuatrocientos años, y en España hay varias que datan del Imperio Romano. En algunas ciudades, la parte más vieja está reconstruida y hoy es un centro de interés turístico, como el Viejo San Juan, la ciudad colonial de Santo Domingo en la República Dominicana y el Quito colonial.

El Viejo San Juan, Puerto Rico

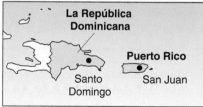

Hay ciudades que se extienden hasta las afueras, debido al gran crecimiento de la población. Algunas zonas son únicamente residenciales, mientras que otras son industriales o comerciales. Pero en la típica ciudad hispana hay más que nada zonas mixtas: calles con casas particulares, apartamentos, tiendas y oficinas. Cartagena, en Colombia, es un buen ejemplo. La zona del centro es un lugar de mucha actividad comercial; allí se encuentran tiendas, oficinas, restaurantes y una gran variedad de negocios.

Cartagena, Colombia:
El centro de las ciudades hispanas
es un lugar de mucha actividad.

El centro de las ciudades hispanas es un lugar lleno de vida donde también residen muchas personas; algunas viven en casas particulares y otras en apartamentos, arriba de los locales comerciales.

Las diferentes zonas de la ciudad generalmente tienen nombres: «Argüelles», «La Loma», «La Villa». En muchos casos, los adultos de la familia trabajan lejos de su casa, pero hacen sus compras en las tiendas de su vecindario y los niños pasan el tiempo allí también, jugando con otros niños.

Comprensión

Indique si las siguientes descripciones corresponden a las ciudades hispanas (**H**), a las ciudades norteamericanas (**N**) o a las dos (**D**).

1. _____ Son muy viejas.
2. _____ Hay ciudades que datan del Imperio Romano.
3. _____ El centro es muchas veces una zona turística.
4. _____ Hay mucha actividad comercial en el centro.
5. _____ Hay gran cantidad de restaurantes.
6. _____ Muchas personas viven en apartamentos en el centro.
7. _____ Cada área distinta tiene su propio nombre.
8. _____ Se hacen las compras muy cerca de la casa.

Ahora... ¡usted!

1. ¿Le gusta el vecindario donde vive? ¿Le gustaría vivir en otro vecindario? ¿Por qué?
2. ¿Qué le gusta y qué no le gusta de la ciudad donde vive?
3. ¿Conoce alguna ciudad hispana? ¿Le parece muy diferente de una ciudad norteamericana típica? ¿Qué tienen en común? ¿Qué diferencias hay entre las dos?

Un paso más... ¡a escribir!

Describa la ciudad donde nació o la ciudad donde vive ahora. Compárela con algunas de las ocho características que aparecen en la actividad de Comprensión.

EL MUNDO HISPANO... su gente

Su nombre es Leticia Recina Pérez y tiene 20 años. Leticia es de Costa Rica.

Describa su ciudad y su vecindario.

La ciudad en la que yo vivo se llama Alajuela. A mí me gusta mucho porque todo queda[1] cerca de casa (el supermercado, la zapatería, la carnicería, el parque, la iglesia). Y casi todas las personas nos conocemos.[2]

[1]está   [2]todas... *we all know each other*

(Continúa)

El Parque Central, que está enfrente de la Catedral, tiene muchos árboles de mangos, por eso llaman a Alajuela «La Ciudad de los Mangos» y a los alajuelenses «manudos». Las tiendas no son muy grandes, pero podemos conseguir[3] todo lo que necesitamos.

En los jardines de las casas hay árboles frutales (de mango, naranja, mandarina) y algunas flores. Las casas no son muy grandes; unas son muy lindas y lujosas,[4] y hay otras que son muy humildes. Las casas están pegadas unas con otras,[5] ¡pero los vecinos no se pelean[6]!

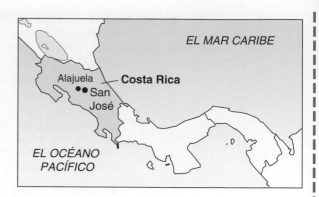

[3]obtener   [4]*luxurious*   [5]están... *are very close to each other*
[6]se... *argue, fight*

Las actividades en casa

Lea Gramática 6.3.

En la casa de los Ruiz

Marisa debe prender (encender) la luz.

Es necesario apagar la luz.

La empleada doméstica necesita limpiar el piso.

Andrea necesita cocinar.

Pedro tiene que barrer el patio

Hay que cortar el césped.

Clarisa debe regar las plantitas.

En la casa de los Ramírez

La empleada doméstica tiene que desempolvar...

...y pasar la aspiradora.

Hay que tender las camas.

Estela tiene que lavar los platos.

Hay que secar la ropa.

Ernestito tiene que darles de comer al gato y al perro.

Amanda necesita planchar una blusa.

Actividad 8. Descripción de dibujos: ¿Qué tiene que hacer?

Escuche a su profesor(a). ¿A cuál de los siguientes dibujos corresponde su descripción?

1. Luis

2. Pablo

3. Mónica   Lan

4. Nora

5. Carmen

6. Esteban

Actividad 9. Descripción de dibujos: ¡El cuarto de Esteban es un desastre!

Con su compañero/a, decidan qué debe hacer Esteban para arreglar su cuarto.

MODELO: Esteban debe recoger la ropa y necesita apagar el televisor.
También...

LAS PALABRAS VIVEN

VOCABULARIO ÚTIL	
a diario	*every day*
mientras	*while*
en broma	*jokingly*

¡Este pibe labura mucho!

El idioma italiano tiene gran influencia en el español que se habla en Argentina. En el lenguaje coloquial argentino se usan a diario palabras como **laburar**, que quiere decir **trabajar** y viene de la palabra italiana *lavorare;* también se usa mucho la palabra **pibe**, que viene de *pivetto* y significa **niño**.

Imagínese esta escena en Buenos Aires: un niño está en su casa y su mamá le dice que debe limpiar su cuarto. El hijo no quiere hacerlo; prefiere salir a jugar. Después de muchas protestas, el niño decide hacer el trabajo. Y mientras limpia, lo visitan dos amiguitos. Al verlo tan ocupado, un amiguito le dice al otro, en broma: «¡Este pobre pibe labura mucho!»

En otras palabras: «¡El pobre chico trabaja mucho!»

Actividad 10. Entrevista: Los quehaceres y las diversiones en casa

1. ¿Quién en tu casa tiene que limpiar el refrigerador, desempolvar, pasar la aspiradora, limpiar el microondas, limpiar los baños?
2. ¿Qué aspecto de tu casa (apartamento) te gusta más? ¿Por qué?
3. ¿Qué te gusta hacer en casa (en tu apartamento)?
4. ¿Pasas mucho tiempo en casa (en tu apartamento) los fines de semana o prefieres salir? ¿Te visitan mucho tus amigos los fines de semana?
5. ¿Das muchas fiestas en tu casa? ¿Qué tienes que hacer antes de la fiesta?

LECTURA
Habla la gata Manchitas

VOCABULARIO ÚTIL	
las pulgas	*fleas*
los amos	*masters*
los seres humanos	*human beings*
¡Busca ratones!	*Go look for mice!*
ladra	*he barks*
las sobras	*leftovers*
la lengüita	*little tongue*

Algunas personas dicen que los animales piensan y que tienen ideas. Pues, en casa de la familia Ramírez vive una gata muy especial. Se llama Manchitas y es un animal muy observador, con opiniones propias. Imagínese que, por un momento fantástico, Manchitas puede hablar. Éstas son sus observaciones...

Estas pulgas, ¡estas pulgas! Aquí estoy en el sofá, muy aburrida. Es que mis amos casi nunca me prestan atención. Sólo los niños de esta familia, Ernestito y Guillermo, juegan conmigo. Y no siempre me gusta jugar con ellos. ¡Esos pequeños seres humanos son muy agresivos! A veces me tratan mal, como un juguete. ¡Ay!

Mis amos, Ernesto y Estela, no saben que soy muy observadora. Ellos probablemente piensan que a mí sólo me gusta comer y dormir. ¡Ay! Los seres humanos no comprenden a los animales, y mucho menos a nosotros, los felinos.

Todos los días mis amos hacen las mismas cosas. Estela, mi ama, se levanta temprano y va a la cocina para tomar esa bebida negra y caliente que ellos toman todas las mañanas, el «café». Después, mi ama llama a mi amo, pero el señor siempre quiere dormir un poco más. Entonces ella abre las cortinas y entra mucha luz en el dormitorio. «¡Qué horror!», grita mi amo. «¡Es mucha luz! ¡No puedo abrir los ojos, Estela!»

Luego mi ama toca a la puerta de su hija Amanda y la muchacha sale de su cuarto. Amanda siempre saluda a su mamá; le dice «¡Buenos días!» La joven de esta familia no tiene problemas en despertarse. ¡Pero Ernestito y Guillermo sí tienen problemas! Estela va a su dormitorio y los despierta. Ellos también quieren dormir más. «¡Vamos, a la escuela!», dice mi ama. Y los dos niños se levantan poco a poco.

Ernesto se baña, se viste, lee el periódico, toma la bebida negra y dice algunas cosas complicadas que yo no comprendo. Mi ama y la señora Berta (que hace trabajos domésticos y también

Mis amos no saben que soy muy observadora...

vive en esta casa) preparan el desayuno de la familia. Todos desayunan juntos casi siempre. (Mmmm. Los seres humanos comen mucho mejor que nosotros los gatos.) Después, Ernesto y sus hijos salen y mi ama se queda en casa.

Estela entonces me lleva afuera, diciendo: «¡Anda, vete, Manchitas! ¡Busca ratones!» Hace frío por la mañana y no me gusta estar afuera; por eso siempre busco un poquito de sol o salto a la ventana. Desde la ventana puedo mirar a mi ama, que está adentro. Ella se baña, se viste, se maquilla, tiende la cama... ¡todos los días lo mismo! Y luego Berta sacude los muebles y pasa la aspiradora. ¡Miau! ¡No me gusta ese aparato!

Mi ama sale con Berta por la tarde. Creo que van al mercado, porque luego regresan con comida. Y yo me quedo en el patio, muy solita. Para divertirme me subo a la cerca. En mi jardín vive Lobo, el perro de Ernestito. Y en la casa de al lado hay un perro que se llama Sultán. Los dos perros saltan y saltan para llegar adonde estoy yo. ¡Ja! No pueden subir; están muy gordos. ¡Y ladran con tanta desesperación! A Ernestito le gusta Sultán; dice que quiere traerlo a vivir con nosotros. Pero ya tiene perro. ¿Dos perros en esta casa? ¡Qué horror!

Por las noches mis amos comen y me dan las sobras. Después de comer, van a visitar a los vecinos o a caminar por el barrio. Los niños miran el objeto de luz, que ellos llaman la «televisión». ¡Cómo les gusta mirar a otros seres humanos en ese objeto!

Por fin, todos se acuestan. Y yo, pues, me doy un buen baño con mi lengüita, y me duermo también en el sofá. Y aquí estoy ahora. ¡Miau! ¡Cuánto detesto estas pulgas!

Comprensión

¿A quién se refiere cada oración? Diga si se refiere (**a**) al amo, (**b**) al ama, (**c**) a Amanda, (**d**) a Ernestito, (**e**) a Guillermo, (**f**) a Berta, (**g**) a Manchitas o (**h**) a toda la familia. ¡Ojo! A veces hay más de una respuesta.

1. _____ Es muy observadora.
2. _____ Le gusta el perro del vecino.
3. _____ Se levanta temprano.
4. _____ Detesta las pulgas.
5. _____ Pasa la aspiradora.
6. _____ Juega con Manchitas.
7. _____ Le es fácil despertarse.
8. _____ Toma la bebida negra.
9. _____ Mira la televisión.
10. _____ Saluda a su mamá todos los días.
11. _____ Visita a los vecinos.
12. _____ Siempre quiere dormir un poco más.

Ahora... ¡usted!

1. ¿Le gustan los animales? ¿Por qué sí o por qué no?
2. ¿Tiene usted un animal doméstico? ¿Cómo es? ¿Qué le gusta comer? ¿Tiene una personalidad especial? ¿Hace cosas cómicas a veces? ¡Descríbalo! Si no tienes un animal doméstico, ¿por qué no? ¿Le gustaría tener uno? ¿Qué tipo? Describa lo que para usted es el animal doméstico ideal.
3. ¿Le gusta jugar o pasar mucho tiempo con su animal? ¿Por qué sí o por qué no?

Un paso más... ¡a escribir!

Imagínese que su animal doméstico puede hablar. (Si no tiene un animal, invente uno.) ¿Cuál es la opinión del animal sobre su condición doméstica? Hágale las siguientes preguntas, y luego escriba un párrafo con sus respuestas.

1. ¿Estás contento/a en tu casa? ¿Por qué sí o por qué no?
2. ¿Te gusta la comida? ¿Qué sueles comer? ¿Y qué prefieres comer?
3. ¿Qué cosas te molestan? ¿las pulgas, por ejemplo?
4. ¿Cómo son tus amos?

 # Las actividades con los amigos

Lea Gramática 6.4.

1. —¿Limpiaste la casa el sábado?

2. —¿Estudiaste mucho?

3. —¿Saliste a comer en algún restaurante?

1. —¿Vio usted la televisión?

2. —¿Ya escribió los exámenes?

3. —¿Visitó a sus amigos este fin de semana?

Actividad 11. Encuesta: ¿Qué hice?

Ponga las siguientes actividades en orden cronológico.

PALABRAS ÚTILES

primero	después	finalmente
luego	más tarde	por último

1. Esta mañana (yo)...
   a. me lavé el pelo.
   b. desayuné.
   c. me desperté.
   d. corrí dos millas.
2. Ayer por la tarde (yo)...
   a. volví a casa.
   b. asistí a una clase.
   c. preparé el almuerzo.
   d. salí para el trabajo.
3. Anoche, antes de acostarme, (yo)...
   a. vi la televisión.
   b. planché una blusa / una camisa.
   c. lavé los platos.
   d. preparé la comida.
4. El sábado pasado (yo)...
   a. invité a unos amigos a cenar.
   b. cené con mis amigos.
   c. limpié la casa.
   d. barrí el patio.

Actividad 12. Intercambios: El fin de semana

Aquí tiene usted algunas de las actividades del fin de semana pasado de Guillermo, Estela y el señor Alvar. Coméntelas con su compañero/a.

MODELOS: E1: ¿Quién *preparó la comida (el viernes)*?
           E2: *Estela.*

           E1: ¿Cuándo *sacó fotos el señor Alvar*?
           E2: *El domingo.*

NOMBRE	EL VIERNES	EL SÁBADO	EL DOMINGO
Guillermo Ramírez	Bailó en una fiesta. Se acostó tarde.	Se levantó tarde. Limpió su cuarto.	Ayudó a su padre. Salió a pasear.
Estela Ramírez	Preparó la comida. Habló por teléfono.	Almorzó con una amiga. Charló con la vecina.	Visitó a su madre. Descansó toda la tarde.
el señor Alvar	Escribió una carta. Tocó el piano.	Jugó con sus nietos. Barrió el patio.	Asistió a misa. Sacó unas fotos.

Actividad 13. Narración: Un fin de semana de Nora Morales

PALABRAS ÚTILES

primero	después	finalmente
luego	más tarde	por último

El viernes

El sábado

El domingo

Actividad 14. Entrevistas: ¿Qué hiciste?

EL FIN DE SEMANA PASADO

1. ¿Limpiaste tu cuarto (tu casa)?
2. ¿Saliste con amigos? ¿Adónde?
3. ¿Comiste en un restaurante? ¿Cuál? ¿Con quién(es)?
4. ¿Practicaste algún deporte? ¿Con quién(es)? ¿Dónde?
5. ¿Fuiste al cine? ¿Qué película viste? ¿Te gustó? ¿Por qué?

ANOCHE

6. ¿Trabajaste? ¿A qué hora volviste a casa?
7. ¿Estudiaste? ¿Qué?
8. ¿Hablaste por teléfono con tus amigos? ¿Escuchaste música?
9. ¿Viste la televisión?
10. ¿A qué hora te acostaste?

ESTA MAÑANA

11. ¿A qué hora te levantaste? ¿Te bañaste?
12. ¿Desayunaste? ¿Qué tomaste?
13. ¿A qué hora saliste para la universidad? ¿A qué hora llegaste?
14. ¿A qué clase asististe primero?
15. ¿Leíste el periódico?

EL MUNDO HISPANO... imágenes

Las tierras de cultivo son sólo el 2 por ciento del territorio peruano, pero la agricultura es la actividad básica de Perú. Aproximadamente el 60 por ciento de la población se dedica a este trabajo. En Perú se cultivan, entre otros productos, la caña de azúcar, las papas, el maíz y el café.

En algunas partes del país ya tienen métodos modernos de cultivo, pero los campesinos[1] indígenas todavía trabajan de sol a sol, usando métodos tradicionales. En esta foto una pareja de Urubamba está arando[2] la tierra.

Urubamba, Perú: el altiplano (*highlands*)

[1]*peasants*   [2]*plowing*

EL MUNDO HISPANO... en los Estados Unidos

Lety Guerrero Romero tiene 29 años y es de México, D.F. Ahora vive en Wilmington, California, y lleva cuatro años en los Estados Unidos.

Describa la ciudad o pueblo donde usted se crió. ¿Es muy diferente de la ciudad o pueblo donde vive ahora? Compárelos y contrástelos.

Nací y me crié en la Ciudad de México, D.F., a la cual quiero y extraño.[1] En la actualidad es una ciudad demasiado poblada. Como visitante, basta[2] estar poco tiempo para no olvidarla. Pero cuando se vive dentro, hay que conocer sus mañas;[3] no es fácil, pero una vez que se logra[4] dominarla y conocerla, es muy difícil dejarla. México es como una ciudad encantada.[5]

Ahora vivo en Wilmington, California, y en mi barrio hay mucha gente hispana. Aquí la vida es más calmada y con menos habitantes. Lo primero que noté aquí fue las distancias que hay de un lugar a otro, y que la mayoría de las personas tiene carro propio. En México todo se encuentra más concentrado y utilizamos más el metro, el camión de pasajeros[6] y los carros de alquiler.[7] ¡En la Ciudad de México la vida se vive mucho más de prisa!

los Estados Unidos
Wilmington, California
EL OCÉANO PACÍFICO
EL OCÉANO ATLÁNTICO

[1]*I miss*   [2]*it's enough*   [3]*secretos*   [4]*una... once you manage*
[5]*enchanted*   [6]*camión... bus (Mex.)*   [7]*carros... taxis*

Las presentaciones

Lea Gramática 6.5–6.6.

ESTEBAN: Mónica, quiero presentarte a mi amigo, Jorge.

MÓNICA: Hola, Jorge, ¿qué tal?

JORGE: ¿Qué tal, Mónica?

ESTELA RAMÍREZ: Señor Luján, quisiera presentarle a mi amiga, la señora Medrano.

SR. LUJÁN: Mucho gusto en conocerla, señora.

SRA. MEDRANO: Igualmente, señor Luján.

DOÑA ROSITA: Señorita Batini, me gustaría presentarle a mi nuevo vecino, el señor Marcos.

LOLA BATINI: Mucho gusto en conocerlo, señor.

SR. MARCOS: Encantado, señorita Batini.

Actividad 15. Diálogos abiertos: Las presentaciones

Preséntele su nuevo amigo / nueva amiga a otro amigo / otra amiga.

E1: _____, quiero presentarte a mi amigo/a _____. Vive en _____.
E2: Mucho gusto.
E3: _____.

Ahora, preséntele su nuevo amigo / nueva amiga a un amigo / una amiga de su familia.

E1: Sr./Sra./Srta. _____, quiero presentarle a mi amigo/a _____. Es _____.
E2: _____ en conocerlo/la.
E3: _____.

Presente a dos de sus compañeros que no se conocen.

E1: Oye _____, ¿conoces a mi amigo/a _____?
E2: No, no _____ conozco.
E1: _____, te presento a _____. Él/Ella estudia _____ aquí en la universidad.
E2: Mucho gusto, _____.
E3: Igualmente, _____.

Actividad 16. Entrevista: ¿Conoces tu vecindario?

1. ¿Conoces a los vecinos de la casa (del apartamento) de la izquierda? ¿de la derecha? ¿de enfrente?
2. ¿Sabes el nombre del colegio más cercano a tu casa (apartamento)? ¿Conoces al director / a la directora de ese colegio?
3. ¿Sabes dónde hay un buen restaurante cerca de tu casa (apartamento)?
4. ¿Conoces a los dependientes del supermercado donde haces las compras?
5. ¿Sabes cuánto cuesta un apartamento pequeño en la ciudad o pueblo donde vives?
6. ¿Conoces a alguien que tenga piscina?
7. ¿Sabes cuánto cuesta una casa en tu vecindario?
8. ¿Sabes dónde está el parque _____?

En resumen

De todo un poco

¿Cómo es tu casa/apartamento?

Trabajando en parejas, hablen de su casa (apartamento), su vecindario y sus obligaciones. Usen esta guía para hablar de su casa (apartamento) y su vecindario.

• descripción de la casa (del apartamento): los cuartos, los muebles, el patio, etcétera
• descripción del vecindario: las escuelas, la biblioteca, las tiendas, la lavandería, la gasolinera, etcétera
• las obligaciones que tiene cada miembro de la familia: lavar, planchar, cocinar, cortar el césped, etcétera

Después de hablar de la casa (del apartamento) y las obligaciones de cada uno de ustedes, hagan comparaciones. ¿Es más grande su casa (apartamento) o la (el) de su compañero/a? ¿Es tan bonito su barrio como el de su compañero/a?

¡Dígalo por escrito!

Casa a la venta

Imagínese que usted es agente de bienes raíces. Traiga a la clase una foto o un dibujo de una casa y trate de vendérsela a un compañero / una compañera. Hay que describirle todos los detalles y las ventajas para que compre la casa. Después, escriba un anuncio para una revista de bienes raíces describiendo la casa. Debe incluir en su anuncio una descripción detallada de la casa, los cuartos, los aparatos domésticos que tiene, la vecindad, el precio y, claro, la foto o el dibujo.

VIDEOTECA

¿Vive usted con su familia, o vive en un apartamento o en una residencia estudiantil? Muchos estudiantes mexicanos viven con su familia, pero otros no. En este segmento de video, Diego va a vivir en el apartamento de su amigo Antonio. ¿Qué pasó esa mañana en la casa de su tía Matilde? ¿Por qué está contento Diego cuando llega al apartamento? ¿Qué muebles hay en su dormitorio? En el Capítulo 6 del *Cuaderno de trabajo* hay más actividades para hacer después de ver el video.

Vocabulario

Los cuartos y otras dependencias
Rooms and Other Parts of the House

el ascensor	elevator
el baño (la sala de baño)	bathroom
la cerca	fence
el césped	grass
la chimenea	fireplace
el comedor	dining room
el dormitorio	bedroom
la escalera	stairway, stairs
la habitación	room
la recámara	bedroom (*Mex.*)
la sala	living room

PALABRAS SEMEJANTES: el balcón, el garaje, el patio, la terraza

REPASO: la cocina, el jardín

Los muebles y los aparatos eléctricos
Furniture and Electrical Appliances

la alacena	kitchen cupboard
la alfombra	carpet
el almohada	pillow
el aparato (eléctrico)	(electrical) appliance
el armario	closet
la aspiradora	vacuum cleaner

la bañera	bathtub
el bote de basura	trash can
la cafetera	coffeepot
el calentador	heater
la cama (matrimonial)	(master) bed
el cepillo (de dientes)	(tooth)brush
la cómoda	chest of drawers
el congelador	freezer
la cortina	drapes
el cuadro	picture (*on a wall*)
la ducha	shower
la escoba	broom
el espejo	mirror
el estante	shelf
la estufa	stove, range
el fregadero	kitchen sink
el gabinete	cabinet
la gaveta	drawer
el horno (de microondas)	(microwave) oven
el inodoro	toilet
la taza del inodoro	toilet bowl
el lavabo	bathroom sink
la lavadora	washing machine
el lavaplatos	dishwasher
la mesita	coffee table
el secador (de pelo)	hair dryer
la secadora	(clothes) dryer
el sillón	easy chair
la tetera	teapot
la toalla	towel
el tocador	dresser
el ventilador	fan

PALABRAS SEMEJANTES: la lámpara, el piano, el plato, el refrigerador, el sofá, el tostador, el utensilio

REPASO: los muebles, la rasuradora, la silla, el televisor, el vaso

La casa y el vecindario
House and Neighborhood

el arbusto	bush
la cancha de tenis	tennis court
la casa particular	private home
el centro comercial	shopping center
el departamento	apartment (*Mex.*)
la estatua	statue
la gasolinera	gas station
el vecino de enfrente / de la derecha / de la izquierda	neighbor across the street / to the right / to the left

PALABRAS SEMEJANTES: el apartamento, la vista

REPASO: la ciudad, el colegio, el condominio, el edificio, la fuente, la iglesia, el lugar, el parque, la piscina, la plaza, el supermercado, la tienda

Los quehaceres domésticos
Household Chores

barrer	to sweep
calentar (ie)	to warm up
caliento/calienta	
dar de comer	to feed
desempolvar	to dust
guardar (ropa)	to put away (clothes)
hacer las compras	to go grocery shopping
pasar la aspiradora	to vacuum
regar (ie)	to water (plants)
riego/riega	
sacar la basura	to take out the trash
tender (ie) la cama	to make the bed
tiendo/tiende	

REPASO: ayudar, cocinar, lavar, limpiar, planchar, sacar fotos, secar

Los verbos

alquilar(se)	to rent; to be rented
se alquila	
apagar	to turn off
apoyar	to support
colgar (ue) (ropa)	to hang (up) (clothes)
cuelgo/cuelga	
compartir	to share
conocer	to know; to meet
conozco/conoce	
doblar	to fold
encender (ie) (la luz)	to turn on (the light)
enciendo/enciende	
enviar	to send
parecer (¿le parece... ?)	to seem (does it seem . . . to you?)
prender (la luz)	to turn on (the light)

PALABRAS SEMEJANTES: imaginarse (imagínese)

REPASO: almorzar (ue), cenar, desayunar

Los sustantivos

el alquiler	rent
el anuncio	ad
el director / la directora	(school) principal

la diversión	entertainment
el empleado doméstico / la empleada doméstica	servant
la pareja	pair; couple
el polvo	dust
el pueblo	town

PALABRAS SEMEJANTES: la comparación, el desastre, la manera, la milla, el objeto, el transporte

Los adjetivos

agradable	pleasant, nice
amplio/a	roomy
amueblado/a	furnished
callado/a	quiet
caro/a	expensive
cercano/a	near, close by
propio/a	own
rico/a	rich
serio/a	serious

PALABRAS SEMEJANTES: decorado/a, democrático/a, interior, responsable

REPASO: cerca de, módico/a

¿Cuándo? ¿Con qué frecuencia?

a menudo	often
anoche	last night
cada semana	every week
(el mes/año) pasado	last (month/year)

REPASO: ahora, ahora mismo, antes de / después de, ayer, esta noche, hoy, mañana, por la mañana/tarde/ noche, una vez (dos/tres/cuatro... veces)

Las comparaciones / Comparisons

bueno, mejor, el/la mejor	good, better, (the) best
malo, peor, el/la peor	bad, worse, (the) worst
el/la más (+ *adj.*)	the most (+ *adj.*)
más/menos que (de)	more/less than
tan... como	as . . . as
tanto(s)/tanta(s)... como	as much/many . . . as

Las obligaciones / Obligations

es necesario	it is necessary
hay que (+ *infin.*)	it is necessary; one has to (*do something*)

REPASO: deber (+ *infin.*), tener que (+ *infin.*), necesitar (+ *infin.*)

Las presentaciones / Introductions

Encantado/a.	Delighted (Pleased) to meet you.
Gusto en conocerlo/la.	Nice to meet you.
¿Qué tal?	How's it going?
Quiero presentarle a...	I want to introduce you to . . .

REPASO: igualmente, mucho gusto

Palabras y expresiones útiles

alguien	someone
allí	there
oye...	hey . . .
¿Para qué sirve... ?	What is . . . used for?

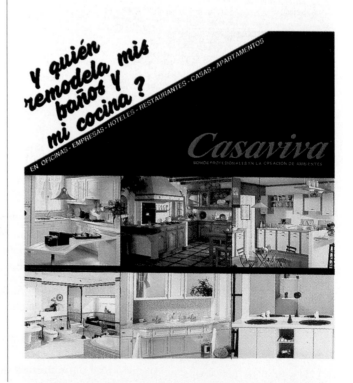

Gramática y ejercicios

6.1   Making Comparisons of Inequality: *más/menos*
Gramática ilustrada

Guillermo es **más alto que** Ramón.
Ramón es **menos alto que** Guillermo.

Amanda es **más seria que** Graciela.
Graciela es **menos seria que** Amanda.

Amanda recibe **mejores notas que** Graciela.

Graciela recibe **peores notas que** Amanda.

Ramón es **mejor atleta que** Guillermo.
Guillermo es **mejor estudiante que** Ramón.

Ernestito es **el más grande de** los tres.

Marisa es **la más pequeña de** los tres.

más que = *more than*
menos que = *less than*

A. Use the words **más... que** (*more . . . than*) and **menos... que** (*less . . . than*) to make unequal comparisons in Spanish. English often uses the ending *-er* (e.g., *taller*) in such comparisons, but Spanish uses **más/menos** + adjective.

Guillermo es **más** alto **que** Ramón.	*Guillermo is taller than Ramón.*
Graciela es **menos** seria **que** Amanda.	*Graciela is less serious than Amanda.*
Yo tengo **más** experiencia **que** Pilar.	*I have more experience than Pilar.*
José tiene **menos** tiempo **que** Clara.	*José has less time than Clara.*

el más alto = *the tallest*
(*m. sing.*)
los más altos = *the tallest*
(*m. pl.*)
la más alta = *the tallest*
(*f. sing.*)
las más altas = *the tallest*
(*f. pl.*)

B. To single out a member of a group as "the most" or "the least," add an article (**el, la, los, las**) to this construction. Note that English often uses the ending *-est*: **el más gordo** (*the fattest*), **las más grandes** (*the biggest ones*), **la más cara** (*the most expensive one*), **el menos útil** (*the least useful*). (Also note that Spanish uses **de** where English uses *of* or *in*.)

Adriana es **la más** simpática (**de** las tres que conozco).	*Adriana is the nicest (of the three I know).*
Éstas son **las** casas **más** modernas **del** vecindario.	*These are the most modern houses in the neighborhood.*
Aquí tiene usted **el** cuarto **más** grande **de** la casa.	*Here you have the largest room in the house.*

el/la mejor = *the best* (*sing.*)
los/las mejores = *the best*
(*pl.*)
el/la peor = *the worst* (*sing.*)
los/las peores = *the worst*
(*pl.*)

C. There are special comparative and superlative forms for **bueno** and **malo**.

bueno	mejor	el/la mejor	*good/better/best*
malo	peor	el/la peor	*bad/worse/worst*

En mi opinión, la cocina es **el mejor** cuarto de la casa.	*In my opinion, the kitchen is the best room in the house.*
No hay nada **peor** que el ruido de los coches cuando uno quiere dormir.	*There is nothing worse than traffic noise when you want to sleep.*

mi hermana mayor = *my older sister*
mi hermano menor = *my younger brother*

D. The special forms **mayor / el/la mayor** (*older/oldest*) and **menor / el/la menor** (*younger/youngest*) are used to compare ages.

Mi hermano **mayor** se llama Jaime y mi hermana **menor** se llama Leticia.	*My older brother is called Jaime, and my younger sister is called Leticia.*

Ejercicio 1

Haga comparaciones. Use **más/menos que**.

MODELO: El sofá cuesta $150. El sofá-cama cuesta $500. →
El sofá-cama cuesta *más que* el sofá. (El sofá cuesta *menos que* el sofá-cama.)

1. La mesa pesa 25 kilos. El sillón pesa 48.
2. En mi casa viven ocho personas. En la casa de los vecinos viven cinco.
3. La casa de los López tiene cuatro dormitorios. La casa de los vecinos tiene dos.
4. En el patio de mis abuelos hay tres árboles. En nuestro patio hay cinco.
5. En la casa de los Ruiz hay tres dormitorios. En la casa de los Ramírez hay cuatro.

Ejercicio 2

Exprese su opinión. Use **mejor, peor, mayor, menor** o **el/la más... de...**

MODELO: el Mercedes Benz; el Jaguar (mejor) →
En mi opinión, el Jaguar es *mejor que* el Mercedes.

1. vivir en el desierto; vivir en el centro de la ciudad (peor)
2. vivir en una casa; vivir en un apartamento (mejor)
3. un ventilador; un horno de microondas; un refrigerador (útil)
4. mi hermano Armando tiene 12 años; mi hermana Irma tiene 10 (mayor)
5. mi sobrino tiene 6 meses; tu sobrina tiene 1 año (menor)
6. un Ferrari que cuesta $85,000; un Rolls Royce que cuesta $200,000; un BMW que cuesta $50,000 (caro)

6.2   Making Comparisons of Equality: *tan/tanto*
Gramática ilustrada

Ramón no es **tan alto como** Guillermo.

Marisa y Clarisa son **tan inteligentes como** Ernestito.

Andrea no tiene **tanto tiempo libre como** su hermana, Paula.

Graciela tiene **tantos amigos como** Amanda.

---

tan + adjective + **como** = *as* + adjective + *as*

A. When stating that qualities are (or are not) equal or identical (*as pretty as / not as pretty as*), use **(no) tan... como**. **Tan** never changes form in comparisons or contrasts of qualities.

Marisa es **tan** inteligente **como** Clarisa.	*Marisa is as intelligent as Clarisa.*
Ramón **no** es **tan** alto **como** Guillermo.	*Ramón is not as tall as Guillermo.*

tanto/a/os/as + noun + **como** = *as much/many* + noun + *as*

B. When equating quantities (*as much/many as*), use **tanto... como**. **Tanto** agrees with the noun that follows: **tanto, tanta, tantos, tantas**.

Andrea no tiene **tanto dinero como** Paula.	*Andrea doesn't have as much money as Paula.*
Ustedes tienen **tantas tareas como** nosotros.	*You have as many assignments as we do.*

Ejercicio 3

Haga comparaciones. Use **tan... como**.

> MODELO: El Parque de Chapultepec es muy grande. El Parque Juárez es pequeño. (grande) →
> El Parque Juárez no es *tan grande como* el Parque de Chapultepec.

1. La piscina de los señores Montes es muy bonita. La piscina de los señores Lugo es muy bonita también. (bonita)
2. El edificio de la avenida Oriente tiene seis pisos. El edificio nuevo de la avenida del Libertador tiene diez. (alto)
3. La lavandería nueva de la calle Ebro es muy limpia. La lavandería vieja de la avenida Almendros no es muy limpia. (limpia)
4. Los condominios «Princesa» son muy modernos. Los condominios «San Juan» tienen ya once años. (modernos)

Ejercicio 4

Haga comparaciones. Use **tantos/as... como**.

> MODELO: Mi casa tiene dos dormitorios. Su casa tiene cuatro. →
> Mi casa no tiene *tantos* dormitorios *como* su casa.

1. La sala de nuestra casa tiene cuatro lámparas. La sala de su casa tiene sólo dos lámparas.
2. La casa de los señores Ramírez tiene ocho cuartos. La casa de los señores Ruiz tiene seis cuartos.
3. La casa de mis padres tiene dos baños. La casa de al lado también tiene dos baños.
4. El patio de doña Lola tiene muchas flores y plantas. El patio de don Anselmo tiene pocas flores y plantas.

¿RECUERDA?

You have already seen and used many times the combination of conjugated verb + infinitive: for example, in **Gramática 2.3** (**preferir** and **querer** + infinitive), **5.2** (**saber** and **poder** + infinitive), and **5.4** (**pensar, quisiera, me gustaría,** and **tener ganas de** + infinitive). This is the usual pattern; the other pattern you have learned so far, **estar** + present participle to express actions in progress (**Gramática 3.5**), is an exception to the general rule.

6.3 Expressing Obligation and Duty: *tener que, deber, necesitar, hay que, es necesario*

The verbs **tener que** (*to have to*), **deber** (*should, ought to*), and **necesitar** (*to need*) and the impersonal expressions **hay que** (*one must*) and **es necesario** (*it is necessary*) are always followed by infinitives.

—¿A qué hora **tenemos que estar** en el teatro?	—*What time do we have to be at the theater?*
—A las nueve. **Hay que llegar** un poco antes para recoger los boletos.	—*At 9:00. We have to (One must) get there a little early to pick up the tickets.*
—¡Pero **necesito estudiar** más!	—*But I need to study more!*
—Está bien, pero **debemos salir** pronto.	—*OK, but we should leave soon.*

Ejercicio 5

¿Qué tienes que hacer este fin de semana? (*What do you have to do this weekend?*) **Debo estudiar y también necesito lavar el carro y limpiar la casa.** (*I ought to study and I also need to wash the car and clean the house.*)

Esteban cuenta lo que él y sus compañeros de clase tienen que hacer hoy. Complete las oraciones con una forma de **tener que**.

1. Luis _____ trabajar hasta las doce.
2. Carmen y Nora _____ prepararse para un examen de sociología.
3. Yo _____ terminar la tarea para mi clase de matemáticas.
4. Alberto y yo _____ lavar el carro.
5. Mónica, ¿qué _____ hacer tú esta noche?

Ejercicio 6

Hay que regar las plantas con frecuencia en el verano. (*One must [We have to] water the plants frequently in the summer.*)

Estela Ramírez está hablando de lo que ella y su familia deben hacer mañana. Complete estas oraciones con la forma apropiada de **deber**.

1. Ernesto _____ barrer el patio.
2. Yo _____ limpiar la cocina.
3. Ernestito, tú _____ hacer la tarea para la escuela.
4. Guillermo y Amanda _____ recoger sus libros.
5. Ernesto, tú y yo _____ llevar a los niños al parque a jugar.

6.4   Talking About Past Actions: The Preterite of Regular Verbs (Part 1)

Gramática ilustrada

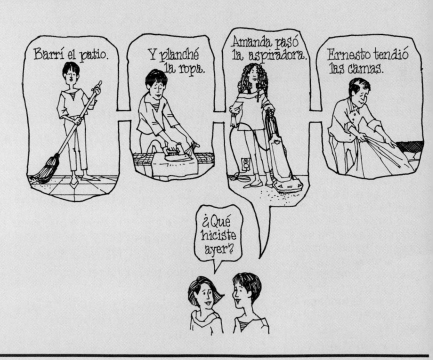

hablé = *I spoke*
comí = *I ate*
viví = *I lived*
hablaste = *you (inf. sing.) spoke*
comiste = *you (inf. sing.) ate*
viviste = *you (inf. sing.) lived*
habló = *you (pol. sing.) spoke; he/she spoke*
comió = *you (pol. sing.) ate; he/she ate*
vivió = *you (pol. sing.) lived; he/she lived*

The Spanish past tense (preterite), like the present tense, is formed by adding a set of endings to the stem. Here are the singular preterite endings of the regular verbs **hablar** (*to speak*), **comer** (*to eat*), and **vivir** (*to live*).*

	-ar *verbs*	-er *verbs*	-ir *verbs*
(yo)	habl**é**	com**í**	viv**í**
(tú)	habl**aste**	com**iste**	viv**iste**
(usted, él/ella)	habl**ó**	com**ió**	viv**ió**

Note the written accent marks. They tell you where to put the stress. Also note that the singular endings for **-er** and **-ir** verbs are the same.

The following are some time expressions that often act as clues to help you recognize the preterite and that you can use to talk about the past.

> **anoche, ayer, ayer por la mañana (tarde, noche), anteayer, el lunes (martes, miércoles, etc.) pasado, la semana pasada, esta mañana, el mes (año) pasado, ya**

Hablé con la vecina nueva ayer.	*I spoke with the new neighbor yesterday.*
—¿Ya **comiste**?	—*Did you already eat?*
—Sí, **comí** en casa.	—*Yes, I ate at home.*

Ejercicio 7

¿Hizo usted estas actividades ayer? Conteste sí o no.

> MODELO: trabajar → Sí, *trabajé* siete horas. (No, *no trabajé*.)

1. comprar un disco compacto
2. comer en un restaurante
3. hablar por teléfono
4. escribir una carta
5. estudiar por cuatro horas
6. abrir la ventana
7. visitar a un amigo / una amiga
8. correr por la mañana
9. tomar un refresco
10. lavar los platos

Ejercicio 8

Diga si cada una de las personas a continuación hizo las actividades indicadas.

> MODELO: Gloria Estefan / cantar en la ducha esta mañana →
> Gloria Estefan *cantó* en la ducha esta mañana.

1. mi madre / charlar con el presidente la semana pasada
2. el presidente de México / comer tacos en la calle ayer

---

*The plural endings and many common verbs that are irregular in the preterite are introduced in **Gramática 7.1** and **7.2**.

¿RECUERDA?

Spanish uses two different verbs to express the English verb *to know*. You have already seen and practiced the forms of one of these verbs, **saber**, which means *to know facts, information*. When followed by an infinitive, **saber** expresses the idea *to know how to* (*do something*). Return to **Gramática 5.2** to review the verb **saber** in more detail.

3. la profesora de español / salir con Antonio Banderas anoche
4. yo / jugar al tenis con Arantxa Sánchez Vicario ayer a medianoche
5. Fidel Castro / visitar los Estados Unidos el mes pasado

6.5   Knowing People, Places, and Facts: *conocer* and *saber*

A. Conocer (*to know*) is used in the sense of *to be acquainted* or *familiar with*; it is normally used with people and places. **Saber** (*to know*) is used in the sense of *to know facts, information* or, when followed by an infinitive, *to know how to* (*do something*). Here are the present-tense forms of **conocer*** and **saber.**

	conocer (*to know people, places*)	saber (*to know facts, information*)	
(yo)	conozco	sé	*I know*
(tú)	conoces	sabes	*you (inf. sing.) know*
(usted, él/ella)	conoce	sabe	*you (pol. sing.) know; he/she knows*
(nosotros/as)	conocemos	sabemos	*we know*
(vosotros/as)	conocéis	sabéis	*you (inf. pl., Spain) know*
(ustedes, ellos/as)	conocen	saben	*you (pl.) know; they know*

conocer = *to know people, places*

saber = *to know facts, information*

saber + inf. = *to know how to* (*do something*)

***Conozco* a Adriana.** (*I know Adriana.*)

***Sé* que Adriana vive en Buenos Aires.** (*I know that Adriana lives in Buenos Aires.*)

Note that the preposition **a** precedes a direct object noun when that noun is a person. This use of **a** is called the *personal **a***.

—**¿Conoces a** Carla Espinosa?　　—*Do you know Carla Espinosa?*

—Sí, y **conozco** también **a** su hermano.　　—*Yes, and I also know her brother.*

—¿Y **conoces** también **a** su amigo Rogelio?　　—*And do you also know her friend Rogelio?*

—No, no lo **conozco a** él (no **lo** conozco).　　—*No, I don't know him.*

—**¿Conoces** muy bien la ciudad de México?　　—*Do you know Mexico City well?*

—Todavía no.　　—*Not yet.*

—**¿Sabes** nadar?　　—*Do you know how to swim?*

—No, no **sé** nadar.　　—*No, I don't know how to swim.*

---

*Recognition: **vos conocés**

—**¿Sabes** dónde está el restaurante?

—*Do you know where the restaurant is?*

—No, no **sé**.

—*No, I don't know.*

—**¿Sabes** si hay una biblioteca cerca?

—*Do you know if there is a library nearby?*

—No, no **sé**.

—*No, I don't know.*

conocer in the preterite = met (for the first time)

B. The preterite of **conocer** (**conocí, conociste, conoció**) expresses the meaning *met (for the first time)* in English.

Conocí a Raúl la semana pasada.

I met Raúl last week.

Ejercicio 9

—¿Conoce usted a los vecinos que viven enfrente?
—Sí, los conozco muy bien. Su apellido es Ramírez.

El señor Valdés lleva sólo una semana viviendo en el vecindario de San Vicente. Está hablando con su vecino, don Eduardo. Complete con las frases apropiadas las preguntas del señor Valdés.

¿Conoce usted...
¿Sabe usted...

1. a los dueños de la casa de la esquina?
2. a doña Rosita?
3. si hay una farmacia cerca?
4. si hay una alberca (piscina) pública cerca?
5. al director del colegio que está en la esquina?
6. un buen restaurante chino?
7. dónde está el Parque de Colón?
8. si hay una lavandería en el centro comercial El Toro?
9. cuánto cuesta ponerle un techo nuevo a la casa?
10. a la vecina de la casa amarilla?

¿RECUERDA?

In **Gramática 5.1** you learned about indirect object pronouns (**los pronombres de complemento indirecto),** which are used with verbs of informing to indicate to whom something is told, reported, said, and so forth. Remember that the indirect object pronouns are **me, te, le, nos, os,** and **les.** Review that section again now, if necessary.

6.6 Referring to People Already Mentioned: Personal Direct Object Pronouns

A. Personal direct object pronouns (**los pronombres de complemento directo**) are used with verbs such as *to see* (*someone*), *to remember* (*someone*), *to know* (*someone*), *to love* (*someone*), *to take* (*someone somewhere*), *to invite* (*someone*), and so forth. Here are some examples of direct object pronouns in English.

Raúl Saucedo? I don't remember *him.*
Ernestito and his brother and sister? We saw *them* yesterday.
I'm José Estrada. You remember *me,* don't you?

B. You already know four of the personal direct object pronouns, because they are the same as the reflexive pronouns and the indirect object pronouns: **me** (*me*), **te** (*you*), **os** (*you; inf. pl., Spain*), and **nos** (*us*).

Usted no **me** conoce todavía. Soy Raúl Saucedo.

You don't know me yet. I'm Raúl Saucedo.

Te quiero mucho.

I love you a lot.

Tú no **nos** recuerdas, ¿verdad?

You don't remember us, do you?

C. Four other direct object pronouns are used, according to the gender and number of the person(s) referred to.*

| lo | him, you (pol. m. sing.) | los | them, you (pl.) |
| la | her, you (pol. f. sing.) | las | them, you (females only) |

In the sentence *John saw her*, the word *her* is a direct object pronoun. Direct object pronouns answer the questions *Whom?* or *What?*

In the sentence **Juan la conoce** (*John knows her*), **la** is a direct object pronoun.

—**¿Dónde está *Lan*?**
—**No sé, no *la* veo.**
[*la* = **Lan**]
(—*Where is **Lan**?*
—*I don't know, I don't see **her**.*
[***her*** = **Lan**])
—**¿Conoces a *los Silva*?**
—**Sí, *los* conocí ayer.**
[*los* = **los Silva**]
(—*Do you know **the Silvas**?*
—*Yes, I met **them** yesterday.*
[***them*** = *the Silvas*])

—¿Conoces a **José Estrada**, el novio de Pilar?
—Sí, **lo** conozco.

—¿Mi hija Margarita? **La** llevo todos los días a la escuela.
—¿No **lo** vi a usted ayer, señor Torres?
—Sí, **me** vio en la biblioteca.

—¿Y tus **parientes**? ¿**Los** ves con frecuencia?
—Sí, durante las fiestas, **los** invitamos a casa a cenar con nosotros.

—¿Vas a visitar a tus **hermanas** mañana?
—Sí, **las** voy a ver al mediodía.

—Mamá, ¿cuándo vas a recoger**nos**?
—Paso a recoger**las** a las 2:45.

—*Do you know José Estrada, Pilar's boyfriend?*
—*Yes, I know him.*

—*My daughter Margaret? I take her to school every day.*
—*Didn't I see you yesterday, Mr. Torres?*
—*Yes, you saw me in the library.*

—*And your relatives? Do you see them frequently?*
—*Yes, during the holidays we invite them to our house to have dinner with us.*

—*Are you going to visit your sisters tomorrow?*
—*Yes, I'm going to see them at noon.*

—*Mom, when are you going to pick us up?*
—*I'll pick you up at 2:45.*

Ejercicio 10

Complete estos diálogos con los pronombres de complemento directo apropiados.

MODELO: —¿Conoces a Marta Guerrero?
—Sí, *la* conozco.

1. —¿Conocen ustedes a los señores Ramírez?
   —Sí, _____ conocemos muy bien.
2. —¿Conoces tú a doña Rosita?
   —Sí, _____ conozco un poco.
3. —¿Y a Pedro Ruiz?
   —Sí, _____ conozco también.
4. —¿Conoce Estela Ramírez a Silvia y a Nacho?
   —Sí, ella _____ conoce un poco.

*Some Spanish speakers from Spain use **le/les** instead of **lo/los** as the direct object pronoun to refer to males.

5. —Señor, yo no _____ conozco.

—¿No me conoce? ¡Soy Ernesto Ramírez, su vecino!

6. —¿Conoce usted al esposo de Andrea Ruiz?

—No, no _____ conozco.

7. —¿Conocen ustedes a la señorita Batini?

—Sí, _____ conocemos muy bien; es amiga de mi madre.

8. —¿Conocen los señores Ramírez a los señores Silva?

—Sí, los señores Ramírez _____ conocen muy bien; son vecinos.

9. —¿Conoces tú a Guillermo?

—Sí, _____ conozco muy bien; es mi mejor amigo.

10. —¿Conoce Amanda a Graciela?

—Sí, _____ conoce muy bien; son muy buenas amigas.

Las experiencias

METAS

In **Capítulo 7** you will continue to talk about things that happened in the past: your own experiences and those of others.

Cantabria, España

ACTIVIDADES DE COMUNICACIÓN Y LECTURAS

GRAMÁTICA Y EJERCICIOS

Actividades de comunicación y lecturas

Mis experiencias

Lea Gramática 7.1–7.2.

Ayer por la mañana . . .

Me lavé el pelo.

Desayuné rápidamente.

Salí de la casa.

Asistí a la clase de biología.

Tomé café con algunos amigos.

Escribí un informe para la clase de química.

Ayer por la tarde...

Volví a casa a las dos.

Almorcé con mi mamá.

Trabajé por cuatro horas en una tienda de ropa.

Anoche...

Cené con mi familia.

Leí un poco antes de acostarme.

Me acosté temprano.

Actividad 1. Orden lógico: Mis actividades

Ordene lógicamente las siguientes actividades.

_____ Leí una novela.
_____ Me duché.
_____ Me puse el pijama.
_____ Trabajé. / Asistí a clases.
_____ Me acosté.
_____ Hice la tarea.
_____ Cené.
_____ Desayuné.
_____ Salí para el trabajo / la universidad.
_____ Lavé los platos.
_____ Volví a casa.
_____ Me vestí.

Actividad 2. Narración: La rutina

Complete lógicamente cada secuencia con la actividad que falta.

MODELO: Anoche cené, luego me quité la ropa, *me puse el pijama*, me lavé los dientes y me acosté.

1. Hoy me desperté, me levanté inmediatamente y me duché. Después me sequé y me puse ropa limpia.
2. Anoche llegué del trabajo, me quité la ropa, me puse el pijama, cené y me acosté.
3. Esta mañana me desperté tarde. Me quité rápidamente el pijama, me duché y me sequé. Luego tomé un vaso de leche (no desayuné porque no tuve tiempo) y salí para el trabajo.
4. El sábado pasado fui al cine. Primero me quité la ropa, luego me sequé y me pusa ropa limpia. Un poco más tarde me peiné y me maquillé y, finalmente, salí para el cine con mi novio.
5. El domingo pasado me desperté, desayuné, me duché, me sequé, me vestí y salí de mi casa. Llegué a la cancha de tenis y jugué un partido con Esteban.

Ahora, escriba una secuencia como las anteriores para que la clase diga qué actividad falta.

Actividad 3. Encuesta: La última vez

¿Cuándo fue la última vez que usted hizo las siguientes actividades?

MODELO: ¿Cuándo habló con su mamá por teléfono? →
Hablé con ella *la semana pasada*.

POSIBILIDADES

esta mañana	la semana pasada
ayer	ayer por la mañana (tarde, noche)
anteayer	el lunes (martes,...) pasado
anoche	el año pasado

1. ¿Cuándo lavó su carro?
2. ¿Cuándo se bañó?
3. ¿Cuándo se cortó el pelo?
4. ¿Cuándo limpió la casa?
5. ¿Cuándo asistió a clase? ¿a un concierto?
6. ¿Cuándo estudió por más de una hora?
7. ¿Cuándo vio la televisión? ¿una película?
8. ¿Cuándo fue a la playa? ¿al lago? ¿al río?
9. ¿Cuándo fue de compras?
10. ¿Cuándo leyó el periódico? ¿una revista?

Actividad 4. Narración: El fin de semana de Ricardo Sícora

PALABRAS ÚTILES

| primero | luego | más tarde |
| poco después | también | finalmente |

EL MUNDO HISPANO... su gente

María del Carmen Méndez tiene 19 años y es española.

Describa unas vacaciones inolvidables.[1]

Unas vacaciones inolvidables son las del verano de hace dos años. En junio estuve con mi madre en una residencia de estudiantes en El Escorial,[2] un pueblecito en las montañas. Todo el mes de julio lo pasé en Irlanda, en un pueblo al norte de Dublín. Me pareció un país precioso, ¡y sobre todo verde! Y la gente era toda muy abierta y cantarina.[3] En agosto fui con mi padre a los Pirineos y allí pasamos quince días en un refugio, paseando por el bosque.[4]

Ese verano fui a muchísimos sitios y conocí a mucha gente de mi edad, y todavía me mantengo en contacto con muchos de ellos. Además, ¡descubrí las bellezas[5] que hay por todo el mundo!

EL OCÉANO ATLÁNTICO

Los Pirineos

El Escorial

• Madrid

España

EL MAR MEDITERRÁNEO

[1]*unforgettable* [2]El Escorial es famoso por el monasterio de El Escorial, que fue construido (*was built*) entre los años 1563 y 1584. En el monasterio hay un palacio, una iglesia y un mausoleo donde están enterrados (*buried*) los monarcas españoles. [3]*fond of singing* [4]*forest* [5]*beauty*

Las experiencias con los demás

Lea Gramática 7.3–7.4.

Raúl y Esteban fueron a una fiesta ayer.

Se vistieron con cuidado.

Llegaron un poco tarde y les dijeron «¡Disculpen!» a sus amigos.

Bailaron y se divirtieron, pero bebieron mucha cerveza y...

¡A caminar!

¡Se sintieron mal! Tuvieron que regresar a casa.

No quisimos beber en la fiesta.

Nos pusimos unos vestidos lindos.

Llegamos a la fiesta y nos sirvieron cerveza; no la aceptamos.

No nos quedamos en la fiesta. Preferimos ir a jugar al boliche.

Nos sentimos un poco ridículas con nuestros vestidos de fiesta, pero nos divertimos mucho.

Actividad 5. Intercambios: El fin de semana de los vecinos

A continuación ustedes tienen una lista de lo que hicieron algunos de los vecinos de Ernesto y Estela durante el fin de semana.

MODELOS: E1: ¿Qué hicieron *los Olivera el viernes*?
E2: Limpiaron la casa.

E1: ¿Quiénes *salieron a cenar el sábado*?
E2: *Los Silva.*

	LOS OLIVERA	LOS SILVA	LOS RUIZ
el viernes	Limpiaron la casa.	Fueron al cine y vieron *El amor secreto*.	Viajaron a Acapulco con sus hijas.
el sábado	Dieron una fiesta y se divirtieron mucho.	Salieron a cenar.	Pasaron el día en la playa.
el domingo	Durmieron hasta las once; no hicieron nada.	Asistieron al bautizo del nieto de sus amigos.	Almorzaron en un restaurante elegante.

Actividad 6. Narración: Las vacaciones de Rubén y Virginia Hernández

los Hernández (Rubén y Virginia)

Actividad 7. Intercambios: Las últimas vacaciones

Pregúntele a su compañero/a qué hicieron las personas en las siguientes fotos.

> MODELO: E1: *¿Qué hizo la familia puertorriqueña?*
> E2: *Fueron a la playa, tomaron el sol y nadaron.*

Después, pregúntele a su compañero/a si él/ella hizo las mismas actividades durante sus últimas vacaciones.

> MODELO: E1: *¿Fuiste a la playa?*
> E2: No, no *fui a la playa*, pero *nadé mucho en la piscina.*

El tenis en México

Una playa en Puerto Rico

El cine en España

De viaje en Argentina

Un restaurante en
Sevilla, España

El esquí en Chile

Actividad 8. Encuesta: ¿Cuándo?

Diga con quién y cuándo hizo usted las actividades de la próxima página. Luego comente sus respuestas con un compañero / una compañera.

> MODELO: Fuimos al cine. → *Mi amigo Jorge y yo* fuimos al cine *anoche.*

1. Practicamos un deporte.
2. Esquiamos en las montañas.
3. Dormimos en el campo, al aire libre.
4. Dimos una fiesta.
5. Vimos una película.
6. Bailamos.
7. Nos divertimos muchísimo.
8. Montamos a caballo.
9. Corrimos varios kilómetros.
10. Estudiamos en la biblioteca.

Y TÚ, ¿QUÉ DICES?

¿Dónde?	¡Qué divertido!	¿De veras?
¿Cuál?	¡Qué aburrido!	¡Qué envidia!

Actividad 9. Narración: Los héroes y el ladrón

Los dibujos representan una aventura de Guillermo y su hermano Ernestito. Las oraciones a continuación describen cada dibujo. Póngalas en orden según los dibujos.

_____ Guillermo le ató las manos al ladrón y Ernestito llamó a la policía.

_____ Los chicos se pusieron rojos. Pero se sintieron muy bien porque hicieron algo heroico.

_____ Guillermo y Ernestito oyeron unos gritos desesperados.

_____ Corrieron detrás del ladrón.

_____ Miraron por la ventana y vieron a dos hermosas chicas asustadas.

_____ Lo atraparon y le quitaron las bolsas de las chicas.

_____ Ellas les dijeron: «¡Ayúdennos, por favor! ¡Aquel hombre nos robó las bolsas!»

_____ Las chicas les dijeron: «¡Muchísimas gracias!» y les dieron un beso.

_____ El policía arrestó al ladrón.

_____ Salieron y les preguntaron: «¿Qué les pasa?»

Actividad 10. Entrevista: El domingo pasado

Entreviste a un compañero / una compañera. Hágale preguntas sobre las actividades de un amigo / una amiga, su novio/a o esposo/a o de otro miembro de su familia.

1. ¿Se levantó tarde? ¿A qué hora se levantó?
2. ¿Leyó el periódico? ¿Tomó café o té?
3. ¿Hizo ejercicio? ¿Practicó algún deporte?
4. ¿Asistió a misa? ¿Fue a la iglesia?
5. ¿Dónde almorzó?
6. ¿Salió con algún amigo / alguna amiga? ¿Adónde fueron? ¿Se divirtieron?
7. ¿Trabajó? ¿Dónde? ¿Por cuántas horas?
8. ¿Cenó en casa? ¿Qué hizo después de cenar? ¿Vio la televisión?
9. ¿Estudió? ¿Hizo mucha tarea? ¿Leyó alguna novela?
10. ¿A qué hora se acostó?

EL MUNDO HISPANO... en los Estados Unidos

Antonio Galván tiene 40 años y es salvadoreño. Antonio vivió por un tiempo en California; ahora reside en Takoma Park, Maryland. Lleva 22 años en los Estados Unidos.

¿Estuvo alguna vez en una fiesta muy divertida? ¡Descríbala!

La fiesta que yo no olvido es la de mi amiga Rosita Iraheta. Fue su «Fiesta Rosa», que también la llaman *quinceañera;* Rosita cumplió sus quince años. La fiesta no fue en su casa, sino[1] en la de sus parientes que viven en una mansión en las lomas,[2] con una vista de la ciudad. ¡Fue un fiestón[3]! La música la tocó el conjunto «Los Black Cats», y cantaba Chamba Maldonado. ¡Qué voz! Todo el mundo bailó. Y los enamorados se paseaban[4] por la terraza contemplando la ciudad iluminada, en una noche de brisas tibias inolvidable.

[1]*but rather*   [2]*en... on a hill*   [3]*huge party*   [4]*se... strolled along*

Hablando del pasado

Lea Gramática 7.5.

20,000 a.C.

Los indígenas americanos llegaron al continente desde Asia hace más de 20.000 años.

12 de octubre de 1492

Cristóbal Colón llegó a América hace cinco siglos.

4 de julio de 1776

Thomas Jefferson firmó la Declaración de la Independencia hace más de 200 años.

5 de mayo de 1862

Los mexicanos ganaron la batalla de Puebla hace aproximadamente 140 años.

Actividad 11. Asociaciones: Hablando del pasado

Busque las actividades que *no* son lógicas y explique por qué no lo son.

1. Soy Ernesto. Esta mañana me levanté muy tarde.
   a. El despertador no sonó.
   b. Llegué temprano al trabajo.
   c. Desayuné tranquilamente en casa.
   d. Manejé el carro muy rápido, en vez de tomar el autobús, para llegar pronto a la oficina.

2. Hace una semana Ramón fue a acampar en las montañas con su familia.
   a. Su hermano se bañó en el río.
   b. Su hermana bailó toda la noche en una discoteca.
   c. Su papá escaló una montaña.
   d. Su mamá preparó el desayuno.

3. Soy Amanda. Hace dos días fui con algunas amigas a comprar el disco nuevo de Jon Secada.
   a. Tomamos el metro.
   b. No pagamos mucho por el disco.
   c. Compramos un taco en la tienda de discos.
   d. Encontramos otro disco de Enrique Iglesias que nos gustó.

4. Hace un año Estela y Ernesto fueron a Europa.
   a. Visitaron el Museo del Prado en Madrid.
   b. Comieron en restaurantes franceses muy buenos.
   c. Subieron a las pirámides de Teotihuacán.
   d. Cruzaron el canal entre Inglaterra y Francia.

Actividad 12. Entrevista: Hechos memorables... una entrevista algo indiscreta

MODELO: E1: ¿Cuánto tiempo hace que empezaste a estudiar español? →
          E2: Hace *seis meses* que empecé a estudiar español.

1. ¿Cuánto tiempo hace que saliste solo/a con un amigo / una amiga por primera vez?
2. ¿Cuánto tiempo hace que te dieron tu primer beso?
3. ¿Cuánto tiempo hace que te graduaste en la escuela secundaria? ¿que te matriculaste en la universidad?
4. ¿Cuánto tiempo hace que tus padres se casaron? ¿que tú te casaste?
5. ¿Cuánto tiempo hace que nació tu primer hijo / primera hija (primer sobrino / primera sobrina)?
6. ¿Cuánto hace que cumpliste años?
7. ¿Cuánto hace que conociste a tu mejor amigo/a?
8. ¿Cuánto hace que te pusieron una multa por manejar a exceso de velocidad?

Los amigos hispanos: Una carta desde Perú

VOCABULARIO ÚTIL

antigua	ancient
sagrada	sacred
los indígenas	natives
entre sí	among themselves
el paisaje	landscape
las vueltas	turns
la ladera	side of a mountain
la cima	top
tenían	they had
la rueda	wheel

En noviembre, Clara Martin viajó a Perú con un grupo de estudiantes españoles. Fue un viaje corto, pero Clara pudo ver las magníficas ruinas de Machu Picchu. La antigua ciudad sagrada de los incas está tan lejos de la civilización que es necesario usar varios medios de transporte para llegar a las ruinas.

En esta carta, Clara le describe a la profesora Martínez la excursión que ella hizo de Cuzco a Machu Picchu.

Cuzco, 15 de noviembre

Estimada profesora:

Aquí estoy en Perú. ¡Qué experiencia! Machu Picchu es increíble. Quiero contarle cómo llegamos allí, pues la larga excursión fue parte de la experiencia. Bueno, primero fuimos a Cuzco[1] por avión desde Lima. En el aeropuerto, tomamos un taxi directamente al hotel y allí descansé un poco. Después de una hora, más o menos, salí a pasear por la ciudad con los otros estudiantes. Fuimos al mercado, donde compré un suéter de alpaca muy bonito. Los indígenas de Cuzco hablan quechua[2] entre sí, pero con nosotros hablaron castellano.[3]

A la mañana siguiente, nos encontramos con todos los miembros de la excursión en la estación del tren, para ir a Machu Picchu. En el tren me senté al lado de la ventanilla para ver bien el paisaje. A la salida de Cuzco el tren tiene que subir muchos metros en una distancia muy corta, así que subimos muy despacio. ¡Dimos muchas vueltas por la misma ladera!

El viaje a Machu Picchu duró aproximadamente cuatro horas. Pasamos por valles entre montañas muy verdes. ¡Qué paisajes más bellos! Llegamos a una pequeña estación dentro de un valle profundo. De allí subimos en autobús a la cima de la montaña. Y por fin pudimos admirar las ruinas y una vista panorámica de los Andes. Fue la imagen más impresionante de mi vida. ¿Cómo pudieron construir todo aquello en un lugar tan remoto, tan inaccesible? ¿Cómo llevaron las piedras hasta allá arriba? ¡Si todavía no conocían la rueda!

Comimos en el hotel que está en la cima de la montaña, al lado de las ruinas. Luego bajé en el autobús con los estudiantes y demás miembros de la excursión. Ya casi de noche abordamos el tren para el viaje de regreso a Cuzco.

Como puede ver, profesora, mi viaje a Machu Picchu fue estupendo. Hasta mi próxima carta o tarjeta.

Un abrazo,

Clara

[1]Cuzco es la antigua capital de Perú; Lima es la capital hoy en día.
[2]El quechua es el idioma de los incas que se habla en Perú y Bolivia.
[3]En algunos países, como Argentina y Colombia, se usa la palabra **castellano** más que **español**. La palabra viene de **Castilla**, la región de España donde se originó el idioma.

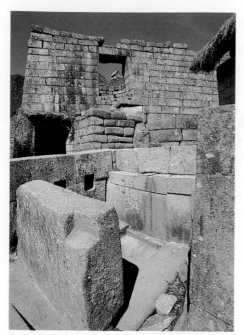

Machu Picchu, Perú: En el Templo del Sol puede admirarse el tamaño enorme de las piedras.

Comprensión

Busque el orden correcto.

_____ Clara compró un suéter.

_____ En el tren, Clara se sentó al lado de la ventanilla.

_____ Salió a pasear con otros estudiantes.

_____ Vio las ruinas impresionantes de Machu Picchu.

_____ Bajó en autobús con los demás.

_____ Subió a la cima de la montaña en autobús.

_____ Llegó a Cuzco.

Un paso más... ¡a escribir!

Clara usó varios medios de transporte para llegar a Machu Picchu: el avión, el taxi, el tren y el autobús. ¿Conoce usted un lugar muy escondido, como Machu Picchu, al cual sea difícil llegar? Si no conoce un lugar así, ¡imagíneselo! ¿Dónde está? ¿Qué medios de transporte se usan para llegar allá? ¿Qué aspectos de interés tiene ese lugar? ¿Cómo son sus habitantes?

EL MUNDO HISPANO... imágenes

«**S**ubimos en autobús a la cima de la montaña. Y por fin pudimos admirar las ruinas y una vista panorámica de los Andes. Fue la imagen más impresionante de mi vida. ¿Cómo pudieron construir todo aquello en un lugar tan remoto, tan inaccesible? ¿Cómo llevaron las piedras hasta allá arriba?»

Machu Picchu, Perú

LAS PALABRAS VIVEN

VOCABULARIO ÚTIL

incaica	*Incan*
la ciudad andina	*Andean city*
bordadas	*embroidered*
aunque	*although*
la cruda	*hangover (Mex.)*
en vez de	*instead of*

La cultura incaica en Ecuador

La cultura incaica es muy visible en Ecuador. Uno puede ver personas con trajes típicos de esa cultura en todas las ciudades del país. El grupo del área de la ciudad andina Otavalo es uno de los más notables. Las mujeres llevan faldas azul oscuro y hermosas blusas bordadas. Los hombres se ponen pantalones muy blancos y ponchos azules.

El mercado de Otavalo, Ecuador

La presencia indígena es vital en la sociedad ecuatoriana, y se nota especialmente en el idioma. Se estima que el 30 por ciento de la población de Ecuador es monolingüe: habla solamente la lengua quechua. Y aproximadamente una tercera parte de la población es bilingüe; es decir, que habla español y quechua.

Muchas palabras quechuas se usan diariamente en Ecuador. Estas palabras forman parte del español que se habla en ese país. Por ejemplo, *wawa* (se pronuncia *guagua*), que quiere decir **bebé**; *achachay*, que significa **tengo frío**; y *chuchaqui*, que es una **cruda**. Uno de los casos más interesantes es la palabra *ñaña*, que significa **hermana**. Esta palabra se usa tanto, que ahora muchos ecuatorianos dicen *ñaño* en vez de **hermano**. ¡Pero en la lengua quechua la palabra *ñaño* no existe!

En resumen

De todo un poco

¿Quién lo hizo?

Diga cuál de las personas que aparecen en la próxima página se relaciona con cada hecho histórico.

a. Neil Armstrong
b. Julio César
c. Hernán Cortés
d. Maximiliano de Habsburgo

e. Michael Johnson
f. Charles Lindbergh
g. Leonardo da Vinci
h. George Wáshington

1. _____ Cortó un árbol y dijo la verdad. Dijo: «Fui yo. No puedo decir una mentira.» Fue el primer presidente de los Estados Unidos.

2. _____ Conquistó a los aztecas hace aproximadamente 480 años. Quemó sus barcos para no regresar a España.

3. _____ Dijo: «Vine, vi y vencí» («_Vini, vidi, vici_» en latín.) Fue emperador de Roma hace muchos años... más de mil quinientos... casi dos mil.

4. _____ Pintó la _Gioconda_ (la _Mona Lisa_) en Italia hace más de quinientos años.

5. _____ Es norteamericano; fue el primer hombre que caminó en la luna (hace aproximadamente treinta años).

6. _____ Ganó dos medallas de oro en las Olimpíadas de Atlanta en 1996: una en la carrera de los 200 metros y otra en la carrera de los 400 metros.

7. _____ Hizo el primer vuelo transatlántico. Cruzó el océano Atlántico en el «Espíritu de San Luis» en 1927, hace aproximadamente setenta años.

8. _____ Fue emperador de México hace más de cien años (de 1864 a 1867).

Ahora, trabajando en grupos, preparen dos o tres descripciones como las anteriores para sus compañeros.

 ¡Dígalo por escrito!

¡Soy inocente!

Debido a un error de identidad, la policía sospecha que usted participó en un robo que ocurrió durante el fin de semana pasado. Trabaje con un compañero / una compañera para hablar del asunto (su compañero/a es el policía / la mujer policía). Explíquele exactamente lo que usted hizo el fin de semana pasado (el sábado y/o el domingo). ¿A qué hora lo hizo? ¿Con quién estuvo, y dónde? Después del interrogatorio, escriba su declaración. Su compañero/a también debe escribir una declaración sobre los hechos del asunto y decir si en su juicio usted está diciendo la verdad o si está mintiendo.

VIDEOTECA

 Usted ya sabe algo de José Miguel y Paloma, los dos primos de Ecuador. En este episodio, Paloma le cuenta a José Miguel qué le pasó el fin de semana pasado. ¡Parece que fue un fin de semana muy interesante! Escuche bien y, utilizando las formas del pretérito, apunte tres de las cosas que hizo Paloma y dos más que hicieron Gustavo y Margarita. ¿Alguna vez le ocurrió a usted algo parecido? En el Capítulo 7 del _Cuaderno de trabajo_ hay más actividades para hacer después de ver el video.

Vocabulario

La naturaleza — Nature

la luna	moon
la ola	wave
el oso	bear
la palmera	palm tree

REPASO: el río, el sol

Los lugares — Places

el aire libre	outdoors
la alberca	swimming pool (*Mex.*)
el campo	country(side)
la escuela secundaria	high school
el (jardín) zoológico	zoo

PALABRAS SEMEJANTES: Asia, el continente, la pirámide

Los verbos en el pasado (irregulares)
Verbs in the Past (Irregular)

almorzar (ue) almorcé/almorzó	to have lunch
buscar busqué/buscó	to look for
cruzar crucé/cruzó	to cross
dar (un beso) di/dio	to give (a kiss)
decir dije/dijo	to say; to tell
dormir (ue, u) dormí/durmió	to sleep
empezar empecé/empezó	to start
estar estuve/estuvo	to be
hacer hice/hizo	to do; to make
ir fui/fue	to go
jugar (ue) jugué/jugó	to play
leer leí/leyó	to read

llegar llegué/llegó	to arrive
oír oí/oyó	to hear
ponerse rojo / a me puse/se puso...	to blush
preferir (ie, i) preferí/prefirió	to prefer
querer (ie) quise/quiso	to want
secarse me sequé / se secó	to dry
sentirse (ie, i) (bien/mal) me sentí / se sintió	to feel (good/bad, ill)
ser fui/fue	to be
servir (i) serví/sirvió	to serve
tener tuve/tuvo	to have
traer traje/trajo	to bring
venir vine/vino	to come
vestirse (i) me vestí / se vistió	to get dressed

Más verbos

atar	to tie
atrapar	to trap
casarse	to get married
cumplir años	to have a birthday
estacionar	to park
firmar	to sign
ganar	to win; to earn
hospedarse	to stay (*at a hotel*)
pagar	to pay
pasar el día	to spend the day
quemar	to burn
robar	to steal
saludar	to greet
sonar (ue)	to ring; to go off (*alarm*)
subir	to go up

PALABRAS SEMEJANTES: aceptar, arrestar, completar, contar

Otros sustantivos

la arena	sand
el barco	ship
la batalla	battle
la cerveza	beer
el exceso de velocidad	speeding
el grito	shout, scream
el hecho	event
el informe	report
el ladrón / la ladrona	thief
la medalla de oro	gold medal
la mentira	lie
la multa	traffic ticket
la policía	police (force)
el siglo	century
el traje de baño	bathing suit
el vuelo	flight

PALABRAS SEMEJANTES: la aventura, la declaración, el emperador / la emperatriz, el kilómetro, el latín (*idioma*), las Olimpíadas, el palacio, la posibilidad, el secreto, la secuencia, el taco

Los adjetivos

asustado/a	frightened
limpio/a	clean
lindo/a	pretty

PALABRAS SEMEJANTES: azteca, desesperado/a, heroico/a, histórico/a, indígena, indiscreto/a, lógico/a, memorable, ridículo/a, transatlántico/a

Los adverbios

con cuidado	carefully
muchísimo	very much
poco después	a little later
pronto	soon
un rato	a while

PALABRAS SEMEJANTES: aproximadamente, inmediatamente, lógicamente, tranquilamente

Palabras y expresiones útiles

¡Auxilio!	Help!
¿Cuánto tiempo hace que... ?	How long has it been since . . . ?
Hace... (+ *time*) que	It has been (+ *time*) since
Hace más de...	It has been more than (+ *time*)
disculpe	excuse me
lo que	that which; what
los demás	the rest, others
¡Qué envidia!	What luck! (Lucky dog!)
¿Qué pasa?	What's wrong?
¿Qué pasó?	What happened?

Gramática y ejercicios

¿RECUERDA?

In **Gramática 6.4** you learned that the past tense (preterite) is formed by adding a set of endings to the verb stem. There are only two sets of endings for regular verbs: one for **-ar** verbs and one for **-er/-ir** verbs. Review that section briefly, if necessary.

7.1 Talking about Past Actions: The Preterite of Regular Verbs (Part 2)

Gramática ilustrada

Singular preterite forms:

-ar	-er/-ir
-é	-í
-aste	-iste
-ó	-ió

Plural preterite forms:

-ar	-er/-ir
-amos	-imos
-asteis	-isteis
-aron	-ieron

A. You have already seen and used the singular preterite forms of regular verbs many times. Here is the complete set of preterite forms, singular and plural.*

	hablar	**comer**	**escribir**
(yo)	hablé	comí	escribí
(tú)	hablaste	comiste	escribiste
(usted, él/ella)	habló	comió	escribió
(nosotros/as)	hablamos	comimos	escribimos
(vosotros/as)	hablasteis	comisteis	escribisteis
(ustedes, ellos/as)	hablaron	comieron	escribieron

Note the following details about the difference between present and preterite forms.

- In regular preterite forms, the stress is always on the final syllable of the **yo** and **usted, él/ella** forms.

Generalmente me levanto a las ocho, pero ayer **me levanté** a la siete.	*Usually I get up at 8:00, but yesterday I got up at 7:00.*

- **Tú** forms in the preterite do not end in **-s**.

Normalmente me llamas por la noche, pero anoche no me **llamaste**.	*Normally you call me at night, but last night you didn't call me.*

- Though both present and preterite third-person plural forms end in **-n**, it is always **-ron** in the preterite.

Por lo general mis padres **salen** poco, pero la semana pasada **salieron** cinco veces.	*Usually my parents go out very little, but last week they went out five times.*

- Notice that the present and preterite **nosotros/as** forms are different in **-er** verbs.

Por lo general **comemos** un poco de carne, pero ayer no **comimos** ninguna.	*Usually we eat a little meat, but yesterday we didn't eat any.*

  In **-ar** and **-ir** verbs, however, the **nosotros/as** form is the same in the preterite and the present tense (**hablamos, escribimos**). The context clarifies whether the speaker intends the present tense or the preterite.

Ayer **salimos** para la universidad un poco tarde, pero mañana **salimos** temprano.	*Yesterday we left for the university a little late, but tomorrow we're leaving early.*

---

*Recognition: **vos hablaste, comiste, escribiste**

B. If the stem of an **-er/-ir** verb ends in a vowel (**le-er**), the **i** of the **-ió** and **-ieron** endings changes to **y** in the preterite.

> **leer**: leí, leíste, leyó, leímos, leísteis, leyeron
> **oír**: oí, oíste, oyó, oímos, oísteis, oyeron

> Yo **leí** el libro pero Esteban no lo **leyó**.　　　　*I read the book, but Esteban didn't read it.*

buscar: busqué/buscó

llegar: llegué/llegó
jugar: jugué/jugó

empezar: empecé/empezó
almorzar: almorcé/almorzó

Don't try to remember all of this. Refer to this information when you are writing. In time you will acquire much of it through listening and reading.

C. Regular verbs that end in **-car**, **-gar**, and **-zar** change the spelling of the preterite **yo** form in order to preserve the same sound as the infinitive.*

> **buscar**: bus**qué**, buscaste, buscó, buscamos, buscasteis, buscaron
> **llegar**: lle**gué**, llegaste, llegó, llegamos, llegasteis, llegaron
> **almorzar**: almor**cé**, almorzaste, almorzó, almorzamos, almorzasteis, almorzaron

> **Llegué** al centro a las 4:00.　　　　*I arrived downtown at 4:00.*

Ejercicio 1

¿Qué hizo Adriana ayer por la mañana? Busque el orden más lógico.

_____ Leyó el periódico.
_____ Llegó al trabajo a las 8:30.
_____ Comió cereal con leche y fruta.
_____ Se bañó.
_____ Comió una hamburguesa.
_____ Se levantó a las 7:00.
_____ Almorzó con un colega de su trabajo.
_____ Manejó el coche al trabajo.
_____ Se preparó un desayuno pequeño.

¿Y qué hizo usted ayer por la mañana?

Ejercicio 2

Complete los diálogos con formas de **llegar** y **leer**.

JOSÉ: ¿A qué hora _____[1] (tú) a la universidad?
CLARA: _____[2] a las ocho y media. ¿Y tú?
JOSÉ: Pilar y yo no _____[3] hasta las nueve y media porque el metro _____[4] tarde.

CLARA: ¿_____[5] el artículo sobre el viaje a Mallorca la semana pasada?
JOSÉ: Sí, lo _____[6]. (**Lo** *refers back to* **el artículo**.)
CLARA: ¿Lo _____[7] Pilar y Andrés?
JOSÉ: No sé si Andrés lo _____[8], pero lo _____[9] Pilar y yo.

---

*For more information on spelling changes in the preterite, see **Capítulo 7** in the *Cuaderno de trabajo*.

Ejercicio 3

Éstas son las actividades de Pilar y su hermana Gloria un domingo del verano pasado en Madrid. ¿Qué oración corresponde a qué dibujo?

a. _____ Leyeron (por) un rato antes de apagar las luces.

b. _____ Caminaron desde la estación del metro hasta su apartamento.

c. _____ Almorzaron hamburguesas en el Wendy's de la Gran Vía.

d. _____ Salieron a pasear por el centro de Madrid.

e. _____ Vieron una película francesa.

f. _____ Llegaron a su apartamento a las 12:00 de la noche.

g. _____ Regresaron en el metro.

Ahora, piense en un domingo del verano pasado. ¿Qué actividades hicieron usted y sus amigos (o parientes)?

MODELO: Mis amigos y yo *escuchamos música y bailamos en una discoteca.*

7.2 Relating More about the Past (Part 1): Verbs with Irregular Preterite Forms

Some verbs have a different stem in the preterite and a slightly different set of endings.*

	tener	**estar**	**poder**	**poner**	**saber**	**hacer**
(yo)	tuve	estuve	pude	puse	supe	hice
(tú)	tuviste	estuviste	pudiste	pusiste	supiste	hiciste
(usted, él/ella)	tuvo	estuvo	pudo	puso	supo	hizo
(nosotros/as)	tuvimos	estuvimos	pudimos	pusimos	supimos	hicimos
(vosotros/as)	tuvisteis	estuvisteis	pudisteis	pusisteis	supisteis	hicisteis
(ustedes, ellos/as)	tuvieron	estuvieron	pudieron	pusieron	supieron	hicieron

---

*Recognition: The **vos** forms in the preterite (regular and irregular) are identical to the **tú** forms: **vos quisiste, fuiste, hiciste.**

	venir	querer	decir	traer	conducir	traducir
(yo)	vine	quise	dije	traje	conduje	traduje
(tú)	viniste	quisiste	dijiste	trajiste	condujiste	tradujiste
(usted, él/ella)	vino	quiso	dijo	trajo	condujo	tradujo
(nosotros/as)	vinimos	quisimos	dijimos	trajimos	condujimos	tradujimos
(vosotros/as)	vinisteis	quisisteis	dijisteis	trajisteis	condujisteis	tradujisteis
(ustedes, ellos/as)	vinieron	quisieron	dijeron	trajeron	condujeron	tradujeron

Many of the most common verbs in Spanish are irregular. Do not try to memorize each form, but refer to the chart when you write. In time, you will acquire these forms through listening and reading.

The preceding table provides the preterite forms of most common irregular verbs. Look at the table and you will notice the most important differences.

- Unlike regular preterite verb endings, the endings of the **yo** and **usted, él/ella** forms are not stressed in the last syllable.

—¿Dónde **pusiste** mi chaqueta?　　—*Where did you put my jacket?*
—La **puse** encima de la cama.　　—*I put it on the bed.*

—¿Quién **vino** contigo?　　—*Who came with you?*
—Nadie; **vine** solo.　　—*Nobody; I came alone.*

- The verb **hacer** has a spelling change from **c** to **z** in the **usted, él/ella** form.

Ayer en el gimnasio Alberto **hizo** su tarea y yo **hice** ejercicio.　　*Yesterday at the gym Alberto did his homework and I exercised.*

- The verbs **conducir, decir, traducir,** and **traer** drop the **i** in the **ustedes, ellos/as** form.

—¿Qué te **dijeron** de mí?　　—*What did they tell you about me?*
—Me **dijeron** que estás locamente enamorado de Carmen.　　—*They told me that you are madly in love with Carmen.*

—¿Qué **trajeron** ustedes de comer?　　—*What did you bring to eat?*
—Trajimos refrescos y sandwiches.　　—*We brought sodas and sandwiches.*

- The verbs **dar** and **ver** take the **-er/-ir** endings, but with no written accents. The verbs **ser** and **ir** share the same stem in the past tense. Their forms are thus identical, so the meaning must be inferred from the context.

fui = *I went/was*
fue = *you (pol. sing.) went/were; he/she went/was*

ser / ir (*to be/to go*)		
(yo)	fui	*I was/went*
(tú)	fuiste	*you (inf. sing.) were/went*
(usted, él/ella)	fue	*you (pol. sing.) were/went; he/she was/went*
(nosotros/as)	fuimos	*we were/went*
(vosotros/as)	fuisteis	*you (inf. pl., Spain) were/went*
(ustedes, ellos/as)	fueron	*you (pl.) were/went; they were/went*

—¿Qué te **dieron**?	—*What did they give you?*
—Mi tío me **dio** dinero.	—*My uncle gave me money.*
—¿Adónde **fue** Luis anoche?	—*Where did Luis go last night?*
—**Fue** al cine.	—*He went to the movies.*
—¿Qué **fue** ese ruido?	—*What was that noise?*
—No **fue** nada. ¡Estás imaginando cosas!	—*It wasn't anything. You are imagining things!*

Ejercicio 4

Éstas son las actividades de ayer de algunos de los vecinos hispanos. Complete las oraciones con la forma correcta del pretérito de **ver, ir, dar, hacer, decir, traer, poner** o **venir**.

1. Ernesto Ramírez _____ una fiesta para sus amigos.
2. Dice Ernesto: « _____ más de treinta personas a mi fiesta.»
3. Dice Andrea: «Yo _____ una botella de tequila.»
4. Todos _____ que la fiesta fue fantástica.
5. Amanda _____ a Graciela hablando con su novio, Rafael.
6. Ernestito le _____ una cadena de identificación a su perro.
7. Guillermo _____ la tarea para su clase de biología.
8. Ernesto y Estela _____ al teatro.

Ejercicio 5

Cuente lo que hicieron estas personas.

MODELO: (Soy Pilar.) Anoche fui al cine con mi hermana. Después cenamos en un restaurante y dimos un paseo por el centro. Me acosté muy tarde. →
Pilar *fue* al cine con su hermana. Después ellas *cenaron* en un restaurante y *dieron* un paseo por el centro. Pilar *se acostó* muy tarde.

1. (Soy Ricardo Sícora.) Un sábado por la mañana fui con mis hermanos Pablo y Enrique y unos amigos a una playa cerca de Ocumare a bucear. Llegamos temprano a la playa, así que descansé un rato antes de meterme al agua. Buceamos una hora y vimos muchísimos peces y animales marinos. Por la noche hicimos una fogata en la playa y cocinamos pescado en ella. Luego, toqué la guitarra y cantamos y bailamos hasta muy tarde.
2. (Soy Silvia Bustamante.) Anoche fui con mi novio Nacho Padilla a una fiesta. Llegamos a las 9:00 y cuando entré, vi a Luisa Hernández, una amiga del Instituto de Inglés, donde estudié el año pasado. La saludé y salimos al patio a charlar de los viejos amigos del Instituto. Bailé mucho con Nacho y tomé una copa de champaña. ¡Regresé a casa un poco mareada!

Ejercicio 6

Diga qué hacen las siguientes personas generalmente, qué hicieron ayer por la tarde y qué van a hacer mañana.

MODELO: Generalmente *Adriana juega al tenis por la tarde*, pero ayer *tradujo un documento del italiano al español* y mañana *va a aprender un nuevo programa de informática*.

	GENERALMENTE	AYER	MAÑANA
Pilar	asistir a clase	dormir toda la tarde	visitar a una amiga
Andrea y Pedro	almorzar con sus hijas	estar en el D.F. todo el día	ir de compras
Adriana	jugar al tenis por la tarde, después de salir del trabajo	traducir un documento del italiano al español	aprender un nuevo programa de informática
doña Lola	quedarse en casa	tomar café con sus amigas	cocinar toda la tarde
Carla y Rogelio	estudiar en la biblioteca	ir a la playa	lavar el carro

7.3 Relating More about the Past (Part 2): Stem-Changing Verbs in the Preterite

A. In most cases, the vowels of stem-changing verbs do *not* change in the preterite forms. Here is a comparison of present-tense and preterite forms of the verbs **cerrar** (*to close*) and **contar** (*to tell, relate*).

¿RECUERDA?

You'll recall from **Gramática 4.2** that a small number of verbs have stem-vowel changes in the present-tense forms in which the spoken stress is on the stem vowel: p**ie**nso versus p**e**nsar, d**ue**rmo versus d**o**rmir. (See also **Gramática 2.3**, **3.3**, and **5.2** to review other familiar verbs with this type of stem change.)

Present:
c**ie**rro/c**ie**rra
p**ie**nso/p**ie**nsa
Past:
c**e**rré/c**e**rró
p**e**nsé/p**e**nsó

	cerrar		**contar**	
	Present	*Past*	*Present*	*Past*
(yo)	cierro	cerré	cuento	conté
(tú)	cierras	cerraste	cuentas	contaste
(usted, él/ella)	cierra	cerró	cuenta	contó
(nosotros/as)	cerramos	cerramos	contamos	contamos
(vosotros/as)	cerráis	cerrasteis	contáis	contasteis
(ustedes, ellos/as)	cierran	cerraron	cuentan	contaron

B. A few verbs, however, all in the **-ir** group, do change their stem vowel in the **usted**, **él/ella** and the **ustedes**, **ellos/as** forms of the preterite. There are two

Present:
  me divierto / se divierte
  duermo/duerme
Past:
  me divertí / se divirtió
  dormí/durmió

possible changes: **e → i** and **o → u**. The present-tense and preterite forms of the verbs **divertirse** (*to have a good time*) and **dormir** (*to sleep*) are given below.* Other common verbs with this change are **sentir** (*to feel*), **sugerir** (*to suggest*), **preferir** (*to prefer*), **mentir** (*to lie*), and **morir** (*to die*).

	divertirse		**dormir**	
	Present	*Past*	*Present*	*Past*
(yo)	me divierto	me divertí	duermo	dormí
(tú)	te diviertes	te divertiste	duermes	dormiste
(usted, él/ella)	se divierte	se divirtió	duerme	durmió
(nosotros/as)	nos divertimos	nos divertimos	dormimos	dormimos
(vosotros/as)	os divertís	os divertisteis	dormís	dormisteis
(ustedes, ellos/as)	se divierten	se divirtieron	duermen	durmieron

Do not try to memorize all these forms, but refer to the chart when you write. In time, you will acquire the forms through listening and reading.

Yo **dormí** bien. Estela **durmió** mal.

—¿**Se divirtió** usted anoche?
—Sí, **me divertí** mucho.

I slept well. Estela slept poorly.

—*Did you have fun last night?*
—*Yes, I had a great time.*

Ejercicio 7

Complete los siguientes diálogos con la forma correcta de los verbos.

DORMIR
— ¿Cuántas horas _____[1] tú anoche?
— _____[2] solamente cinco.
— ¿Generalmente _____[3] tan pocas horas?
— No, generalmente _____[4] por lo menos siete, a veces ocho.

SENTIR(SE)
— ¿Tú te _____[5] mal ahora?
— No, me _____[6] bastante bien.
— Pero anoche te _____[7] muy mal, ¿verdad?
— Sí, anoche me _____[8] mal por un dolor de cabeza.

DIVERTIR(SE)
— ¿Te _____[9] anoche en la fiesta?
— Sí, me _____[10] muchísimo. ¿Se _____[11] tu esposa?
— No, no se _____[12] porque no le gustó la música.

MENTIR
— Tú me _____,[13] ¿verdad?
— No, no te _____.[14] Te dije la verdad.
— Pues, alguien me _____[15]
— No fui yo.

---

*This same stem-vowel change also occurs in the present participle: **durmiendo** (*sleeping*), **divirtiéndose** (*having fun*).

In **Gramática 5.1** you learned that the indirect object pronouns (**me, te, le, nos, os, les**) are frequently used with verbs of informing such as **hablar, preguntar,** and **contestar.** Review that section briefly.

Le dije que... = *I told you* *(pol. sing.)/him/her that . . .*
Me dijo que... = *You (pol. sing.)/He/She told me that . . .*
Le dijimos que... = *We told you (pol. sing.)/him/her that . . .*

Remember that **dijo** is a *preterite* form, not a present-tense form.

7.4 Reporting the Past: Indirect Object Pronouns with *decir*

In the preterite, the verb **decir** is commonly used with indirect object pronouns to report speech.

decir (*to say; to tell*)		
(yo)	dije	*I said*
(tú)	dijiste	*you (inf. sing.) said*
(usted, él/ella)	dijo	*you (pol. sing.) said; he/she said*
(nosotros/as)	dijimos	*we said*
(vosotros/as)	dijisteis	*you (inf. pl., Spain) said*
(ustedes, ellos/as)	dijeron	*you (pl.) said; they said*

Le dije que...   *I told (said to) you/him/her that . . .*
Te dijimos que...   *We told (said to) you that . . .*
Me dijo que...   *You/He/She told (said to) me that . . .*
Me dijeron que...   *You/They told (said to) me that . . .*

Note that the phrase **Le dijo que...** has several possible meanings; interpretation depends on the context.

Le dijo que...
{
He/She told him that . . .
He/She told her that . . .
He/She told you that . . .
You told him/her that . . .
}

Don Anselmo fue a la casa de doña Rosita y **le dijo que** sus hijos van a llegar pasado mañana.

Don Anselmo went to doña Rosita's house and told her that his children are going to arrive the day after tomorrow.

Ejercicio 8

Complete esta conversación telefónica usando pronombres de complemento indirecto (**me, te, le, nos, les**) y las formas correctas del pretérito del verbo **decir** (**dije, dijiste, dijo, dijimos, dijeron**).

GRACIELA: No oigo bien, Amanda. ¿Qué _____¹ _____²?
AMANDA: _____³ _____⁴ que no voy a estar en casa esta noche.
GRACIELA: ¡Ay, lo mismo _____⁵ _____⁶ tu hermano Guillermo! ¿Adónde vas?
AMANDA: Es que mi madre _____⁷ _____⁸ que hay una venta especial con precios muy rebajados hoy en El Palacio de Hierro.
GRACIELA: ¿Y qué _____⁹ _____¹⁰ tú a ella? ¿No _____¹¹ _____¹² que hoy tenemos mucha tarea?
AMANDA: Hummm... no, pero _____¹³ _____¹⁴ que tú quieres ir con nosotras. Es verdad, ¿no?
GRACIELA: Ay, sí, Amanda, sí quisiera acompañarlas, pero... ¡_____¹⁵ _____¹⁶ a mi papá que no voy a comprar más ropa este mes!
AMANDA: Pues, ven con nosotras pero... ¡deja tu dinero en casa!
GRACIELA: ¡Imposible!

7.5 Expressing *ago*: *hacer* + Time

¿Cuánto hace que llegaste? (*How long ago did you arrive?*)
Hace una hora. (*An hour ago.*)

¿Hace cuánto tiempo que usted se graduó? (*How long ago did you graduate?*)
Hace 10 años. (*Ten years ago.*)

The verb **hace** followed by an amount of time is equivalent to English expressions of time with *ago*.

hace cinco minutos	*five minutes ago*
hace una hora	*an hour ago*
hace dos años	*two years ago*
—¿Cuándo salió Ricardo?	—*When did Ricardo leave?*
—**Hace una hora.**	—*An hour ago.*

There are two ways to formulate the question *How long ago did . . . ?*

¿Cuánto (tiempo) hace que + *preterite*?
¿Hace cuánto (tiempo) que + *preterite*?

—Srta. Durán, ¿**cuánto** (**tiempo**) **hace que** usted **fue** a México?	—*Ms. Durán, how long ago did you go to Mexico?*
—**Fui hace tres años.**	—*I went three years ago.*

Ejercicio 9

Estela está de mal humor hoy, y acusa a Ernesto de no hacer nada para ayudarla. ¿Cómo puede defenderse Ernesto?

MODELO: ESTELA: ¡Tú nunca lavas los platos en esta casa!
ERNESTO: Pero, Estela, *lavé* los platos *hace una hora.* (Pero, Estela, *los lavé hace una hora.*)

1. ¡Tú nunca limpias el baño!
2. ¡Tú nunca barres el patio!
3. ¡La alfombra está sucia porque tú nunca pasas la aspiradora!
4. El pobre perro, ¡tú nunca lo bañas!
5. Estoy cansada de comer las mismas cosas. ¡Tú nunca me llevas a ningún restaurante elegante!

Ejercicio 10

¿Sabe usted mucho de historia? ¿Cuánto hace que... ?

MODELO: ¿Cuánto (tiempo) hace que terminó la Segunda Guerra Mundial? (1945) →
Terminó hace aproximadamente cincuenta y cinco años.

1. ¿Cuánto tiempo hace que Alejandro G. Bell inventó el teléfono? (1876)
2. ¿Cuánto tiempo hace que Gustave Eiffel construyó la Torre Eiffel? (1889)
3. ¿Cuánto hace que murió Pancho Villa? (1923)
4. ¿Cuánto tiempo hace que Colón llegó a América? (1492)
5. ¿Cuánto hace que murió Francisco Franco, el dictador de España? (1975)
6. ¿Cuánto hace que Alemania se unificó? (1990)
7. ¿Cuánto hace que los países de la antigua Unión Soviética se independizaron? (1991)

CAPÍTULO 8

La comida

▼▼▼▼▼▼▼▼▼▼▼▼▼▼▼▼▼▼▼▼▼▼▼▼

METAS

In **Capítulo 8** you will learn to talk about food, nutrition, shopping for and preparing food, and ordering meals in restaurants.

El Viejo San Juan, Puerto Rico

ACTIVIDADES DE COMUNICACIÓN Y LECTURAS

Las comidas, las bebidas y la nutrición

Lectura «Oda al tomate» (selecciones)

Las palabras viven El idioma de los aztecas

La compra y la preparación de la comida

El mundo hispano... su gente

El mundo hispano... imágenes

Nota cultural Algunos platillos hispanos

Las palabras viven ¡Estoy como agua para chocolate!

Los restaurantes

El mundo hispano... en los Estados Unidos

EN RESUMEN

GRAMÁTICA Y EJERCICIOS

8.1 Referring to Objects Already Mentioned: Impersonal Direct Object Pronouns **lo, la, los,** and **las**

8.2 More about Expressing Likes: The Verbs **gustar** and **encantar**

8.3 Expressing *for, from*, and *to whom*: Prepositions + Pronouns

8.4 Making Negative Statements and Questions: *No, never*

8.5 Expressing *one* or *you*: The Impersonal **se**

8.6 Using Stem-Changing Verbs like **pedir** and **servir**: Present-Tense and Preterite Forms

Actividades de comunicación y lecturas

Las comidas, las bebidas y la nutrición

Lea Gramática 8.1–8.4.

El desayuno

los huevos

el cereal

el yogur

el jugo de naranja

la leche

el tocino

el panecillo

el pan tostado con mantequilla

la fruta

el café

¿La leche? La bebemos todas las mañanas.

El almuerzo

la sopa

el sándwich de jamón y queso

la hamburguesa

los refrescos

los tacos

las galletas

las papas fritas

las galletitas

¿Las papas fritas? Siempre, las como para el almuerzo.

La cena

el bistec

la papa al horno

el pan

el vino

la ensalada de lechuga y tomate

las legumbres

el helado

el pastel

el flan

¿El vino? Lo compré ayer.

las enchiladas — el arroz

las tortillas de maíz

los frijoles

el postre

Actividad 1. Conversación: Las comidas del día

Diga si comemos estas comidas para el desayuno, para el almuerzo o para la cena.

MODELOS: ¿Los huevos revueltos? *Los comemos para el desayuno.*

¿La sopa? *La tomamos para el almuerzo o para la cena.*

los huevos revueltos
los guisantes
las legumbres
la sopa
el pan tostado con jalea
las hamburguesas
un sándwich
el pollo frito
las enchiladas
la coliflor
los tacos
los panqueques
el cereal
los espárragos
la ensalada de lechuga
el tocino
el yogur
las chuletas de cerdo
las papas fritas
el arroz
el maíz

Ahora diga con qué frecuencia usted come estos alimentos.

MODELOS: ¿El cereal? *Nunca lo como. No me gusta.*

¿Las enchiladas? *Las como siempre en un restaurante mexicano en mi vecindario.*

Actividad 2. Intercambios: La nutrición

¿Qué comidas son más ricas en proteína, en carbohidratos, en vitaminas? ¿Cuáles contienen más grasa? Mire los dibujos de las comidas en la página anterior. Trabajando con su compañero/a, pónganlas en uno (o más) de los cinco grupos de la tabla a continuación.

MODELO: E1: El arroz tiene muchos carbohidratos.
E2: Sí. Y las papas fritas contienen mucha grasa.

LA PROTEÍNA	LOS CARBOHIDRATOS	EL CALCIO	LAS VITAMINAS A y C	LA GRASA
	el arroz			*las papas fritas*

LAS PALABRAS VIVEN

VOCABULARIO ÚTIL

| la guanábana | *soursop* |
| la batata | *sweet potato* |

Algunas frutas y legumbres: Las frutas y las legumbres reciben nombres diferentes en los países hispanos. A veces los nombres vienen del idioma indígena de cada país. Por ejemplo, las **judías verdes** son **ejotes** en México (del náhuatl, el antiguo idioma de los aztecas).

Hay frutas que no se comen en algunos sitios. La razón es que cada país tiene su propio clima y vegetación. Algunas frutas, como **la guanábana** en la región del Caribe, requieren un clima tropical y, claro, no se cultivan en países de clima frío.

La palabra para **legumbres** es **verduras** en algunos países y **hortalizas** en otros. (**Los vegetales** son plantas de cualquier tipo.) En Uruguay y Argentina **las fresas** son **frutillas**. En España, México y otros países, **la banana** es **plátano.** Y **la batata** es **camote** en México, **ñame** en los países andinos y **boniato** en Cuba. En España se le llama **patata** a **la papa** y **zumo** al **jugo de fruta**.

Otras comidas: La palabra más común para **sándwich** en España es **bocadillo**; en México es **la torta.** Y **el pastel** tiene varios nombres: es **bizcocho** en Puerto Rico, **queque** en Colombia y **torta** en España. Y en Cuba dicen **el cake**, que se pronuncia **quey** y a veces se escribe así también.

Para decir **helado** en México, se usa una palabra que viene del clima. Es fría, blanca y cae del cielo. ¿Sabe lo que es? Sí, en México el helado es **la nieve.** Finalmente, ¿sabe usted como se dice *junk food* en ese país? Pues... es **comida chatarra.**

Actividad 3. Encuesta: Mis bebidas favoritas

Escoja su bebida favorita según la ocasión. Use **me gusta** o **prefiero**.

MODELO: en la mañana →
Cuando me levanto en la mañana *me gusta tomar una taza de café con leche*.

POSIBILIDADES

agua mineral	jugos naturales (de	refrescos
batidos de leche	tomate, de naranja,	té caliente
café	de pera, de toronja)	té helado
cerveza	leche	vino
chocolate	limonada	

1. para el desayuno
2. para el almuerzo
3. en una fiesta de Año Nuevo
4. después de hacer ejercicio
5. para dormir
6. cuando hace frío
7. cuando hace calor
8. en un restaurante

Actividad 4. Del mundo hispano: Una dieta para mejorar la salud

Una dieta ideal

DESAYUNO

▶ jugo o porción de fruta: media toronja o una naranja entera, una porción de piña, durazno, uvas o manzanas

▶ Escoja uno: (a) cereal frío o caliente, (b) huevos revueltos o cocidos

▶ un panecillo con un poco de margarina (no use mantequilla)

▶ una taza de café, té (sin azúcar) o leche

ALMUERZO

▶ Seleccione uno de los grupos siguientes:

■ una ensalada de lechuga y tomate y una taza de sopa de legumbres

■ una ensalada de lechuga con trozos pequeños de queso o pollo, vinagre y muy poco aceite

■ una ensalada de fruta fresca sin azúcar

■ un sándwich de atún o una porción de pescado

▶ jugo de tomate, agua mineral, un refresco sin azúcar

CENA

▶ un vaso de jugo de tomate o una ensalada pequeña

▶ pollo horneado o pescado a la parrilla

▶ una papa horneada o arroz, sin mantequilla

▶ legumbres: bróculi, coliflor o habichuelas

▶ té frío sin azúcar o café sin azúcar

▶ una porción de fruta fresca o una porción de queso

Imagínese que usted necesita comer mejor para mejorar su salud. Aquí tiene algunas sugerencias para una dieta. Escoja los alimentos que usted va a comer mañana. Diga lo que le gusta y lo que no le gusta. ¡No coma demasiado!

Actividad 5. Conversación: La mesa

Parte 1. Diga para qué sirven estos objetos de la mesa. Use las palabras y frases útiles de la próxima página.

MODELO: *El salero* sirve para *guardar la sal.*

PALABRAS Y FRASES ÚTILES

las bebidas	guardar la pimienta	servir la comida
comer	guardar la sal	tomar café o té
cortar la comida	limpiarse la boca	tomar la sopa
cubrir la mesa	preparar la ensalada	

Parte 2. Ahora, trabaje con un compañero / una compañera para decir dónde están esos objetos en el dibujo. Usen **al lado de, entre, a la derecha de, a la izquierda de, enfrente de** o **encima de.**

MODELO: E1: ¿Dónde está *el tenedor*?
          E2: Está *a la izquierda del* plato.

Actividad 6. Entrevista: La comida en casa

1. ¿Qué desayunas normalmente? ¿Qué comiste esta mañana antes de salir de tu casa?
2. ¿Qué almuerzas generalmente? ¿Qué almorzaste hoy? ¿Qué vas a almorzar mañana?
3. ¿Tomas café durante el día? ¿Lo tomas con o sin azúcar? ¿con o sin leche? ¿Cuál te gusta más, el té caliente o el café?
4. ¿Comes entre comidas? ¿Qué comes?
5. ¿Prefieres comer más al mediodía o por la noche? ¿Por qué? ¿Cenas en tu casa, generalmente? ¿Con quién(es)? ¿Qué cenan?
6. ¿Qué prefieres de postre? ¿Siempre comes postre?
7. ¿Generalmente comes mientras ves la televisión? ¿Te gustan las palomitas de maíz? ¿Les pones mantequilla o sal? ¿Qué otra cosa te gusta comer?

LECTURA

«Oda al tomate» de Pablo Neruda (selecciones)

Pablo Neruda (Chile, 1904–1973) es uno de los más grandes poetas y escritores de la literatura hispana. Neruda recibió el Premio Nóbel de Literatura en 1971.[1] Entre sus muchos libros, hay varios de gran popularidad: *Veinte poemas de amor y una canción desesperada*, *Odas elementales* y sus memorias, *Confieso que he vivido*.

En *Odas elementales* Neruda dedicó una serie de odas a objetos, legumbres y otros elementos de la vida diaria. En esta colección hay poemas que describen, por ejemplo, el libro, el reloj, la cebolla y hasta el tomate.

Sí, es posible escribir un poema sobre un tomate. ¡Aquí tiene usted uno!

---

[1]En 1995 la poesía de Neruda se hizo aún más popular en todo el mundo con la película *Il Postino* (*The Postman*). Esta excelente película italiana narra las relaciones entre el poeta chileno y un cartero.

La calle
se llenó de tomates,
mediodía,
verano,
la luz
se parte[2]
en dos
mitades[3]
de tomate,
corre
por las calles
el jugo.
En diciembre
se desata[4]
el tomate,
invade
las cocinas,
entra por los almuerzos,
se sienta
reposado[5]
en los aparadores,[6]
entre los vasos,
las mantequilleras,[7]
los saleros azules.
Tiene
luz propia,[8]
majestad benigna[9]...
Debemos, por desgracia,[10]
asesinarlo:
se hunde
el cuchillo
en su pulpa viviente,[11]
es una roja
víscera,
un sol fresco,
profundo,
inagotable,[12]
llena las ensaladas
de Chile...

[2]se... *breaks*   [3]*halves*   [4]*se... breaks away*
[5]*calmado*   [6]*sideboards*   [7]*butter dishes*
[8]luz... *its own light*   [9]*buena*   [10]*por... unfortunately*   [11]se... *the knife sinks into its living pulp*   [12]*inexhaustible*

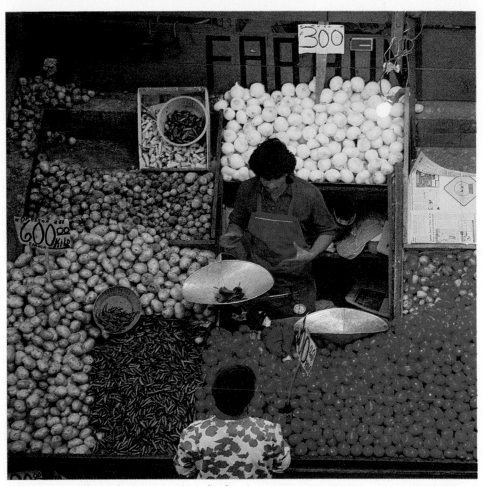

«La calle / se llenó de tomates, / mediodía, / verano... »

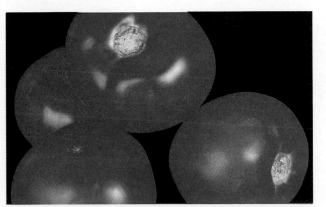

«Tiene / luz propia, / majestad benigna... / es... un sol fresco, / profundo,... »

Comprensión

1. ¿En qué momento del día se describe el tomate?
2. ¿Qué estación y qué mes del año menciona el poeta? ¿Cómo se comparan con las estaciones y los meses en los Estados Unidos?
3. El poeta «personifica» el tomate, es decir, la legumbre del poema tiene atributos humanos y hace varias cosas. Mencione tres de las acciones del tomate.

Ahora... ¡usted!

1. ¿Le gustan los tomates? ¿Qué otras legumbres o frutas le gustan? ¿Cuáles no le gustan y por qué no?
2. Normalmente, ¿qué le pone usted a una ensalada?

 Un paso más... ¡a escribir!

Escriba un breve poema sobre su legumbre favorita o la fruta que más le gusta. ¿De qué color es? ¿Qué vitaminas tiene? ¿En qué estación del año se cosecha más? ¿Por qué le gusta? Empiece con los siguientes versos de Neruda.

> La calle
> se llenó de...

LAS PALABRAS VIVEN

El idioma de los aztecas

En el español que se habla en México hay muchas palabras que vienen del náhuatl. Éste es el idioma que hablaban los aztecas, habitantes de México al llegar los españoles allí en 1519.

En todo el mundo hispano hay una gran cantidad de alimentos que heredamos de los antiguos mexicanos: entre otros, *aguacatl* (**aguacate**), *xocolatl* (**chocolate**), *jitomatl* (**tomate**), *guajolotl* (**guajolote, pavo**), *ejotl* (**ejotes**) y *elotl* (**elote**).

Las siguientes palabras del náhuatl forman parte del idioma español en México y otros países: *mexica, coyotl, tomatl* y *chilli*. ¿Puede usted adivinar lo que significan esas palabras?

México, D.F.: Uno de los temas en la obra del artista mexicano Diego Rivera es el de la colonización de México.

La compra y la preparación de la comida

Lea Gramática 8.5.

Las carnes, las aves, el pescado y los mariscos

la carne de res

el cangrejo

la langosta

las almejas

los camarones

el hígado

el pollo

el pescado

las ostras

A mí no me gusta el hígado.

¡A mí tampoco!

las mazorcas de maíz

Las legumbres

las zanahorias

el apio

el ajo

las habichuelas

los guisantes

los tomates

las calabacitas

la cebolla
el pepino

los rábanos

¿Te gusta el ajo?

¡Ay, no! Nunca lo como.

¿Hay papayas?

Sí, pero ninguna está madura.

la piña

el durazno

Las frutas

las fresas

el mango

la naranja

la papaya

la sandía

las uvas

los albaricoques
el plátano
(la banana)

Actividad 7. Definiciones: Las comidas

Combine la definición a la izquierda con un alimento a la derecha.

1. _____ Es una legumbre anaranjada que contiene vitamina A.
2. _____ Esta fruta de cáscara amarilla crece en las zonas tropicales.
3. _____ Ésta es una fruta tropical, anaranjada por dentro y verde por fuera.
4. _____ Se pone en la ensalada.
5. _____ Es blanca, como el azúcar, pero no es dulce.
6. _____ Éstas son uvas secas.
7. _____ Es un líquido dorado, muy espeso y muy dulce.
8. _____ Es una legumbre larga y verde que se usa con frecuencia en las ensaladas.
9. _____ Se cocinan por tres o cuatro horas y se sirven con tortillas; son muy populares en la cocina mexicana.
10. _____ Es un postre hecho de huevos, leche y azúcar, muy popular en los países hispanos.

a. la sal
b. los frijoles
c. el pepino
d. el flan
e. las pasas
f. el plátano
g. la zanahoria
h. el aderezo
i. la miel
j. el mango

EL MUNDO HISPANO... su gente

Para mí, una cena ideal es...

« ... una cena sentados a la mesa y teniendo primer plato,[1] segundo plato y postre. Para la cena no me gusta nada muy pesado,[2] sino más bien ligero. Una sopa o un puré primero y una tortilla o carne después. De postre... un mousse.»
María del Carmen Méndez Navarro, española

« ... una pizza preparada por mí con atún y queso.»
Joaquín Zasueta Ortiz, español

« ... frijolitos fritos, queso, jamón, tortilla de harina o pollo con papas, con jugo de naranja.»
Xiomara Zendejas, hondureña

« ... arroz con frijolitos arreglados,[3] tamales (un platillo típico costarricense), puré de papas y té frío.»
José Antonio Vásquez, costarricense

« ... una copa de helado de vainilla, con nueces y bañado[4] de chocolate caliente (¡Mmmmmmm!).»
Katia Capaldi, argentina

« ... un pollo al horno con papas y verduras, con empanadas de entrada y panqueques con dulce de leche de postre.»
Verónica Lugo, argentina

[1]primer... *first course*   [2]*heavy*   [3]arroz... *rice covered with beans*   [4]*drenched*

Actividad 8. Del mundo hispano: Supermercado El Diamante

Imagínese que usted va a ir al supermercado El Diamante en Puerto Rico para hacer las compras. Estudie las dos listas y calcule el precio total de cada una.

LISTA 1

1   paquete de tocino
2   latas de sopa de legumbres
2   aguacates
3   libras de carne molida
2   libras de limones
14   onzas de avena

LISTA 2

1   libra de carne molida
1   tarro de 16 onzas de mayonesa
3   libras de cebollas amarillas
1   paquete de zanahorias
2   libras de manzanas
1   sandía de ocho libras

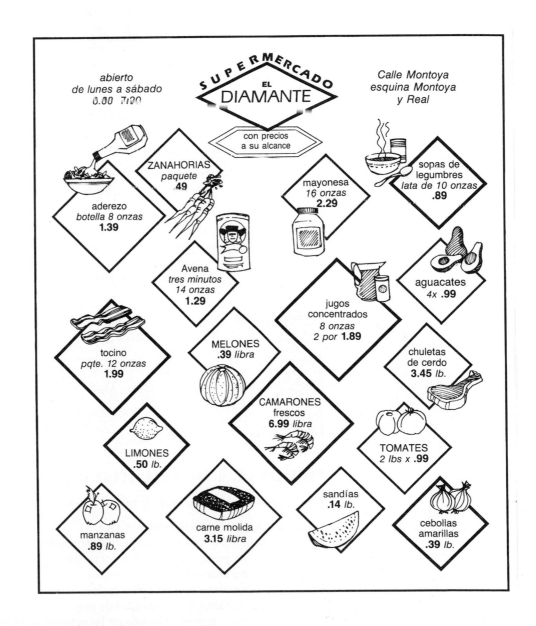

EL MUNDO HISPANO... imágenes

Todos juntos a la hora de comer. Después del postre, los adultos se quedan sentados a la mesa para la «sobremesa»: conversación y café. Para muchos hispanos, la sobremesa es una parte esencial —¡y divertida!— de la comida. Es el momento de charlar y compartir[1] impresiones, ideas y gustos. ¡Muchas veces la sobremesa dura más tiempo que la comida misma!

[1]share

España: la comida en familia

Actividad 9. Asociaciones: Los alimentos

En cada grupo de palabras a continuación hay una que no pertenece a la lista. Búsquela y explique por qué no pertenece.

MODELO: la salchicha, la hamburguesa, la chuleta, la pera →
La pera no pertenece a esta lista porque *no es carne.*

1. el apio, el pepino, la avena, los guisantes
2. el flan, el helado, las aceitunas, el pastel
3. la miel, la mazorca de maíz, la mermelada, la jalea
4. el plátano, las almejas, los camarones, la langosta
5. las nueces, el albaricoque, la piña, la toronja

▇ OLAFO

Actividad 10. Orden lógico: ¿Cómo se prepara... ?

Ponga en orden los pasos para la preparación de estas comidas.

UN SÁNDWICH DE JAMÓN Y QUESO
_____ Se cortan varias rebanadas de tomate.
_____ Se pone mayonesa y mostaza en las dos rebanadas de pan.
_____ Se corta el jamón y el queso.
_____ Se come con un refresco frío.
_____ Se sacan dos rebanadas de pan.
_____ Se le agrega la lechuga y las rebanadas de tomate.

UNA QUESADILLA MEXICANA

_____ Se saca la quesadilla de la sartén.

_____ Se dobla la tortilla.

_____ Se saca una lata de chiles y una tortilla de harina.

_____ Se pone en una sartén.

_____ Se pone el queso y un chile en un lado de la tortilla.

_____ Se tapa la sartén y se fríe la quesadilla tres minutos de cada lado.

_____ Se ralla el queso.

_____ Se sirve con salsa y se come.

Actividad 11. Narración: Vamos a preparar chiles rellenos

Narre los pasos en la preparación de los chiles rellenos.

a. b. c. d.

e. f. g. h.

PALABRAS ÚTILES

primero   después
luego   finalmente

Actividad 12. Entrevista: Hacer la compra

1. ¿Quién hace la compra en tu casa?
2. ¿Se compran todos los comestibles en un supermercado o en varias tiendas pequeñas?
3. ¿Compras muchas legumbres y frutas?
4. ¿Compras muchas comidas pre-elaboradas? ¿Lees las etiquetas de las comidas para determinar si contienen colorantes o conservadores?
5. ¿Quién prepara las comidas en tu casa?
6. ¿Te gusta cocinar? ¿Qué platos sabes preparar?
7. ¿Compras mucha comida chatarra? ¿Qué compras?

NOTA CULTURAL

VOCABULARIO ÚTIL

¡pruebe!	*try!*
la cocina	*cuisine*
pescado en escabeche	*fish in a marinade of oil, vinegar, and spices*
están de moda	*are popular*
los boquerones	*small sardines*
la ensaladilla	*potato salad*

Algunos platillos hispanos

En esta Nota cultural se mencionan varios platillos típicos de España y América Latina. Todos son verdaderamente deliciosos. Lea las descripciones y... ¡pruebe la cocina hispana!

La cocina hispana es muy variada. Dentro de un mismo país, los platos y la manera de prepararlos varían de región a región. El **arroz con pollo** se come especialmente en el Caribe: es un plato de arroz con trozos de pollo y tomate, aceitunas y otros condimentos. Las **empanadas**, populares en muchos países de América del Sur, son pasteles rellenos de diferentes tipos de carnes. En Argentina varios platillos llevan **fideos**. En ese país también se preparan exquisitas **parrilladas**: una variedad de carnes —cerdo, cordero, ternera, salchichas— cocinadas a la parrilla. Y los peruanos tienen platillos deliciosos: entre otros, el **ají de gallina**, que es pollo cocinado en una crema de nueces, y el **cebiche**, un plato de pescado en escabeche.

La deliciosa paella es el plato más conocido de España.

La rica **paella valenciana** que se ve en la foto es el plato más conocido de España. La paella es un plato de arroz que lleva mariscos y también puede llevar pollo, chorizo y verduras. Otro platillo típico es la **tortilla española**, un tipo de *omelet* hecho de huevos, cebollas, patatas y otras legumbres. La tortilla española se sirve muchas veces como «tapa».

Ahora las **tapas** españolas están muy de moda en los Estados Unidos. Las tapas son pequeñas porciones de comida que se sirven en los bares de España; por lo general acompañan el vino o la cerveza. Las tapas pueden ser muy sencillas —**aceitunas y cacahuetes**— o platillos más elaborados, como la tortilla. Algunas de las tapas que más se comen en

En los bares, la copa de vino y la cerveza van acompañadas de una variedad de tapas: aceitunas, pescado frito, cacahuetes, patatas fritas, trozos de tortilla española y todo tipo de fiambres.

España son los **calamares**, los **boquerones fritos**, la **ensaladilla** y todo tipo de **carnes** frías o calientes.

Una de las diversiones favoritas de los españoles es «ir de tapas». Esto quiere decir que van de un lugar a otro probando una variedad de tapas. Es una oportunidad ideal para pasar tiempo con los amigos. ¡Buena conversación y rica comida!

El cebiche peruano

Comprensión

¿Qué ingredientes se usan en estos platillos hispanos? ¡Cuidado! Algunos se usan en más de un platillo.

1.	el arroz con pollo	**a.**	las aceitunas
2.	la paella	**b.**	los mariscos
3.	la tortilla española	**c.**	los huevos
4.	las empanadas	**d.**	las verduras
5.	las tapas	**e.**	las papas
6.	la parrillada	**f.**	la carne de cerdo
7.	el cebiche	**g.**	el pescado
8.	el ají de gallina	**h.**	la ternera
		i.	las salchichas
		j.	el pollo

Ahora... ¡usted!

1. ¿Cuáles de los platillos mencionados no conoce pero le gustaría probar? ¿Cuáles *no* le gustaría probar? Explique.
2. En algunas partes de los Estados Unidos son populares los «*tapa bars*», que en muchos casos funcionan más como restaurantes que como bares. ¿Conoce usted alguno de estos lugares? ¿Le gustan las tapas? ¿Cuáles prefiere?

 ## Un paso más... ¡a escribir!

Imagínese que hay una fiesta en su clase de español y que usted y su compañero/a van a planear el menú. El cocinero de un restaurante hispano cercano va a preparar todos los platillos. ¿Cuáles van a incluir ustedes? ¿Por qué? Traten de incluir otros no mencionados en la Nota cultural. ¡Hay muchos platillos en la cocina hispana!

Después, escríbanle una nota a su profesor(a) para convencerlo/la de la necesidad de incluir en la fiesta los platillos que ustedes quieren. Pueden usar el siguiente modelo.

Estimado profesor / Estimada profesora:

Gracias por permitir la fiesta en la clase. Mi compañero/a, _____, y yo pensamos que el menú debe incluir los siguientes platos: _____, _____, y _____. Seleccionamos estos platillos porque...

¡Gracias por su consideración!

Afectuosamente,

(*su firma*)

LAS PALABRAS VIVEN

VOCABULARIO ÚTIL

el enojo	*anger*
queda lista	*is ready*
las recetas	*recipes*

¡Estoy como agua para chocolate!

En México se usa la frase coloquial **como agua para chocolate** para expresar la idea de «mucho enojo». Si una persona dice «¡Estoy como agua para chocolate!», eso quiere decir que está muy enojada (en inglés, *madder than hell*). ¡A punto de hervir como el agua!

La expresión tiene su origen en la preparación del chocolate caliente. Para hacerlo, se pone agua a calentar y cuando empieza a hervir, se le echan trozos de chocolate en barra. La rica bebida queda lista muy pronto.

La escritora mexicana Laura Esquivel usó esta frase para el título de su novela *Como agua para chocolate* (1990), donde aparecen varias recetas de la cocina de México. El libro fue adaptado después al cine, y resultó ser una película muy popular. La verdad es que el título es muy apropiado: en la novela de Esquivel se combinan los temas de la comida, el enojo y el amor apasionado.

Laura Esquivel, autora de la novela *Como agua para chocolate*.

Por tradición, el chocolate se bate a mano con un molinillo como éste.

Los restaurantes

Lea Gramática 8.6.

Pedro y Andrea pidieron una ensalada, bistec al punto, papas fritas y bróculi.

El cocinero les preparó un platillo especial.

El mesero les sirvió la comida.

Andrea tomó una copa de vino tinto, pero Pedro prefirió tomar agua mineral.

Comieron con gusto.

Pagaron la cuenta con su tarjeta de crédito.

Dejaron una buena propina.

la carne cruda   el bistec   poco asado/ poco cocido   al punto/ cocido   bien asado/ bien cocido

Actividad 13. Narración: Mayín Durán sale a cenar

Lea las siguientes oraciones y póngalas en orden, según los dibujos. Luego, trabaje con un compañero / una compañera para narrar la historia.

_____ Comieron y conversaron.

_____ Pidieron la cuenta.

_____ Mayín pidió agua mineral y su amigo pidió un refresco.

_____ Mayín y su amigo pidieron la comida.

_____ Los dos pidieron postre.

_____ Pagaron la cuenta y dejaron una propina.

_____ Salieron a cenar.

_____ El mesero les sirvió la comida.

_____ Tomaron sus bebidas y conversaron, y luego el mesero les preguntó si estaban listos para pedir.

_____ Salieron a pasear.

_____ El mesero les preguntó si querían tomar algo.

_____ Leyeron el menú.

Actividad 14. Intercambios: Restaurante Mi Casita

Con su compañero/a, lean el menú del Restaurante Mi Casita. Primero miren los precios; después escojan las comidas y bebidas que van a pedir y digan por qué las van a pedir. Sigan los modelos.

MODELOS: E1: ¿Cuánto cuestan *los tamales de puerco*?
E2: Cuestan *$12.00 pesos*.

E1: ¿Qué vas a pedir?
E2: Me gustaría pedir *los chiles rellenos de queso*, pero voy a pedir *el chop suey porque estoy a dieta*.

E1: Voy a pedir *una hamburguesa*, porque *me fascina la comida norteamericana* (*la comida de los Estados Unidos*).

Restaurante Mi Casita
Rica comida mexicana e internacional a precios módicos

Plato del día:
Lasaña, pan de ajo, ensalada mixta, sopa minestrone $18.50

Antojitos mexicanos

Se sirven para el almuerzo y la cena. (Con cada uno se incluye pan o tortillas, ensalada, arroz y frijoles o sopa del día.)

Enchiladas (3)	verdes o rojas	$17.50
Tostadas (2)	de res o de pollo	12.50
Tacos (4)	de res o de pollo	13.00
Burritos (2)	de res y/o frijoles	9.90
Chiles rellenos (2)	de carne o queso	16.00
Tamales de puerco con chile verde (3)		12.00
Tamales dulces con almendras y pasas (3)		9.50

Rincón internacional

De España:	Rica paella valenciana (mínimo tres personas)	$45.00
De Perú:	Sabrosísimo cebiche	12.00
De los Estados Unidos:	Las mejores hamburguesas al sur de la frontera	14.00
De Italia:	Exquisita pizza de la casa (tamaño grande)	45.00
De China:	Delicioso y ligero chop suey de pollo	18.60

Desayuno
(Incluye pan o tortillas.)

Huevos rancheros	$17.50
Cereal frío	6.30
Avena	5.00
Leche (vaso)	4.50
Jugos frescos (vasito)	5.50
Fruta fresca (3 piezas)	7.80

Sopas

Caldo de res con legumbres	$9.00
Crema de espárragos	8.30
Crema de hongos	7.15
Minestrone	10.50
Sopa del día	5.50

Bebidas

Cerveza Carta Blanca	$6.30
Cerveza Tecate	5.50
Cerveza Superior	7.00
Cerveza Bohemia	4.90
Refrescos	3.15
Limonada	4.00
Té helado con limón	2.90
Tehuacán (Agua mineral)	3.00
Tehuacán de sabores	4.65
Café	3.15
Té caliente	2.50
Vino tinto (copa)	10.50
Vino blanco (copa)	11.50

Postres

Arroz con leche	$6.00
Flan	8.00
Helado de fresa o vainilla	9.50
Melocotón en almíbar	5.15
Mango en almíbar	9.15
Pastel (rebanada)	7.00

RECOMENDAMOS

22 **LA POSTA DEL**
puntos **ANGEL**
Santa Clara del
Mar (Mar del Plata). Reservas al
(023) 602-2311/2384. Abadejo a
la argelina. Inviernos, fines de semana de 12 a 05 hs. Entre $ 15 y
$ 30 por persona.

18 **LOS TRONCOS**
puntos Suipacha 732. Re-
servas al 322-
1295.Parrilla. Chivito al asador.
Todos los días, de 11 a 02 hs.
Entre $ 17 y $ 22 por persona.

15 **OVIEDO**
puntos Berutti 2602. Re-
servas al 83-5415.
Cocina porteña y especialidades
españolas. Langostinos al ajillo.
Todos los días mediodía y noche.
Entre $ 13 y $ 30 por persona.

16 **POMODORO**
puntos Juan F. Seguí
3760. Reservas al
802-3709. Lomo Pomodoro. Todos los días mediodía y noche. Entre $ 11 (menú ejecutivo mediodía)
y $ 15 (menú de la noche).

Actividad 15. Del mundo hispano: Dónde comer en Buenos Aires

Primero lea las recomendaciones de una revista argentina que están a la izquierda.
Luego conteste estas preguntas con su compañero/a.

1. De los cuatro restaurantes recomendados, ¿cuál es el mejor? ¿Cuántos puntos recibió?
2. De los restaurantes que se recomiendan en la revista, ¿cuáles son «buenos»? ¿Cuáles son «normales»? ¿Cuáles son «muy buenos»? ¿Hay alguno «excelente»?
3. ¿Cuáles son los elementos que se consideran para calificar un restaurante? ¿Cuál de todos es el más importante, en tu opinión? ¿Por qué?
4. ¿En cuál de los restaurantes es más barata la comida?
5. ¿En cuál de todos te gustaría cenar? ¿Por qué?

Ahora usen las descripciones de la revista como modelos para hablar con su compañero/a de algunos de los restaurantes de su ciudad.

RESTAURANTES

 0/10 puntos MALO REGULAR   **11/15** puntos NORMAL   **16/20** puntos BUENO   **21/25** puntos MUY BUENO   **26/30** puntos EXCELENTE

¡REÍR ES VIVIR!

Situaciones en el restaurante

—¡Camarero!
—A sus órdenes, señor.
—¿Tiene algo frío?
—Sí, los pies.

—¡Mesera! ¡Señorita mesera!
—¿Sí, señor? ¿Qué pasa?
—¡En esta sopa hay una mosca!
—Ay, no se preocupe; está muerta.

Actividad 16. Entrevista: Los restaurantes

1. ¿Qué clase de restaurante te gusta más?
2. ¿Te gusta la comida japonesa? ¿la comida china? ¿Qué otro tipo de comida internacional te gusta?
3. ¿Cuál es el restaurante más elegante cerca de tu casa? ¿Comes allí con frecuencia? ¿Te gusta la comida? ¿el ambiente? ¿Te gustan los precios? ¿Es necesario hacer una reservación?
4. ¿Conoces algún restaurante vegetariano? ¿Sirven buena comida allí?
5. ¿Cuánto consideras que se debe pagar por una comida excelente en un buen restaurante?
6. ¿Cuántas veces por semana comes fuera de casa? ¿Comes frecuentemente en algún lugar en especial? ¿Dónde?
7. ¿Vas mucho a los restaurantes de «servicio rápido»? ¿Cuál de ellos es tu favorito? ¿Por qué?
8. ¿Con quién prefieres ir a un restaurante? ¿Por qué?

EL MUNDO HISPANO... en los Estados Unidos

Jaime Gómez es colombiano; tiene 37 años y vive en Princeton, Nueva Jersey. Jaime lleva 14 años en los Estados Unidos.

Describa algunos platillos típicos de su país de origen. ¿Cuáles son sus favoritos? ¿Come usted esos platillos en los Estados Unidos? ¿Los prepara en su casa o los come en un restaurante?

En Colombia disfrutamos de innumerables y deliciosos platos típicos; hay varios por cada región y uno para cada ocasión. Entre mis favoritos está *la bandeja paisa*, típica del departamento de Antioquía. Como su nombre lo indica, es una bandeja[1] de frijoles rojos, arroz, carne molida, huevo frito, patacón (plátano frito), chicharrón (cuero de cerdo frito) y aguacate.

　　Otro de mis platillos favoritos es el *ajiaco bogotano*, una sopa que se prepara con pollo, tres o cuatro clases de papas diferentes, cilantro, cebolla, alcaparras,[2] crema de leche y aguacate.

　　En los Estados Unidos hay algunos restaurantes latinos donde se encuentra la bandeja paisa, pero el ajiaco es más difícil de encontrar; por eso a mí me gusta prepararlos en mi casa en ocasiones especiales.

[1]*casserole*　[2]*capers (plant and fruit)*

Princeton, New Jersey

los Estados Unidos

EL OCÉANO ATLÁNTICO

EL OCÉANO PACÍFICO

Antioquía

Bogotá

Colombia

SUDAMÉRICA

EL OCÉANO PACÍFICO

EL OCÉANO ATLÁNTICO

En resumen

De todo un poco

Cuadros de preferencias

Complete los siguientes cuadros según sus propias preferencias.

EN MI CASA SERVIMOS LAS SIGUIENTES COMIDAS CON FRECUENCIA

COMIDAS	RAZÓN
1.	
2.	
3.	
4.	
5.	

ALGUNAS POSIBILIDADES

No tiene mucha grasa.
Es saludable.
Tiene poco colesterol.
Nos encanta a todos.
Los ingredientes son baratos.

EN MI CASA NUNCA SERVIMOS ESTAS COMIDAS

COMIDAS	RAZÓN
1.	
2.	
3.	
4.	
5.	

ALGUNAS POSIBILIDADES

Tiene mucha grasa.
Es muy picante.
Tiene mucho colesterol.
No nos gusta.
Los ingredientes cuestan mucho.

Ahora, charle con un compañero / una compañera sobre el contenido de los cuadros.

¡Dígalo por escrito!

Un propósito empresarial

Trabajando con un compañero / una compañera, imagínense que van a comprar un restaurante y que necesitan un préstamo de un banco local. Escriban un plan detallado del negocio para presentárselo al banco que les va a prestar el dinero. Incluyan en el plan respuestas a las siguientes preguntas y también agreguen otra información importante. ¿Cómo se llama el restaurante? ¿Dónde está? ¿Cuántos camareros van a necesitar? ¿Van a servir tres comidas diarias o sólo el almuerzo y/o la cena? ¿Cuál es el horario del restaurante? ¡No se les olvide incluir el menú!

VIDEOTECA

 A todos les gusta comer y cenar en restaurantes... y a pocos les gusta hacer las compras. En este episodio en Sevilla, Lola se prepara para ir al mercado. Escuche bien y apunte la comida que necesita comprar. Su esposo, Manolo, le dice que no tiene que ir al mercado, que van a cenar en un restaurante. ¿Cómo es el ambiente del restaurante? ¿Qué piden de comer Manolo y Lola? En el Capítulo 8 del *Cuaderno de trabajo* hay más actividades para hacer después de ver el video.

Vocabulario

El desayuno — Breakfast

la avena	oatmeal
los huevos (fritos, cocidos, revueltos)	eggs (fried, hard-boiled, scrambled)
el panecillo	roll, bun
los panqueques	pancakes
el pan tostado	toast
el tocino	bacon

REPASO: el cereal, el pan

El almuerzo y la cena — Lunch and Dinner

el caldo	clear soup
la papa al horno	baked potato
las papas fritas	French fries
el plato (platillo)	prepared dish
el queso	cheese
la salchicha	sausage; frankfurter, hot dog

PALABRAS SEMEJANTES: la enchilada, la pizza, el sándwich, la sopa, la tortilla

REPASO: la ensalada, la hamburguesa

En el restaurante — In the Restaurant

el ambiente	atmosphere
la comida	meal
la cuenta	bill, check
el postre	dessert
la propina	tip
la tarjeta de crédito	credit card

PALABRAS SEMEJANTES: el menú, la reservación

REPASO: atender (ie), la cena, cenar, la comida, la mesa, el mesero / la mesera, pagar, servir (i)

La carne — Meat

el ave	poultry
el bistec	(beef)steak
la carne de cerdo/puerco	pork
la carne molida	ground beef
la carne de res	beef
las chuletas (de cerdo/puerco)	(pork) chops
el hígado	liver
el jamón	ham
el pollo (frito)	(fried) chicken

El pescado y los mariscos — Fish and Seafood

las almejas	clams
el atún	tuna
los camarones	shrimp
el cangrejo	crab
la langosta	lobster

Las legumbres — Vegetables

el apio	celery
la calabacita	summer squash
la cebolla	onion
los frijoles	beans
los guisantes / los chícharos / las arvejas	green peas
las habichuelas / los ejotes	green beans
los hongos	mushrooms
la lechuga	lettuce
el maíz	corn
la mazorca de maíz / el elote	ear of corn
la papa	potato
el pepino	cucumber
el rábano	radish
la zanahoria	carrot

PALABRAS SEMEJANTES: el bróculi, la coliflor, los espárragos, el tomate / el jitomate

Las frutas y las nueces — Fruits and Nuts

el aguacate	avocado
el albaricoque	apricot
las almendras	almonds
los cacahuetes	peanuts
el durazno (el melocotón)	peach
la fresa	strawberry
la manzana	apple
la nuez (las nueces)	walnut(s)
las pasas	raisins
la piña (el ananá)	pineapple
el plátano	banana
la sandía	watermelon
la toronja (el pomelo)	grapefruit
las uvas	grapes

PALABRAS SEMEJANTES: la banana, el limón, el mango, el melón, la papaya, la pera

REPASO: la naranja (la china)

Los postres — Desserts

el arroz con leche	rice pudding
la crema	cream
el flan	sweet custard
las galletitas	cookies

REPASO: el helado, el pastel, el yogur

Las bebidas — Drinks

el batido (de leche, de frutas)	(milk, fruit) shake
el jugo natural	fresh-squeezed juice
el té (caliente, frío, helado)	(hot, cold, iced) tea
el vino (blanco, tinto)	(white, red) wine

PALABRAS SEMEJANTES: el agua mineral

REPASO: el agua, el café, la cerveza, la leche, la limonada, el refresco

Los condimentos, las especias y otros ingredientes — Condiments, Spices, and Other Ingredients

el aceite	oil
la aceituna	olive
el aderezo	(salad) dressing
el ajo	garlic
el almíbar	syrup
el arroz	rice
el azúcar	sugar
el conservador	preservative
la harina	flour
la jalea	jelly
la mantequilla	butter
la miel	honey
la mostaza	mustard
la pimienta	pepper
la sal	salt

PALABRAS SEMEJANTES: la grasa, la margarina, la mayonesa, la mermelada, la salsa, la vainilla, el vinagre

La mesa y los cubiertos — Table Setting and Utensils

la azucarera	sugar bowl
la cuchara	spoon
la cucharita	teaspoon
el cucharón	ladle
el cuchillo	knife
la fuente de sopa	soup tureen
la jarra	jug
el mantel	tablecloth
el pimentero	pepper shaker

el platillo	saucer
el plato hondo	bowl
el salero	salt shaker
la servilleta	napkin
la taza	cup; mug
el tenedor	fork

REPASO: el plato, el vaso

Las medidas y los recipientes — Measurements and Containers

la botella	bottle
la copa	wine glass
la lata	can
la libra	pound
la onza	ounce
el paquete	package
la porción	serving
la rebanada	slice
la sartén	(frying) pan
el tamaño	size
el tarro	jar

Los verbos

agregar	to add
asar	to roast
batir	to beat
contener	to contain
crecer	to grow
cubrir	to cover
dejar	to leave; to let
doblar	to fold
encantar	to delight
estar a dieta	to be on a diet
freír (i)	to fry
frío/fríe	
incluir	to include
llenar	to fill
mejorar	to (make) better
pedir (i)	to ask for; to order
pido/pide; pedí/pidió	food
rallar	to grate
tapar	to cover

PALABRAS SEMEJANTES: calcular, considerar, costar, determinar, fascinar, narrar

La descripción de la comida — Describing Food

a fuego lento	over a low fire
a la parrilla	grilled, char-broiled
al punto, cocido/a	medium rare
bien asado/a, bien cocido/a	well-done

crudo/a	raw
dorado/a	golden brown
dulce	sweet
espeso/a	thick
fresco/a	fresh
horneado/a	baked
ligero/a	light
maduro/a	ripe
picante	hot (spicy)
poco asado/a, poco cocido/a	rare
rico/a	delicious
saludable	healthy
seco/a	dry

PALABRAS SEMEJANTES: concentrado/a, delicioso/a, excelente, exquisito/a

Los adjetivos

barato/a	cheap
medio/a	half

PALABRAS SEMEJANTES: recomendado/a, el total, tropical, vegetariano/a

Los sustantivos

el agua corriente	running water
el alimento	food; meal
el antojito	snack (*Mex.*)
la cáscara	peel
la comida chatarra	junk food (*Mex.*)

la etiqueta	label
la frontera	national border
el lado	side
las palomitas de maíz	popcorn
el restaurante de servicio rápido	fast-food restaurant
la salud	health
la semilla	seed

PALABRAS SEMEJANTES: el calcio, la caloría, el carbohidrato, el chocolate, el colesterol, la dieta, el error, el ingrediente, el líquido, la nutrición, la preparación, la proteína, la vitamina, la zona

Palabras y expresiones del texto

el paso	step
pertenecer	to belong
la razón	reason

PALABRAS SEMEJANTES: el ejemplo, el elemento, el punto, la recomendación

Palabras y expresiones útiles

con gusto	with pleasure
demasiado	too much
ningún, ninguno/a	none
por dentro/fuera	on the inside/outside
sin	without

Gramática y ejercicios

8.1 Referring to Objects Already Mentioned: Impersonal Direct Object Pronouns *lo*, *la*, *los*, and *las*

lo = *you, him, it (m.)*
la = *you, her, it (f.)*
los = *you, them (m. pl.)*
las = *you, them (f. pl.)*

¿Quién preparó los frijoles?
(*Who made the beans?*)
Papá los preparó. (*Dad made them.*)

When referring to things already mentioned, use the Spanish object pronouns **lo** and **la**, which correspond to the English object pronoun *it:* **lo** refers to masculine words and **la** to feminine words. Spanish **los** and **las** correspond to English *them:* **los** refers to masculine words and **las** to feminine words.

—¿Quién compró **el pastel**?	—*Who bought the cake?*
—**Lo** compró Raúl.	—*Raúl bought it.*
—¿Quién trajo **la fruta**?	—*Who brought the fruit?*
—**La** trajo Nora.	—*Nora brought it.*
—Luis, ¿preparaste **los tacos**?	—*Luis, did you prepare the tacos?*
—Sí, **los** preparé esta mañana.	—*Yes, I prepared them this morning.*
—Carmen, ¿dónde pusiste **las servilletas**?	—*Carmen, where did you put the napkins?*
—**Las** puse en la mesa.	—*I put them on the table.*

¿RECUERDA?

As you saw in **Gramática 6.6**, the object pronouns **lo**, **la**, **los**, and **las** also serve as personal direct object pronouns.

—¿Viste a Alberto ayer?	—*Did you see Al yesterday?*
—No, no **lo** vi.	—*No, I didn't see him.*
¿La profesora Martínez? **La** vi ayer en el mercado, pero ella no me vio.	*Professor Martínez? I saw her yesterday at the market, but she didn't see me.*

Review this section now, if necessary.

Thus the Spanish direct object pronouns **lo**, **la**, **los**, and **las** may substitute for words referring to people *or* to things. For example, **la** in the first exchange below refers to **Mónica** (*her*); in the second one it refers to **la salsa** (*it*).

—¿Llamaste a **Mónica**?	—*Did you call Mónica?*
—Sí, **la** llamé ayer.	—*Yes, I called her yesterday.*
—Luis, ¿encontraste **la salsa**?	—*Luis, did you find the sauce?*
—Sí, **la** encontré en el refrigerador.	—*Yes, I found it in the refrigerator.*

These pronouns take time to acquire. You will find that you will gradually come to use them in your speech as you hear and read more Spanish.

DIRECT OBJECT PRONOUNS	
lo	*you, him, it* (*m.*)
la	*you, her, it* (*f.*)
los	*you, them* (*m. nouns* or *males* or *males and females*)
las	*you, them* (*f. nouns* or *females*)

Like other pronouns, direct object pronouns are usually placed before the verb.

¿La ensalada? Ella no **la** come nunca.

Salad? She never eats it.

They may, however, be attached to the end of an infinitive or present progressive form.

¿El flan? Van a preparar**lo** más tarde.

The flan? They're going to fix it later.

¿Los huevos? Estoy batiéndo**los** ahora.

The eggs? I'm beating them now.

Ejercicio 1

Conteste con **lo**, **la**, **los** o **las** y una terminación lógica.

MODELO: —¿Cuándo bebiste el jugo de naranja?
—*Lo* bebí...
a. hace diez años.
(b.) anoche.
c. antes de levantarme.

1. —¿Cuándo preparaste el postre?
—_____ preparé...
a. en el restaurante.
b. ayer.
c. en la cocina.

2. —¿Dónde pusiste la carne?
—_____ puse en...
a. el jardín.
b. el supermercado.
c. el congelador.

3. —¿Dónde compraste las legumbres?
—_____ compré...
a. en una tienda de ropa.
b. en el supermercado.
c. en la cafetería de la escuela.

4. —¿Cuándo trajiste el hielo?
—_____ traje...
a. el año pasado.
b. hace diez minutos.
c. hace dos semanas.

5. —¿Dónde pusiste la mayonesa?
—_____ puse en...
a. la mesa.
b. el sofá.
c. el dormitorio.

6. —¿Cuándo preparaste las bebidas?
—_____ preparé...
a. hace dos minutos.
b. para la fiesta de esta noche.
c. mañana por la noche.

7. —¿Dónde pusiste los vasos?

—_____ puse en...

   a. el armario.

   b. la cómoda.

   c. el gabinete.

9. —¿Cuándo hiciste las tortillas?

—_____ hice...

   a. en el fregadero.

   b. cuando me levanté.

   c. después de acostarme.

8. —¿Dónde compraste el pan?

—_____ compré...

   a. esta mañana.

   b. en la panadería.

   c. en la biblioteca.

10. —¿Cuándo trajiste los tomates para la salsa?

—_____ traje...

   a. esta mañana.

   b. hace veinte años.

   c. el mes pasado.

Ejercicio 2

Complete estos diálogos con **lo**, **la**, **los** o **las**.

  1. —¿Viste a Mónica y a Nora en la fiesta?

    —Sí, _____ vi. Las dos bailaron toda la noche.

  2. —Raúl, ¿conoces a la señora Venegas?

    —No, no _____ conozco. ¿Quién es?

  3. —¿Visitaron ustedes a sus parientes durante las vacaciones?

    —No, _____ visitamos hace tres semanas.

  4. —Alberto, ¿conociste al profesor nuevo ayer en la reunión?

    —Sí, _____ conocí. Me parece muy simpático.

  5. —Carmen, ¿es esa señora que está allí la madre de Luis?

    —No sé; no _____ conozco.

8.2 More about Expressing Likes: The Verbs *gustar* and *encantar*

A. Gustar can also be followed by a noun. If the noun is singular, use the singular form, **gusta**; if it is plural, use the plural form, **gustan**.

—¿Te gusta **la sandía**?	—*Do you like watermelon?*
—Sí, pero me gust**an** más **las uvas**.	—*Yes, but I like grapes better.*

The preterite forms are **gustó** (*sing.*) and **gustaron** (*pl.*).

—¿Te **gustó** el helado?	—*Did you like the ice cream?*
—Sí, me **gustó** mucho.	—*Yes, I liked it a lot.*
—Nos **gustaron** mucho esas galletitas.	—*We really liked those cookies.*

B. To ask who likes something, begin with **¿A quién... ?**

—**¿A quién** le gusta la pizza?   —*Who likes pizza?*
—¡A todos nos gusta!   —*We all do!*

To identify a specific person or persons who like(s) something, use the following pattern.

Use **gusta** if one item is being referred to; use **gustan** if more than one item is referred to.
Me gusta el café. (*I like coffee.*)
Me gustan las tortillas de maíz. (*I like corn tortillas.*)

A + *name* + **le(s)** + **gusta(n)**...

A Lan le gusta leer novelas.   *Lan likes to read novels.*
A Graciela no **le gusta** la   *Graciela doesn't like Italian food.*
  comida italiana.
A Guillermo y **a Ernestito les**   *Guillermo and Ernestito like to*
  gusta mucho montar en bicicleta.   *ride their bikes a lot.*

C. To state more emphatically that someone likes something, use the preposition **a** followed by the person (noun or pronoun) and then the corresponding indirect object pronoun (**me, te, le, nos, os, les**) + **gusta(n)**.

—**¿A Paula le gustan** las   —*Does Paula like hamburgers?*
  hamburguesas?
—¡**¿A Paula?!** No, **a ella** no   —*Paula?! No, she doesn't like*
  le gustan las hamburguesas.   *hamburgers.*

For emphasis, add:
a mí
a ti
a él / a ellos
a ella(s)
a usted(es)
a nosotros/as

A mí me gusta el chocolate.
(*I like chocolate*).
A ellas les gustan las papas fritas. (*They like French fries.*)

The following emphatic phrases are made up of the preposition **a** followed by pronouns. Notice that these pronouns are the same as the subject pronouns, except for **mí** and **ti**.*

a mí me gusta(n)	a nosotros/as nos gusta(n)
a ti te gusta(n)	a vosotros/as os gusta(n)
a usted le gusta(n)	a ustedes les gusta(n)
a él le gusta(n)	a ellos les gusta(n)
a ella le gusta(n)	a ellas les gusta(n)

Pues, **a mí me gustan** mucho   *Well, I really like all fruits,*
  todas las frutas, especialmente   *especially papaya.*
  la papaya.
¿Y de veras **a ti no te gustan**   *And do you really not like French*
  las papas fritas?   *fries?*

D. Emphatic short answers to questions with **gustar** are very common. Use the preposition **a** plus a pronoun or noun and the words **sí** or **no**.

—¿Le gustan las sardinas?   —*Do you like sardines?*
—¡**A mí, no!**   —*No, I don't!*

—¿Les gustan los postres de   —*Do you like chocolate*
  chocolate?   *desserts?*
—**A mí, sí**, pero **a Nora, no.**   —*I do, but Nora doesn't.*

With **gustar:**
a mí también = *me too*
a mí tampoco = *me neither*

You can use the words **también** (*also*) and **tampoco** (*neither*) instead of **sí** and **no** in short answers.

—A Pablo le gustan las fajitas.   —*Pablo likes fajitas.*
—Pues, **a mí también.**   —*Well, so do I.*

---

*Recognition: **a vos te gusta**

—Luis, a mí no me gustan mucho estos tacos.
—**A mí tampoco.**

—*Luis, I don't like these tacos very much.*
—*I don't either.*

E. There are other Spanish verbs that function like **gustar.** One common one used to express likes and dislikes is **encantar.** (You will learn more about this kind of verb in **Gramática 10.6.**)

—A mí **me encanta** el flan.
—A mí también.

—*I adore flan.*
—*Me too.*

—**Nos encantan** los mariscos que sirven en este restaurante.
—A nosotros también.

—*We love the seafood they serve in this restaurant.*
—*So do we.*

A Ernesto y a Estela **les encanta** salir a cenar.

Ernesto and Estela love to eat dinner out.

The preterite forms of **encantar** are **encantó** and **encantaron.**

A ella **le encantó** la cena
Me encantaron esas enchiladas.

She loved the dinner.
I really liked those enchiladas.

> Remember to use **encanta** if referring to one item or **encantan** if more than one.
> **Les encanta la comida japonesa.** (*They really like Japanese food.*)
> **Nos encantan las papas fritas.** (*We adore French fries.*)

SOL y Sombra
Del-Marisco

Diputación, 424 • ☎ 231 00 57 • Barcelona

ESPECIALIDADES

◀ Parrilladas
◀ Mariscadas
◀ Pulpo gallego
◀ Ostras gallegas
◀ Almejas ◀ Berberechos
◀ Tallarinas ◀ Bocas
◀ Necoras ◀ Percebes
◀ Angulas ◀ Cañaillas
◀ Sepia ◀ Calamar
◀ Caracoles

───────

◀ Chuleton gallego
◀ Paletilla cabritillo est. Segovia
◀ Solomilla
◀ Jamón pato negra
◀ Lacón gallego

───────

MENU DE MERCADO
Pan, bebida, repostería casera
950 ptas.

Mariscada para dos

◀ Buey de mar
◀ Necoras
◀ Bocas ◀ Cañaillas
◀ Percebes ◀ Almejas vivas
◀ Ostras gallegas
◀ Gambas saladas
◀ Bigaros

Con una botella de vino turbio
de obsequio 6 600 ptas.

Parrillada para dos

◀ Rape ◀ Merluza ◀ Salmón
◀ Sepia ◀ Gambas ◀ Navajas
◀ Almejas ◀ Berberechos
◀ Tallarinas ◀ Cigalas

Con una botella de vino turbio
de obsequio 5.750 ptas.

Ejercicio 3

Complete los siguientes diálogos.

Use **me/mí** y **te/ti.**

—¿_____[1] gustan las zanahorias?
—A mí no _____[2] gustan mucho. ¿Y a _____[3]?
—A _____,[4] sí. Son muy buenas para los ojos.

Use **él/le, me/mí** y **te/ti.**

—¿A tu hermano _____[5] gusta el pollo frito?
—A _____[6] sí le gusta, pero a _____,[7] no.
—¡A _____[8] no te gusta el pollo! ¿Por qué no _____[9] gusta?
—A _____[10] sí me gusta el pollo, pero no _____[11] gusta el pollo frito.

Ejercicio 4

Haga oraciones que describan los gustos de las personas a continuación. Use 1) una forma del verbo **encantar** (**encanta** o **encantan**); 2) el pronombre apropiado (**me, te, le, les** o **nos**); y 3) el nombre de una comida.

MODELO: A mi hermana *le encantan las fresas*.

SUGERENCIAS

el café	los dulces	el guacamole
los chiles rellenos	las fresas	las hamburguesas
el chocolate	los frijoles	las palomitas con mantequilla
la comida mexicana	la fruta	el pan

1. A mi mejor amigo/a _____.
2. A mis padres _____.
3. A mi profesor(a) de español _____.
4. A mi novio/a (esposo/a) _____.
5. A mí _____.
6. A mi mejor amigo/a y a mí _____.

8.3   Expressing *for, from,* and *to whom:* Prepositions + Pronouns

A. As you saw in **Gramática 8.2**, pronouns often follow prepositions in Spanish.

a mí	*to, at me*	para ella	*for her*
de ti, usted(es)	*of, from you*	sin nosotros/as	*without us*
en él	*in, on him/it*	con ellos/as	*with them*
		para vosotros/as	*for you*

—¿Para quién es el regalo? ¿Es **para mí**?
—No, es **para él**.

—*Who is the present for? Is it for me?*
—*No, it's for him.*

—¿**Sin** Rogelio? No podemos ir **sin él**.

—*Without Rogelio? We can't go without him.*

Adriana es una magnífica empleada. Tengo mucha confianza **en ella**.

Adriana is a great employee. I have a lot of confidence in her.

B. **Con** and **mí** combine to form **conmigo** (*with me*). **Con** and **ti** form **contigo** (*with you*).

conmigo = *with me*
contigo = *with you* (inf. sing.)

—Marta, ¿quieres ir **conmigo** al teatro esta noche?
—No, no puedo ir **contigo** esta noche. Tengo que estudiar.

—*Marta, do you want to go to the theater with me this evening?*
—*No, I can't go with you tonight. I have to study.*

Ejercicio 5

Graciela le dice a Amanda para quién(es) son algunas cosas, y Amanda reacciona con sorpresa. ¿Qué dice Amanda en cada caso?

MODELO: Esta cerveza es para mi hermanito. →
   ¿Para *él*? ¡No lo creo! ¡*Es muy pequeño!*

> ### POSIBILIDADES
>
> ¿Para _____? ¡No me/te/le/nos/les gusta(n)!
> ¡No lo creo! ¡Es muy pequeño/a!
> ¿Te/Le/Les gusta(n)?
>
> 1. Esta comida congelada es para mi madre.
> 2. Este hígado es para ti.
> 3. Esta tequila es para Clarisa y Marisa.
> 4. Estos ajos son para ti y para tus amigos.
> 5. Esta dieta es para mi papá.
> 6. Este vino es para mí.
> 7. Estas cebollas son para la profesora de español.
> 8. Este jugo de naranja es para Lobo, el perro de Ernestito.

Ejercicio 6

Complete estos diálogos con **mí, ti, él, conmigo** o **contigo**.

1. DIEGO: Amanda, ¿quieres ir _____ª al Baile de los Enamorados?
   AMANDA: No, Diego, lo siento, no puedo ir _____ᵇ porque voy a ir con Ramón, mi novio.

2. RAFAEL: Graciela, estas rosas son para _____ª. ¿Te gustan?
   GRACIELA: ¿Para _____ᵇ? ¡Ay, Rafael, muchas gracias! Me encantan.

3. AMANDA: Graciela, ¿qué piensas tú de Richard, el nuevo estudiante francés?
   GRACIELA: ¿Qué pienso de _____ª? Pues, no lo conozco pero creo que es *muy* atractivo.
   AMANDA: Ajá... y yo voy a estudiar con _____ᵇ esta tarde... en mi casa.
   GRACIELA: No lo creo, Amanda! ¿Vas a estudiar con _____ᶜ? ¿Sola? ¿Sin _____ᵈ? Pues... ¡Fabuloso para _____ᵉ y terrible para _____ᶠ!

8.4 Making Negative Statements and Questions: *No, never*

algo	*something*	nada	*nothing*
alguien	*somebody*	nadie	*nobody*
algún	*some*	ningún	*none, no one*
alguno/a/os/as		ninguno/a (de)	
siempre	*always*	nunca (jamás)	*never*
también	*also*	tampoco	*neither*

A. Spanish often requires the use of multiple negatives in the same sentence.

—¿Tienes algo en el horno? —*Do you have something in the oven?*

—**No, no** tengo **nada**. —*No, I don't have anything.*

—¿Hay alguien en la puerta? —*Is there someone at the door?*
—**No, no** hay **nadie**. —*No, there is no one.*

Whereas in English it is generally incorrect to have more than one negative in a sentence, in Spanish multiple negatives are frequently required.

algún (alguno/a/os/as) =
some, any
ningún (ninguno/a) =
none, not any, neither

—Señora Silva, ¿va usted
siempre al mercado los martes?
—**No, no** voy **nunca** los
martes.

—*Mrs. Silva, do you always go to
the market on Tuesdays?*
—*No, I don't ever (I never)
go on Tuesdays.*

B. Alguno/a corresponds to English *some* or *any*, and **ninguno/a** corresponds to English *none*, *not any*, or *neither*.

—¿Hay **algunos** postres sin
azúcar?
—No, señor, no tenemos
ningún postre sin azúcar.

—*Are there any desserts without
sugar?*
—*No, sir, we don't have any
desserts without sugar.*

—¿Hay **alguna** sopa sin carne?

—No, no hay **ninguna**; todas
tienen carne.

—*Are there any soups without
meat?*
—*No, there aren't any; they all
have meat.*

Note that Spanish uses **ninguno/a** in the singular form.

C. Alguno and **ninguno** shorten to **algún** and **ningún** before masculine singular nouns.

—¿Hay **algún** restaurante en esta
calle?
—No, no hay **ningún** restaurante
por aquí.

—*Is there a restaurant on this
street?*
—*No, there aren't any restaurants around here.*

Uno/Un, **bueno/buen**, **primero/primer**, and **tercero/tercer** follow the same rule.

¿Quieres pedir **una** copa de vino?

*Do you want to order a glass of
wine?*

Sólo hay **un** plato mexicano en
el menú.

*There is only one Mexican dish on
the menu.*

¡Aquí sirven **unos** mariscos
exquisitos!

They serve excellent seafood here!

Esteban es un **buen** cocinero.
Nora y Carmen también son
buenas cocineras.

Steve is a good cook.
*Nora and Carmen are also good
cooks.*

Vamos a sentarnos en la **tercera**
mesa.

Let's sit down at the third table.

El **primer** plato es la sopa.

The first course is the soup.

D. No is not used when the negative word precedes the verb.

Nunca como entre comidas.
Nadie fue al mercado.

I never eat between meals.
Nobody went to the market.

E. Express *I (you, we . . .) don't either* with a subject pronoun + **tampoco**.

—Yo no quiero comer helado.
—**Yo tampoco.**

—*I don't want to eat ice cream.*
—*I don't either. (Me neither.)*

Yo no quiero más arroz. **Tú
tampoco**, ¿verdad?

*I don't want more rice. You don't
either, do you?*

Ejercicio 7

Conteste las siguientes preguntas de forma negativa. Use **nada, nadie, nunca** o **ninguno/a**.

> MODELO: —¿Hay algo de comer en el refrigerador?
> —No, no hay *nada*.

1. —¿Fue alguien al supermercado ayer?
   —No, no fue _____.
2. —¿Desayunaste algo esta mañana?
   —No, no comí _____.
3. —¿Siempre comes en restaurantes chinos?
   —No, _____ como en ellos.
4. —¿Invitaste a alguien a cenar esta noche?
   —No, no invité a _____.
5. —¿Compraste una sandía?
   —No, no encontré _____ madura.
6. —¿Quieres algo de tomar?
   —No gracias, no quiero _____.
7. —¿Te sirvo espinacas?
   —No, gracias. ¡_____ las como!
8. —¿Por qué no invitaste a Diego y a Ramón a la fiesta?
   —Los invité, pero _____ de los dos quiso venir.

Ejercicio 8

Responda afirmativa o negativamente a lo siguiente. Venga a clase preparado/a para comentar sus respuestas con los otros compañeros de clase.

1. Me gustan las espinacas.
   a. A mí también.
   b. A mí no me gustan.
2. No me gusta comer hígado.
   a. A mí tampoco.
   b. A veces me gusta comerlo.
3. ¿Invitaste a alguien a comer la semana pasada?
   a. Sí, invité a _____ porque...
   b. No, no invité a nadie porque...
4. Prefiero el batido de chocolate al de vainilla.
   a. Yo también.
   b. No me gusta ninguno de los dos.
5. ¿Dejaste una propina la última vez que comiste en un restaurante?
   a. Sí, dejé...
   b. No, no dejé nada porque...
6. No me gusta desayunar cereal.
   a. A mí, sí. Siempre lo como.
   b. A mí tampoco. No lo como nunca.

8.5 Expressing *one* or *you:* The Impersonal *se*

In addition to being a reflexive pronoun (see **Gramática 4.4**), **se** is also used in "impersonal" constructions.

Se + third-person singular verb is used to express *one, you,* or impersonal *they.*
Se come mucho ajo en España. (*One eats* [*They eat*] *lots of garlic in Spain.* (*Lots of garlic is eaten in Spain.*)

Se + third-person verb form is also used for instructions.
Primero se hierve el agua, después se le agrega la sal y luego se ponen los fideos y se cuecen por 8 minutos. (*First you boil the water, then you add the salt, and then you put in the noodles and cook them for 8 minutes.*)

In English this structure is expressed with the impersonal *you* (*You need good film to take good pictures*), the pronoun *one* (*One should always think before acting*), the pronoun *they* (*They sell beer by the glass*), or the simple passive (*Beer is sold only by the glass here*).

—¿Cómo **se dice** tablecloth en español?
—**Se dice** «mantel».

—*How do you say* tablecloth *in Spanish?*
—*You say* **mantel**.

Aquí **se habla** español.

Spanish is spoken here. (*They speak Spanish here.*)

Primero **se agrega** la sal y después **se mezcla** todo.
No **se debe** dormir inmediatamente después de comer.

First you add the salt and then you mix everything.
One shouldn't (go to) sleep immediately after eating.

If the topic in question is plural, the verb is usually also plural.

—¿**Se sirven mariscos** frescos aquí?
—Sí, **se preparan camarones** deliciosos y el precio es muy módico.

—*Are fresh shellfish served here?*
—*Yes, they prepare delicious shrimp, and the price is very moderate.*

Ejercicio 9

Complete estas oraciones con la forma **se** impersonal de los siguientes verbos: **preparar, poner, cortar, lavar, agregar, necesitar, hablar** y **batir.**

1. Para preparar un sándwich de jamón y queso, _____ el jamón y el queso en rebanadas.
2. Para alimentarse bien, _____ comer de los cuatro grupos esenciales de alimentos.
3. Primero _____ el bróculi y luego _____ en el agua a hervir.
4. En este restaurante _____ mariscos frescos y deliciosos.
5. Para hacer un buen guacamole, _____ cebolla y otros ingredientes.
6. Para hacer una tortilla española, _____ huevos y patatas.
7. ¿_____ francés en ese restaurante?
8. ¿_____ los huevos para la tortilla española?

pedir = *to ask for*
present: (**yo**) **pido,** (**él**) **pide**
past: (**yo**) **pedí,** (**él**) **pidió**
servir = *to serve*
present: (**yo**) **sirvo,** (**él**) **sirve**
past: (**yo**) **serví,** (**él**) **sirvió**
Pedí camarones y fideos. (*I ordered shrimp and pasta.*) **El mesero me sirvió almejas y arroz.** (*The waiter served me clams and rice.*)

8.6 Using Stem-Changing Verbs like *pedir* and *servir:* Present-Tense and Preterite Forms

In a few verbs like **pedir** (*to order; to ask for*) and **servir** (*to serve*), the **-e-** of the infinitive changes to **-i-** in the present tense and the preterite. In the present, all forms of **pedir** and **servir** use the stems **pid-** and **sirv-** except for the **nosotros/as** and **vosotros/as** forms and the infinitive.*†

---

*The **e → i** change also occurs in the present participles: **pidiendo** (*ordering*) and **sirviendo** (*serving*).
†Recognition: **vos pedís, servís; vos pediste, serviste**

	pedir	servir
(yo)	pido	sirvo
(tú)	pides	sirves
(usted, él/ella)	pide	sirve
(nosotros/as)	pedimos	servimos
(vosotros/as)	pedís	servís
(ustedes, ellos/as)	piden	sirven

In the preterite, only the **usted, él/ella** and **ustedes, ellos/as** forms use the stem with **i**.

	pedir	servir
(yo)	pedí	serví
(tú)	pediste	serviste
(usted, él/ella)	pidió	sirvió
(nosotros/as)	pedimos	servimos
(vosotros/as)	pedisteis	servisteis
(ustedes, ellos/as)	pidieron	sirvieron

En este restaurante **sirven** excelente comida. La semana pasada me **sirvieron** una paella sabrosísima.

They serve excellent food in this restaurant. Last week they served me a delicious paella.

—Silvia, ¿qué platillo **pediste** en el Restaurante Mi Casita?
—**Pedí** unas enchiladas de pollo. Siempre **pido** lo mismo.

—Silvia, what dish did you order at Mi Casita Restaurant?
—I ordered chicken enchiladas. I always order the same thing.

The verbs **vestirse** (*to dress*) and **seguir** (*to follow*) conform to the e → i pattern.*

vestirse		seguir	
Present	*Past*	*Present*	*Past*
me visto	me vestí	sigo	seguí
te vistes	te vestiste	sigues	seguiste
se viste	se vistió	sigue	siguió
nos vestimos	nos vestimos	seguimos	seguimos
os vestís	os vestisteis	seguís	seguisteis
se visten	se vistieron	siguen	siguieron

---

*The e → i change also occurs in the present participles: **vistiendo/vistiéndose** and **siguiendo**.

Raúl se **vistió** rápido anoche.	*Raúl dressed quickly last night.*
Estela no **siguió** la receta.	*Estela didn't follow the recipe.*

Reír (*to laugh*), **sonreír** (*to smile*), and **freír** (*to fry*) also follow this pattern, except that in the third-person preterite forms one **i** is dropped: **fri- + -ió → frió; fri- + -ieron → frieron.***

freír	
Present	**Past**
frío	freí
fríes	freíste
fríe	frió
freímos	freímos
freís	freísteis
fríen	frieron

Doña Rosita **frió** las tortillas.	*Doña Rosita fried the tortillas.*
Don Eduardo **sonrió** cuando le sirvieron su platillo favorito.	*Don Eduardo smiled when they served him his favorite dish.*

Ejercicio 10

Complete estos diálogos con las formas apropiadas de **servir** o **pedir**.

PILAR: ¿Qué vas a _____¹ ahora?
CLARA: Creo que voy a _____² pollo asado.
PILAR: En este restaurante _____³ muy buenos mariscos.
CLARA: Entonces voy a _____⁴ camarones fritos.

JOSÉ: ¿Qué _____⁵ tú en un restaurante mexicano?
PILAR: Eso depende. Si _____⁶ mariscos, _____⁷ un cóctel de mariscos.
JOSÉ: ¿Y si no hay mariscos?
PILAR: Entonces prefiero _____⁸ un chile relleno.

PILAR: Ayer mi novio y yo fuimos a un restaurante francés muy elegante.
CLARA: ¿Qué _____⁹ ustedes?
PILAR: _____¹⁰ cóctel de mariscos, ensalada y carne de res en salsa de vino.
CLARA: Mmm. ¿Y les _____¹¹ postre también?
PILAR: Sí, yo _____¹² flan y mi novio _____¹³ pastel de chocolate.

JOSÉ: Pilar, ¿_____¹⁴ leche otra vez?
PILAR: No, ayer yo _____¹⁵ una Coca-Cola y Clara _____¹⁶ un vaso de leche.
JOSÉ: Ah sí, ya entiendo. Después ustedes _____¹⁷ un sándwich de pollo.
PILAR: No, José. Después _____¹⁸ un sándwich de jamón pero el mesero nos _____¹⁹ sándwiches de pollo.
JOSÉ: ¿Y a mí también me _____²⁰ un sándwich de pollo?
PILAR: No, hombre. ¡Tú no fuiste con nosotros!

La comida mexicana es muy variada. Entre los platillos más populares se encuentran los tacos.

---

*The present participles are: **friendo, sonriendo,** and **riendo.** Recognition: Present: **vos te vestís, seguís, freís, sonreís, reís.** Preterite: **vos te vestiste, seguiste, freíste, sonreíste, reíste.**

El pasado

▼▼▼▼▼▼▼▼▼▼▼▼▼▼▼▼▼▼▼▼▼▼▼▼

Zaragoza, España

Actividades de comunicación y lecturas

La familia y los parientes

Lea Gramática 9.1.

La familia

los suegros

la suegra — Dora Lucía Muñoz de Saucedo   Javier Saucedo González — el suegro

los abuelos

el yerno   el cuñado   la cuñada   la cuñada   el yerno   el cuñado   el cuñado

los tíos

Ernesto Ramírez Alarcón   Estela Saucedo de Ramírez   Paula Saucedo Muñoz   Andrea Saucedo de Ruiz   Pedro Ruiz Galván   Raúl Saucedo Muñoz

el tío   la tía   la tía   el tío   el tío

los primos

la prima   el primo

Amanda Ramírez Saucedo   Guillermo Ramírez Saucedo   Ernestito Ramírez Saucedo   Clarisa Ruiz Saucedo   Marisa Ruiz Saucedo

la sobrina   el sobrino   los sobrinos   las sobrinas   la sobrina

Actividad 1. Definiciones: La familia de Raúl

Mire el dibujo de arriba y escuche las oraciones que le va a leer su profesor(a).
Diga si son ciertas o falsas.

MODELO: PROF.: «La tía de Clarisa y Marisa se llama Andrea.» →
E.: Falso. Andrea es *la madre* de Clarisa y Marisa.

Actividad 2. Intercambios: La familia de Raúl

Hágale estas preguntas a su compañero/a.

1. ¿Cómo se llaman las hermanas de Raúl?
2. ¿Cuántos sobrinos tiene Raúl? ¿Cómo se llaman?
3. ¿Tienen nueras Dora y Javier?
4. ¿Cómo se llaman los cuñados de Raúl?
5. ¿Cómo se llama el suegro de Pedro y Ernesto?
6. ¿Cómo se llaman las cuñadas de Ernesto?
7. ¿Cuántos nietos tienen Dora y Javier?
8. ¿Cómo se llaman los tíos de Clarisa y Marisa?
9. ¿Cómo se llaman los primos de Clarisa y Marisa?
10. ¿Cómo se llaman los yernos de Dora y Javier?

Actividad 3. Descripción de dibujos: La familia de Mónica

Lea la siguiente descripción de la familia de Mónica. Basándose en el árbol genealógico, llene los espacios en blanco con los nombres o palabras apropiados.

Los padres de Mónica se llaman _____ y _____ y están _____. Mónica vive con su madre y su _____, Tony. Su madre y Tony tienen dos hijas, Jessica y Ashley. Ellas son las _____ de Mónica. Jessica se parece a _____, pero Ashley se parece más a _____.

La nueva esposa de Henry Clark se llama _____. Sharon tiene dos hijos de su primer esposo; se llaman _____ y _____ y son los _____ de Mónica. Mónica no visita a sus hermanastros con frecuencia, pero se lleva bien con ellos. A Mónica le gusta hablar con Sharon, su _____, pero dice que su padrastro, Tony, no la comprende.

LAS PALABRAS VIVEN

VOCABULARIO ÚTIL	
el dios	*god*
la profecía	*prophecy*
señalaba	*indicated*
la serpiente emplumada	*feathered serpent*

En México, un cuate es un buen amigo

Entre los jóvenes mexicanos, **tener un cuate** significa lo mismo que **tener un buen amigo**. La palabra **cuate** viene del náhuatl, el idioma de los aztecas.

La llegada de Hernán Cortés a México en 1519 coincidió con la fecha que una profecía de la mitología azteca señalaba para el regreso del dios Quetzalcóatl. Quetzalcóatl les enseñó a los aztecas la agricultura, el trabajo de los metales, las artes y el calendario. Predicaba una religión de amor y resignación. Los antiguos mexicanos lo representaban como una serpiente emplumada.

En náhuatl, la palabra *coatl* significaba **serpiente**. Y también llegó a significar **gemelo**, pues Quetzalcóatl tenía un hermano idéntico a él, otro dios llamado Xolotl.

Con el tiempo y el uso diario, *coatl* se transformó en **cuate**. Hoy en día la palabra quiere decir **amigo** y **gemelo**. Pero los mexicanos la usan más que nada para referirse a un *buen* amigo.

Actividad 4. Conversación: Las relaciones familiares

Diga a quién se parecen estas personas en su familia: usted, su hermano/a, su hijo/a, su esposo/a y su primo/a. Use **Me parezco a** y **Se parece a**.

MODELOS: Me parezco a mi abuela.

Mi hermano se parece a mi papá.

Ahora, diga con quién(es) en su familia (no) se llevan bien estas personas: usted, su padre, su hermano/a, su suegro/a y su cuñado/a. Use **(No) Me llevo bien** y **(No) Se lleva bien**.

MODELOS: Me llevo muy bien con mi padre.

Mi cuñada no se lleva bien con mi padre.

Actividad 5. Entrevista: Mi familia y mis parientes

1. ¿Vives con tus padres o con otros parientes? ¿Cuántos años tiene tu padre? ¿Y tu madre? ¿Te llevas bien con ellos? ¿Están divorciados tus padres? ¿Tienes padrastro o madrastra? ¿Te llevas bien con él/ella?

2. ¿Te pareces más a tu padre o a tu madre? ¿Te pareces a otro pariente, por ejemplo, a un abuelo o a una tía?

3. ¿Están vivos o muertos tus abuelos? Si todavía están vivos, ¿cuántos años tienen?¿Dónde viven? ¿Los ves con frecuencia? Si están muertos, ¿cuánto tiempo hace que murieron?

4. ¿Cuántos hermanos tienes? ¿Tienes medios hermanos o medias hermanas? ¿Te pareces a ellos/as? ¿Tienes hermanastros o hermanastras? ¿Te llevas bien con ellos/as? ¿Qué cosas hacen ustedes juntos?

5. ¿Cuántos tíos tienes? ¿Dónde viven? ¿Tienes muchos primos o pocos? ¿Pasas mucho tiempo con ellos? ¿Celebras los días feriados con tus tíos y tus primos?

6. ¿Están casados tus hermanos? ¿Te llevas bien con tus cuñados? ¿Tienes sobrinos? ¿Cuántos años tienen? ¿Cómo se llaman?

7. ¿Estás casado/a? ¿Tienes hijos? ¿Cómo se llaman? ¿Cuántos años tienen?

8. ¿Están casados tus hijos? ¿Cómo es tu nuera/yerno? ¿Tienes nietos? ¿Cuántos años tienen? ¿Cómo se llaman?

NOTA CULTURAL

Los hispanos hablan de su familia

VOCABULARIO ÚTIL	
cariño	*affection*
extraño	*I miss*
estrecha	*close*
recurro a	*I turn, go to*
se ocupa	*he takes care*
criarlos	*to raise them*
se apoyan	*support each other*

Lea las siguientes descripciones que algunos hispanos dan de su familia. Usted va a notar que todas las familias a continuación tienen varias características en común. La más predominante es que son muy unidas.

RAÚL SAUCEDO, estudiante mexicano de 19 años: «Mi familia es bastante grande: están mis padres, tres hermanas mayores que yo, sus esposos (dos están casadas), mis sobrinos y mis primos. Mi abuela María Eulalia también va incluida, ¡claro! (Pero ella no vive en la Ciudad de México, donde está casi toda la familia.) A veces, los domingos, nos vamos todos al Parque de Chapultepec a merendar. ¡Y cuánto nos divertimos! Ahora que vivo y estudio en Texas, los extraño mucho.»

Raúl

ADRIANA BOLINI, argentina de 35 años: «Mis padres son mis mejores amigos. Con ellos tengo una relación estrecha y sincera. Cuando estoy de viaje, los llamo por teléfono y les escribo mucho. Siempre recurro a ellos cuando necesito algún consejo.»

Adriana

ROGELIO VARELA, estudiante puertorriqueño de 21 años: «En mi familia somos muy unidos. Cuando tengo problemas personales, prefiero hablar con mi padre, mi madre o con uno de mis hermanastros, antes que hablar con un amigo. ¿La razón?

Rogelio

Bueno, es que un amigo puede tratar de ayudarnos, pero nadie puede entendernos tan bien como un miembro de la familia. ¡Ésa es mi opinión!»

SUSANA YAMASAKI GONZÁLEZ, peruana de 33 años: «Tengo dos hijos: Armando de trece años y Andrés de nueve. Por el momento, los niños y yo vivimos con mis padres en Cuzco. Es que estoy divorciada, y mi ex esposo casi no se ocupa de sus hijos. La verdad, es mucho trabajo criarlos yo sola. ¡Son muy traviesos! Por suerte papá y mamá me ayudan con la crianza. Mis hijos viven en un hogar donde hay amor, donde todos nos llevamos bien. Armando y Andrés tienen los mejores abuelos del mundo.»

Susana

Rubén

RUBÉN HERNÁNDEZ ARENAS, cubano de 38 años: «Mi familia en los Estados Unidos es pequeña: mi esposa, mis padres y yo. Lamentablemente, estoy separado de varios miembros de mi familia. Vivo en Miami y tengo un hermano, dos sobrinos y varios primos que están en Cuba. De vez en cuando me comunico con ellos, pero quisiera tenerlos cerca, poder verlos. Extraño sobre todo a mis sobrinos Tatiana y Bladimir. Uno de mis sueños es reunir a toda la familia aquí algún día.»

Estas personas ofrecen una imagen realista y típica de la familia hispana. En el mundo hispano hay muchos tipos de familia; no siempre son tradicionales. Hay hogares donde el padre o la madre está ausente, o donde los abuelos crían a los nietos. Como en todas las sociedades modernas, también hay familias de padres solteros o divorciados. Pero sea cual sea el caso, la familia es una de las instituciones más fuertes y vitales de la sociedad hispana.

Comprensión

A. ¿Quién habla aquí, probablemente: Rogelio (**RO**), Adriana (**A**), Raúl (**RA**), Susana (**S**) o Rubén (**RU**)?

1. _____ Mis padres son mis amigos.
2. _____ Nos gusta ir al parque los domingos.
3. _____ Tengo una familia muy unida.
4. _____ Cuando tengo un problema, hablo con mis padres.
5. _____ Extraño mucho a mis sobrinos.
6. _____ Me es difícil criar a los hijos yo sola.
7. _____ Les mando tarjetas postales y los llamo.
8. _____ Mi familia es grande.

B. ¿Cierto o falso? Si la oración es falsa, haga las correcciones necesarias para decir la verdad.

1. _____ La familia hispana es pequeña: normalmente la forman los padres y los hijos.
2. _____ La familia es muy importante en la sociedad hispana.
3. _____ Muchos hispanos prefieren hablar de sus problemas personales con un amigo / una amiga.
4. _____ A veces tíos y primos viven en la casa familiar.
5. _____ En el mundo hispano sólo existen familias tradicionales.

Ahora... ¡usted!

1. ¿Quiénes forman parte de una familia norteamericana típica?
2. ¿Cómo son sus relaciones con sus padres? ¿con sus hermanos?

3. ¿Qué le gusta hacer a usted con su familia?
4. ¿Con quién(es) prefiere hablar de sus problemas? ¿Por qué?

Un paso más... ¡a escribir!

Pregúnteles a cuatro o cinco compañeros de clase qué opina cada uno de su propia familia. Luego, escriba una composición titulada «Los estudiantes de español hablan de su familia». Use el mismo formato de la Nota cultural. ¡Y no se olvide de escribir una conclusión!

LAS PALABRAS VIVEN

Hablando de la familia: La palabra **boda** se usa en todo el mundo hispano. Pero en México también se dice **casamiento** y **matrimonio**. Hay palabras de cariño para los abuelos: **tata** (abuelo) y **nana** (abuela), y los diminutivos **abuelito** y **abuelita**.

En Cuba, la palabra más usada para decir **gemelos** es **mellizos**. Y en el habla coloquial mexicana, los gemelos son **los cuates**. (Recuerde que en México un cuate es también un **buen amigo**.)

EL MUNDO HISPANO... imágenes

Las relaciones entre los mayores y los jóvenes son íntimas y especiales. Conversan, intercambian ideas, salen a pasear. Los niños escuchan los consejos[1] de sus abuelos, y éstos disfrutan de[2] la juventud y las experiencias de sus nietos. Los abuelos a veces cuentan sus recuerdos,[3] así manteniendo viva la historia familiar.

En la foto, la abuela viste a su nietecita con un traje tradicional de la región.

La Alberca, España

[1]*advice* [2]*disfrutan... enjoy* [3]*memories*

La niñez

Lea Gramática 9.2.

Cuando Adela Martínez era niña, vivía en Guanajuato.

Mis amigas y yo jugábamos al escondite en el parque.

Leía las tiras cómicas los domingos.

Saltaba la cuerda.

Mis amigas y yo jugábamos con nuestras muñequitas en el jardín de la casa.

Mi abuela y yo preparábamos la cena.

Jugaba al bebeleche en el patio de recreo de la escuela.

Actividad 6. Asociaciones: La niñez de algunas personas famosas

¿Qué hacían estas personas famosas en su niñez? ¿A cuál(es) de estas personas le(s) atribuye usted las actividades a continuación?

Elizabeth Taylor, actriz
Fidel Castro, primer ministro de Cuba
Marie Curie, científica francesa
Cristóbal Colón, explorador/navegante

1. Soñaba con cambiar la sociedad.
2. Pensaba mucho en la ciencia.
3. Vivía en Cuba.
4. Jugaba con muñecas.
5. Vivía en Francia.
6. Navegaba.
7. Hablaba francés.
8. Soñaba con viajar.
9. Trabajaba en el cine.
10. Leía mucho.
11. Estudiaba danza.
12. Quería descubrir «nuevos mundos».
13. Montaba a caballo.
14. Hablaba español.
15. Estudiaba los mapas.
16. Se miraba con frecuencia en el espejo.
17. Soñaba con descubrir una nueva ruta a la India.

Actividad 7. Conversación: ¡Viva el verano!

Mire el dibujo y piense en su niñez.

¿Hacía usted las mismas cosas que los niños de los dibujos?
¿Iba al cine? ¿Con quién(es)?
¿Jugaba a la pelota? ¿Dónde?
¿Volaba un papalote? ¿Dónde?
¿Iba al zoológico? ¿Dónde? ¿Con quién(es)?
¿Paseaba en bicicleta? ¿Dónde, en el parque o en su barrio?
¿Tomaba helados? ¿Qué sabor prefería?
¿Qué otras cosas hacía durante el verano?

¡REÍR ES VIVIR!

El regalo

La señora le compró una bicicleta a su hijo, y el niño, contento, se fue a montarla.

Unos minutos después le gritó a su mamá, muy entusiasmado:

—Mira, mamá, ¡estoy montando con una mano!

La madre, preocupada, le dijo:

—¡Ten cuidado, mi niño!

El hijo no le hizo caso y exclamó:

—Mira, mamá, sin manos!

Al poco tiempo dijo:

—¡Con un pie!

Y una hora más tarde:

—Mira, mamá, ¡sin dientes!

Actividad 8. Descripción de dibujos: La niñez de los amigos norteamericanos

Mire la tabla a continuación y escuche las oraciones que le lee su profesor(a). Diga si son ciertas o falsas.

Ahora, hágale preguntas a un compañero / una compañera según la tabla.

> MODELO: E1:   ¿Qué hacía Lan siempre de niña?
> E2:   *Sacaba buenas notas.*

Finalmente, hágale preguntas a su compañero/a sobre lo que él/ella hacía de niño/a.

> MODELO: E1:   De niño/a, ¿qué hacías después de las clases?
> E2:   *Jugaba con mis amiguitos.*

LAS PALABRAS VIVEN

VOCABULARIO ÚTIL
andar en patineta   *to skateboard*

Una de las actividades favoritas de los niños en todo el mundo es andar en patineta, que en España se dice **andar en monopatín**. A muchos niños también les gustan los juegos de video, que en México se llaman **las chispas**.

Panamá, Mar Caribe: villa de pescadores cerca de Isla Grande

Actividad 9. Entrevista: La niñez

1. De niño/a, ¿vivías en una ciudad o en un pueblito?
2. ¿Qué te gustaba hacer? ¿Jugabas con muñequitas? ¿con carritos?
3. ¿Tenías perro o gato? ¿Cómo se llamaba?
4. ¿A qué escuela asistías? ¿Cómo era? ¿Recuerdas cómo se llamaba tu maestro favorito / maestra favorita? ¿Por qué era tu favorito/a?
5. ¿Qué te gustaba hacer en la escuela? ¿Qué no te gustaba hacer?
6. ¿Tenías muchos amiguitos? ¿A qué jugaban en el recreo? ¿al gato? ¿a la pelota? ¿al escondite? ¿a la rayuela (al bebeleche)?
7. ¿Qué hacías después de las clases todos los días? ¿Jugabas? ¿Estudiabas? ¿Con quién(es)?
8. ¿Hacías muchas cosas con tus padres? ¿Visitabas mucho a tus abuelos? ¿Te divertías mucho con tus hermanitos?
9. ¿Ibas al cine con frecuencia? ¿Qué películas te gustaba ver?
10. ¿Qué hacías durante el verano? ¿Salías de vacaciones? ¿Adónde? ¿Tomabas clases? ¿De qué?

¡Así piensan los niños!

A continuación tiene usted tres breves anécdotas de la revista española *Ser Padres*. En todas se narran experiencias humorísticas de la infancia. Léalas y... ¡recuerde el lado cómico de su niñez!

¡QUÉ DIVER!

María (3 años) y su amiga Patricia (5 años) estaban jugando en el jardín de nuestra casa. De pronto, María hizo una propuesta sugerente: «¿Por qué no jugamos a que tú te escondes detrás de ese árbol y yo te busco?»

(*Ana Isabel Fernández, Palma*)

VOCABULARIO ÚTIL

diver	*divertido*
la propuesta	*proposal*
te escondes	*you hide*

LÓGICA INFANTIL

Le dije a mi hija Conchita (4 años) que tenía que comer todo el arroz para hacerse grande como papá y mamá. La pequeña se quedó pensativa y después de un rato me dijo: «Mami, yo tengo que comer para hacerme grande como papá y como tú, ¿verdad?»

«¡Sí, mi niña!» exclamé, contenta de que por fin lo hubiese entendido. «Oye —prosiguió ella— ¿y vosotros para qué coméis?»

(*Conchita Palazón, Sardañola*)

VOCABULARIO ÚTIL

hacerse grande	*become a big girl*
pensativa	*thoughtful*
un rato	*a while*
hubiese entendido	*she had understood*
prosiguió	*she continued*

NIÑA PRECAVIDA

Mi hija Ana (3 años) bajó corriendo por una cuesta muy empinada. «¡Ten cuidado, que te vas a caer!» exclamé al verla correr tan alocada. «No te preocupes, mamá», respondió ella. «Voy agarrada a los tirantes!»

(*Lurdes Mejido, Badajoz*)

VOCABULARIO ÚTIL

precavida	*cautious*
cuesta empinada	*steep hill*
¡te vas a caer!	*you'll fall!*
agarrada	*hanging*
los tirantes	*suspenders*

Comprensión

1. ¿Por qué está preocupada la mamá de Ana? Según Ana, ¿por qué no necesita preocuparse su mamá?
2. ¿A qué jugaban María y Patricia?
3. Según la madre de Conchita, ¿para qué tienen que comer los niños todo lo que sus padres les sirven?
4. ¿Por qué pregunta Conchita para qué comen sus padres?
5. ¿Cuál de las tres anécdotas le parece más chistosa? ¿Por qué?

Ahora... ¡usted!

1. ¿Recuerda algo chistoso que usted (o su hijo/a) dijo cuando tenía cuatro, cinco, seis o siete años? ¡Cuéntenoslo!
2. De niño/a, ¿a qué jugaba? ¿Con quién(es) jugaba?
3. De niño/a, ¿qué comía usted con gusto? ¿Qué no comía nunca?
4. ¿Qué hacía cuando su madre le servía algo que a usted no le gustaba? ¿Siempre servían postre en su casa?
5. ¿Comía usted en restaurantes con frecuencia? ¿Cuál era su restaurante favorito y qué pedía allí?

Un paso más... ¡a escribir!

Usted y su compañero/a van a preparar una breve comedia en la que se presenta una experiencia cómica o interesante de la infancia. Escriban un guión y luego, ¡actúen su comedia en la clase!

La juventud

Lea Gramática 9.3–9.4.

doña Lola

Doña Lola era una joven muy bonita.

Bailaba con su novio en las fiestas.

Estudiaba todas las noches.

En la escuela siempre sabía la lección.

Tenía muchos amigos y amigas. Iba al cine con ellos.

Conoció a su mejor amiga, Rosita, cuando las dos tenían 8 años.

Quería casarse a los 15 años, pero su papá no quiso darle permiso.

Torreón, México: La familia hispana, como lo demuestra esta familia, es generalmente grande y muy unida.

Actividad 10. Intercambios: La juventud de los amigos hispanos

Hágale preguntas a su compañero/a sobre lo que hacían los amigos hispanos en su juventud.

MODELOS: E1: ¿Qué hacía *Ricardo después de las clases*?
E2: *Veía la televisión.*

E1: ¿Quién *iba de compras los fines de semana*?
E2: *Adriana.*

Actividad 11. Intercambios: La escuela secundaria

Diga qué hacía usted en estas situaciones cuando era estudiante de la escuela secundaria.

1. Cuando no quería ir a la escuela,...
   a. decía: «Ay, estoy enfermo/a».
   b. iba al cine.
   c. decía: «Pero... hoy no hay clases».
   d. ¿ ?

2. Cuando mi madre no me permitía ver la televisión antes de hacer la tarea,...
   a. lloraba.
   b. hacía la tarea rápidamente.
   c. decía: «¡Pero hoy no tengo tarea!».
   d. ¿ ?

3. Cuando quería comprar ropa nueva y no tenía dinero,...

a. le pedía dinero a mi padre (madre, abuelo,...).

b. ahorraba dinero.

c. trabajaba.

d. ¿ ?

4. Cuando quería salir con mis amigos y mi padre/madre no me daba permiso,...

a. me escapaba cuando todos estaban dormidos.

b. discutía con mi padre/madre.

c. lloraba y gritaba.

d. ¿ ?

5. Cuando tenía que entregarle la tarea al profesor / a la profesora y no la tenía,...

a. la hacía rápidamente durante la clase.

b. le decía: «Anoche no pude hacerla porque estaba enfermo/a».

c. le preguntaba: «¿Teníamos tarea?».

d. ¿ ?

Y TÚ, ¿QUÉ DICES?

Yo también.

Yo no, yo...

¿De veras?

¡Qué pícaro/a!

¡No lo creo!

¡Qué mentiroso/a!

¡Qué buena idea!

¿Y nunca tuviste problemas?

MODELO: E1: Cuando mi madre no me permitía ver la televisión antes de hacer la tarea, hacía una parte y le decía: «¡Ya terminé!»

E2: ¡Qué pícaro!

EL MUNDO HISPANO... su gente

Gregorio Merino Díaz tiene 32 años y es chileno.

Piense en su vida de hace cinco años. ¿Era muy diferente de su vida actual?

Hace cinco años mi vida era algo distinta de la actual. De partida,[1] aún no estaba casado y trabajaba como profesor en dos colegios. Vivía con mi hermana mayor y su familia. Ya estaba de novio[2] pero recién empezaba a concebir[3] seriamente la posibilidad de matrimonio con mi esposa. De hecho,[4] en esa época no nos imaginábamos siquiera que tendríamos[5] una hijita tan linda como nuestra Francisquita, ni que un hijo pudiese[6] darnos tanta dicha.[7]

SUDAMÉRICA

EL OCÉANO PACÍFICO

Chile

Santiago

EL OCÉANO ATLÁNTICO

[1]*De... For starters* [2]*estaba... I had a serious relationship* [3]*pensar en* [4]*De... In fact*
[5]*we would have* [6]*could* [7]*alegría, felicidad*

Actividad 12. Entrevista: La escuela secundaria

1. ¿Cómo se llamaba tu escuela secundaria?
2. ¿Vivías lejos de la escuela o vivías cerca? ¿Cómo ibas a la escuela?
3. ¿Llegabas a la escuela a tiempo o llegabas tarde?
4. ¿Te quejabas de las tareas?
5. ¿Qué materia preferías? ¿Estudiabas mucho? ¿Sacabas buenas notas?
6. ¿Participabas en actividades deportivas? ¿En cuáles?
7. ¿Qué hacías después de las clases todos los días?
8. ¿Salías mucho con tus amigos? ¿Adónde iban?

EL MUNDO HISPANO... en los Estados Unidos

Ilia Rolón tiene 25 años y nació en Nueva York, donde vive ahora.

Piense en los veranos de su infancia o de su juventud. ¿Cuáles eran sus actividades preferidas?

Mi actividad preferida durante los veranos que pasaba en Puerto Rico era ir a la playa con mis primos. Recuerdo la ansiedad que sentía esperando que los adultos se alistaran para partir.[1] Al llegar, tiraba mis cosas a la arena sin mirar donde caían y corría hacia la orilla del mar para hundirme[2] bajo las olas. No me gustaba salir del agua para comer; sabía que los adultos me obligarían a[3] esperar una hora antes de entrar al agua otra vez, para prevenir calambres.[4] El agua era tibia y la arena caliente. En la noche, en mi cama, todavía podía sentir el ritmo de las olas correr por mi cuerpo.

[1]se...(*waiting for the adults*) *to get ready to go*   [2]*submerge myself, plunge*   [3]obligarían... *would make*   [4]*cramps*

Actividad 13. Entrevista: Los veranos

1. Cuando eras más joven, ¿dónde pasabas los veranos? ¿Viajabas solo/a o con tus padres o hermanos?
2. ¿Visitabas a tus parientes? ¿Qué hacías con ellos?
3. ¿Trabajabas? ¿Dónde? ¿Qué hacías? ¿Ganabas mucho dinero?
4. ¿Qué hacías por las tardes? ¿por las noches? ¿Practicabas algún deporte? ¿Cuál?
5. ¿Había cosas que querías hacer pero que tus padres no te permitían? ¿Recuerdas algunas? ¿Por qué no te permitían hacerlas? ¿Las hacías de todos modos?

En resumen

De todo un poco

Los recuerdos

¿Qué recuerdos tiene usted relacionados con su familia y con su niñez o juventud? Complete las siguientes oraciones.

> MODELO: Recuerdo que para Pascua siempre *íbamos al parque a buscar huevitos*.

1. Recuerdo que en Navidad (Jánuca, Ramadán, el Año Nuevo,...) mi abuela (madre, tío,...) siempre...
2. Cuando era niño/a, para el Día de la Independencia (el 4 de julio) mi familia siempre...
3. Para mi cumpleaños, mis padres (tíos, primos, abuelos, hermanos,...) siempre...
4. Todavía recuerdo que para el Día de Acción de Gracias...

Ahora, comparta sus recuerdos con un compañero / una compañera.

¡Dígalo por escrito!

La niñez

Piense en su niñez. ¿Qué hacía usted durante el verano cuando tenía seis, siete y ocho años? Descríbale su rutina típica a un compañero / una compañera y escuche cuando él/ella le describe sus propias actividades de los veranos de aquel entonces. En casa, escriba una composición de dos partes: una descripción detallada de sus propias actividades de verano y después una comparación de sus actividades con las de su compañero/a. ¿Eran semejantes o diferentes? ¿Por qué?

VIDEOTECA

 ¿De dónde vienen sus antepasados? ¿Dónde se criaron sus abuelos? En este segmento de video los amigos de México, Diego, Lupe y Antonio, hablan de su familia. También hablan de cómo fue su niñez. Escuche bien y apunte algo sobre cada persona. Por ejemplo, ¿dónde vivieron? ¿Qué hacían de niños? Después, compare la niñez de los tres amigos con su propia niñez. ¿Fue muy diferente la suya? En el Capítulo 9 del *Cuaderno de trabajo* hay más actividades para hacer después de ver el video.

Vocabulario

La familia y los parientes
Family and Relatives

el cuñado / la cuñada	brother-in-law/sister-in-law
el hermanastro / la hermanastra	stepbrother/stepsister
el hijastro / la hijastra	stepson/stepdaughter
la madrastra	stepmother
el medio hermano / la media hermana	half brother / half sister
la nuera	daughter-in-law
el padrastro	stepfather
el sobrino / la sobrina	nephew/niece
los sobrinos	nieces and nephews
el suegro / la suegra	father-in-law/mother-in-law
los suegros	in-laws
el tío / la tía	uncle/aunt
el yerno	son-in-law

REPASO: el abuelo (abuelito) / la abuela (abuelita), el hermano / la hermana, el hijo / la hija, la madre, el nieto / la nieta, el padre, los padres, el primo / la prima

Los verbos

ahorrar	to save
cambiar	to change
dar permiso	to give permission
descubrir	to discover
discutir	to discuss; to argue
entregar	to hand in, turn in
jugar (ue)	to play
a la rayuela (al bebeleche [Mex.])	hopscotch
al escondite	hide-and-seek
al gato	tag
con carritos, muñequitas	with little cars, dolls
llevarse bien	to get along well
parecerse	to look like
pelearse	to fight
permitir(se)	to allow
quejarse	to complain
recordar (ue)	to remember
sacar buenas/malas notas	to get good/bad grades
saltar la cuerda	to jump rope

subirse a los árboles	to climb trees
terminar	to finish
volar (ue) un papalote (Mex.)	to fly a kite

PALABRAS SEMEJANTES: atribuir, escaparse, navegar

Los sustantivos

el barrio	neighborhood
la juventud	youth
la muñeca (muñequita)	(little) doll
la niñez	childhood
la pelota	ball
el pueblito	little town
el recreo	recess, break
el patio de recreo	playground
los recuerdos	memories
las relaciones familiares	family relationships
las tiras cómicas	comic strips

PALABRAS SEMEJANTES: la ciencia, la danza, Europa, el explorador / la exploradora, el navegante, la pizzería, el/la primer ministro, la ruta, la sociedad, la terminal de autobuses

Los adjetivos

dormido/a	asleep
estar muerto/a (vivo/a)	to be dead (alive)
relacionado/a	related
sorprendido/a	surprised

Palabras y expresiones útiles

¿Cómo era... ?	What was/were . . . like?
de niño/a	as a child
de todos modos	anyway
por ejemplo	for example
¡Qué mentiroso/a!	What a liar!
¡Qué pícaro/a!	What a rascal!
todavía	still

Gramática y ejercicios

¿RECUERDA?

You have already studied some reflexive verbs (see **Gramática 4.4**) that are used to express daily routine: **levantarse, ducharse, despertarse, vestirse, afeitarse, maquillarse,** etc. Remember that reflexive verbs use a reflexive pronoun (**me, te, se, nos, os, se**) placed in front of the conjugated verb.

me levanto = *I get up*
te bañas = *you (inf. sing.) take a bath*
se afeita = *you (pol. sing.) shave; he/she shaves*
nos vestimos = *we get dressed*
se acuestan = *you (pl.)/they go to bed*

9.1 Describing Family Relationships: The Reciprocal Reflexive Verbs *parecerse* and *llevarse bien*

Gramática ilustrada

Andrea y Paula son gemelas. Se parecen mucho (Son muy parecidas).

Mónica y su padrastro no siempre se llevan bien.

Susana se lleva muy bien con sus hijos.

Some reflexive verbs have a special meaning. One such verb is **parecerse*** (*to look like*).

parecerse = *to look like*
—**¿A quién te pareces?**
(*Who do you look like?*)
—**Me parezco a mi hermana.**
(*I look like my sister.*)

parecerse (*to look like*)		
(yo)	me parezco†	*I look like*
(tú)	te pareces	*you (inf. sing.) look like*
(usted, él/ella)	se parece	*you (pol. sing.) look like; he/she looks like*
(nosotros/as)	nos parecemos	*we look like*
(vosotros/as)	os parecéis	*you (inf. pl., Spain) look like*
(ustedes, ellos/as)	se parecen	*you (pl.) look like; they look like*

*Recognition: **vos te parecés**
†Don't forget to use the personal **a** with this verb. See **Gramática 6.5**.

—¿**A** quién **te pareces**?
—**Me parezco a** mi tía Lila.
  Nuestros hijos **se parecen**
  a mi suegro.

—*Who do you look like?*
—*I look like my aunt Lila.*
  Our children look like my
  father-in-law.

You may also use the adjective **parecido/a** with the verb **ser** to express resemblances.

Soy muy **parecida** a mi madre.
Guillermo y Raúl **no son** muy
parecidos.

I look a lot like my mother.
Guillermo and Raul don't look very
much alike.

Another reflexive verb with special meaning is **llevarse... con** (*to get along . . . with*).

—¿**Con** quién **te llevas** mejor,
  con tu mamá o con tu papá?

—*With whom do you get along*
  better, your mother or your
  father?

—**Me llevo** mejor **con** mi papá.

—*I get along better with my father.*

When used in plural form, some reflexive verbs can express reciprocal action (*to each other*). Both **parecerse** and **llevarse** can be used in this way.

Clarisa y Marisa no son gemelas,
  pero **se parecen** mucho.
Mi abuela y yo **nos parecemos**.
Mi cuñada y yo **no nos llevamos**
  bien.
Graciela y Amanda **se llevan** muy
  bien; son muy buenas amigas.

Clarisa and Marisa are not twins,
  but they look a lot alike.
My grandmother and I look alike.
My sister-in-law and I don't get
  along well.
Graciela y Amanda get along very
  well; they are very good friends.

Ejercicio 1

Use las formas apropiadas del verbo **parecerse** para completar las siguientes oraciones.

1. Ernestito _____ mucho a su padre.

2. Amanda y Guillermo son hermanos pero no _____.

   Amanda dice: «Yo _____ a papá; ¿a quién _____ tú, Guillermo?»

3. Andrea dice: «Yo _____ mucho a Paula, pero _____ menos a Raúl.»

4. Paula dice: «Sí, Andrea, tú y yo _____ mucho porque somos gemelas. Raúl _____ más a mamá.»

5. En mi familia, _____ y yo (no) _____ mucho.

6. Mi(s) hermano(s) _____ más a mi _____ que a mi _____.

---

llevarse bien con = *to get along well with*
—¿**Te llevas bien con tus hermanos?** (*Do you get along well with your siblings?*)
—**Sí, me llevo bien con todos en mi familia**. (*Yes, I get along well with everyone in my family.*)

Reflexive verbs are used to express reciprocal actions (*each other*).

nos parecemos = *we look alike* (*like each other*)
se parecen = *they look alike* (*like each other*)
se llevan bien = *they get along well* (*with each other*)

Ejercicio 2

Use las formas apropiadas del verbo **(no) llevarse** para terminar correctamente estas oraciones.

1. MÓNICA: Mis padres se divorciaron, pero ahora _____ bien.
2. SR. VO.: Lan, ¿_____ bien con tus compañeros de clase?
      LAN: Sí, papá. En la clase de la profesora Martínez todos _____ muy bien; somos buenos amigos.
3. MÓNICA: Mis hermanastros y yo _____ bien, pero yo no _____ bien con mi padrastro.
4. NORA: Mis primos _____ muy bien; siempre les gusta estar juntos.
5. ESTEBAN: Raúl, ¿ahora _____ (tú) bien con las chicas?
      RAÚL: ¡Por supuesto, Esteban! Las chicas bonitas y yo _____ muy bien.

9.2 Saying What You Used to Do: The Imperfect Tense

A. The Spanish imperfect tense is used to describe actions that occurred repeatedly or habitually in the past. To express the same idea, English often uses the phrases *used to* or *would*, or just the simple past.

¿A qué hora **te levantabas** aquel verano?

What time $\begin{cases} \textit{did you} \\ \textit{did you used to} \\ \textit{would you} \end{cases}$ $\begin{array}{l} \textit{get up that} \\ \textit{summer?} \end{array}$

Siempre **me levantaba** a las 9:00.

I always $\begin{cases} \textit{got up} \\ \textit{used to get up} \\ \textit{would get up} \end{cases}$ *at 9:00.*

B. There are two patterns of endings for the imperfect: for **-ar** verbs, the **-aba** endings; for **-er/-ir** verbs, the **-ía** endings.*

	manejar	**comer**	**vivir**
(yo)	manej**aba**	com**ía**	viv**ía**
(tú)	manej**abas**	com**ías**	viv**ías**
(usted, él/ella)	manej**aba**	com**ía**	viv**ía**
(nosotros/as)	manej**ábamos**	com**íamos**	viv**íamos**
(vosotros/as)	manej**abais**	com**íais**	viv**íais**
(ustedes, ellos/as)	manej**aban**	com**ían**	viv**ían**

Mis hermanos **comían** mucho cuando **visitábamos** a nuestros abuelos.

My brothers used to eat a lot when we visited (would visit) our grandparents.

—¿Qué **hacía** Raúl los domingos cuando **estaba** en la secundaria?
—**Jugaba** al tenis con sus amigos.

—What did Raúl used to do on Sundays when he was in high school?
—He used to play tennis with his friends.

*Recognition: In the imperfect, the **vos** form is identical to the **tú** form: **manejabas, comías, vivías,** etc.

The imperfect often means *used to* or *would*

De niña, nadaba todos los días en el verano. (*As a child, I used to [would] swim every day in the summer.*)
Cuando éramos jóvenes, íbamos al cine todos los sábados. (*When we were young, we would go to the movies every Saturday.*)

Imperfect endings: **-ar** verbs = **-aba**; **-er/-ir** verbs = **-ía**

Only **ir, ser,** and **ver** are irregular in the imperfect.

C. Only three verbs are irregular in the imperfect.

	ir	ser	ver
(yo)	iba	era	veía
(tú)	ibas	eras	veías
(usted, él/ella)	iba	era	veía
(nosotros/as)	íbamos	éramos	veíamos
(vosotros/as)	ibais	erais	veíais
(ustedes, ellos/as)	iban	eran	veían

Te **veía** más cuando trabajabas en esta oficina.

Cuando **era** muy joven, **íbamos** a la finca y mi padre me llevaba en su caballo.

I used to see you more when you worked in this office.

When I was very young, we used to go to the farm and my father would let me ride with him on his horse.

Ejercicio 3

¿Qué hacían estas personas de niños?

MODELO: jugar mucho al tenis / Paula → Paula *jugaba* mucho al tenis.

1. montar en bicicleta / Guillermo
2. jugar con muñecas / Amanda y yo
3. leer las tiras cómicas del periódico los domingos / Andrea
4. bañarse en el mar en Acapulco / doña Lola y doña Rosita
5. comer muchos dulces / don Eduardo
6. limpiar su recámara / Estela
7. pasar las vacaciones en Acapulco / la familia Ramírez
8. escuchar música rock / Pedro Ruiz
9. ver dibujos animados en la televisión / Ernesto
10. cuidar el jardín / el abuelo de Ernestito

Ejercicio 4

Complete cada oración con la forma apropiada del imperfecto, y luego indique a qué dibujo corresponde.

MODELO: Ya no monta a caballo mucho, pero antes *montaba* a caballo todos los fines de semana.

a. ———— Ya no juegan a las cartas, pero antes ———— todas las tardes.

b. ———— Antes ———— a misa todos los domingos, pero ya no van mucho.

c. ———— De niña ———— la cuerda, pero ya nunca salta la cuerda.

d. ———— Ya no se pelea con sus hermanas, pero antes ————mucho con ellas.

e. ———— Ya no llora tanto cuando ve películas tristes, pero de adolescente ———— mucho.

f. ———— Cuando tenía ocho años, no ———— bien con las niñas.

g. ———— De niñas, ———— mucho.

9.3 Describing the Past: The Imperfect and Preterite of "State" Verbs

Gramática ilustrada

Verbs of state do not express action—for example, *to want, to have*. When used in talking about the past, they are usually conjugated in the imperfect.

A. Some verbs express actions (*run, jump, eat*); others express states (*want, have, be, can*). In the narration of a past event, verbs describing states or ongoing conditions are usually conjugated in the imperfect tense.

—Guillermo, ¿**sabías** la respuesta de la cuarta pregunta?
—**Sabía** una parte pero no toda.

—*Guillermo, did you know the answer to the fourth question?*
—*I knew part of it, but not all.*

—¿Qué **querías** hacer?
—**Quería** ir al cine.
—¿Por qué no **podías** ir?
—Porque no **tenía** dinero.

—*What did you want to do?*
—*I wanted to go to the movies.*
—*Why couldn't you go?*
—*Because I didn't have any money.*

B. When Spanish speakers use state verbs in the preterite, they usually do so to convey that the state came to an end. English speakers often use completely different verbs to express that meaning. Compare the English equivalents of the following state verbs in the imperfect and in the preterite.

(yo) **sabía** = *I knew*
(yo) **supe** = *I found out*

usted **conocía** = *you (pol. sing.) knew*
usted **conoció** = *you (pol. sing.) met*

IMPERFECT		PRETERITE	
sabía	*I knew*	supe	*I found out*
no sabía	*I didn't know*	no supe	*I never knew*
conocía	*I was acquainted with*	conocí	*I met*
tenía	*I had*	tuve	*I had; I received*
quería	*I wanted*	quise	*I wanted (and tried)*
no quería	*I didn't want*	no quise	*I refused*
podía	*I was able; could*	pude	*I could (and did)*
no podía	*I wasn't able, couldn't*	no pude	*I (tried and) couldn't*

—¿**Supiste** lo que les pasó a Graciela y a Amanda?
—No, no **supe** nada. ¿Qué les pasó?

—*Did you find out what happened to Graciela and Amanda?*
—*No, I didn't find out (never heard) anything. What happened to them?*

—¿Por qué no **pudiste** terminar?
—**No quise** terminar, porque me cansé mucho.

—*Why weren't you able to finish?*
—*I didn't try to finish, because I got very tired.*

When used to express *was/were*, **ser** and **estar** are usually in the imperfect.

Estaba muy cansado. (*I was very tired.*)
Éramos amigas íntimas en la escuela secundaria. (*We were very close friends in high school.*)

C. The verbs **ser** and **estar** are usually used in the imperfect; they are used in the preterite only when the state has explicitly come to an end within a specified amount of time.

INFINITIVE	IMPERFECT		PRETERITE	
ser	era	*I was*	fui	*I was*
estar	estaba	*I was*	estuve	*I was*

Within a limited or specified time frame, **ser** and **estar** may be used in the preterite to express *was/were*.

Estuvimos cinco días en Acapulco. (*We were in Acapulco for 5 days.*)

Mi hijo fue presidente del Club de Español por dos años. (*My son was president of the Spanish Club for two years.*)

—¿Cómo **eras** de niño?
—Yo **era** muy tímido.

—*What were you like as a child?*
—*I was very shy.*

—¿Cuánto tiempo **fuiste** presidente del club?
—**Fui** presidente seis años.

—*How long were you president of the club?*
—*I was president for six years.*

—¿Dónde **estaban** tus padres anoche?
—**Estaban** con los abuelos.

—*Where were your parents last night?*
—*They were with my grandparents.*

—¿Cuánto tiempo **estuvieron** en España?
—**Estuvimos** allí de mayo a julio.

—*How long were you in Spain?*
—*We were there from May to July.*

Ejercicio 5

Complete las oraciones según el modelo. Use el imperfecto de los verbos en letra cursiva.

MODELO: Ahora no *soy* tímido, pero de niño *era* muy tímido.

1. Ahora Guillermo *tiene* 12 años, pero cuando tú lo conociste _____ sólo 8 años.
2. Ahora *sé* muy bien las respuestas, pero esta mañana, cuando tomé el examen, no las _____ .
3. Ahora *conocemos* muy bien a doña Rosita, pero hace un año no la _____ .
4. Ahora Paula *es* agente de viajes, pero yo recuerdo cuando _____ secretaria.
5. Ahora Paula *está* aquí en México, pero hace una semana _____ en España.

Ejercicio 6

Complete las siguientes oraciones con la forma apropiada del imperfecto de estos «verbos de estado»: **tener, querer, estar, ser, conocer, saber** y **poder**.

1. Luis _____ sólo 10 años cuando viajó a Colombia.
2. Einstein _____ un joven muy inteligente, pero sacaba malas notas.
3. Yo no _____ a tu hermano. ¡Qué guapo es!
4. (Nosotros) _____ comprar un carro nuevo pero no _____ dinero. Ahora, por fin tenemos suficiente dinero.
5. ¿Dónde _____ (tú) esta mañana?
6. Ayer almorcé a las 11:00 porque _____ mucha hambre.

Ahora, use la forma apropiada del pretérito de estos «verbos de estado»: **saber, tener, conocer, poder** y **querer**.

7. Ayer _____ que el hijo mayor de mi vecino es adoptado.
8. Hoy no fui a trabajar porque no dormí anoche. Toda la noche _____ un dolor de cabeza horrible.
9. ¡Qué simpático es el esposo de Andrea Ruiz! Lo _____ anoche en la fiesta.
10. Ah, sí, la fiesta de fin de año... Los Ruiz me invitaron pero yo no _____ ir. ¡A mí no me gustan las fiestas!
11. Ayer fui al parque con mis hijos; traté de patinar con ellos pero no _____ . ¡Me estoy poniendo viejo!

¿RECUERDA?

Recall from **Gramática 1.1** that the present tense of **ir** + **a** + infinitive is used to express future actions.

Amanda, **¿vas a llamar** a Ramón esta noche? (*Amanda, are you going to call Ramón tonight?*)

va a + infinitive = *he/she/you (pol. sing.) is/are going to* **Paula va a comprar un coche**. (*Paula is going to buy a car.*)

iba a + infinitive = *I/he/she/you (pol. sing.) was/were going to* **Iba a viajar por Europa pero tuve que trabajar**. (*I was going to travel through Europe but I had to work.*)

9.4 Saying What You Were Going to Do: The Imperfect of *ir* + *a* + Infinitive

The imperfect of **ir** (iba, ibas, iba, íbamos, ibais, iban) can be used in this construction to express past intentions (*was/were going to do something*).

Íbamos a esquiar el jueves, pero ahora dicen que va a llover.	*We were going to ski on Thursday, but now they say it's going to rain.*
Rubén y Virginia **iban a pasar** el día en el parque, pero decidieron visitar las pirámides.	*Rubén and Virginia were going to spend the day at the park, but they decided to visit the pyramids.*

The imperfect of **querer** and **pensar** + infinitive is similar in meaning.

Quería acampar en las montañas este verano, pero resulta que tengo que trabajar.	*I wanted (was hoping) to go camping in the mountains this summer, but it turns out I have to work.*
Carmen **pensaba pasar** el verano en España, pero no ahorró suficiente dinero.	*Carmen was thinking about (was planning on) spending the summer in Spain, but she didn't save enough money.*

Ejercicio 7

Invente una excusa. Use **iba** + **a** + infinitivo, seguido de su excusa.

MODELO: —¿Por qué no me llamaste anoche?
—*Iba a llamarte*, pero llegué a casa muy tarde.

1. ¿Por qué no viniste en tu carro anoche?
2. ¿Por qué no trajiste flores?
3. ¿Por qué no me compraste un regalo?
4. ¿Por qué no cenaste con nosotros?
5. ¿Por qué no fuiste al «Baile de los Enamorados»?
6. ¿Por qué no me dijiste que no sabías bailar?
7. ¿Por qué no llegaste a tiempo?
8. ¿Por qué no asististe a clase ayer?

La geografía, el transporte y el medio ambiente

Cuzco, Perú

Actividades de comunicación y lecturas

La geografía y el clima

Lea Gramática 10.1–10.2.

el tornado
las nubes
el cielo
las montañas
el bosque
el relámpago
el llano
la tormenta
el lago
el ciclón / el huracán
la selva
el golfo
el cañón
las colinas
la península
la costa
el valle
la bahía
la playa
la isla
la arena
el desierto
el arrecife
el océano
el mar

¡Qué bosque tropical más húmedo!

¡Qué bonita es esta playa!

¡Cuántas islas hay en la costa de Chile!

Actividad 1. Definiciones: La geografía

1. _____ la selva
2. _____ el río
3. _____ la montaña
4. _____ el lago
5. _____ la playa
6. _____ el desierto
7. _____ la península
8. _____ la isla
9. _____ el valle
10. _____ la bahía

a. porción de tierra rodeada completamente de agua
b. espacio entre dos montañas
c. parte de arena a la orilla del mar
d. lugar árido, a veces con mucha arena
e. porción de tierra rodeada de agua pero unida a tierra firme por un lado
f. entrada del mar en la costa, más pequeña que un golfo
g. extensión de agua rodeada de tierra
h. lugar donde llueve mucho y hay mucha vegetación
i. elevación considerable del terreno
j. corriente de agua que generalmente corre hacia el mar

Actividad 2. Descripción de fotos: ¡Qué impresionantes son esas montañas!

Escuche la descripción que les da su profesor(a) y señale la foto correspondiente.

1. El nudo de Huascarán, Perú

2. Bariloche, Argentina

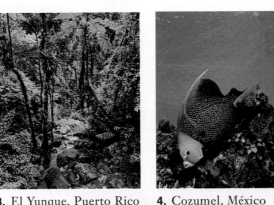

3. El Yunque, Puerto Rico

4. Cozumel, México

5. La Cordillera Vilca-bamba en Perú

7. La playa en Cancún, México

6. Salto del Laja, Chile

8. San Felipe, México

9. Bariloche, Argentina

Ahora, con un compañero / una compañera, miren las demás fotos y expresen los pensamientos que se les ocurran.

FRASES ÚTILES

¡Cuánto/a/os/as...!	¡Qué...!	la vegetación
las olas	las estrellas	profundo/a
los peces coloridos	las cataratas	las flores

Actividad 3. Del mundo hispano: El pronóstico del tiempo

Conteste las preguntas según la información en este anuncio de un periódico de Tampico, México.

La temperatura de la semana: Tampico

LUNES. Se anticipa un día de calor con una temperatura máxima de 30° C (grados centígrados) y una mínima de 18° C.

MARTES. Neblina por la costa en la mañana, pero se anticipa un día de mucho calor. La temperatura máxima va a llegar a 35° C. En la noche la temperatura va a bajar a 20° C.

MIÉRCOLES. Se pronostica un día fresco, parcialmente nublado. La temperatura máxima durante el día será de 22° C y la mínima esta noche será de 14° C.

JUEVES. Un día soleado pero va a hacer más frío que ayer. Temperatura máxima de 19° C, mínima de 15° C.

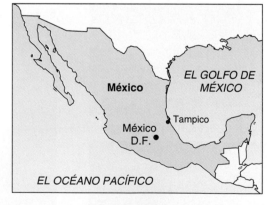

1. ¿Qué día va a ser el más caluroso?
2. ¿Cuál va a ser la noche más fría?
3. ¿Va a llover esta semana?
4. ¿Qué día va a estar nublado?
5. ¿Va a haber neblina? ¿Dónde? ¿Qué día?
6. ¿Ha visto usted el pronóstico de hoy para la ciudad donde vive? ¿Qué se pronostica?

Actividad 4. Descripción de dibujos: El tiempo

Use estas palabras para completar las oraciones a continuación: **escarcha, fresco, humedad, llovizna, neblina, nubes, rocío, tormenta, truenos** y **viento.**

la escarcha | la humedad | la llovizna | la neblina | los relámpagos y los truenos | el rocío

1. Después de los relámpagos, casi siempre vienen los _____.
2. Si por la noche baja la temperatura puede aparecer _____ en las ventanas y en los techos.
3. Antes de una _____, las _____ cubren el sol.
4. Una lluvia ligera también se llama _____.
5. Cuando hace mucho _____, la gente pierde el sombrero.
6. En las zonas tropicales hay mucha _____.
7. Hay que manejar lentamente cuando hay mucha _____.
8. Cuando la temperatura está a 18° C, hace _____.
9. Las gotas de agua que aparecen en las plantas por la mañana son _____.

LECTURA

«Oda a la tormenta» de Pablo Neruda (selección)

Usted ya tiene algunos datos importantes sobre este gran poeta chileno. Aquí incluimos otra selección de un poema suyo, de su libro *Odas elementales*. En este poema el poeta personifica la tormenta, es decir, le da las características de una persona. Dice, por ejemplo, que la tormenta tiene ojos y pelo (**cabellera**), que duerme y...

Anoche
vino
ella,
rabiosa,[1]
azul, color de noche,
roja, color de vino,
la tempestad[2]
trajo
su cabellera de agua,
ojos de frío fuego,
anoche quiso
dormir sobre la tierra.

Llegó pronto...
quería dormir
y preparó su cama,
barrió selvas, caminos,
barrió montes,[3]
lavó piedras de océano,
y entonces
como si fueran plumas[4]
removió los pinares[5]
para hacerse su cama.
Sacó relámpagos
de su saco de fuego,

[1] *furiosa*   [2] *tormenta*   [3] *woodlands*   [4] *como... as if they were feathers*   [5] *pine trees*

dejó caer truenos
como grandes barriles.[6]
De pronto
fue silencio:
una hoja
iba sola en el aire,
como un violín volante,[7]
entonces,
antes
de que llegara al suelo,[8]
tempestad, en tus manos
la tomaste...
y cuando ya creíamos
que terminaba el mundo,
entonces,
lluvia,
lluvia,
sólo
lluvia...

«Sacó relámpagos / de su saco de fuego, / dejó caer truenos... »

[6]*barrels*   [7]*flying*   [8]antes... *before it hit the ground*

Comprensión

Busque en el poema...

1. dos de los colores de la tormenta.
2. cinco de las acciones que personifican la tormenta (por ejemplo, «barrió»).

Ahora... ¡usted!

1. ¿Cree que la tormenta del poema causó mucho daño? ¿Por qué sí o por qué no? ¿Qué destruyó, probablemente?
2. ¿Ha estado usted en una tormenta fuerte alguna vez? ¿Qué pasó? ¿Qué hizo usted?
3. ¿Hay tormentas con frecuencia donde usted vive? ¿En qué estación o estaciones del año tienden a ocurrir? ¿Cómo son?

 Un paso más... ¡a escribir!

Imagínese que usted es poeta y que quiere escribir una oda para el «Concurso Pablo Neruda». Escoja un objeto de su vida diaria: puede ser una cosa que se come, un mueble, una prenda de ropa, ¡cualquier cosa! Ahora describa el objeto. ¿De qué color es? ¿Qué forma tiene? ¿Es grande o pequeño? ¿largo o corto? Personifique el objeto e imagínese un día típico en la vida de ese objeto. ¿Qué hizo? ¿Dónde estuvo? ¿Qué pasó?

Actividad 5. Del mundo hispano: Los recursos naturales

Lea el siguiente artículo y luego trabaje con un compañero / una compañera para decir si las afirmaciones de las páginas 321–322 son ciertas o falsas. Corrijan las afirmaciones falsas con información del artículo.

EXPEDICIONES al Mar de Cortés

Catalogado como uno de los ecosistemas más ricos del mundo por su abundante flora y fauna, el Mar de Cortés es todo un reto para buzos profesionales y aficionados.

Por su gran concentración y diversidad de animales y aves marinas, los especialistas afirman que el Mar de Cortés y las lagunas de Baja California —a donde llega a aparearse la ballena gris después de recorrer 10,000 kilómetros— son la versión mexicana de las islas Galápagos. En este lugar se conocen bien muchos sitios de buceo por la belleza de sus cañones y montañas submarinas; las islas rocosas y áridas contrastan con la colorida variedad de plantas y animales debajo de la superficie: nudibranquios, estrellas marinas, esponjas, anémonas y moluscos en abundancia, peces multi-colores, delfines, leones marinos...

Quienes desean sumergirse en estas aguas y descubrir su extraordinaria vida marina, lo pueden hacer de junio a noviembre en expediciones organizadas que parten desde la amistosa ciudad de La Paz. Los paquetes incluyen tres inmersiones al día con tanques y pesas, experimentados maestros de buceo y tripulación, duchas de agua fresca, fácil acceso a la rampa de buceo, cubierta con área de sombra, un cocinero a bordo que prepara desayunos, comidas, refrigerios y bebidas, sistema de video VHS, hotel, transporte al aeropuerto.

Salidas de junio a noviembre

Precio de los paquetes:	Cabañas Los Arcos	Hotel Los Arcos
3 noches, 2 días de buceo	$299	$325
4 noches, 3 días de buceo	$399	$460
5 noches, 4 días de buceo	$499	$595
6 noches, 5 días de buceo	$599	$730
7 noches, 6 días de buceo	$699	$865

Todos los precios son por persona con base en ocupación doble, en dólares. Reservaciones a Expediciones Baja California al teléfono 1-800-483-7696.

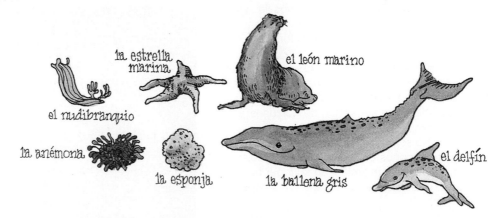

1. El Mar de Cortés se compara con las islas de Hawai.
2. Tanto en las Islas Galápagos como en el Mar de Cortés hay gran concentración y diversidad de animales y aves marinos.
3. En las lagunas de Baja California se pueden observar ballenas grises.

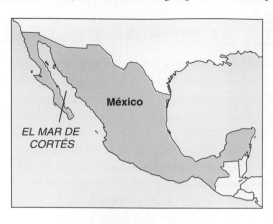

México

EL MAR DE CORTÉS

4. En este lugar hay abundancia de sitios de buceo muy bellos.
5. En el Mar de Cortés hay islas verdes y húmedas y arrecifes coloridos de muchos animales y plantas marinos.
6. Los paquetes turísticos incluyen tanques y pesas, lecciones de buceo, hotel y transporte aéreo.
7. Hay paquetes durante las cuatro estaciones del año: la primavera, el verano, el otoño y el invierno.

Ahora, hágale preguntas a su compañero/a acerca de los precios de los varios paquetes turísticos.

MODELO: E1:   ¿Cuánto cuesta el paquete de 6 noches con 5 días de buceo en Cabañas Los Arcos?
              E2:   Cuesta $599.00.

EL MUNDO HISPANO... su gente

Claudia Hernández Alarcón tiene 35 años y es española.

¿Cómo es el clima en la ciudad donde usted vive? ¿Ha cambiado el clima últimamente? ¿De qué manera?

EL OCÉANO ATLÁNTICO

• Madrid

España

EL MAR MEDITERRÁNEO

En la ciudad donde vivo, que es Madrid, decimos «tres meses de invierno y nueve de infierno»[1], pero llevamos varios años que todas las estaciones son menos crudas. Apenas[2] nieva y el verano no es tan fuerte. Ya no caen esas heladas[3] que hasta los cristales de las ventanas se nos llenaban de hielo por dentro de las casas. El verano no es tan riguroso; sólo hace calor fuerte veinte días.

A mí la estación del año que más me ha gustado en mi ciudad ha sido el otoño, por el color de miel de los árboles. Los atardeceres[4] daban la sensación de dulzones[5] y más si llovía por las tardes. Pero ya los otoños no son como antes, pues se han perdido muchos bulevares con los árboles tan preciosos que tenían; en su lugar han hecho grandes avenidas para los coches.

[1]*hell*   [2]*Barely*   [3]*frosts*   [4]*late afternoons*   [5]*soft, mellow*

Parque del Retiro, Madrid: El otoño es hermoso «por el color de miel de los árboles... »

Actividad 6. Entrevistas: Los viajes, las actividades y el tiempo

¿ADÓNDE HAS VIAJADO?

1. ¿Has pasado algún tiempo en las montañas? ¿Dónde? ¿Qué hiciste allí? ¿Te gustó? ¿Por qué?
2. ¿Vives cerca del mar? Si no, ¿cuál es el mar más cercano a donde vives? ¿Cuántas veces has ido al mar / a la playa durante los últimos seis meses? ¿Cómo estaba el agua? ¿muy fría?
3. ¿Conoces algún lago o río cerca de donde vives? ¿Cómo se llama? ¿Qué puedes hacer allí? ¿Vas con frecuencia? ¿Por qué? Explica.
4. ¿Has ido alguna vez al desierto? ¿Dónde? ¿Cuándo? ¿Qué hiciste allí?
5. ¿Has visto una selva? ¿Dónde? ¿Te gustó? ¿Por qué? Explica.

LAS ACTIVIDADES Y EL TIEMPO

1. ¿Qué te gusta hacer cuando hace calor (frío, viento, mal tiempo)?
2. ¿Qué haces cuando llueve (nieva, hace buen tiempo, hay relámpagos y truenos)?
3. ¿Has vivido en un lugar muy húmedo? ¿en un lugar muy seco? ¿Dónde? ¿Te gustó? ¿Por qué?
4. ¿Has estado alguna vez en un huracán? ¿Qué pasó? ¿Has visto un tornado alguna vez? ¿Dónde? ¿Causó daño?
5. ¿Has manejado alguna vez por la carretera en la neblina? ¿Tenías miedo? ¿Has pasado por una tormenta en avión? ¿Dónde? ¿Tuviste mucho miedo?

EL MUNDO HISPANO... imágenes

El lago de Nicaragua está al sur del país, cerca de la frontera con Costa Rica. En Nicaragua, como en otros países del Caribe, la Navidad se asocia con la estación seca. En los países al sur de la línea ecuatorial, como Argentina, la Navidad también es una época de calor y clima veraniego.

En algunos países, como en Guatemala, hay solamente dos estaciones: la estación de las lluvias y la estación seca. En la Ciudad de Guatemala, por ejemplo, normalmente no llueve entre noviembre y abril. Por su altura —aproximadamente 1.500 metros—, hace fresco por las noches y sol durante el día. En los meses de lluvia, de mayo a octubre, puede hacer buen tiempo por la mañana y llover por una o dos horas por la tarde. Muchos llaman a Guatemala «la tierra de la eterna primavera».

El lago de Nicaragua

Tikal, Guatemala

Un terremoto en Chile

VOCABULARIO ÚTIL

el sismo	*earthquake*
alcanzó	*attained, reached*
telúrico	*de la tierra*
las posteriores réplicas	*aftershocks*
los heridos	*wounded people*
las grietas	*cracks*
los desmoronamientos	*crumbling, breaks*
las desgracias	*misfortunes*
los derrumbes	*landslides*

Ésta es una noticia del periódico chileno *La Estrella*. Trata de un terremoto que no tuvo consecuencias trágicas, pero que sí asustó a muchas personas.

SUDAMÉRICA

EL OCÉANO PACÍFICO

Chile

Santiago

EL OCÉANO ATLÁNTICO

SISMO PROVOCÓ PÁNICO EN LA TERCERA REGIÓN

COPIAPÓ, CHILE. Escenas de pánico y confusión se vivieron esta mañana en Copiapó como consecuencia de un sismo que alcanzó 6 grados en la escala de Richter. Según se informó en la Dirección Regional de Emergencia de la provincia, el temblor se registró a las 5 de la mañana con 12 minutos. En Vallenar tuvo una intensidad de 5 a 6 grados, y en Chañaral de 3 a 4.

El movimiento telúrico estuvo acompañado de fuertes ruidos subterráneos, que causaron pánico entre la población. Muchas personas abandonaron sus hogares esperando posteriores réplicas que no se produjeron. No se registraron heridos ni viviendas destruidas, aunque algunas casas antiguas resultaron con grietas o pequeños desmoronamientos.

En Vallenar, hasta este mediodía, no se tenía conocimiento de desgracias personales ni derrumbes. Tampoco había informaciones en tal sentido desde pueblos del interior. «La situación es totalmente normal», se informó.

Vecinos agregaron que «más que el movimiento, fue el gran ruido el que asustó a la gente; ¡parecía una avalancha!»

Comprensión

Imagínese que usted es el gobernador / la gobernadora de Copiapó y que ahora tiene que mandar un informe sobre el terremoto al presidente de Chile.

1. Lugar exacto y hora del terremoto:
   _____

2. Grados en la escala de Richter:
   _____

3. ¿Hubo víctimas?
   _____

4. ¿Destruyó residencias?
   _____

5. ¿Destruyó edificios comerciales?
   _____

6. Describa la situación en este momento:
   _____

Ahora... ¡usted!

1. Si usted ha tenido la experiencia de estar en un terremoto, descríbala. ¿Sabe cuántos puntos marcó en la escala de Richter? ¿Qué daños causó?
2. En 1985 la Ciudad de México sufrió un terremoto devastador. En 1989, en el norte de California hubo también un terremoto que causó mucho daño. Uno de los más catastróficos fue el de 1994 en Kobe, Japón. ¿Tiene usted información sobre estas catástrofes? ¿Dónde estaba y qué estaba haciendo cuando ocurrieron? ¿Estuvo presente en alguna? ¿Estuvo presente algún miembro de su familia o algún amigo?
3. ¿Cuáles son los efectos de estas catástrofes? ¿Cuál es su impacto en la comunidad donde ocurren? ¿y su impacto en el mundo?

Un paso más... ¡a escribir!

A. Mencione las ciudades, los estados o las regiones de su país que se ven afectados por los siguientes fenómenos.

FENÓMENOS	CIUDADES O ESTADOS
terremotos	_____
huracanes	_____
tornados	_____
lluvias fuertes	_____
sequías	_____
nevadas	_____
inundaciones	_____

B. Escriba un breve ensayo considerando las siguientes preguntas.

1. ¿Qué fenómenos naturales afectan el área donde usted vive? ¿Cómo se prepara usted para protegerse?
2. ¿Qué pasó la última vez que un fenómeno natural se manifestó donde usted vive? Narre el incidente.

Los medios de transporte y el automóvil

Lea Gramática 10.3–10.4.

Se puede viajar cómodamente por avión.

Salimos ahora para España.

Los trenes en Suiza salen y llegan puntualmente.

Hicimos una gira en bicicleta por dos semanas.

Hoy salimos. Tenemos que estar en Madrid para el lunes.

el crucero   la lancha   el barco

En la autopista los coches corren rápidamente.

el autobús   el camión   la motocicleta

el taxi   el automóvil = el coche = el carro

el letrero   la señal (el semáforo)   la multa   el kilómetro

el tranvía   el transbordador   el metro

el maletero   el espejo retrovisor   el limpiaparabrisas   el parabrisas   la antena   el volante   los cambios   el acumulador   el radiador

el automóvil

la bocina (tocar la bocina)   el motor

¡Qué auto más hermoso!

¡Cuánto tránsito hay hoy en la autopista!

PARA ALCANZAR LOS 120 Km/h, NO HACE FALTA IR EN CUARTA. VAYA EN PRIMERA.

Si quiere utilizar un medio de comunicación veloz, moderno, que llegue a todas partes, no necesita sufrir estrecheces, ni pasar miedos.

Dé un cambio a su vida. Con el tren puede llegar hasta donde quiera sin sobresaltos ni incomodidades. El tren es un mundo en marcha. En él encontrará todo lo que desee sin tener que detenerse.

RENFE

MEJORA TU TREN DE VIDA.

Actividad 7. Definiciones: El transporte

LOS MEDIOS DE TRANSPORTE

1. _____ el avión
2. _____ el tren
3. _____ el barco
4. _____ la bicicleta
5. _____ el automóvil
6. _____ el autobús

a. vehículo aéreo
b. medio de transporte personal y familiar que permite mayor independencia
c. vehículo de dos ruedas que no usa gasolina
d. vehículo de ocho ruedas que puede transportar de 30 a 80 personas
e. medio de transporte que flota en el agua
f. medio de transporte que tiene vagones y una locomotora

LAS PARTES DEL CARRO

1. _____ los frenos
2. _____ los limpiaparabrisas
3. _____ el volante
4. _____ la bocina
5. _____ la placa
6. _____ el parabrisas
7. _____ el radiador

a. Protege a los pasajeros del viento.
b. Guarda agua para enfriar el motor.
c. Se usan cuando llueve.
d. Se usan para parar el coche.
e. Se usa para manejar el coche.
f. Tiene los números para identificar el coche.
g. Se toca para llamar la atención de los peatones y otros choferes.

LECTURA

Iberia, la aerolínea española

Aquí tiene un anuncio de la principal aerolínea de España. Si usted no ha viajado nunca en Iberia, ¡se la recomendamos!

VOCABULARIO ÚTIL

cabina ancha	*wide-body aircraft*
sin escala	*nonstop*
acogedora	*welcoming*

©STRICKLER/MONKMEYER

IBERIA

¡Volamos por el mundo adonde todo el mundo quiere volar!

**IBERIA PRESENTA
SERVICIO «CABINA ANCHA»
A MADRID 5 DÍAS A LA SEMANA.**

Bienvenido a bordo del nuevo 747 de Iberia. El avión de «cabina ancha» más avanzado tecnológicamente ahora está volando sin escala 5 días a la semana a las 6:10 P.M. de San Juan a Madrid.

El 747 vuela suave y silenciosamente. La «cabina ancha» le ofrece más espacio para usted y su equipaje de mano. Y como siempre, usted disfruta del servicio y la hospitalidad que son tradicionales de Iberia... tanto en la lujosa primera clase como en la acogedora económica. Cuando usted quiera viajar a Madrid, o a cualquier ciudad de España, llame a su agente de viajes para que le reserve un asiento en el fabuloso 747 de Iberia.

Comprensión

¿Son ciertas o falsas estas afirmaciones? Si son falsas, diga por qué.

1. La cabina del avión 747 es estrecha.
2. Los vuelos a Madrid salen todos los días a las 6:10 de la tarde.
3. El 747 es ruidoso pero muy rápido.
4. Usted no puede llevar equipaje de mano a bordo.
5. A bordo del avión usted disfruta del servicio y la hospitalidad tradicionales de esta compañía.
6. La clase económica es lujosa.

Ahora... ¡usted!

1. ¿Ha viajado usted por avión? ¿Adónde fue? ¿Le gusta usar este medio de transporte? ¿Por qué?
2. Si no ha viajado en avión, ¿le gustaría hacerlo? ¿Adónde le gustaría ir? ¿Por qué?

 Un paso más... ¡a escribir!

Describa su primer viaje en avión. ¿Cómo fue esa experiencia? ¿Adónde fue? ¿Le gustó? ¿Qué sintió? (Si no ha viajado nunca en avión, ¡imagínese la experiencia!)

Actividad 8. Asociaciones: Cómo mantener su auto en buenas condiciones

¿Con qué frecuencia se debe hacer estas actividades relacionadas con el carro?

MODELO: Se debe *lavar el carro cada semana.*

ACTIVIDADES DE MANTENIMIENTO

1. revisar la presión de las llantas
2. revisar el aceite
3. agregarle líquido al recipiente de agua para el limpiaparabrisas
4. revisar el acumulador
5. ponerle gasolina al tanque
6. pasar la aspiradora en el interior
7. encerar el auto
8. ¿ ?

FRECUENCIA

a. todos los días
b. cada semana
c. cada mes
d. cada tres meses
e. cada seis meses
f. una vez al año
g. de vez en cuando
h. ¿ ?

NOTA CULTURAL

SEAT: La asistencia en la carretera

En este anuncio se describe un servicio para las personas que viajan en coche por España.

Si piensa hacer un viaje—

corto o largo— no necesita preocuparse por su coche. Uno de los 250 talleres-rodantes de **SEAT** puede resolverle cualquier problema. Circulan diariamente, y sobre todo durante las vacaciones veraniegas, domingos y días festivos. Los talleres-rodantes pasan por todas las carreteras de España y reparan cualquier coche. Usted no necesita tener un **SEAT** para obtener nuestro servicio. La mano de obra es gratis...

SEAT asistencia en carretera

¡Así sus vacaciones van sobre ruedas!

Comprensión

Forme oraciones lógicas con las frases de ambas columnas.

1. En el servicio de SEAT no se incluye...
2. Se usa el taller-rodante cuando...
3. En todas las carreteras de España...
4. Los talleres-rodantes de SEAT reparan...
5. Hay talleres-rodantes todos los días...

a. y especialmente durante los días festivos.
b. el coche se descompone en el camino.
c. el costo de las piezas.
d. también coches de otras marcas.
e. se encuentran los talleres-rodantes de SEAT.

Ahora... ¡usted!

1. ¿Tiene carro propio? ¿Qué hace cuando se le descompone? ¿Lo lleva a un taller de reparaciones o lo repara usted mismo/a?

2. ¿Considera que este servicio de talleres-rodantes es una buena idea? ¿Hay un servicio similar en la ciudad donde usted vive? ¿Lo ha usado? Describa el incidente. ¿Cuánto cuesta?
3. Cuando usted viaja a otras ciudades, ¿normalmente alquila un carro? ¿Por qué?

Un paso más... ¡a escribir!

¿Ha tenido usted problemas con su coche en la carretera? ¿Qué pasó? ¿Qué hizo? ¿Lo reparó usted mismo/a? ¿Llamó a un club de automovilistas? ¡Narre su experiencia! (Si no ha tenido una experiencia personal, invente un cuento humorístico o serio sobre algún incidente en la carretera.)

Actividad 9. Del mundo hispano: Coches pequeños

Lea este anuncio y hágale preguntas a un compañero / una compañera.

MODELO: E1: ¿Cuántas marchas tiene *el Renault 5C*?
E2: Tiene *cuatro*.

Coches pequeños (1)
Hasta 1.200.000 pesetas

Marca y modelo	Cilindrada (c.c.)	Potencia (CV)	Velocidad máxima (km/h)	Tracción	Núm. de marchas	Combustible	Precio
Renault 4	1.108	38	120	D	4	N	725.215
Seat Marbella L	903	40	117	D	4	N	819.724
Ford Fiesta 1.1	1.117	50	146	D	5	S	857.500
Renault 5C	1.108	38	135	D	4	S	909.292
Opel Corsa 1.0	993	45	142	D	4	S	919.334
Seat Ibiza Street	903	44	132	D	4	N	936.995
Volkswagen Polo Bunny	1.043	40	143	D	4	N	960.044
Fiat Uno 45S Fire	999	45	146	D	4	S	997.500
Peugeot 205 XL	1.118	55	144	D	4	S	1.039.999
Seat Ibiza 1.2 Junior	1.193	63	154	D	5	N	1.064.715
Opel Corsa Swing 1.2	1.196	55	153	D	5	S	1.066.984
Citroën AX 14 TRS	1.360	65	156	D	5	S	1.087.374
Austin Metro 1.3 LE	1.275	63	155	D	4	S	1.091.000
Renault 5 GTL	1.397	60	156	D	4	S	1.108.218
Ford Fiesta Ghia 1.4	1.392	75	166	D	5	S	1.116.900
Opel Corsa Swing D	1.448	50	149	D	5	G	1.192.546

N = gasolina normal; S = súper; G = gasóleo. El precio comprende IVA y transporte; ha entrado en vigor en febrero de este año y el fabricante puede haberlo modificado.

PREGUNTAS ÚTILES

¿Cuántas marchas (Cuántos cambios) tiene el... ?
¿Qué clase de combustible usa el... ?
¿Cuál es la velocidad máxima de un... ?
¿Cuánto cuesta un... ?

LAS PALABRAS VIVEN

En España, **el estacionamiento** es **el aparcamiento**; en algunos países del Caribe es **el parking**. Los puertorriqueños **parquean el carro**, pero en España uno **aparca el coche**. **El carro,** a propósito, es también **el auto** y **el automóvil**.

Hay otras dos palabras para **manejar**: en España, **conducir**, y en muchas partes de América Latina, **guiar**. Una calle con mucho **tráfico** es también una calle con mucha **circulación** o **tránsito**. Y **el semáforo** puede ser **la señal de tráfico** o, entre los hispanos de los Estados Unidos, **la luz**.

Muchas personas en México viajan en **camión**, es decir, en **autobús**. El autobús es **el bus** en América Central, **la guagua** en Cuba y Puerto Rico y **el colectivo** en Argentina. Otra palabra que se usa en algunas partes es **el ómnibus**.

AYUDA EN CARRETERA

Ojalá que no ocurra, pero hay que estar prevenidos. En caso de avería o cualquier otro percance es útil ser socio de algún club automovilístico o asociación de ayuda al automovilista como la AMA, o ANA, que, por una cuota mensual ofrecen distintos servicios en carretera. También conviene llevar la lista de los talleres oficiales de la marca del auto que se conduzca.

Actividad 10. Descripción de dibujos: Los letreros de la carretera

Diga cuál es la frase u oración que corresponde a cada número.

a. puente angosto
b. No doble a la izquierda.
c. tránsito de un solo sentido (una vía)
d. baños

e. ¡Cuidado! Puede haber personas a su izquierda.
f. gasolinera
g. mecánico
h. estacionamiento de una hora

i. tránsito de doble sentido (vía)
j. No se estacione.
k. tren
l. camino angosto
m. superficie resbalosa
n. prohibido el tránsito

o. Disminuya la velocidad porque hay una curva.
p. Tiene que ir por otro camino.
q. Disminuya la velocidad.
r. Tenga mucho cuidado.

Actividad 11. Entrevistas: El transporte y los coches

EL TRANSPORTE

1. ¿Usas mucho el autobús? ¿Por qué? ¿Montas mucho en bicicleta? ¿Montabas mucho en bicicleta de niño/a? ¿Cuál es tu forma de transporte preferida?

2. De niño/a, ¿viajabas mucho en auto con tu familia? ¿Adónde iban? ¿Te gustaba hacer viajes con tu familia?

3. ¿Has viajado por tren? ¿Adónde fuiste? ¿Te gusta viajar por tren? ¿Por qué? ¿Has viajado por avión? ¿Adónde has ido? ¿Te gusta viajar por avión? ¿Crees que es peligroso viajar por avión? Explica.

4. ¿Has montado alguna vez en motocicleta? ¿Te gustó? ¿Llevas casco cuando montas en moto? ¿Crees que es peligroso montar en moto? ¿Por qué?

5. ¿Has viajado en barco? ¿Adónde fuiste? ¿Te gustó el viaje? ¿Era grande o pequeño el barco? ¿Te mareas cuando viajas por barco?

TÚ Y TU COCHE

1. ¿Tienes tu propio coche? ¿De qué marca es? ¿Cómo es tu coche? ¿Es práctico? ¿grande? ¿elegante?

2. ¿Tienes seguro? ¿De qué compañía? ¿Es muy caro? ¿Te gusta manejar? ¿Cuántas millas manejas cada día, aproximadamente?

3. ¿Has tenido un accidente en tu coche? ¿Cuánto (tiempo) hace? ¿Fue serio o sin importancia?

4. ¿Has salido de vacaciones en tu coche? ¿Cuánto (tiempo) hace? ¿Adónde fuiste? ¿Con quién fuiste? ¿Cuántas horas tuviste que manejar? ¿Te gustó?

5. ¿Le has dado «un aventón» a una persona que no conocías? ¿Tuviste miedo? ¿Por qué lo hiciste?

Monumento a la Independencia, avenida Paseo de la Reforma, Ciudad de México. En toda ciudad grande del mundo hispano, el transporte público es barato y accesible; gran parte de la población prefiere usarlo en vez de manejar. Y, claro, hay gente que simplemente camina. Muchos hispanos completan un viaje en autobús o metro con una caminata de varias cuadras para llegar a casa o al trabajo.

La ecología y el medio ambiente

Lea Gramática 10.5.

Me parece que debemos hacer un esfuerzo serio por eliminar la contaminación de los ríos.

Nos urge salvar los árboles. Debemos encontrar otros medios de transporte.

Me preocupa mucho el sistema ecológico del desierto.

A los científicos les interesa resolver el problema de la destrucción de las selvas tropicales.

A todos nos preocupa mucho el agujero en la capa de ozono.

Nos molesta la contaminación del aire (el esmog).

A Esteban y a Raúl les llama mucho la atención el número de especies que están en peligro de extinción.

Actividad 12. Asociaciones: El medio ambiente —Problemas y soluciones

¿Le preocupan los siguientes problemas ecológicos? Diga qué podemos hacer para resolverlos.

MODELO: Me preocupa *la sequía*. Creo que no debemos *desperdiciar el agua*.

PROBLEMAS ECOLÓGICOS

1. el consumo excesivo de petróleo
2. la destrucción de las selvas tropicales
3. el uso excesivo de productos plásticos
4. la destrucción del hábitat de algunas especies de animales y plantas
5. la contaminación de los ríos y los océanos
6. el agujero en la capa de ozono
7. los desperdicios de las plantas nucleares
8. la contaminación del aire en las grandes ciudades
9. la sequía; la escasez de agua
10. ¿ ?

SOLUCIONES

a. usar pesticidas no tóxicos
b. imponerles fuertes restricciones a las industrias
c. usar menos energía
d. fomentar la agricultura orgánica
e. restringir el uso de los autos
f. criar animales en los zoológicos
g. controlar la natalidad
h. crear nuevas reservas naturales
i. desarrollar otros medios de transporte
j. reducir drásticamente o eliminar la producción de carburos fluorados
k. comprar productos en envases de vidrio y participar en programas de reciclaje
l. no desperdiciar el agua
m. ¿ ?

EL MUNDO HISPANO... en los Estados Unidos

Lety Guerrero Romero tiene 29 años y es de México, D.F. Vive ahora en Wilmington, California.

¿Le preocupan a usted los problemas del medio ambiente y la ecología?
¿Qué hace usted para mejorar su medio ambiente?

Este tema nos debe preocupar a todos. Debemos tomar conciencia[1] de que la Tierra es el único planeta azul que conocemos, donde sabemos que existe la vida. Pero, parece que cada día lo lastimamos[2] más. Hay que ser realistas y darnos cuenta de que cada día avanzamos con paso agigantado para destruir a la madre Naturaleza. De ella nos alimentamos y por eso vivimos. No es justo que le paguemos tan mal.[3]

Debemos colaborar cada uno de nosotros —por muy pequeña que sea la ayuda—[4] para tratar de no perjudicar[5] más este planeta. Por ejemplo, cuando vamos al parque, recoger todos los desperdicios que originamos. No desperdiciar dejando abiertas las llaves del agua, reciclar la basura. Eso a nivel del hogar. Los industriales deben de tener muchas más reglas estrictas dentro de cada área o departamento.

Nuestro pequeño planeta azul es fuerte. Pero llegará[6] un día en que ya no nos soporte más. ¡Hay que ayudarlo!

[1]tomar... *become aware* [2]lo... *we hurt it* [3]No... *It's not fair to repay it so badly.* [4]por... *no matter how small the help* [5]*damage* [6]*will arrive*

Actividad 13. Del mundo hispano: El «abecedario ecológico»

Lea este artículo sobre la Amazonia con su compañero/a. Luego, unan las frases para tener una lista de las ideas principales del artículo.

ABECEDARIO ECOLÓGICO

Amazonia: Es una zona selvática que llega al sur de Colombia y Venezuela, a una parte del oriente peruano y a toda la zona norte de Brasil. Su área total es de 7 millones de kilómetros cuadrados, tiene 200 millones de hectáreas de flora y alberga[1] a 30 millones de especies animales. Su temperatura promedio es de 27 grados centígrados, llueve durante todo el año y está conformada[2] por densas selvas y grandes ríos, lo que le da un potencial maderero[3] e hidroélectrico inmenso.

A pesar de esto, la flora tropical crece en terrenos relativamente infértiles, pues el 70%[4] del suelo[5] amazónico es muy pobre. La escasa cantidad de nutrientes que circula en el ecosistema se mantiene dentro de las plantas vivas. A esto se suma que el consumo maderero ha crecido 15 veces desde 1950 y para los próximos 25 años se espera una marcha de extinción animal próxima a las 100 especies por día.

Otro elemento de explotación que no ha sido controlado es el de las plantas: muchos medicamentos tienen origen en el trópico y, sin ciertas especies de la Amazonia, la industria farmacéutica no existiría. A propósito, el científico[6] brasileño Carlos Nobre asegura que «si existiera alguna cura para el cáncer, ésta se encontraría en algún lugar del Amazonas».

[1]*gives shelter to* [2]está... *is made up of* [3]potencial... *potential for lumber* [4]setenta por ciento [5]*soil* [6]*scientist*

1. La Amazonia cubre una área inmensa y...
2. La temperatura promedio es de 27° centígrados y...
3. La Amazonia tiene densas selvas y grandes ríos que...
4. El suelo de esta región es muy pobre;...
5. Dentro de los próximos veinticinco años, se espera la extinción de...
6. Según un científico brasileño, si existe una cura para el cáncer...

a. los pocos nutrientes se mantienen en las plantas vivas.
b. aproximadamente cien especies por día.
c. está entre las plantas de la Amazonia.
d. tiene 30 millones de especies de animales.
e. ofrecen mucho potencial para producir madera y energía hidroeléctrica.
f. llueve durante todo el año.

Selva amazónica en Perú

La visión ideal de Costa Rica

VOCABULARIO ÚTIL

rechazan	*they reject*
la repoblación forestal	*reforesting*
el Movimiento Ambiental	*Environmental Movement*
lanzaron	*they launched*
subvencionadas	*subsidized*

En esta Lectura se discute el tema de la desaparición de los bosques. Se menciona en específico la situación de Costa Rica, un país muy rico en territorio forestal. Usted también va a descubrir aquí por qué es tan especial este país centroamericano.

Costa Rica* es un país único no sólo en el mundo hispano, sino en el mundo entero. Varios aspectos de la sociedad costarricense contribuyen a formar esta imagen especial. De partida, el país no tiene ejército, pues los ciudadanos rechazan la idea de la guerra. Pero eso no es todo. Los costarricenses también están muy conscientes de la importancia de la naturaleza. El gobierno tiene reglas estrictas con respecto al desarrollo y la construcción de viviendas y hoteles en zonas selváticas. El 40 por ciento del territorio del país está poblado de bosques. Y hay en Costa Rica uno de los sistemas más extensos de parques nacionales en todo el mundo hispano. El nombre del país es verdaderamente apropiado, pues la *costa* que da al océano Atlántico es muy *rica* en selvas tropicales.[†]

---

*La población de Costa Rica es de tres millones de habitantes. El país tiene una industria estable de turismo, y exporta café, plátanos, carne, azúcar y cacao. El clima es de dos estaciones: la seca, de diciembre a abril; y la húmeda, de mayo a noviembre.
[†]En realidad, *Costa Rica* no se refiere a la riqueza forestal del país. Cuando los exploradores españoles llegaron a la región en el siglo XVI, le dieron el nombre porque pensaban que iban a encontrar grandes cantidades de oro allí.

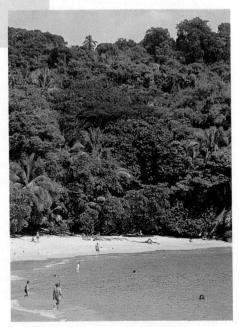

Playa Manuel Antonio, Costa Rica

Costa Rica: Parque Nacional
Braulio Carillo

A todos los niveles de la sociedad, se nota el deseo de los costarricenses de conservar sus recursos naturales: sus especies de animales, sus bosques y selvas. De hecho, el reciente movimiento de «ecoturismo» — que propone, entre otras ideas, un tipo de turismo que no dañe el medio ambiente— comenzó en Costa Rica.

A pesar de esta visión ideal, Costa Rica ha tenido que hacer algunos sacrificios debido a presiones económicas. Hace apenas diez años, el país estaba exportando mucha madera. Como no había un plan oficial de repoblación forestal, los bosques de árboles para madera empezaron a desaparecer. Entre 1981 y 1990 Costa Rica perdió un 2 por ciento de todos sus bosques.

Por suerte, miembros del Movimiento Ambiental lanzaron una campaña para convencer al gobierno costarricense de la necesidad de sembrar árboles, y la campaña tuvo resultados muy positivos. Ahora hay varias iniciativas de repoblación forestal en Costa Rica, algunas subvencionadas por el gobierno.*

Los proyectos de repoblación forestal sufren diariamente una serie de obstáculos, no siempre económicos sino también provocados por fenómenos naturales. En 1996, por ejemplo, hubo una sequía que duró desde diciembre del año anterior hasta marzo. Inevitablemente, esta tremenda sequía afectó la siembra y el crecimiento de los árboles en regiones forestales. Pero lo importante es que los costarricenses han seguido tratando de conservar su flora y fauna. ¡Y siguen plantando árboles!

Hay pocos países como Costa Rica, con una conciencia nacional del medio ambiente, donde la gente toma en serio las cuestiones ambientales. En nuestro planeta —devastado por las guerras y por la destrucción de la naturaleza— Costa Rica representa una feliz excepción. Su visión de la Tierra es ideal.

---

*Una de las más activas es la Iniciativa de Bosques Tropicales (*Tropical Forestry Initiative, TFI*). Esta iniciativa, formada por ocho personas, tiene como propósito repoblar las selvas tropicales de Costa Rica, plantando especies de árboles indígenas a cada región.

Comprensión

Complete las siguientes oraciones con frases de la columna a la derecha.

1. En la década de los ochenta,...
2. El Movimiento Ambiental le hizo ver al gobierno...
3. Costa Rica es un país pacífico, pues...
4. El gobierno costarricense no permite...

a. no cree en la guerra y no tiene ejército.
b. la construcción de muchos hoteles en zonas selváticas.
c. la importancia de plantar más árboles.
d. Costa Rica perdió una gran cantidad de bosques.

Ahora... ¡usted!

1. ¿Ha estado usted en Costa Rica? Si no ha estado, ¿le gustaría visitar ese país?
2. ¿Le gustaría vivir en un país donde no haya ejército? ¿Por qué sí o por qué no? ¿Cuáles son las ventajas y desventajas de tener una fuerza militar?
3. ¿Le preocupa la cuestión de la repoblación forestal? ¿Por qué sí o por qué no? ¿Qué ideas o planes propone usted para evitar la destrucción de los bosques?

 Un paso más... ¡a escribir!

Imagínese que, por un momento fantástico, un árbol en el bosque puede hablar. ¿Qué va a decir con respecto a su vida, su medio ambiente y sus vecinos? ¿Qué va a decir sobre los seres humanos? Escriba una composición titulada «El mensaje del árbol».

 # En resumen

De todo un poco

A. La geografía y el clima de América Latina

Trabaje con varios compañeros para poner los nombres de los siguientes mares y océanos, las cordilleras y los ríos más importantes de América Latina en el mapa a continuación.

1. el Río Bravo
2. cuatro cordilleras:
   a. Sierra Madre Occidental
   b. Sierra Madre Oriental
   c. Sierra Madre del Sur
   d. cordillera de los Andes
3. el canal de Panamá
4. el lago Titicaca
5. el río Orinoco
6. el río Amazonas
7. el río Paraná
8. las cataratas del Iguasú
9. el océano Atlántico
10. el océano Pacífico
11. el Mar Caribe
12. el golfo de California
13. el golfo de México

Ahora, contesten estas preguntas.

1. ¿Cuál es la estación, y qué tiempo hace en México (parte del hemisferio norte) en enero? ¿Y en julio y agosto?
2. ¿Qué tiempo hace en los países de América Central (Costa Rica y Nicaragua, por ejemplo) en marzo? ¿Y en septiembre y octubre?
3. ¿Cuál es la estación, y qué tiempo hace en Argentina (parte del hemisferio sur) en enero? ¿Y en julio y agosto?
4. ¿Qué más saben ustedes del clima de América Latina? ¿Dónde lo aprendieron?

Finalmente, si algunos de ustedes han viajado por los países de habla hispana (América Latina y España), preparen un pequeño informe para sus compañeros. Incluyan la siguiente información.

> en qué medio de transporte viajaron
> qué países han visitado y en qué estación
> qué tiempo hizo durante su viaje
> cuánto (tiempo) hace que viajaron allí
> qué ríos, montañas, etcétera, vieron
> si vieron algo que les fascinó
> si vieron algo del medio ambiente que les preocupó
> dos o tres fotos de su viaje

B. ¡Salvemos el medio ambiente!

1. Hagan una lista de medidas que cualquier ciudadano puede tomar para reducir la cantidad de basura que produce diariamente. Compartan sus ideas con la clase.

MODELO: Uno puede llevar sus propias bolsas de lona al supermercado.

2. Digan lo que ustedes ya han hecho para proteger el medio ambiente para reducir la cantidad de desperdicios que generan en su casa.

MODELO: Hemos usado ambos lados de las hojas de papel. Hemos reciclado el papel y el vidrio.

¡Dígalo por escrito!

El medio ambiente y usted

Traiga a la clase una foto o un dibujo de un problema climático o ambiental que a usted le preocupe. Explíqueles el problema a sus compañeros de clase. ¿Dónde ocurre? ¿Cuáles son las causas principales? ¿Cuáles son las consecuencias? ¿Qué se puede hacer para mitigar o resolver el problema? Después, en casa, escriba una breve composición sobre el tema, incluyendo algunos de los comentarios que sus compañeros hicieron cuando les describió el problema en clase.

VIDEOTECA

 El medio ambiente es un tema que nos preocupa a todos. En este episodio del video, Elisa Velasco, la periodista de Ecuador, escribe un artículo sobre el medio ambiente. Escuche bien mientras ella escribe. ¿Cuáles son las cosas que le molestan a Elisa? Según su artículo, ¿qué ha hecho el grupo estudiantil? Ha hecho usted algo para proteger el medio ambiente? ¿Qué ha hecho? También observe bien el sitio donde está Elisa y apunte tres cosas notables de su clima y geografía. En el Capítulo 10 del *Cuaderno de trabajo* hay más actividades para hacer después de ver el video.

Vocabulario

La geografía

el arrecife	reef
la bahía	bay
el bosque	forest
la catarata	waterfall
la colina	hill
la cordillera	(mountain) range
la corriente	current (of water)
la isla	island
el llano	plain
la orilla	shore; (river)bank
la selva (tropical)	(tropical) jungle
el terreno	ground, terrain
la tierra (firme)	land

PALABRAS SEMEJANTES: la agricultura, la América Latina, el cañón, la costa, el desierto, la elevación, la extensión, el golfo, el océano, la península, la región, la laguna, el valle, la vegetación

El clima — Weather

caluroso	warm, hot
el cielo	sky
la escarcha	frost
la humedad	humidity
la llovizna	drizzle
la lluvia	rain
la neblina	fog
la nube	cloud
(parcialmente) nublado	(partially) cloudy
pronosticar	to forecast (*weather*)
se pronostica...	. . . is forecast
el relámpago	lightning
el rocío	dew
soleado	sunny
la tormenta	storm
el trueno	thunder

PALABRAS SEMEJANTES: el centígrado, el ciclón, húmedo, el huracán, el tornado

REPASO: el grado, llover (ue), la temperatura

Los medios de transporte
Means of Transportation

el camión	truck
el crucero	cruise ship
la lancha	(small) boat

el pasajero / la pasajera	passenger
el tránsito	traffic
el transbordador	ferry
el tranvía	cable car; streetcar
el vagón	car (of a train)

PALABRAS SEMEJANTES: la locomotora, el taxi, transportar, el vehículo

REPASO: barco

El automóvil

abrocharse el cinturón de seguridad	to fasten one's seat belt
el acumulador	battery
el arranque	ignition
la autopista	freeway
los cambios	gears
el camino	road
el capó	hood
la carretera	highway
el espejo retrovisor	rearview mirror
los frenos	brakes
gastar combustible	to use (burn) fuel
el guardafangos	fender
el limpiaparabrisas	windshield wiper
la llanta (desinflada)	(flat) tire
el maletero	trunk
el parabrisas	windshield
el parachoques	bumper
el peatón / la peatona	pedestrian
la placa	license plate
la presión	pressure
el puente	bridge
la rueda	wheel
el seguro (de automóvil)	(automobile) insurance
el semáforo	traffic light
tocar la bocina	to honk the horn
el volante	steering wheel

PALABRAS SEMEJANTES: el aire acondicionado, la antena, el autobús, la circulación, la gasolina, la licencia de manejar, el motor, el radiador, el tanque, la transmisión

Los letreros en la carretera
Road Signs

despacio	slow
desviación	detour

doble sentido	two-way (street)
no hay paso	no entrance
peligro	danger
la señal	sign; signal
un solo sentido	one-way

PALABRA SEMEJANTE: **la curva**

La ecología y el medio ambiente
Ecology and the Environment

el agujero en la capa de ozono	hole in the ozone layer
los desperdicios (nucleares)	(nuclear) waste
el envase	packing, packaging; bottle
la madera	wood
la natalidad	birth rate
el promedio	average
el reciclaje	recycling
la sequía	drought
la superficie	surface
el vidrio	glass (*material*)

PALABRAS SEMEJANTES: **el carburo fluorado, la contaminación del aire, la destrucción, la energía, las especies, la extinción, el hábitat, el nutriente, el pesticida, el petróleo, la planta nuclear, la reserva, el uso**

Los verbos

crear	to create
desarrollar	to develop
desperdiciar	to waste
disminuir	to reduce
encerar	to wax
enfriar	to cool down
hacer una gira	to take a tour
molestar	to bother
parar	to stop
preocupar	to worry
proteger	to protect
resolver (ue)	to solve
salvar	to save

PALABRAS SEMEJANTES: **causar, controlar, eliminar, expresar, flotar, identificar, interesar, mantener, observar, producir, reciclar, reducir, restringir**

Los sustantivos

la ballena	whale
el buceo	underwater swimming; diving
la cantidad	quantity
el casco	helmet

el ciudadano / la ciudadana	citizen
la entrada	entrance
el esfuerzo	effort
la estrella	star
el recipiente	container
el recurso	resource
el suelo	ground
el sitio	place
la vía	way

PALABRAS SEMEJANTES: **la abundancia, el cáncer, la concentración, la condición, la cura, la diversidad, la industria, el potencial, el problema, la producción, el producto, la restricción, el sistema**

Los adjetivos

aéreo/a	pertaining to air (travel)
ambos/as	both
bello/a	beautiful
cualquier(a)	any
fuerte	strong
nevado/a	snowy
pobre	poor
profundo/a	deep
resbaloso/a	slippery
rodeado/a	surrounded
tantos/as	so many

PALABRAS SEMEJANTES: **árido/a, colorido/a, considerable, denso/a, ecológico/a, impresionante, inmenso/a, marino/a, natural, orgánico/a, plástico/a, principal, prohibido/a, tóxico/a, turístico/a**

Los adverbios

cómodamente	comfortably
de vez en cuando	once in a while
diariamente	daily
lentamente	slowly

PALABRAS SEMEJANTES: **completamente, drásticamente, puntualmente**

Palabras y expresiones útiles

¡Cuánto/a/os/as... !	How many . . . !
hacia	toward
¡Qué + *noun* + tan/más + *adjective*!	What a + *adjective* + *noun*!

Gramática y ejercicios

10.1   Saying What You Have Done: The Present Perfect

(Yo) he viajado a Panamá. (*I have traveled to Panama.*)
he = present tense of **haber**
viajado = past participle of **viajar**

A. The present perfect is formed with the present tense of the verb **haber*** (*to have*) followed by a form of the verb called the past participle.

—¿**Han visitado** ustedes Europa?
—Sí, **hemos visitado** España dos veces.

—*Have you visited Europe?*
—*Yes, we've visited Spain twice.*

Tú has visto el museo del Prado. (*You have seen the Prado museum.*)
has = present tense of **haber**
visto = past participle of **ver**

B. The present-tense forms of **haber** are irregular.

Ellos han ido a Europa cinco veces. (*They have gone to Europe five times.*)
han = present tense of **haber**
ido = past participle of **ir**

haber (*to have*)		
(yo)	he	*I have*
(tú)	has	*you (inf. sing.) have*
(usted, él/ella)	ha	*you (pol. sing.) have; he/she has*
(nosotros/as)	hemos	*we have*
(vosotros/as)	habéis	*you (inf. pl., Spain) have*
(ustedes, ellos/as)	han	*you (pl.) have; they have*

—Ernesto, ¿**has recogido** el coche?
—No, todavía no **han llamado** del taller.

—*Ernesto, have you picked up the car?*
—*No, they haven't called yet from the shop.*

C. The past participle is formed by adding **-ado** to the stem of **-ar** verbs and **-ido** to the stem of **-er** and **-ir** verbs.

-ar	
Infinitive	**Past Participle**
hablar	hablado
jugar	jugado
preparar	preparado

---

*Recognition: **vos habés**

-er / -ir	
Infinitive	**Past Participle**
comer	comido
vivir	vivido
dormir	dormido

—¿Ya **han comprado** los señores Ruiz los boletos?
—No, no **han tenido** tiempo todavía.

—*Have the Ruizes already bought the tickets?*
—*No, they haven't had time yet.*

—Andrea, ¿**has terminado**?
—No, el agente de viajes no **ha conseguido** las reservaciones todavía.

—*Andrea, have you finished?*
—*No, the travel agent hasn't got the reservations yet.*

D. A few verbs have irregular participles.

abrir: **abierto**	*to open / opened*
cubrir: **cubierto**	*to cover / covered*
decir: **dicho**	*to say / said; to tell / told*
escribir: **escrito**	*to write / written*
hacer: **hecho**	*to do / done; to make / made*
morir: **muerto**	*to die / died; dead*
poner: **puesto**	*to put / put*
resolver: **resuelto**	*to solve / solved*
romper: **roto**	*to break / broken*
ver: **visto**	*to see / seen*
volver: **vuelto**	*to return / returned*

The participles of verbs derived from these verbs are also irregular. For example, **describir** is derived from **escribir**.

describir: **descrito**	*to describe / described*
devolver: **devuelto**	*to return / returned*
inscribir: **inscrito**	*to enroll / enrolled*
reponer: **repuesto**	*to put back / put back*
suponer: **supuesto**	*to suppose / supposed*

—Estela, ¿dónde **has puesto** mis pantalones nuevos?
—Ya te **he dicho** que están encima de la cama.

—*Estela, where have you put my new pants?*
—*I've already told you that they're on top of the bed.*

Ernesto fue a la agencia de viajes hace dos horas y todavía no **ha vuelto.**

Ernesto went to the travel agency two hours ago and hasn't come back yet.

Note that **ya** (*already*) and **todavía no** (*not yet*) are adverbs commonly used with the present perfect tense.

Ejercicio 1

Éstas son algunas de las cosas que han hecho los amigos y parientes de Estela. Complete las oraciones con **comer, escribir, ver, viajar, comprar, hablar, limpiar, oír, ir** y **pasar.**

> MODELO: Mis cuñados *han ido* mucho a Puerto Vallarta porque les gustan las playas y el sol.

1. Ernesto y yo _____ la nueva película de Almodóvar cuatro veces.
2. Ramón le _____ varias cartas a Amanda.
3. Yo _____ tres veces este mes a Cuernavaca.
4. La señorita Batini _____ una casa nueva.
5. Pedro, ¿_____ en un restaurante chino últimamente?
6. Guillermo no _____ con Ernesto hoy.
7. Graciela, tú nunca _____ a España, ¿verdad?
8. Marisa y Clarisa _____ su cuarto muy bien.
9. Ernestito, ¿_____? ¡Tu padre dice que vamos a ir de vacaciones en Florida!
10. Pedro y Andrea _____ sus vacaciones en Acapulco muchas veces.

Ejercicio 2

¿Cuántas veces ha hecho usted estas cosas? Haga preguntas y respuestas.

> MODELO: bucear en el mar Caribe →
> —¿Cuántas veces *has buceado* en el mar Caribe?
> —Nunca *he buceado* allí. (Mi hermana y yo *hemos buceado* en el mar Caribe dos o tres veces.)

1. viajar a México
2. esquiar en un lago
3. subir a una pirámide
4. acampar en las montañas
5. alquilar un coche

6. cocinar para diez personas
7. leer tres novelas en un día
8. correr 5 kilómetros sin parar
9. decirles una mentira a sus padres
10. romper un vaso en un restaurante

10.2   Exclaiming: ¡Qué... !, ¡Cuánto/a/os/as... !

A. Form exclamations with **qué** using ¡**Qué** + *adjective* . . . !*

¡**Qué bonita** es la playa!	*How pretty the beach is!*
¡**Qué interesante** fue ese viaje!	*What an interesting trip that was!*

¡Qué montañas tan altas! (*What tall mountains!*) **¡Qué azul es el agua aquí!** (*How blue the water is here!*)

B. Use the pattern ¡**Qué** + *noun* + **tan/más** + *adjective*! to express *What a(n) . . . !*

¡**Qué país tan grande!**	*What a large country!*
¡**Qué viaje más divertido!**	*What an enjoyable trip!*

C. Use **cuánto/a/os/as** to express surprise about quantity.

¡**Cuánto** dinero tiene ese hombre!	*What a lot of money that man has!*
¡No te imaginas **cuántas** horas tuvimos que esperar!	*You can't imagine how many hours we had to wait!*

¡Cuántas personas hay en esta playa! (*There sure are a lot of people on this beach!* [*What a lot of people there are on this beach!*])

---

*Note that **qué** and **cuánto** take an accent mark in exclamations as well as in questions.

Ejercicio 3

Imagínese que usted está mirando las fotos de Susana Yamasaki y sus hijos, quienes acaban de regresar de un viaje por América Latina. Exprese su sorpresa al ver estas fotos.

MODELO: las pirámides de Teotihuacán: pirámides / altas →
Las pirámides de Teotihuacán... ¡Qué pirámides tan (más) altas!

1. Bolivia: país / interesante
2. un vuelo de Quito a México, D.F.: vuelo / largo
3. los Andes: montañas / altas
4. una selva tropical en Venezuela: selva / verde
5. una playa en el Caribe: arena / blanca

Ejercicio 4

Ahora imagínese que usted también ha hecho un viaje por España y por América Latina. Haga comentarios sobre los lugares interesantes que ha visto.

MODELO: azul / el agua del Caribe → ¡Qué azul es el agua del Caribe!

1. impresionantes / las ruinas de Machu Picchu
2. grande / el lago Titicaca
3. cosmopolita / la ciudad de Buenos Aires
4. húmeda / la selva de Ecuador
5. seco / el desierto de Atacama en Chile
6. alta / la torre de la Giralda en Sevilla
7. hermoso / el edificio del Alcázar de Segovia
8. inmenso / el parque del Retiro en Madrid
9. interesante / el Museo del Prado
10. antiguo / el acueducto de Segovia

10.3 Expressing *by*, *through*, Destination, and Time: *por* and *para*

The prepositions **por** and **para** have distinct meanings.

A. Para indicates movement *toward* a destination.

> **por** = movement *through* or *by*, or *means of transportation*
> **para** = movement *toward a destination*
> **Caminamos por la playa.** (*We walked along the beach.*)
> **Fuimos por tren.** (*We went by train.*)
> **Salen mañana para Cuzco.** (*They leave tomorrow for Cuzco.*)

Cuando era niño, salía **para** la escuela a las 7:30.	*When I was a kid, I used to leave for school at 7:30.*
Perdón, señor, ¿cuál es el tren que sale **para** Madrid?	*Excuse me, sir, which is the train that is leaving for Madrid?*

Por, on the other hand, indicates motion *through* or *by* (*along*) a place.

Pasamos **por** varios pueblos antes de llegar a Salamanca.	*We went through various villages before arriving in Salamanca.*
Por las noches caminábamos **por** la orilla del lago de Chapala.	*In the evenings we would take walks along the shore of Lake Chapala.*

Por is also used to indicate means of transportation.

Mis hermanos quieren viajar **por** barco, pero yo quiero ir **por** avión.	*My brothers want to travel by boat, but I want to go by plane.*

Note the contrast in usage in the following example.

Mañana salgo **para** París. Voy a viajar **por** tren.	*Tomorrow I'm leaving for Paris. I'll travel by train.*

por = *length of time, during*
para = *deadline*
Estuvimos en España por tres semanas. (*We were in Spain for three weeks.*)
Paula necesita terminar el trabajo para el lunes. (*Paula needs to finish the job by Monday.*)

B. Por and **para** can also be followed by expressions of time.

1. Use **por** to indicate length of time (although you may often omit **por** in these cases). Some examples of time expressions are **por una semana, por tres meses, por un año**, and **por mucho tiempo**.

Hoy tengo que trabajar en el taller (**por**) **diez horas**.	*Today I have to work in the shop for ten hours.*

You can also use **por** to express *during*, *in*, or *at* with parts of the day: **por la mañana, por la tarde, por la noche**.

Aquí **por la noche** todo el mundo sale a pasear.	*Here in (during) the evening everybody goes out for a walk.*

2. Use **para** to indicate a deadline by which something is expected to happen.

Hay que entregar el informe **para** las 10:00.	*We have to turn in the report by 10:00.*
La tarea es **para** el viernes.	*The homework is for (due) Friday.*

Ejercicio 5

Aquí tiene usted parte de una conversación entre Silvia Bustamante y su novio, Nacho Padilla. Escoja **por** o **para**.

SILVIA: Ayer trabajé _____¹ ocho horas en la terminal de autobuses.
NACHO: Yo manejé mi taxi _____² solamente cinco horas.
SILVIA: ¿Cuándo sales _____³ Morelia?
NACHO: Dentro de dos días. Salgo _____⁴ la mañana, y voy a viajar _____⁵ tres horas.
SILVIA: ¿No vas _____⁶ avión?
NACHO: ¡Claro que no! Voy _____⁷ tren. Es mucho más barato.
SILVIA: ¿Cuánto tiempo piensas quedarte allí?
NACHO: ¡Una semana! Necesito recoger unos documentos importantes. Van a estar listos _____⁸ el próximo viernes.

10.4   Describing Actions: Adverbs

-mente = *-ly*
cómodamente = *comfortably*
calmadamente = *calmly*

Words that describe actions are called *adverbs*. Many adverbs are formed in Spanish by adding **-mente** to the feminine or neuter form of the adjective: **rápida** (*fast*) → **rápidamente** (*quickly*); **libre** (*free*) → **libremente** (*freely*).

—Amanda, ¿vas al cine **frecuentemente**?	*—Amanda, do you go to the movies frequently?*
—Sí, voy casi todos los fines de semana.	*—Yes, I go almost every weekend.*

En este país puedes hablar **abiertamente**.   *In this country you can talk openly.*

Ejercicio 6

Primero escoja el adjetivo más lógico entre **puntual**, **inmediata**, **constante**, **cómoda** y **rápida**. Luego forme un adverbio.

MODELO: (general) → *Generalmente* tomo el autobús número 73 para ir a la universidad.

1. ¡Los trenes en Japón transitan a 250 kilómetros por hora! Los pasajeros llegan _____ a su destino.
2. Me gusta viajar por tren. Me siento _____ y miro el paisaje por la ventanilla.
3. En Suiza los trenes y los autobuses llegan y salen _____.
4. ¡Nunca he visto tantos autobuses! En la estación de autobuses de Guadalajara, los autobuses llegan y salen _____.
5. Tenemos que correr; el próximo autobús sale _____.

10.5 Expressing Reactions: More Verbs like *gustar*

Like **gustar** and **encantar**, several other verbs also use indirect object pronouns.

dar miedo *to frighten*
dar rabia *to infuriate*
fascinar *to be fascinating; to love*
importar *to matter*
interesar *to be interesting*

llamar la atención *to attract attention*
molestar *to bother*
parecer *to seem like*
preocupar *to worry, be worrying*
urgir *to be pressing, really necessary*

The English equivalents of these verbs vary according to context.

—¿Qué **te interesa**?
—**Me interesa** la geografía porque **me fascina** viajar.

—*What interests you?*
—*I'm interested in geography because I love to travel.*

El paisaje es tan lindo que no **nos importa** si llueve.

The countryside is so pretty that it doesn't matter to us if it rains.

—Susana, ¿qué **te parece** un viaje a Chile y Bolivia?
—**Me parece** una idea fantástica.

—*Susana, what do you think about a trip to Chile and Bolivia?*
—*It seems like a great idea to me.*

The person whose opinion is described (**me, te, le, nos, os, les**) is usually mentioned first. The subject of this kind of sentence normally follows the verb. In the following sentence, *our* opinion (**nos**) is described, and the smoke (**el humo**) is the subject of the sentence. **Molesta** is singular because **el humo** is singular.

Nos molesta **el humo**.   *The smoke bothers us.*

If the subject that follows the verb is a singular noun or an infinitive, the verb is singular. In the following sentence, the verb is followed by an infinitive, so the verb is singular.

Me importa **conservar** energía.   *I care about conserving energy.*

In the next sentence, the subject (**las maletas**) is plural, so the verbs (**gustan/parecen**) are plural.

> **Me** gustan **las maletas** que usted
> compró; **me** parecen muy prácticas.

> *I like the suitcases you bought; they*
> *seem very practical to me.*

Ejercicio 7

Exprese su opinión usando la forma apropiada de los verbos indicados. Luego pídale su opinión a un compañero / una compañera. ¿Están ustedes de acuerdo?

MODELO: La contaminación del aire...

   a. me _____ (molestar)
   b. me _____ (encantar)
   c. ¿ ? →
   La contaminación del aire me *molesta*.

1. La conservación de nuestros recursos naturales...
   a. me _____ necesaria. (parecer)
   b. no me _____. (importar)
   c. ¿ ?
2. Los bosques y las selvas...
   a. me _____. (fascinar)
   b. no me _____. (interesar)
   c. ¿ ?
3. Vivir en un clima caluroso...
   a. me _____. (encantar)
   b. no me _____. (gustar)
   c. ¿ ?
4. El tránsito en las autopistas...
   a. me _____. (molestar)
   b. no me _____. (gustar)
   c. ¿ ?
5. Los ríos del mundo...
   a. me _____. (importar)
   b. no me _____. (interesar)
   c. ¿ ?

S.O.S. NOS QUEDAMOS SIN OZONO
Un nuevo agujero amenaza a Europa

Las compras y el regateo

Lea Gramática 13.4–13.5.

Actividad 11. Asociaciones: Las tiendas en el mundo hispano

¿Dónde se compran estas cosas?

MODELO: el helado → El helado se compra *en la heladería.*

1. la fruta
2. la carne
3. un anillo (joya)
4. los zapatos
5. el pan
6. las tortillas
7. un reloj
8. un libro
9. los muebles
10. los juguetes
11. las flores
12. los dulces

Ahora, entreviste a un compañero / una compañera. (Hay más preguntas en la próxima página.)

1. ¿Cómo se llama tu zapatería favorita? ¿Por qué te gusta comprar los zapatos allí?

2. ¿Hay muchas librerías en tu ciudad? ¿Cuál prefieres? ¿Vas allí con frecuencia?

3. ¿Vas con frecuencia a las joyerías? ¿Compras algo o solamente te gusta ver las joyas?

4. ¿Te gustan los dulces y los chocolates? ¿Cómo se llama la dulcería más famosa de tu ciudad?

5. ¿Compras el pan en el supermercado o vas a una panadería? ¿Hay una panadería buena en tu barrio? ¿Cómo se llama?

LAS PALABRAS VIVEN

Las tiendas: La tienda de comestibles (el mercado) es también **la tienda de abarrotes** en México, **el almacén** o **la pulpería** en Sudamérica y **la bodega** o **la trucha** en algunos países de América Central.

Actividad 12. Narración: Un día de compras

¿Qué hizo Amanda y qué compró? Narre las experiencias de Amanda en su día de compras.

PALABRAS ÚTILES

primero	más tarde	también
luego	después	por fin

13.4 Exchanging Items: Indirect Object Pronouns

Certain verbs describe the exchange of items between persons: **dar** (*to give* [*something to someone*]), **traer** (*to bring* [*something to someone*]), **llevar** (*to carry, take* [*something to someone*]), **prestar** (*to lend* [*something to someone*]), **devolver** (*to give* [*something*] *back* [*to someone*]), **regalar** (*to give* [*something*] *as a gift* [*to someone*]), and so forth.

Amanda me va a **traer** el disco que le **presté**.	*Amanda is going to bring me the record that I lent her.*
Guillermo me **devolvió** el dinero que me debía.	*Guillermo returned (to me) the money that he owed me.*

Normally these verbs are accompanied by indirect object pronouns (**me, te, le, nos, os,** and **les**) even when the person involved is specifically mentioned.

Le di el dinero **a mi hermano Guillermo.**	*I gave the money to my brother Guillermo.*
Ramón, ¿**le** llevaste **a tu novia** las flores que le prometiste?	*Ramón, did you take your girlfriend the flowers you promised her?*
Amanda, ¿qué **le** vas a regalar **a tu novio** para Navidad?	*Amanda, what are you going to give (to) your boyfriend for Christmas?*

Indirect object pronouns are used with verbs of giving and exchanging.
Pedro le dio un anillo a Andrea. (*Pedro gave a ring to Andrea.*)

Ejercicio 6

Llene cada espacio en blanco con el pronombre apropiado y luego indique la(s) respuesta(s) lógica(s).

MODELO: Este año mis padres *me* (a mí)...
- ⓐ prestaron dinero.
- ⓑ regalaron ropa nueva.
- ⓒ trajeron comida cuando estaba enfermo/a.
- d. dieron una F en la clase de matemáticas.

1. La semana pasada la profesora _____ (a nosotros)...
   a. hizo muchas preguntas.
   b. dio buenas notas.
   c. explicó el subjuntivo muy bien.
   d. regaló carros nuevos.

2. La semana pasada yo _____ (a mi mejor amigo/a)...
   a. conté mis secretos.
   b. ofrecí un café.
   c. hice un regalo barato y feo.
   d. compré una casa en las Bahamas.

3. En la última clase de español yo _____ (a mis compañeros)...
   a. dije: —¡Hola!
   b. regalé camisetas viejas.
   c. contesté las preguntas de las entrevistas.
   d. presté mis herramientas para hacer la tarea.

4. Ayer, cuando fui de compras, la dependienta _____ (a mí)...
   a. atendió muy bien.
   b. sirvió la cena rápidamente.
   c. llevó ropa de mi talla al probador.
   d. preguntó: —¿En qué puedo servirle?

5. La última vez que yo fui al cine contigo _____ (a ti)...
   a. compré palomitas.
   b. presté mi diccionario.
   c. conté toda la historia de la película antes.
   d. pagué $1000.00 por tu suéter favorito.

13.5 Referring to People and Things Already Mentioned: Using Indirect and Direct Object Pronouns Together

Gramática ilustrada

When the context is clear, you will be able to understand speech with two object pronouns, but you may not be able to produce such sentences for a while.

A. Sometimes there is more than one object pronoun in a sentence. This is common if you want to *do something for someone, take something to someone, fix something for someone, buy something for someone,* and so forth. The indirect object (**me, te, le, nos, os,** or **les**) is usually the person *for whom* you are doing something, and the direct object (**lo, la, los,** or **las**) is the thing involved.

indirect object pronoun (**me, te, le, nos, os, les**) = person to or for whom you are doing something

direct object pronoun (**lo, la, los, las**) = the thing involved

When two object pronouns are used together, the indirect object pronoun always precedes the direct object pronoun.

Me las compró ayer. (*He bought them for me yesterday.*)

The correct order of pronouns in a sentence is *indirect object + direct object*.
Object pronouns:
1. are usually placed immediately before the verb.
2. may optionally be attached to the end of infinitives and present participles.
3. *must* be attached to the end of affirmative commands.

Le and **les** become **se** when they precede **lo**, **la**, **los**, or **las**.

—¿Me compraste las pantimedias ayer?
—Sí, **te las** compré por la tarde.

—¿Quiere usted **el postre** ahora?
—Sí, tráiga**melo**, por favor.

—*Did you buy me the pantyhose yesterday?*
—*Yes, I bought them for you in the afternoon.*

—*Do you want the dessert now?*
—*Yes, bring it to me, please.*

B. Note the following possible combinations with **me, te, nos,** and **os.**

me lo(s) ⎫
me la(s) ⎭ *it/them to me*

te lo(s) ⎫ *it/them to you*
te la(s) ⎭ *(inf. sing.)*

nos lo(s) ⎫
nos la(s) ⎭ *it/them to us*

os lo(s) ⎫ *it/them to you*
os la(s) ⎭ *(inf. pl.)*

Pedro, si **te** falta **dinero**, puedo prestár**telo**.

—¿**Me** lavaste las camisetas el sábado?
—Sí, **te las** lavé; aquí están.

—Señores, ¿**les** preparo **la cena** ahora?
—No, por favor, prepáre**nosla** más tarde.

Pedro, if you need money, I can lend it to you.

—*Did you wash my T-shirts on Saturday?*
—*Yes, I washed them for you; here they are.*

—*Gentlemen, should I prepare dinner for you now?*
—*No, please prepare it for us later.*

C. The indirect object pronouns **le** and **les** change to **se** when used together with the direct object pronouns **lo, la, los,** and **las.**

se lo   *it (m.) to you (pol. sing.), him, her, them*
se la   *it (f.) to you (pol. sing.), him, her, them*
se los   *them (m.) to you (pol. sing.), him, her, them*
se las   *them (f.) to you (pol. sing.), him, her, them*

All these combinations may look confusing in abstract sentences, but in the context of real conversations you will generally know to whom and to what the pronouns refer.

—Ernestito, ¿**le** llevaste a **papá** sus zapatillas?
—Sí, ya **se las** llevé.

—Mamá, ¿**le** compraste una camisa nueva a **papá**?
—Sí, **se la** compré hoy.

—Guillermo, ¿**les** diste los discos compactos a las amigas de Amanda?
—Sí, **se los** di esta mañana.

—Señor Ramírez, ¿**le** entregó usted las llaves al **gerente**?
—Sí, **se las** entregué ayer.

—*Ernestito, did you take Dad his slippers?*
—*Yes, I already took them to him.*

—*Mom, did you buy Dad a new shirt?*
—*Yes, I bought it for him today.*

—*Guillermo, did you give the CDs to Amanda's friends?*

—*Yes, I gave them to them this morning.*

—*Mr. Ramírez, did you hand in the keys to the manager?*
—*Yes, I handed them in to him yesterday.*

D. Remember that object pronouns can be attached to infinitives and present participles and are always attached to affirmative commands. When the verb form and the object pronouns are written together as one word, you must place an accent mark on the stressed syllable.

—Señorita López, en cuanto al informe para la señorita Saucedo, ¿va usted a **entregárselo** ahora?

—No, ya **se lo entregué** esta mañana.

—Adriana, necesito las listas de los clientes. ¿Vas a **preparármelas** esta tarde?

—No, estoy **preparándotelas** ahora mismo.

—*Miss López, about that report for Miss Saucedo: are you going to give it to her now?*

—*No, I already turned it in to her this morning.*

—*Adriana, I need the lists of clients. Are you going to get them ready for me this afternoon?*

—*No, I'm getting them ready for you right now.*

Ejercicio 7

Hoy Ernestito le hace muchas preguntas a Guillermo. Conteste por Guillermo según el modelo.

MODELO: ERNESTITO: ¿Ya le diste la revista a mamá?

GUILLERMO: Sí, *se la di* ayer.

1. ¿Ya le entregaste la tarea de biología a la profesora?
2. ¿Ya le vendiste el cassette de Lucero a Ramón?
3. ¿Ya le diste la carta a Amanda?
4. ¿Ya le prestaste la calculadora a Diego?
5. ¿Ya les llevaste la muñeca a las niñas?

Ahora Guillermo le hace a Ernestito algunas preguntas. Haga el papel de Ernestito y conteste según el modelo.

MODELO: GUILLERMO: ¿Cuándo me vas a mostrar tu nuevo radio cassette? →

ERNESTITO: Voy a *mostrártelo* mañana.

6. ¿Cuándo vas a prestarme las herramientas para reparar mi bicicleta?
7. ¿Cuándo vas a devolverme el suéter que te presté la semana pasada?
8. ¿Cuándo vas a traerme el cassette de Alejandra Guzmán que me prometiste?
9. ¿Cuándo vas a darme la carta que me escribió Raúl?
10. ¿Cuándo vas a mostrarme tus libros nuevos?

Ejercicio 8

La madre de Guillermo le hace algunas preguntas sobre lo que él va a hacer. Conteste por él, según el modelo.

MODELO: MADRE: ¿Les vas a mostrar tu nuevo radio portátil a tus amigos? →

GUILLERMO: Sí, voy a *mostrárselo* mañana.

1. ¿Le vas a pedir dinero a tu padre?
2. ¿Les vas a prestar los juegos de video a Ernestito y a sus amiguitos?

3. ¿Le vas a llevar las fotos a tu abuelita?
4. ¿Les vas a devolver las herramientas a tus tíos?
5. ¿Le vas a regalar un cassette a Graciela?

Ejercicio 9

Estela tiene mucha prisa y por eso le pide a Ernesto que haga algunas cosas. Conteste las preguntas, haciendo el papel de Ernesto.

MODELO: ESTELA: Sírveme el desayuno, por favor. →
ERNESTO: *Te lo estoy sirviendo* ahora mismo.

1. ¿Puedes darme una servilleta, por favor?
2. No voy a tener tiempo de salir a almorzar. ¿Puedes prepararme una torta de jamón?
3. Ernesto, quiero ponerme una blusa limpia. ¿Puedes plancármela?
4. Ay, tengo prisa y no encuentro mi cinturón. ¿Puedes buscármelo?
5. Hoy trabajé mucho y estoy muy cansada. ¿Puedes buscarme las pantuflas (zapatillas)?

Ejercicio 10

Ernesto Ramírez le hace a Amanda varias preguntas sobre lo que van a hacer sus amigos, vecinos y familiares. Haga el papel de Amanda y conteste según el modelo.

MODELO: ERNESTO: ¿Te va a reparar Ramón tu radio cassette? →
AMANDA: Ya *me lo reparó* la semana pasada.

1. ¿Te va a regalar tu abuela una blusa nueva para tu cumpleaños?
2. ¿Te va a comprar Graciela un regalo para tu cumpleaños?
3. ¿Te va a prestar Guillermo su bicicleta para este fin de semana?
4. ¿Te va a traer Diego los libros de la escuela?
5. ¿Te va a dar tu madre el dinero para el cine?

LO MAS IMPORTANTE DEL CALDO RONDO ES LO QUE NO TIENE.

RONDO
— caldo —

✔ SIN COLESTEROL

11 Los viajes

▼▼▼▼▼▼▼▼▼▼▼▼▼▼▼▼▼▼▼▼▼▼▼▼

METAS

In **Capítulo 11** you will continue to talk about travel related experiences: making plans, following directions, and reading maps. You will learn about travel in Spanish-speaking countries, including changing money, clearing customs, and finding lodging. You will also discover new places to visit in the Hispanic world.

Granada, España: la Alhambra

Actividades de comunicación y lecturas

Los planes de viaje

Actividad 1. Intercambios: La agencia de viajes Salinas

MODELO: E1: ¿Cuánto cuesta el pasaje a *Costa Rica* desde Los Ángeles?
E2: Cuesta *$715.00.*

AGENCIA DE VIAJES SALINAS
Los Ángeles, California

No haga sus reservaciones a última hora. Hágalas ahora y pase los próximos días feriados en su país natal, junto a su familia. Nosotros tenemos los precios que usted busca. Disponemos de un moderno sistema de computadoras «SABRE» para hacer sus reservaciones inmediatamente. ¡Llame ahora mismo al 850-8921 y disfrute de sus próximas vacaciones!

Tarifas de ida y vuelta desde Los Ángeles
(sujetas a cambios y ciertas restricciones)

ARGENTINA (Buenos Aires)	$ 1,366
BOLIVIA (La Paz/Cochabamba)	$ 987
COLOMBIA (Bogotá)	$ 699
COSTA RICA (San José)	$ 715
CHILE (Santiago)	$ 1,001
ECUADOR (Quito)	$ 834
EL SALVADOR (San Salvador)	$ 599
GUATEMALA (Guatemala)	$ 529
HONDURAS (Tegucigalpa)	$ 649
NICARAGUA (Managua)	$ 659
PANAMÁ (Panamá)	$ 779
PERÚ (Lima)	$ 751
VENEZUELA (Caracas)	$ 810

AGENCIA DE VIAJES SALINAS
¡Nombre de excelencia desde 1969!

EL MUNDO HISPANO... su gente

Verónica Lugo es una joven argentina de 20 años.

¿Ha hecho algún viaje interesante en su vida? ¡Descríbalo!

Hace unos años, mi mejor amiga y yo decidimos veranear en las playas de Uruguay. Trabajamos durante un año para conseguir el dinero y el permiso de nuestros padres. Finalmente, en enero partimos[1] hacia ese país. Viajamos toda una noche en colectivo y al día siguiente llegamos a Montevideo. Como estábamos las dos solas, tuvimos que hacernos cargo[2] de todo: los documentos de la aduana, el transporte de las valijas[3] y el cambio de moneda.

Por fin llegamos al camping[4] y, con la ayuda de otros chicos y chicas, armamos la carpa.[5] El lugar era hermosísimo, a dos cuadras del mar y con muchos árboles. Y estábamos con gente joven. Aunque parezca increíble, nos quedamos en ese lugar un mes, sin más lujos que[6] una carpa y las instalaciones del camping (baños, despensas,[7] agua...). Pero teníamos todo lo que hacía falta para pasar unas vacaciones inolvidables: sol, playas, gente joven ¡y muchas ganas de divertirnos!

[1]salimos [2]hacernos... *take charge* [3]maletas (*Arg., El Salvador*) [4]*campground* [5]armamos... *we pitched the tent*
[6]sin... *with only* [7]*provisions*

Actividad 2. Conversación: ¡Viajar es tan fácil como decir 1, 2, 3!

Ordene lógicamente estas actividades.

_____ comprar los boletos
_____ abordar el avión
_____ comprar ropa y otras cosas
_____ planear el viaje
_____ ir al aeropuerto

_____ hacer las maletas (empacar)
_____ comprar cheques de viajero
_____ ahorrar el dinero necesario
_____ hacer las reservaciones
_____ sacar el pasaporte y la visa

Actividad 3. Intercambios: Las vacaciones ideales

Las siguientes personas quieren ir de vacaciones. Con su compañero/a, lean estas descripciones de excursiones y escojan las vacaciones perfectas para cada persona. Escriban una oración que explique su selección en cada caso. Luego, compartan su selección con la clase.

MODELOS: A _____ le(s) recomiendo la excursión a _____ porque _____.
A mí me gustaría la excursión de _____ porque _____.

Unas vacaciones de 6 noches y 7 días por las antiguas ciudades de Roma y Atenas. Excursiones al Partenón, la Catedral de San Pedro y otros lugares históricos. Alojamiento en hoteles de lujo.

Viaje de 5 noches y 6 días para acampar en las montañas al sur de Chile. Guía experto, caminatas de 10 kilómetros diarias, alojamiento en cabañas. Todo el equipo incluido.

CARIBE

Viaje en crucero de 6 noches y 7 días por el Caribe. Comida internacional, música y baile todas las noches. Piscina y cancha de tenis a bordo. Excursiones a mercados y sitios turísticos en cada puerto.

Gira de 8 noches y 9 días por la costa noreste de los Estados Unidos, incluyendo las ciudades históricas de Williamsburg, Jamestown, Boston, Baltimore y Charleston, terminando en Nueva York. Hoteles de precios módicos.

DOS SEMANAS —13 noches y 14 días— en moderno club de vacaciones, en la península de Yucatán. Canchas de tenis, tres piscinas de agua dulce y una de agua salada. Clases de buceo, excursiones en barco de vela, campamento para niños.

Gira de dos semanas, 13 noches y 14 días, por las capitales de Europa: Londres, Roma, París, Estocolmo, Berlín y Viena. Excursiones en cada ciudad con guías expertos. Alojamiento en hoteles de precios módicos.

Una semana, 6 noches y 7 días, en un hotel en la Playa Dominical de Costa Rica. Restaurante, bar, dos piscinas, jacuzzi, canchas de tenis.

1. Adriana Bolini: Adriana es argentina, soltera, de 35 años. Ella es mujer de negocios. Le gusta mucho viajar, y ha viajado por muchas partes de Europa.
2. Susana Yamasaki y sus hijos, Armando y Andrés (de 13 y 9 años, respectivamente): Susana es madre divorciada y trabaja de secretaria y también de guía de turistas para las ruinas de Machu Picchu. A Susana le gusta salir de vacaciones con sus hijos.
3. Dora y Javier Saucedo: Son los padres de Estela, Andrea, Paula y Raúl. Están jubilados y salen de vacaciones sólo una vez cada dos o tres años. Prefieren un viaje de lujo, con todas las comodidades.

4. **Raúl Saucedo:** Raúl es estudiante de ingeniería en la Universidad de Texas, en San Antonio. Es muy aventurero y le gusta viajar porque le encanta conocer a gente interesante.
5. **Pilar y Clara:** Clara está de visita en España por un año. Allí conoció a Pilar. Las dos son estudiantes y tienen un mes de vacaciones entre semestres.
6. **Su profesor(a)**
7. **Usted**

Buscando sitios y usando planos

Lea Gramática 11.1.

México, D.F.: Del Museo de Artes e Industrias Populares al Colegio de las Vizcaínas (los dos marcados con asterisco)

TURISTA: Perdone, ¿puede decirme cómo llegar al Colegio de las Vizcaínas?

NACHO: Sí. Mire aquí en su plano. **Salga** del museo **a la derecha** y **camine por** Juárez hasta la avenida Lázaro Cárdenas. En Lázaro Cárdenas **doble a la derecha**. Así puede ver la Torre Latinoamericana también. Si tiene tiempo, **suba;** hay una vista hermosa de la ciudad. **Camine seis cuadras por** Lázaro Cárdenas. Luego **doble a la izquierda** en Vizcaínas. El colegio está al lado derecho.

TURISTA: Muchísimas gracias, señor.

NACHO: Para servirle. Adiós.

Actividad 4. Conversación: La Ciudad de México

Mire el plano de la página anterior y explique cómo se va de una parte del centro de la ciudad a otra. (Los números en el plano van a ayudarle a encontrar los lugares mencionados.)

MODELO: del Museo de las Culturas hasta el Palacio de Bellas Artes (los dos están marcados con un obelisco [†]) →
Después de salir del museo, tome Moneda a la izquierda y siga hasta Seminario. Doble a la derecha en Seminario y siga hasta Calzada Tacuba; doble a la izquierda. Camine ocho cuadras hasta la avenida Lázaro Cárdenas. El Palacio de Bellas Artes está en la avenida Lázaro Cárdenas.

1. de la Biblioteca Nacional a la Pinacoteca Virreinal de San Diego
2. del Palacio de la Inquisición al Correo Mayor
3. del Museo de la Ciudad de México a la Torre Latinoamericana
4. del Palacio Nacional al Teatro de la Ciudad de México
5. de la Iglesia y Convento de San Jerónimo al Banco Nacional de México

Actividad 5. Del mundo hispano: Consejos para los viajeros

Lea el artículo de la izquierda (de la revista *Geomundo*). Luego, trabajando con un compañero / una compañera de clase, escriban otros dos o tres consejos útiles para los viajeros.

Una tarjeta de Clara: ¡Cuánto me gusta Madrid!

Plaza de España, Madrid

En esta tarjeta, Clara habla de sus experiencias buscando sitios en Madrid. También expresa su opinión de la gente madrileña.

Estimada profesora:

`Cuánto me gusta Madrid! Ya conozco bien la ciudad, aunque me he perdido varias veces. Una vez tomé un autobús en la universidad para ir a la Plaza de España, y, sin saber cómo, `terminé en el barrio de Lavapiés! Por suerte los madrileños son muy amables; siempre ayudan a los extranjeros. Un día estaba yo buscando una calle, mirando mi plano de Madrid, y se me acercó una señora para ayudarme. `La señora me llevó ella misma a la calle!
Un abrazo,
                    Clara

Prof. Adela Martínez
Department of Foreign Languages
University of Texas at San Antonio
San Antonio, TX 78285
USA

Comprensión

De la siguiente lista, escoja las actividades que menciona Clara en su tarjeta a la profesora Martínez.

1. Clara comió helado.
2. Fue al parque.
3. Tomó el autobús.
4. Jugó con un perro en la Plaza Mayor.
5. Recibió ayuda de una señora.

Ahora... ¡usted!

1. ¿Conoce muy bien la ciudad donde usted vive? ¿Se ha perdido en su ciudad alguna vez? Describa qué pasó.
2. ¿Se ha perdido en otra ciudad o en otro país? ¿Le ofrecieron ayuda las personas de ese sitio? ¿Encontró el lugar que buscaba? ¿Cómo lo encontró?

 Un paso más... ¡a escribir!

Imagínese que usted está escuchando la conversación entre Clara y la amable señora madrileña que le ayudó en la calle. ¿Qué dicen? ¡Escriba el diálogo!

LAS PALABRAS VIVEN

Si usted se pierde en un país hispano y le pregunta a alguien cómo llegar a un sitio, es muy probable que escuche la frase **siga derecho**. Si el país es México, le van a decir **derecho derecho**. Esta frase expresa la idea de que uno no debe doblar. En América Central dicen **siga recto**. Y la expresión que se escucha a veces en Costa Rica, la República Dominicana y otros países es **al fondo**, literalmente, *at the bottom*. **Ir al fondo** significa, por lo general, que uno debe caminar derecho hasta que termine la calle.

Actividad 6. Del mundo hispano: El metro de Madrid

Dé instrucciones para ir de una estación del metro a otra. No olvide hacer los transbordos necesarios.

MODELO: De Atocha a El Carmen →
Suba a un tren de la Línea 1 en Atocha, dirección Plaza de Castilla, y baje en la Estación Sol. Allí suba a un tren de la Línea 2, dirección Ventas, y baje en la Estación Ventas. En Ventas, suba a un tren de la Línea 5, dirección Canillejas, y siga hasta la primera estación. Bájese; allí es El Carmen.

1. de Tetuán a Sevilla
2. de Puente de Vallecas a Ríos Rosas
3. de Aluche a Puerta de Toledo
4. de Oporto a Portazgo
5. de Esperanza a Quintana

De viaje por los países hispanos

Lea Gramática 11.2–11.3.

reclamo de equipaje

Cuando llegue al hotel, voy a descansar.

Cuando encuentre mi traje de baño, voy a bajar a la piscina del hotel para broncearme.

el contrabando

los impuestos
(los derechos de aduana)

la aduana

revisar el equipaje

—Hummm, cámara japonesa...
Tiene que pagar 12.728 pesetas
de derechos.
—¡Tres veces el valor de la
cámara! Pero si no es nueva,
es para mi uso personal.
—Está bien, entonces. Pase
usted.

la inmigración

←la cola→
hacer cola

—Su pasaporte, por favor.
—Aquí lo tiene.

en el banco

Cambio
US $1.⁰⁰ = Ptas.123,5

el cajero

los billetes

(dinero
en efectivo)

(las tarjetas
de crédito)

—Quisiera cambiar cheques de viajero.
—Permítame ver su pasaporte, por favor.

el alojamiento

el gerente

el botones

la recepción

el ascensor
(el elevador)

la camarera

la mesita de noche
la cama matrimonial

la habitación

—Bienvenidos al Hotel Pintor.
¿Tienen reservaciones?
—Sí, somos los señores Ruiz.
—Ah, sí, una habitación para dos
con cama matrimonial, ¿verdad?

la salida

Los Ruiz se hospedaron en el Hotel Pintor
por tres días. Hoy van a viajar a Segovia.
Quieren que el botones recoja su equipaje.

Actividad 7. Intercambios: Los paquetes turísticos

Mire estos paquetes turísticos ofrecidos por la aerolínea costarricense Lacsa. Después, hágale preguntas a su compañero/a.

Barranquilla Ejecutivo

2 noches / 3 días

Desde **$297**

Incluye:

➤ **Boleto aéreo ida y vuelta** (sin impuestos).
➤ Dos noches de alojamiento con desayuno americano.
➤ Impuestos hoteleros.
➤ 3 días de Assist Card.

Quito Ejecutivo

3 noches / 4 días

Desde **$478**

Incluye:

➤ **Boleto aéreo ida y vuelta** (sin impuestos).
➤ Traslado aeropuerto/hotel/aeropuerto.
➤ 3 noches de alojamiento en hotel seleccionado.
➤ Impuestos hoteleros.
➤ 4 días de Assist Card.

Houston Ejecutivo

3 noches / 4 días

Desde **$495**

Incluye:

➤ **Boleto aéreo ida y vuelta** (sin impuestos).
➤ Traslado aeropuerto/hotel/aeropuerto.
➤ 3 noches de alojamiento.
➤ Impuestos hoteleros.
➤ 4 días de Assist Card.
➤ Vía San Salvador.

México tradicional

4 noches / 5 días

Desde **$399**

Incluye:

➤ **Boleto aéreo ida y vuelta** (sin impuestos).
➤ Traslado aeropuerto/hotel/aeropuerto.
➤ 4 noches de alojamiento en hotel seleccionado.
➤ Impuestos hoteleros.
➤ Tour Basílica/Pirámides.
➤ 5 días de Assist Card.

Nueva Orleáns en auto

7 días

Desde **$541**

Incluye:

➤ **Boleto aéreo ida y vuelta** (sin impuestos).
➤ Hasta 7 días de auto económico con seguros incluidos.
➤ Hasta 7 días de Assist Card.
➤ Algunas noches de alojamiento en Hotel Days Inn Canal.

Santiago de compras

4 noches / 5 días

Desde **$899**

Incluye:

➤ **Boleto aéreo ida y vuelta** (sin impuestos).
➤ 4 noches de alojamiento en Hotel Galerías.
➤ Impuestos hoteleros.
➤ Traslado aeropuerto/hotel/aeropuerto.
➤ Desayuno Buffet.
➤ Coctel de bienvenida.
➤ Tour de compras.
➤ 5 días de Assist Card.

1. ¿Cuánto cuesta el paquete a Barranquilla?
2. ¿Están incluidos los impuestos de hotel en el paquete «México tradicional»?
3. ¿Está incluido un tour de compras en el paquete «Quito Ejecutivo»?
4. ¿Está incluido el seguro de auto en el paquete de Nueva Orleáns?
5. ¿Están incluidos los traslados del aeropuerto al hotel en el paquete «Houston Ejecutivo»?

Chile
Santiago

6. ¿Qué más está incluido, además del alojamiento, en el paquete «Barranquilla Ejecutivo»?
7. ¿Qué incluye el paquete «Santiago de compras» además del boleto, el alojamiento y los traslados del aeropuerto al hotel?

Actividad 8. Del mundo hispano: Hoteles y restaurantes en dos ciudades de Andalucía

Andalucía

Granada

HOTELES Y RESTAURANTES

HOTELES: Alhambra Palace. Caro. Hermoso palacio estilo morisco en la cumbre de la montaña Alhambra con magníficas vistas. Tel. 22-14-68. **Parador de San Francisco.** Caro. Está en un antiguo convento dentro de los muros de la Alhambra y es el parador más popular de España. Se requiere hacer reservación de 4 ó 6 meses de anticipación. Tel. 22-14-93. **América.** Moderado. Encantador hotel dentro de los terrenos de la Alhambra. Es muy popular, reserve con anticipación. Tel. 22-74-71.

RESTAURANTES: Baroca. Caro. Considerado uno de los mejores de Granada. Tel. 26-50-61. **Cunini.** Caro. Muy famoso por su pescado y comida marina. Tel. 26-37-01. **Colombia.** Caro-Moderado. En la montaña de la Alhambra con elegante decorado árabe, música de guitarra y espléndidas vistas. Muy turístico, pero divertido. Tel. 22-74-33.

De estilo morisco, el Alhambra Palace es uno de los hoteles caros de Granada, con magníficas vistas desde la cumbre de la montaña.

Sevilla

HOTELES Y RESTAURANTES

Todos los precios pueden duplicarse e incluso triplicarse durante la Semana Santa y los días que dura la Feria.

HOTELES: Alfonso XIII. De lujo. Construido en estilo morisco para la exhibición de 1929, es el hotel clásico de Sevilla lleno de belleza y encanto. Tel. 22-28-50. **Doña María.** Caro. Pequeño, con habitaciones de buen gusto amuebladas con antigüedades y piscina en el azotea con vista a la Giralda. Tel. 22-49-90. **Bécquer.** Moderado. Hotel agradable y moderno. Tel. 22-89-00. **Fernando III.** Moderado. A orillas del barrio Santa Cruz; piscina en la azotea. Tel. 21-73-07.

Sevilla ofrece a los visitantes hoteles de lujo, como el Alfonso XIII, un edificio de estilo morisco construido en 1929 para la Exhibición Mundial.

RESTAURANTES: Albahaca. Caro. Todos frecuentan este restaurante, hermosamente localizado en el corazón del viejo barrio judío; platos creativos. Tel. 22-07-14. **La Dorada.** Caro. Muy famoso por sus pescados y comida marina. Tel. 45-51-00. **Bodegón Torre del Oro.** Moderado. Atmósfera rústica, buena comida y popular entre turistas y locales. Tel. 21-31-69. **La Isla.** Moderado. Muy popular para disfrutar paella y platos de pescado. Tel. 21-26-31.

EN GRANADA

1. Si usted necesita un hotel de precios módicos, ¿en dónde va a hospedarse?
2. Si quiere pasar unos días en un parador muy popular, ¿en dónde se va a hospedar?
3. Si quiere comer en un restaurante de ambiente árabe, ¿en dónde va a cenar?
4. ¿En dónde va a cenar, si tiene ganas de comer mariscos?
5. Si desea cenar en el mejor restaurante de Granada, ¿a cuál va a ir?

EN SEVILLA

1. Si desea cenar en un restaurante en el centro del barrio judío, ¿a cuál piensa ir?
2. Si busca un hotel elegante y clásico, ¿cuál va a escoger?
3. Si prefiere un hotel de precios módicos con piscina, ¿en dónde va a hospedarse?
4. Si desea comerse una buena paella, ¿en qué restaurante puede hacerlo?
5. Si quiere cenar en un restaurante de precios módicos y ambiente informal, ¿adónde va a ir?

EL MUNDO HISPANO... su gente

Gregorio Merino Díaz es chileno y tiene 32 años. Gregorio vive con su esposa y su hija en Santiago de Chile.

¿Qué opina usted de los estereotipos que existen de los hispanos?

Creo que entre los norteamericanos predomina todavía el estereotipo del «latin lover», pero también el del latino flojo, sin educación, que ingresa[1] ilegalmente en los Estados Unidos y es mano de obra[2] barata.

Lamentablemente, para el común de la gente[3] de los Estados Unidos, los países de Latinoamérica son un grupo de estados que nunca podrán salir del subdesarrollo.[4] Pero existen diferencias, pues algunos países como el mío están logrando grandes avances.

[1]entra   [2]mano... *labor*   [3]común... *average person*   [4]*underdevelopment*

Los amigos hispanos: Planes para un viaje a México

Paula Saucedo Muñoz tiene 27 años y es gerente de una agencia de viajes en la Ciudad de México. A Paula le encanta su trabajo: le gusta ayudar a sus clientes a planear sus vacaciones, y ofrecerles información sobre los sitios turísticos de México.

En esta carta, Paula le escribe a Pilar Álvarez, su amiga española que vive en Madrid. Las amigas se han escrito muchas veces, pero no se conocen en persona. Este verano por fin van a conocerse: Pilar está planeando una visita a México.

Pilar Álvarez
Calle Almendras 481
Madrid, España

Querida Pilar:

¡Por fin vamos a conocernos! Sé que te va a gustar mi país. Hay tanto que ver en el Distrito Federal. Estoy preparando un itinerario para tu visita. ¡No vamos a tener un solo minuto libre! Aquí te envío algunas fotos muy bonitas y unos panfletos turísticos, para darte una idea. Pero también quiero hablarte un poquito de mi país, al que quiero mucho.

Ya sabes que la Ciudad de México es la capital más grande del mundo hispano. Los mexicanos también la llamamos «el D.F.» por el Distrito Federal. Las otras ciudades grandes de mi país son Guadalajara, Monterrey y Tijuana. También hay muchas ciudades hermosas que debes conocer, como Veracruz, un puerto en el Golfo de México, y Mérida, que está situada en la península de Yucatán. A propósito, Mérida es un centro importante de la cultura maya.

Acapulco y Puerto Vallarta son dos sitios turísticos en la costa del Pacífico, con clima tropical el año entero. Si quieres broncearte y nadar, debes ir a esas dos ciudades. (¡Y yo muy feliz te acompaño!) Hay muchas otras que conservan el aspecto colonial por su arquitectura, como Taxco, San Miguel de Allende y Guanajuato.

Uno de los lugares de la capital adonde pienso llevarte es el Parque de Chapultepec. En este parque hay dos zoológicos y muchas sendas frondosas por donde caminar. Además, uno puede visitar allí el Museo de Antropología y un castillo mundialmente famoso que data de los tiempos coloniales. Los domingos por la tarde hay conciertos gratis al aire libre en el Parque de Chapultepec.

El centro y corazón de la ciudad es el Zócalo (creo que es comparable a la Plaza Mayor de Madrid, ¿no?). En la zona del Zócalo está la catedral, que data también de los tiempos de la colonia, y el Palacio Nacional. En éste hay varios murales impresionantes de Diego Rivera.[1] Sé que te va a encantar su obra.

Aquí, en el D.F., vamos a visitar también el Palacio de Bellas Artes. Éste es un edificio de mármol blanco donde se presentan conciertos, óperas, obras de los más famosos dramaturgos del mundo, espectáculos de danza y conferencias.

Creo que esta carta se está haciendo demasiado larga, amiga mía. Antes de concluir, sólo te quiero mencionar las pirámides de Teotihuacán, que están al nordeste de la capital. Son una muestra importante de la cultura indígena.

Bueno, en mi familia todos estamos ansiosos por verte y recibirte en nuestra casa. Avísame cuando tengas tu viaje confirmado.

Abrazos de
Paula

---

[1]Diego Rivera (1886–1957) fue un pintor mexicano, famoso por sus grandes murales que narran la historia de México.

Una vista de la linda ciudad colonial de Taxco.

El Palacio de Bellas Artes, México, D.F.

Las impresionantes pirámides
de Teotihuacán, México.

Comprensión

Busque la definición correcta.

1. _____ el Palacio de Bellas Artes
2. _____ el Zócalo
3. _____ el Palacio Nacional
4. _____ Guanajuato
5. _____ Teotihuacán
6. _____ el Parque de Chapultepec
7. _____ la Ciudad de México
8. _____ Puerto Vallarta
9. _____ Veracruz
10. _____ Monterrey

a. zona en el centro de la ciudad
b. ciudad grande que también se conoce como el Distrito Federal
c. lugar al nordeste del D.F. donde están las Pirámides del Sol y de la Luna
d. una de las ciudades grandes en el norte del país
e. sitio turístico en la costa del océano Pacífico
f. edificio donde se hacen presentaciones culturales
g. ciudad y puerto en el Golfo de México
h. parque donde se ofrecen conciertos los domingos
i. ciudad que conserva su aspecto colonial
j. edificio donde se encuentran los murales de Diego Rivera

Ahora... ¡usted!

1. ¿Ha estado en México? ¿Dónde? Describa su experiencia.
2. Mire el mapa al comienzo de esta Lectura y diga cuáles de las ciudades indicadas conoce. ¿Cuál le parece más atractiva, según la descripción de Paula? ¿Cuáles no conoce pero le gustaría visitar? ¿Por qué?

 Un paso más... ¡a escribir!

Imagínese que usted tiene un amigo hispano / una amiga hispana y que esta persona va a venir de visita a los Estados Unidos por primera vez. Escríbale una carta en que le describe los lugares que puede visitar. ¿Cuáles son los puntos de interés que usted piensa mostrarle a su visitante?

EL MUNDO HISPANO... imágenes

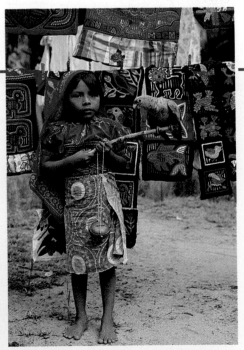

La población indígena en América Latina es grande. Los indígenas mantienen vivo su pasado: muchos conservan su cultura a pesar de[1] la industrialización y las tecnologías agresivas del mundo moderno.

Los niños aprenden desde muy pequeños a hacer artesanía. Detrás de esta niña se ven los famosos bordados[2] panameños conocidos por su fino trabajo y colores brillantes.

[1] a... in spite of   [2] embroidery

Este niño y su hermana son descendientes de los mayas. Están celebrando la festividad de los Reyes Magos en Tizimín, península de Yucatán, México.

Niña de la tribu Cuna en las Islas San Blas, en Panamá.

Actividad 9. Del mundo hispano: La Barranca del Cobre en México

Lea este artículo y luego hágale las siguientes preguntas a un compañero / una compañera de clase.

Barranca del Cobre
Una de las maravillas naturales de México

Visitar la Barranca del Cobre es una de las grandes experiencias que puede tener un viajero en México. Localizada en la Sierra Madre Occidental de Chihuahua, en una área de más de 35,000 km², es 1.5 veces más profunda y cubre cuatro veces la extensión del Gran Cañón en Arizona. Su vegetación y fauna desde el fondo de las barrancas —que en algunas zonas llegan a tener 3,000 metros de profundidad— hasta sus sierras nevadas en invierno son tan diversas, que nunca se acaban de admirar. En la región viven dispersos más de 50,000 indios tarahumaras, que todavía conservan una cultura muy interesante.

Quienes deseen conocer esta región, considerada por muchos la octava maravilla natural del mundo, pueden hacerlo en una de las excursiónes de siete días organizadas por Ecogrupos de México. Incluyen: organizador de grupo bilingüe, seis noches de hospedaje en hotel, transportación en autobús, lanchas, tren (desde donde se tienen vistas espectaculares atravesando puentes y túneles), camionetas, entradas a los sitios de interés, caminatas guiadas por los tarahumaras, 10 alimentos y bitácora impresa con información de la región. No incluye: transportación aérea, bebidas alcohólicas, gastos extras en el hotel (teléfono, lavandería, etc.).

Adulto doble: $4,405 (579 dólares), triple: $3,607 (474 dólares), sencillo: $5,677 (746 dólares), niño $2,576 (338 dólares). Los precios no incluyen IVA. Para mayores informes y reservaciones llame al 661-9121. Fax: 663-5381.◑

1. ¿Dónde está la Barranca del Cobre?
2. ¿Qué tribu de indígenas vive en esta región?
3. ¿Es más grande o menos grande la Barranca del Cobre que el Gran Cañón en Arizona?
4. ¿Cómo se llama la compañía que organiza las excursiones?
5. ¿Está incluido el vuelo en el precio de la excursión?
6. ¿Es necesario saber hablar español para ir en esta excursión?
7. ¿Cuánto cuesta una habitación doble, por adulto? ¿y una habitación sencilla?

Los volcanes Popocatépetl e Iztaccíhuatl pueden verse desde la capital de México. Según la leyenda, dos jóvenes enamorados fueron convertidos en estos dos volcanes. (Vea la Lectura del Capítulo 11 del *Cuaderno de trabajo*.)

Los sitios turísticos

Lea Gramática 11.4–11.5.

Pedro y Andrea hicieron las reservaciones en la Agencia Universo el 6 de junio.

Pedro y Andrea llegaron a Madrid el 2 de julio.

Pedro y Andrea dormían cuando sonó el teléfono.

Nuevos vuelos entre
Lima y Santiago

Los viajeros de negocios pueden ahora salir por la mañana de Lima para asistir a una reunión en Santiago y estar de regreso a la hora de la cena, gracias al nuevo vuelo que ofrece United Airlines. Los vuelos que enlazan ambas ciudades operan miércoles, viernes y sábados en un Boeing 757. El vuelo 973 sale de Lima a las 8:35 a.m. y llega a Santiago a las 12:55 p.m.; el vuelo 972 sale de Santiago a las 6:00 p.m. y llega a Lima a las 8:35 p.m. El trayecto dura aproximadamente tres horas y media. ◑

Estaban tomando un refresco en un café de la Gran Vía cuando vieron a un viejo amigo de Pedro.

A las 4:00 de la tarde Pedro y Andrea admiraban las pinturas de Goya en el Museo del Prado cuando las luces se apagaron.

EL MUNDO HISPANO... en los Estados Unidos

Antonio Galván tiene 40 años y es salvadoreño. Vive en Takoma Park, Maryland.

¿Ha pasado usted sus vacaciones en algún sitio turístico interesante?

Yo les recomiendo a todos —viejos y jóvenes— que vayan de vacaciones a Baja California, al lado del Golfo. ¡No se imaginan qué extraordinario es el sitio! Yo llevé a mi mujer allí para unas vacaciones de Navidad y ella no paraba de decir:[1] «¡Qué belleza!» El paisaje es un inmenso desierto lleno de flora y fauna (cuando se deja ver) que desemboca en[2] un mar de un azul profundo. La comida es para morirse del gusto:[3] mariscos a precios regalados.[4] Pero lo más agradable, creo, es la tranquilidad que da el lugar. No hay aglomeración[5] de turistas, pero sí los suficientes como para no sentirse aislado.

[1]*no... she didn't stop saying*   [2]*desemboca... leads to, runs to*   [3]*para... so good you could die*   [4]*dirt cheap*   [5]*crowds*

Actividad 10. Descripción de dibujos: El viaje de Virginia y Rubén

Diga qué estaba pasando.

MODELO: A las 6:05 Virginia y Rubén *estaban recogiendo los boletos en la agencia de viajes.*

MODELO: Virginia y Rubén *estaban paseando por el Paseo de la Reforma cuando dos carros chocaron.*

En resumen

De todo un poco

Dramas

Su profesor(a) va a dividir la clase en parejas, y a cada una le va a asignar uno de los siguientes escenarios para que ustedes lo preparen y lo presenten ante la clase.

1. En el aeropuerto: Usted va a salir de vacaciones con destino a Centro y Sudamérica. Acaba de llegar al aeropuerto y está en el mostrador, facturando sus maletas. Hable con el empleado / la empleada para obtener la siguiente información: la hora de salida del avión, las escalas, la hora del almuerzo, la sección de fumar, la película y la hora de llegada del avión.

2. En el banco: Un(a) turista llega al banco para cambiar cheques de viajero.

   USTED: ¿En qué puedo servirle, señor/señora?
   TURISTA: Quisiera cambiar unos cheques de viajero.
   USTED: Muy bien. ¿Cuánto quiere cambiar?
   TURISTA: Quisiera cambiar...

3. En el hotel: Usted acaba de llegar a un hotel después de manejar ocho horas. Está muy cansado/a y necesita una habitación para una noche. Dígale al empleado / a la empleada lo que usted quiere y pídale la información necesaria (el precio, etcétera). Luego, decida si quiere la habitación o no.

   EMPLEADO/A: Buenas noches, señor/señora. ¿En qué puedo servirle?
   USTED: Quisiera una habitación con...
   EMPLEADO/A: Tengo la habitación perfecta. ¿Cuál es su nombre?
   USTED: Perdón, primero quisiera verla y saber...

 ¡Dígalo por escrito!

Viajando por el mundo hispano

Imagínese que usted es agente de viajes y que su compañero/a es su cliente. Usando fotos, su propia experiencia y recomendaciones de otros clientes, trate de venderle un viaje a algún país de habla española. Después, prepare un folleto de turismo para viajeros a ese país. El folleto debe incluir fotos o dibujos, boletos, consejos y recomendaciones para turistas, mapas, hoteles, excursiones, restaurantes (incluyendo ejemplos de sus menús y precios), etcétera.

VIDEOTECA

En este segmento de video, Elisa hace los preparativos para un viaje a las famosas islas Galápagos, que son parte de Ecuador. ¿Qué sabe usted de las islas Galápagos? Escuche bien la conversación entre Elisa y el agente de viajes. ¿Qué quiere Elisa que haga el agente? ¿Qué hicieron el agente de viajes y su esposa durante sus vacaciones en las islas? En el Capítulo 11 del *Cuaderno de trabajo* hay más actividades para hacer después de ver el video.

Vocabulario

Los viajes

la aduana	customs
el alojamiento	lodging
el cheque de viajero	traveler's check
los derechos de aduana	customs duty, tax
el destino	destination
el equipaje	baggage
la escala	stopover
la excursión	tour
los impuestos	taxes
las instrucciones	directions
la llegada	arrival
la maleta	suitcase
el mostrador	counter
el pasaje	ticket
la primera clase	first class
la sala de espera	waiting room
la salida	departure, exit
la vacuna	vaccination, shot
el visado (la visa)	visa

PALABRAS SEMEJANTES: la clase turística, el consulado, el contrabando, la inmigración

REPASO: el/la agente de viajes, el plano, el seguro de automóvil

Los lugares y las atracciones turísticas
Places and Tourist Attractions

el correo	post office
el parador	state (tourist) hotel
la torre	tower

PALABRAS SEMEJANTES: el convento, el elevador, el palacio, la ruina

El transporte aéreo   Air Transportation

el/la asistente de vuelo	flight attendant
el boleto	ticket
de ida y vuelta	round-trip
la sección de (no) fumar	(no) smoking section

el transbordo	transfer
el traslado de... a...	transportation from . . . to . . .

PALABRAS SEMEJANTES: la aerolínea, el aeropuerto

REPASO: la agencia de viajes, el avión, el/la piloto, el vuelo

Los mandatos

baje (bajar)	get off (to get off)
doble (doblar)	turn (to turn)
haga (hacer)	do; make (to do; to make)
siga (seguir)	keep going (to keep going)
suba (subir)	board (to board)
tome (tomar)	take (to take)

Los verbos

abordar	to board
broncearse	to get a tan
caerse	to fall down
cambiar un cheque	to cash a check
chocar (con)	to crash, run into (*something*)
cuidarse	to take care of oneself
desear	to wish
disfrutar	to enjoy
disponer de	to have available
empacar	to pack
estar de visita	to be staying
facturar (la maleta)	to check (baggage)
hacer cola	to stand in line
hacer las maletas	to pack
hacer la reservación	to make a reservation
ir de vacaciones	to go on vacation
irse	to go away
romperse	to break
sacar el pasaporte (el visado)	to get a passport (visa)
suponer	to suppose
tropezar	to trip

PALABRAS SEMEJANTES: admirar, anunciar, dividir, ordenar, planear, recomendar

REPASO: hospedarse

La gente   People

la camarera	chambermaid
el empleado / la empleada	employee
el/la guía de turistas	tourist guide
el viajero / la viajera	traveler

PALABRAS SEMEJANTES: la tribu, el/la turista

Los sustantivos

el billete	ticket
el botones	bellboy
el cambio	change (*money*)
la comodidad	comfort
el consejo	advice
la contestadora telefónica	(telephone) answering machine
la cuadra	(*street*) block
el dinero en efectivo	cash (*money*)
el escenario	scene
los informes	information
el lujo	luxury
la mesita de noche	night table
la pintura	painting
la recepción	lobby
el reclamo de equipaje	baggage claim
la tarifa	fare
el valor	value

PALABRAS SEMEJANTES: el ballet folclórico, la selección

Los adjetivos

aventurero/a	adventurous
bienvenido/a	welcome
jubilado/a	retired
sencillo/a	simple

PALABRAS SEMEJANTES: informal, popular, probable

Palabras y expresiones útiles

además de	besides
¿Cómo se va de... a... ?	How does one get from . . . to . . . ?
en parejas	in pairs
¿En qué puedo servirle?	How may I help you?
entonces	then
junto a	next to, near
para servirle	you are welcome
perdone	excuse me
permítame	allow me

PALABRAS SEMEJANTES: ¡Qué coincidencia!, respectivamente

REPASO: a la derecha / a la izquierda

Gramática y ejercicios

¿RECUERDA?

In **Gramática A.1** you learned that singular commands (to one person) end in **-a** or **-e**. Plural commands (to more than one person) end in **-an** or **-en**.

Polite commands:
-ar verbs take **-e(n)** endings: **hable** (usted), **tomen** (ustedes)
-er/-ir verbs take **-a(n)** endings: **coma** (usted), **escriban** (ustedes)

11.1   Giving Instructions: Polite Commands

A. Polite singular commands (a command you would make to a person you address with **usted**) are formed by changing **-ar** verb endings to **-e**; **-er** and **-ir** endings change to **-a**.

-ar:	Lle**v**e el paquete.	*Take the package.*
-er:	Co**m**a cereal por la mañana.	*Eat cereal in the morning.*
-ir:	Abr**a** la ventana, por favor.	*Open the window, please.*

B. To give polite commands to more than one person, add **-n**.*

No bail**en** más de dos horas.   *Don't dance more than two hours.*

C. If a verb stem is irregular in the **yo** form of the present tense, it usually has the same irregularity in the command form: **yo pongo → ponga**.

Venga(n) temprano, por favor.   *Come early, please.*
Salga(n) inmediatamente.   *Leave immediately.*

Here are some common irregular commands based on the **yo** form.

conozca	(conocer)	*know*	tenga	(tener)	*have*
diga	(decir)	*say*	traiga	(traer)	*bring*
haga	(hacer)	*do; make*	vea	(ver)	*see*
oiga	(oír)	*hear*	venga	(venir)	*come*

Tengan cuidado en la autopista.   *Be careful on the freeway.*
Traiga sus documentos mañana   *Bring your documents tomorrow to*
a la oficina de la aduana.   *the customs office.*

D. The following irregular command forms do not match the first-person singular forms.

dé	(dar)	*give*	sepa	(saber)	*know*
esté	(estar)	*be*	vaya	(ir)	*go*
sea	(ser)	*be*			

Sepa muy bien lo que quiere   *Know well what you want to say*
decir antes de hablar.   *before speaking.*
Si quiere reservar un asiento   *If you want to reserve a seat for*
para diciembre, **vaya** ahora   *December, go to the travel agency*
mismo a la agencia de viajes.   *right away.*

E. Verbs with vowel changes in the stem show the same changes in the polite command forms.

---

*In Spain the **vosotros/as** command form is used for plural *informal* commands. See the section on **vos** and **vosotros** in the **Expansión gramatical** at the end of the *Cuaderno de trabajo*. In most of Latin America, however, the plural polite command is used to give a command to more than one person, whether one normally addresses them politely or informally.

piense	pensar (ie)	*think*	cierre	cerrar (ie)	*close*
duerma	dormir (ue)	*sleep*	vuelva	volver (ue)	*return*
sirva	servir (i)	*serve*	consiga	conseguir (i)	*get*

Duerma por lo menos ocho horas cada noche.

Sleep at least eight hours every night.

Cierre la maleta.

Close the suitcase.

Sirva los refrescos.

Serve the refreshments.

F. Object pronouns and reflexive pronouns are attached to affirmative commands and precede negative ones.

Tráigale café, por favor; **no le traiga** té.

Bring her coffee, please; don't bring her tea.

Dígame la verdad; **no me diga** que no la sabe.

Tell me the truth; don't tell me that you don't know (it).

Espere, **no lo haga** ahora; **hágalo** más tarde.

Wait, don't do it now; do it later.

Levántese temprano; **no se perda las** ~~noticias de las seis.~~

Get up early; don't miss the six o'clock news.

Ejercicio 1

Imagínese que usted es agente de viajes. Conteste las preguntas de sus clientes con un mandato lógico. Si es necesario, use un pronombre de complemento directo (**lo**, **la**, **los** o **las**).

MODELOS: ¿Tengo que pagar el pasaje hoy? →
　　　　　　Sí, *páguelo* hoy, por favor.

　　　　　　¿Necesito ir al consulado mañana? →
　　　　　　Sí, *vaya* lo más pronto posible.

1. ¿Debo hacer las reservaciones inmediatamente?
2. ¿Tengo que comprar ya los cheques de viajero?
3. ¿Tengo que traer el dinero mañana?
4. ¿Necesito recoger los pasajes la semana que viene?
5. ¿Debo llegar al aeropuerto dos horas antes de la salida de mi vuelo?
6. ¿Necesito conseguir otro pasaporte?

San Miguel de Allende, México

Ejercicio 2

Sus primos dicen que deben hacer las siguientes cosas. Déles mandatos directos. Si es necesario, use un pronombre de complemento directo (**lo**, **la**, **los** o **las**).

> MODELOS: Debemos llamar a Jorge. → ¡Buena idea! *¡Llámenlo!*
>
> Debemos volver antes de septiembre. →
> Sí, *vuelvan* antes de septiembre.

1. Debemos preparar el itinerario.
2. Debemos conseguir los pasaportes.
3. Debemos limpiar las maletas.
4. Debemos hacer las maletas esta noche.
5. Debemos dormir antes de salir.
6. Debemos salir inmediatamente.

11.2   Softening Commands: The Present Subjunctive Following *querer* and *cuando*

Gramática ilustrada

Softened command: command forms after querer que.

Quieren que yo termine el trabajo. (*They want me to finish the job.*)

Quiero que tú comas con nosotros. (*I want you to eat with us.*)

A. You already know the Spanish verb forms used to give direct commands: for example, **siéntese, descanse, tome la medicina**. Rather than give a direct command, a speaker may prefer to use a "softened" expression, such as *I want you to . . .* A softened expression is used to talk about what one person wants another to do: *My parents want me to . . .*

—¿Qué **quiere** el aduanero?

—*What does the customs inspector want?*

—**Quiere** que abramos todas las maletas.

—*He wants us to open all of our suitcases.*

In Spanish, the verb in the clause that follows softened expressions like **quiero que...** has the same form as a command, but because these softened commands can be addressed to anyone, the second verb changes endings to indicate who is to do the action. These forms are called the *subjunctive mood*.

Quiero que
- **vayamos** al museo primero.
- tú **te quedes** con Adriana.
- Carla nos **compre** los boletos.

I want
- *us to go to the museum first.*
- *you to stay with Adriana.*
- *Carla to buy us the tickets.*

Subjunctive (command forms) also used after cuando when referring to the future:

Cuando salga de viaje, voy a... (*When I leave on my trip, I'm going to . . .*)

B. When the action or state described in a clause that begins with **cuando** refers to the future, the subjunctive form of the verb is also used.

Vamos a facturar el equipaje **cuando revisen** el boleto.

We are going to check in the bags when they check the ticket.

Pedro va a hacer las reservaciones **cuando hable** con Andrea.

Pedro is going to make the reservations when he speaks with Andrea.

Cuando lleguemos a Madrid, quiero ver el Museo del Prado

When we get to Madrid, I want to see the Prado Museum.

However, if the action or state described in the **cuando** clause refers to a habitual action, the present indicative is used.

Mis primos **siempre** van a la costa **cuando viajan.**

My cousins always go to the coast when they travel.

Present subjunctive forms = polite command forms with person/number endings: coma, comas, coma, comamos, comáis, coman; viaje, viajes, viaje, viajemos, viajéis, viajen

C. The forms of the present subjunctive are the same as the **usted** command forms plus the person/number endings: **hablar → hable + -s, -mos, -éis,* -n.** Thus, the endings contain a different vowel from the present tense (which we will call *present indicative* when we want to contrast it with the present subjunctive).

INFINITIVE	PRESENT INDICATIVE	PRESENT SUBJUNCTIVE
hablar	habla	hable
comer	come	coma
escribir	escribe	escriba

---

*Note that the **vosotros/as** form drops the -e of the **usted** command form.

Here are the rest of the present subjunctive forms.*

	-ar	-er	-ir
(yo)	hable	coma	escriba
(tú)	hables	comas	escribas
(usted, él/ella)	hable	coma	escriba
(nosotros/as)	hablemos	comamos	escribamos
(vosotros/as)	habléis	comáis	escribáis
(ustedes, ellos/as)	hablen	coman	escriban

—¿Qué quiere la mesera?
—Quiere que **paguemos**† en la caja a la salida.

—What does the waitress want?
—She wants us to pay at the cash register when we leave.

D. Although pronouns are attached to affirmative commands (**cómalo**), they are placed before conjugated verbs. (Pronouns are also attached to infinitives and present participles.)

—¿Qué quiere nuestro agente de viajes?
—Quiere que **lo llamemos** mañana.

—What does our travel agent want?
—He wants us to call him tomorrow.

Ejercicio 3

Aquí tiene usted algunas recomendaciones del agente de viajes de Rubén y Virginia Hernández. Ahora Virginia está repitiéndole la información a una vecina. Use el subjuntivo en todos los casos.

MODELO: Lleguen al aeropuerto con una hora de anticipación. →
Nuestro agente de viajes quiere que *lleguemos* al aeropuerto con una hora de anticipación.

1. Recojan sus boletos pronto.
2. Escriban una lista de lo que van a necesitar.
3. No lleven demasiadas cosas en las maletas.
4. Compren cheques de viajero.
5. Coman en restaurantes buenos, no coman en la calle.
6. Lleguen al aeropuerto temprano.
7. Beban refrescos o agua mineral, no beban el agua.

Ejercicio 4

Escoja el verbo que mejor corresponda al contexto.

---

*Recognition: **vos hablés, comás, escribás**
†See Appendix 3 and the *Cuaderno de trabajo*, **Capítulo 11**, for an explanation of spelling changes in the present subjunctive.

Prohibido
fumar a bordo

El aire se ha limpiado en cerca de 80% de los vuelos programados sin escala entre los Estados Unidos y destinos extranjeros, informa el Departamento de Transporte de ese país. US Air, por ejemplo, ha prohibido fumar en todos sus vuelos internacionales y American Airlines en todos sus vuelos hacia y desde Europa, el Caribe y un buen número de destinos mexicanos. United ahora prohíbe fumar en todos sus vuelos dentro de Europa y en vuelos transatlánticos (excepto entre Dulles y Milán, Italia). TWA ha prohibido fumar en todos sus vuelos hacia y desde Francia, Alemania y el Reino Unido. Continental ha prohibido fumar en sus vuelos en todo el mundo a partir del 1º de agosto. Y Delta ha quedado libre de humo desde el 1º de enero de 1995. ◗

MODELO: Voy a darte tu boleto cuando *subamos/subimos* al avión.

1. Voy a mandarte una postal cuando *llegue/llego* al hotel.
2. Cuando *viajemos/viajamos* a Argentina, siempre nos hospedamos en el Hotel Río Plata.
3. Todos los días la asistente de vuelo sirve las bebidas cuando los pasajeros *suban/suben* al avión.
4. Voy a saber más de los mayas cuando *lea/leo* estos libros sobre su cultura.
5. José y Pilar van a pagar en la caja cuando *terminen/terminan* de cenar.

11.3 Softening Commands and Expressing Future Doubt: The Present Subjunctive of Irregular Verbs

The subjunctive takes a long time to acquire. You will hear it and read it extensively before you are able to produce it comfortably.

A. Verbs that have different stems in the **yo** forms of the present indicative have those same stems in the present subjunctive (as they do in the command forms).

conocer	conozco	conozca, conozcas, conozca, conozcamos, conozcáis, conozcan
construir	construyo	construya, construyas, construya, construyamos, construyáis, construyan
decir	digo	diga, digas, diga, digamos, digáis, digan
hacer	hago	haga, hagas, haga, hagamos, hagáis, hagan
oír	oigo	oiga, oigas, oiga, oigamos, oigáis, oigan
poner	pongo	ponga, pongas, ponga, pongamos, pongáis, pongan
recoger	recojo	recoja, recojas, recoja, recojamos, recojáis, recojan
salir	salgo	salga, salgas, salga, salgamos, salgáis, salgan
tener	tengo	tenga, tengas, tenga, tengamos, tengáis, tengan
traer	traigo	traiga, traigas, traiga, traigamos, traigáis, traigan
venir	vengo	venga, vengas, venga, vengamos, vengáis, vengan
ver	veo	vea, veas, vea, veamos, veáis, vean

Cuando **recojamos** los boletos, le vamos a preguntar al agente si necesitamos vacunas.	*When we pick up the tickets, we'll ask the agent if we need vaccinations.*

B. Verbs that end in **-oy** in the **yo** form, as well as the verb **saber**, have irregular stems in the present subjunctive.*

dar	doy	dé, des, dé, demos, deis, den
estar	estoy	esté, estés, esté, estemos, estéis, estén
ir	voy	vaya, vayas, vaya, vayamos, vayáis, vayan
ser	soy	sea, seas, sea, seamos, seáis, sean
saber	sé	sepa, sepas, sepa, sepamos, sepáis, sepan

---

*Recognition: **vos des, estés, vayás, seás, sepás**

Quiero que me **des** tu nuevo número de teléfono antes de salir.	*I want you to give me your new telephone number before you leave.*
La profesora quiere que **sepamos** todos estos verbos para el examen.	*The professor wants us to know all these verbs for the exam.*

Use this section as a reference; don't try to memorize all these forms!

C. The present subjunctive forms of stem-changing verbs are as follows.

Group I. Verbs with stem-vowel changes e → ie and o → ue in the present indicative keep those changes in the present subjunctive. The stems of **pensar** and **volver** always change except for the **nosotros/as** and **vosotros/as** forms.*

INDICATIVE	SUBJUNCTIVE	INDICATIVE	SUBJUNCTIVE
pienso	piense	vuelvo	vuelva
piensas	pienses	vuelves	vuelvas
piensa	piense	vuelve	vuelva
pensamos	pensemos	volvemos	volvamos
pensáis	penséis	volvéis	volváis
piensan	piensen	vuelven	vuelvan

No quiero que tú **pienses** mal de mí.	*I don't want you to think badly of me.*
El presidente del Banco de Guadalajara quiere que sus empleados **vuelvan** al trabajo a las 2:00.	*The president of the Bank of Guadalajara wants his employees to return to work at 2:00.*

Group II. Verbs like **pedir** and **servir**, whose stems show an e → i change in the present indicative (except for the **nosotros/as** and **vosotros/as** forms†), have the same stem-vowel change in *all* the present subjunctive forms.

INDICATIVE	SUBJUNCTIVE	INDICATIVE	SUBJUNCTIVE
pido	pida	sirvo	sirva
pides	pidas	sirves	sirvas
pide	pida	sirve	sirva
pedimos	pidamos	servimos	sirvamos
pedís	pidáis	servís	sirváis
piden	pidan	sirven	sirvan

---

*Recognition: **vos pensés, volvás**
†Recognition: **vos pidás, sirvás**

Papá quiere que todos **pidamos** un sándwich.	*Dad wants all of us to order a sandwich.*
El cocinero quiere que **se sirva** la comida a partir de las 7:00.	*The cook wants the meal to be served starting at 7:00.*

Group III. Verbs like **divertirse**, which show an **e → ie** change in the present indicative as well as an **e → i** change in the preterite, and verbs like **dormir**, which show an **o → ue** change in the present indicative and an **o → u** change in the preterite, maintain *both* changes in the present subjunctive.*

INDICATIVE	SUBJUNCTIVE	INDICATIVE	SUBJUNCTIVE
me divierto	me divierta	duermo	duerma
te diviertes	te diviertas	duermes	duermas
se divierte	se divierta	duerme	duerma
nos divertimos	nos divirtamos	dormimos	durmamos
os divertís	os divirtáis	dormís	durmáis
se divierten	se diviertan	duermen	duerman

Todos quieren que **nos divirtamos** mucho en el viaje.	*Everyone wants us to have a lot of fun on the trip.*
Quiero que **te duermas** ahora, porque el viaje mañana va a ser difícil.	*I want you to sleep now, because the trip tomorrow is going to be difficult.*

Ejercicio 5

Usted va a ir de excursión a México con un grupo de estudiantes de la clase de español. Ahora sus padres quieren saber las recomendaciones que su profesor(a) les ha hecho. Repítales la información.

MODELO: No salgan sin los boletos. →
El profesor / La profesora no quiere que nosotros *salgamos* sin los boletos.

1. Hagan las maletas dos días antes de la salida.
2. Duerman ocho horas la noche anterior a la salida.
3. Traigan ropa para ocho días.
4. Vayan directamente a la estación de autobuses.
5. Pongan el dinero en un lugar seguro.
6. Denme los pasaportes.
7. Vuelvan con buenos recuerdos del viaje.
8. No pidan comida americana en los restaurantes.
9. Diviértanse mucho.
10. Díganle «Adiós» a su familia.

Cuernavaca, México: uno de los impresionantes murales de Diego Rivera

*Recognition: **vos te divirtás, te durmás**

Ejercicio 6

Primero escriba las formas apropiadas de los verbos indicados. Luego señale la frase que mejor complete cada oración.

> MODELO: Mi profesora quiere que yo *me divierta* (divertirse) cuando *salga* (salir: yo) de vacaciones.

1. Mis padres quieren que los _____ (llamar: yo)...
2. Queremos que Juan, el mesero más guapo, nos _____ (servir)...
3. Quiero que _____ (oír: tú) mi nuevo disco...
4. Alberto quiere que nosotros le _____ (traer) regalos...
5. Quiero que _____ (sacar: tú) muchas fotos...

a. cuando _____ (estar: tú) en México.
b. cuando _____ (venir: tú) a visitarme.
c. cuando _____ (llegar: yo) a mi destino.
d. cuando _____ (ir: nosotros) al restaurante argentino.
e. cuando _____ (volver: nosotros) de Madrid.

11.4   Talking about Past Actions in Progress: The Imperfect Progressive

Gramática ilustrada

Ayer, a las 4:00 de la tarde,...

Andrea estaba descansando al lado de la piscina.

Pedro estaba escribiendo una carta.

Marisa y Clarisa estaban paseando en el parque con su abuela.

To describe an action that was taking place at some past moment, use the imperfect tense of **estar** (**estaba, estabas, estaba, estábamos, estabais, estaban**), followed by a present participle.

—¿Qué **estabas haciendo** a las 4:00?

—Creo que **estaba viendo** la televisión.

—Rubén, ¿qué **estabas haciendo** ayer cuando te llamé?

—¡**Durmiendo,** por supuesto!

—*What were you doing at 4:00?*

—*I think I was watching television.*

—*Rubén, what were you doing yesterday when I called?*

—*Sleeping, of course!*

Ejercicio 7

Usando el participio del presente de **ver**, **estudiar**, **asistir**, **dormir** y **leer**, diga qué estaba haciendo y qué no estaba haciendo usted ayer.

Ayer a las 4:00 de la tarde estaba...

		SÍ	NO
1.	_____ una siesta.	☐	☐
2.	_____ a una clase.	☐	☐
3.	_____ la televisión.	☐	☐
4.	_____ la lección de español.	☐	☐
5.	_____ el periódico.	☐	☐

Ahora diga qué estaban haciendo las siguientes personas.

6. Mi profesor(a) _____.
7. Mi mejor amigo/a _____.
8. Dos compañeros de clase _____.
9. Mis padres _____.
10. El presidente de los Estados Unidos _____

11.5 Saying What Was Happening: The Imperfect in Contrast to the Preterite

Gramática ilustrada

Era un día de primavera. Hacía sol y hacía un poco fresco. Pedro y Andrea estaban sentados en un café de la Gran Vía cuando de repente Pedro vio a un viejo amigo de la universidad. Pedro se levantó, corrió hacia él, lo saludó y lo invitó a tomar un refresco con él y Andrea. Los tres tomaron refrescos y charlaron.

Some review:
preterite = *action completed*
imperfect = *action went on over time in past*
imperfect progressive = *action was going on at a particular time in the past*

Although the imperfect and the preterite both describe past actions or states, their uses are not the same. As you know, the preterite is used with verbs of action to emphasize that a past event was completed.

—¿Qué **hiciste** ayer?   —*What did you do yesterday?*
—**Visité** el Museo del Prado.   —*I visited the Prado Museum.*

The imperfect, on the other hand, is chosen if the speaker wishes to emphasize that an action happened repeatedly in the past.

Cuando **íbamos** de vacaciones a Acapulco, siempre **nos quedábamos** en el Hotel Condesa del Mar.   *When we were on vacation in Acapulco, we would always stay at the Condesa del Mar Hotel.*

In **Gramática 11.4**, you learned that the imperfect progressive can be used to indicate that something was happening at a particular time in the past.

—¿Qué **estabas haciendo** cuando te llamé?   —*What were you doing when I called?*
—**Estaba bañándome**.   —*I was taking a bath.*

action in progress = *imperfect*
interrupting action = *preterite*

Imperfect is used for past habitual action:
De joven, vivía en México.
or past action in progress:
Caminaba por la plaza cuando oí la música.

Similarly, you can use the simple imperfect to describe an action that was in progress in the past when something else interrupted it. The interrupting action is expressed in the preterite tense.

Caminaba por la calle cuando **vi** al agente de policía.   *I was walking down the street when I saw the policeman.*
Descansaba en mi cuarto cuando **sonó** el teléfono.   *I was resting in my room when the phone rang.*
Comía un postre cuando alguien **tocó** a la puerta.   *I was eating dessert when someone knocked at the door.*
Salía de la casa cuando me **gritó** la vecina.   *I was leaving (the house) when the neighbor yelled to me.*
Llegábamos a Madrid cuando **se descompuso** el motor.   *We were arriving in Madrid when the engine broke down.*

Ejercicio 8

Escriba la forma apropiada de los verbos entre paréntesis. Luego indique si eso le ha pasado a usted alguna vez.

MODELO: El profesor *hablaba* (hablar) cuando me dormí en clase.

	SÍ	NO
1. _____ (manejar: yo) en la autopista cuando dos carros chocaron.	☐	☐
2. _____ (ver: yo) mi programa favorito cuando sonó el teléfono y no contesté.	☐	☐
3. _____ (caminar: yo) por la calle cuando vi un accidente.	☐	☐
4. Mi profesor _____ (hablar) cuando entré tarde a la clase.	☐	☐

	SÍ	NO

5. _____ (hacer: yo) mi tarea en la biblioteca ☐ ☐
   cuando comenzó una tormenta y no pude
   salir por largo rato.

6. _____ (bañarse: yo) cuando entró una persona ☐ ☐
   desconocida.

Ejercicio 9

Pilar habla de sus vacaciones. Lea toda la historia primero y luego escoja entre el imperfecto o el pretérito según el contexto.

Cuando *era/fui*[1] niña, todos los años mi familia y yo *íbamos/fuimos*[2] a las islas Baleares. Siempre *alquilábamos/alquilamos*[3] una casa con vista al mar. De día *buceábamos/buceamos*[4] y nos *bañábamos/bañamos*.[5] De noche *salíamos/salimos*[6] a cenar a un restaurante elegante y luego *caminábamos/caminamos*[7] por la plaza.

Una tarde de verano, cuando mi hermano menor, Felipe, *tenía/tuvo*[8] ocho años, él y yo *íbamos/fuimos*[9] solos a la playa. Nuestros padres *estaban durmiendo / durmieron*[10] todavía. Mi hermanito *jugaba/jugó*[11] en el agua y yo *hablaba/hablé*[12] con unos chicos que ya *conocía/conocí*[13] de otros veranos. Después de unos minutos *miraba/miré*[14] hacia donde *jugaba/jugó*[15] mi hermanito y no lo *veía/vi*.[16] Mis amigos y yo nos *levantábamos/levantamos*[17] y *corríamos/corrimos*[18] al agua para buscarlo. No lo *encontrábamos/encontramos*.[19] Lo *buscábamos/buscamos*[20] por toda la playa y no lo *podíamos/pudimos*[21] encontrar. *Estaba/Estuve*[22] desesperada. Por fin *regresábamos/regresamos*[23] adonde *teníamos/tuvimos*[24] las toallas... allí *estaba/estuvo*[25] sentado mi hermanito, comiendo un bocadillo. «¿Adónde *ibas/fuiste*?[26]» le *gritaba/grité*.[27] Él no me *contestaba/contestó*[28] pero yo *estaba/estuve*[29] tan contenta de verlo que no me *enojaba/enojé*[30] demasiado con él.

Actividades de comunicación y lecturas

Las instrucciones y los mandatos

Lea Gramática 14.1–14.2.

Los mandatos de los vecinos mexicanos

Actividad 1. Identificaciones: Mandatos para Ernestito

Si usted piensa un poco en su niñez, va a recordar que los niños pasan mucho tiempo escuchando órdenes. Ernestito tiene ocho años. ¿Quién le da los siguientes mandatos: la prima, la madre o la maestra?

	LA PRIMA	LA MADRE	LA MAESTRA
1. Haz la tarea antes de acostarte.	☐	☐	☐
2. Lee la Lección dos con mucho cuidado.	☐	☐	☐
3. Sal de mi cuarto.	☐	☐	☐
4. No toques mi muñeca.	☐	☐	☐
5. No grites, estoy hablando por teléfono.	☐	☐	☐
6. No escribas en tu pupitre.	☐	☐	☐
7. Juega conmigo, por favor.	☐	☐	☐
8. No me jales el pelo.	☐	☐	☐
9. Escribe las respuestas en la pizarra.	☐	☐	☐
10. Báñate y lávate los dientes.	☐	☐	☐
11. No comas dulces ahora, que ya vamos a comer.	☐	☐	☐
12. Quédate en tu pupitre.	☐	☐	☐

Actividad 2. Asociaciones: Los mandatos

¿Qué mandatos se le puede dar a... ?

1. un asistente de vuelo
2. una dependienta en una tienda de ropa
3. un mesero en un restaurante
4. un mecánico
5. una estudiante en una clase universitaria
6. su profesor(a)

PALABRAS ÚTILES

tráigame...	enséñeme...	dígame...
entregue...	llévele...	explique...
estudie...	lea...	revise...
muéstreme...		

Actividad 3. Descripción de dibujos: Mandatos para los muchachos Ramírez

Interprete los mandatos que sus padres y maestros les dan a Amanda, a Guillermo y a Ernestito.

Actividad 4. Del mundo hispano. Consejos del veterinario

Lea esta columna y luego empareje a los amos con las recomendaciones del veterinario.

Consejos del veterinario

problema bacteriano o de hongos. Llévala al veterinario para que le haga un cultivo.

■ Cambié a mi tortuga de hábitat y desde entonces casi ha dejado de comer, incluso después de regresarla a su lugar. ¿Por qué?
Patricia Pidrahita
Las tortugas tienen menos apetito ahora porque están medio invernando. Vigila la temperatura (22º y 28º) y si pasado un tiempo no reacciona llévala al veterinario.

■ Mi perra de 13 años se fracturó la cadera, ¿debo sacrificarla?
Ma. del Pilar Ansa
Depende de la fractura y su reparación. En principio es operable, pero hay que estudiar los riesgos de una operación en un animal tan mayor.

■ A mi gata le salieron unas heridas, con caída de pelo, alrededor del cuello, ¿qué le pasa?
Marisol Briviesca
Seguramente se trata de un

■ Me gustaría saber por qué no crían mis dos parejas de periquitos.
Rosario Pérez
Observa qué parejas se llevan mejor y júntalos en época de cría -primavera- en las mejores condiciones: un nido, tranquilidad, buena temperatura etc. Los periquitos son monógamos y tienen que "gustarse" para reproducirse.

ENVIA TUS CARTAS A:
"Consejos del Veterinario"
Revista *Clara*, Mier y Pesado 126, Col. del Valle. C.P. 03100.

1. al ama de la perra
2. al ama de los periquitos
3. al ama de la tortuga
4. al ama de la gata

a. «Cuida bien la temperatura.»
b. «Llévala al veterinario.»
c. «Obsérvalos bien. Si se llevan bien, ponlos juntos.»
d. «Opérale sólo si no hay muchos riesgos.»

Ahora, trabaje con un compañero / una compañera para inventar uno o dos problemas más que suelen tener los amos de las mascotas. Léanselos al resto de la clase para que los demás estudiantes respondan con unas recomendaciones lógicas.

Actividad 5. Intercambios: Consejos para los amigos

Con su compañero/a, piensen en dos o tres buenos consejos para las siguientes personas. Luego, coméntenlos con el resto de la clase.

1. Un compañero: siempre llega tarde a clase.
2. Una estudiante nueva en su clase de español: quiere sacar buenas notas.
3. Su hermana menor: tiene muchos problemas con sus padres; usted no fue un «ángel» pero nunca tuvo problemas con ellos.
4. Un amigo: tiene una ex novia que a él ya no le gusta, pero ella es muy insistente.
5. Una amiga: va a salir con un chico a quien no conoce.
6. Su papá/mamá: está preocupado/a por el precio de la matrícula de la universidad.

Gramática y ejercicios

14.1 Giving Direct Commands: Polite and Informal
Gramática ilustrada

A review of polite (**usted**) commands

A. Polite commands are used to give a direct order to someone you address with **usted**. The forms of the polite commands were introduced in **Gramática 11.1**. They are also the same as the **usted** form of the present subjunctive (see **Gramática 11.2** and **11.3**).

389

Remember that **-ar** verbs take «**e**» endings; **-er/-ir** verbs take «**a**» endings.

hablar → hable
vender → venda
escribir → escriba

INFINITIVE	PRESENT (yo/usted)	COMMAND (usted)	COMMAND (ustedes)
hablar vender escribir	hablo/habla vendo/vende escribo/escribe	hable venda escriba	hablen vendan escriban

affirmative **tú** commands = *he/she* form of present indicative

Él/Ella/Usted *come*. (*He/She eats; You [pol. sing.] eat.*)
Come (tú). (*Eat [inf. sing.].*)

Él/Ella/Usted *arregla* los papeles. (*He/She straightens up the papers; You [pol. sing.] straighten up the papers.*)
Arregla (tú) los papeles. (*Straighten up the papers [inf. sing.].*)

B. Singular informal commands are given to people you address with **tú** rather than **usted**—for example, your classmates or close friends.

Esteban, **trae** algunas bebidas para la fiesta.	*Steve, bring some drinks for the party.*
Nora, no **mandes** los libros ahora, por favor.	*Nora, don't send the books now, please.*

C. If the singular informal command is affirmative, it is identical to the *he/she* form of the present indicative.

Nora, **busca** las palabras en el diccionario y después **escribe** las definiciones.	*Nora, look up the words in the dictionary and afterward write down the definitions.*
Alberto, **come** temprano porque después vamos a la discoteca.	*Al, eat early because afterward we're going to the discotheque.*

¡Suscríbete a mia!

MIA está en los quioscos todos los lunes y es posible que en más de una ocasión te hayas quedado sin ella, al haberse agotado. Por ello, te ofrecemos la oportunidad de suscribirte a la revista más práctica y llena de consejos útiles para cada día de tu vida. Escríbenos.

negative **tú** commands = **usted** command form + **-s**

hable [usted]
no hables [tú]

coma [usted]
no comas [tú]

pida [usted]
no pidas [tú]

venga [usted]
no vengas [tú]

D. If the informal command is negative, add **-s** to the **usted** command form.

No hables con ella; habla con Esteban.	*Don't talk to her; talk to Steve.*
No comas tanto, Luis, y come más despacio.	*Don't eat so much, Luis, and eat more slowly.*

E. Here is a summary of the singular informal command forms.

-ar VERBS		**-er/-ir** VERBS	
(-a) habla canta estudia	(-es) no hables no cantes no estudies	(-e) come escribe pide	(-as) no comas no escribas no pidas

The affirmative **tú** command of some verbs is irregular, but the negative command follows normal command/subjunctive rules.

ven
no vengas

di
no digas

pon
no pongas

F. Some verbs have an irregular affirmative informal command form; these verbs still take the regular forms in the negative.

INFINITIVE	tú (+)	tú (−)	
decir	di	no digas	say / don't say
hacer	haz	no hagas	do / don't do
ir	ve	no vayas	go / don't go
poner	pon	no pongas	put / don't put
salir	sal	no salgas	leave / don't leave
ser	sé	no seas	be / don't be
tener	ten	no tengas	have / don't have
venir	ven	no vengas	come / don't come

Ven ahora; no **vengas** mañana.
Ponlo en tu cuarto; no lo **pongas** en la cocina.

Come now; don't come tomorrow.
Put it in your room; don't put it in the kitchen.

affirmative **vosotros/as** commands = change final **-r** of infinitive to **-d**

hablar → hablad
decir → decid

negative **vosotros/as** commands = subjunctive

hablar → no habléis
decir → no digáis

G. Affirmative **vosotros/as** commands are derived from the infinitive by changing the final **-r** to **-d**. Negative **vosotros/as** commands use the subjunctive.

INFINITIVE	vosotros/as (+)	vosotros/as (−)	
hablar	hablad	no habléis	speak / don't speak
comer	comed	no comáis	eat / don't eat
escribir	escribid	no escribáis	write / don't write
decir	decid	no digáis	say / don't say
ir	id	no vayáis	go / don't go
venir	venid	no vengáis	come / don't come

H. Here is a summary of the polite and informal command forms.* Note that with the exception of the affirmative **tú** and **vosotros/as** commands, all commands use subjunctive forms.

usted(es)	tú (−)	tú (+)	vosotros/as (−)	vosotros/as (+)
(no) hable(n)	no hables	habla	no habléis	hablad
(no) coma(n)	no comas	come	no comáis	comed
(no) escriba(n)	no escribas	escribe	no escribáis	escribid
(no) diga(n)	no digas	di	no digáis	decid
(no) ponga(n)	no pongas	pon	no pongáis	poned

*Affirmative **vos** commands drop the **-r** of the infinitive and add an accent to the last vowel: **hablá vos, comé vos, escribí vos, decí vos, vení vos.** Negative **vos** commands are the same as the **tú** subjunctive forms, but these too add an accent to the last vowel: **no hablés vos, no comás vos, no escribás vos, no digás vos, no vengás vos.**

Ejercicio 1

Éstos son algunos de los mandatos que Estela le dio a Ernestito durante el día. Complételos con **acuéstate, apaga, bájate, dile, habla, haz, lee, levántate, sal, ten, ve** o **ven.**

1. _____ rápido porque es muy tarde.
2. _____ conmigo a tu cuarto ahora.
3. _____ cuidado al cruzar la calle.
4. _____ de la casa por un ratito.
5. _____ de ese árbol ahora mismo.
6. _____ con tu papá si quieres una bicicleta nueva.
7. _____ en tu cama y _____ la luz.
8. _____ adiós a tu abuelita.
9. _____ a la sala y _____ uno de tus libros.
10. _____ tu tarea ahora y luego puedes ver la televisión.

Ejercicio 2

Nora y Esteban están de compras en un mercado en Nuevo Laredo. Ponga los infinitivos en el mandato (**tú/usted**) apropiado para el contexto.

MODELO: Ay, Esteban, no *compres* dulces, *come* fruta. (comprar/comer)

1. _____nos dos especialidades de la casa, por favor. (traer) No nos _____ la cuenta ahora. (dar)

2. _____me éste, por favor. (mostrar) ¿Cuánto cuesta? ¡No me _____ ! (decir)

3. Momentito, _____me aquí, Nora, quiero ver aquellas chaquetas de cuero. (esperar) No _____ a otra tienda. (irse)

4. _____me el precio, por favor. (rebajar) No me lo _____. (subir)

5. _____ mi nueva chaqueta, Nora. (mirar) ¡Qué ganga! No me _____ que gasté demasiado dinero. (decir)

14.2 Using Pronouns: Summary of Placement
Gramática ilustrada

A single set of rules governs the placement of reflexive (**me, te, nos, os, se**), indirect (**me, te, le, nos, os, les**), and direct (**me, te, nos, os, lo, la, los, las**) object pronouns.*

---

*Recognition: **te** is the reflexive, direct, and indirect object pronoun that corresponds to the subject pronoun **vos**.

Pronouns precede a simple conjugated verb.
Él no **me** vio.
Les dije que no.
Se acostaron tarde.
Y ¿qué **te** recomendaron tus padres?

A. Object pronouns directly precede a conjugated verb (a verb with endings in any tense).

—¿Cuándo **te diviertes** más? — *When do you have the most fun?*
—Cuando mi novio **me lleva** a bailar. — *When my boyfriend takes me dancing.*

—¿Qué **te dijo** Carmen? — *What did Carmen tell you?*
—**Me dijo** que tenía prisa. — *She told me that she was in a hurry.*

—¿Has visto a Alberto hoy? — *Have you seen Al today?*
—No, no **lo he visto** todavía. — *No, I haven't seen him yet.*

Pronouns *may* be attached to infinitives or present participles.
Quería *hablarte*. or ***Te* quería hablar.** (*I wanted to talk to you.*)
¿La carta? Estoy escribién-dola ahora. or **¿La carta? *La* estoy escribiendo ahora.**
(*The letter? I'm writing it now.*)

B. When a conjugated verb is followed by an infinitive or a present participle, object pronouns can either precede the conjugated verb or follow and be attached to the infinitive or the present participle.

—¿Qué **ibas a decirme**? — *What were you going to tell me?*
—**Quería decirte** que te quiero. — *I wanted to tell you that I love you.*

—¿Ya llamaste a Amanda? — *Did you call Amanda?*
—No, pero estoy **llamándola** ahora. — *No, but I'm calling her now.*

—¿Ya terminaste la tarea? — *Did you finish the homework?*
—No, pero **la estoy terminando** ahora. — *No, but I'm finishing it now.*

Pronouns are *always* attached to affirmative commands.
Tráiga*selo*. (*Bring it to him/her.*)
Salúda*lo/la*. (*Greet him/her.*)
Dé*melos*. (*Give them to me.*)

C. These same pronouns follow and are attached to affirmative commands but precede negative ones.

Tráeme el café.   *Bring me the coffee.*
¡No **lo hagas**!   *Don't do it!*

Pronouns precede negative commands.
No **se lo** traiga.
No **lo/la** saludes.
No **me los** dé.

D. Double-pronoun sequences such as **me lo** (*it to me*) and **se los** (*them to her/him/you/them*) also follow the rules described above.

—¿Te preparo la cena ahora? — *Shall I prepare dinner for you now?*
—Sí, **prepáramela** por favor. — *Yes, prepare it for me, please.*

—¿Tienes el libro? — *Do you have the book?*
—No, Carmen no **me lo ha dado** todavía. — *No, Carmen hasn't given it to me yet.*

—¿Cuándo vas a llevarle los documentos a la señorita Ramírez? — *When are you going to take the documents to Mrs. Ramírez?*
—Ya **se los llevé** ayer. — *I already took them to her yesterday.*

E. Note that it is necessary to add an accent on the verb in the following combinations.

1. present participles with one or two pronouns (**bañándome**)
2. affirmative commands with one or two pronouns (**lléveselo**)
3. infinitives with two pronouns (**vendérmelo**)

This is done to preserve the original stress on the verb form.

Ejercicio 3

Los Ruiz están de vacaciones en Acapulco. Acaban de regresar de la playa, y Clarisa le pide muchas cosas a su madre. Dé la forma correcta de los mandatos de Clarisa.

Remember that indirect object pronouns can signal *to* or *for* someone.

MODELO: traer / refresco → Mamá, *tráeme* un refresco, por favor.

1. hacer / un sándwich
2. lavar / el traje de baño
3. poner / música
4. comprar / una playera
5. dar / la loción

Ejercicio 4

Guillermo le hace preguntas a Amanda, y ella siempre contesta que no. ¿Qué dice Amanda?

MODELO: ¿Te traigo los libros? → No, *no me los traigas*.

1. ¿Te arreglo el radio cassette?
2. ¿Te abono la pintura?
3. ¿Te presto el dinero?
4. ¿Te preparo el sándwich?
5. ¿Te enciendo el televisor?
6. ¿Te digo la verdad?

Ejercicio 5

El secretario de Paula le hace algunas preguntas. Ella siempre contesta que sí. Dé las contestaciones de Paula usando mandatos formales y dos pronombres.

MODELO: ¿Le doy los cuadernos a la señora González? → Sí, *déselos*.

1. ¿Le pido los documentos a la señora Vargas ahora?
2. ¿Le leo el mensaje del señor Ruiz?
3. ¿Le presto el dinero a la recepcionista?
4. ¿Le escribo las cartas a máquina?
5. ¿Le cuento las noticias al señor Ochoa?

Ejercicio 6

Es Nochebuena en casa de los Saucedo. Los regalos están en la sala pero sin etiquetas. Todos quieren saber quién les hizo esos regalos. Amanda y Guillermo contestan.

MODELO: DORA: ¿Quién me regaló esta magnífica licuadora? (papá) →

AMANDA Y GUILLERMO: *Te la* regaló papá.

1. ANDREA: ¿Quién me dio esta bata tan fina? (nosotros)
2. DORA Y JAVIER: ¿Quién nos dio estas herramientas tan útiles? (Raúl)
3. RAÚL: ¿Quién me regaló este magnífico reloj? (papá y mamá)
4. JAVIER: ¿Quién me ha comprado estas lindísimas corbatas? (la abuela)
5. DORA: ¿Y quién me regaló esta sartén tan moderna? (Estela)
6. AMANDA: Oye, Guillermo, ¿quién nos trajo estas playeras tan hermosas? (Raúl)

395

12

El porvenir

▼▼▼▼▼▼▼▼▼▼▼▼▼▼▼▼▼▼▼▼▼▼▼▼▼▼▼▼▼

METAS

In **Capítulo 12** you will have an opportunity to share your views on relationships, as well as your own personal values. You will express your opinions and talk about future plans, goals, possibilities, and consequences. In addition, you will discuss the role of technology in our society.

Madrid, España

Actividades de comunicación y lecturas

La familia, las amistades y el matrimonio

Lea Gramática 12.1–12.2.

Dora Muñoz de Saucedo y
Javier Saucedo González
participan a usted
el enlace matrimonial de su hija
Estela
con el señor
Ernesto Abel Ramírez Alarcón

Y tienen el honor de invitarle
a la ceremonia religiosa
que se llevará a cabo
el 29 de junio a las 14:00
en la Iglesia San Bonifacio
Parroquia de San Agustín
Horacio 921, Colonia Polanco

Recepción en el Casino Español
Calle Isabel la Católica, Nº 4385
Comida 17:30–18:30
Baile 17:30–23:30

Padrinos		Madrinas
Pedro Ruiz	de Honor	Andrea Saucedo Muñoz
José Ortega		Paula Saucedo Muñoz
Jesús Escobar	Velación	Raquel Álvarez
Édgar Ibarra	Anillos	Marta Zamora
Benjamín Román	Arras	Blanca Velásquez
Alejandro Estrada	Copas	Araceli Estrada
Manuel Muñoz	Cojines	Graciela Muñoz
Víctor Trujillo	Lazo	Leticia Saucedo
Joaquín Jiménez	Libro	Ángela Chávez
Ricardo Rubalcava	Pastel	Vanesa Zamora
Reynaldo Carrillo	Brindis	Julieta Quijada

La boda

las comadres y los compadres — se abrazan — se besan — se dan la mano

los parientes — las madrinas — los padrinos

el hermano / la hermana — los padres / los suegros — la novia — el novio — los abuelos — el cura

los cuñados

Actividad 1. Definiciones: La familia y las amistades

1. el noviazgo
2. el compadre
3. la amistad
4. el bautizo
5. la hermanastra
6. el ahijado
7. el cura
8. la madrina

a. el hijo de un amigo de la familia, a quien usted lleva a bautizar; usted es responsable del bienestar del niño en caso de que los padres de él se mueran

b. dirige la ceremonia del matrimonio

c. el padrino de su hijo

d. la relación entre dos personas que están comprometidas para casarse

e. una amiga de la familia que debe criar al niño / a la niña si la madre no está

f. la hija de su madrastra o padrastro

g. la relación entre amigos

h. una ceremonia religiosa en la cual se le da un nombre al niño recién nacido / a la niña recién nacida

Actividad 2. Intercambios: La boda de Estela

Mire la invitación a la boda de Estela y, con su compañero/a, contesten las siguientes preguntas.

1. ¿Dónde tuvo lugar la boda de Estela?
2. Según la invitación, ¿crees que fue una boda formal o informal?
3. ¿Cuántos padrinos de honor tuvo Estela? ¿Cómo se llamaban?
4. ¿Cómo se llamaba la madrina de *velación*?
5. ¿Cómo se llamaba el padrino del *brindis*?
6. ¿A que hora comenzó el baile?

Ahora entrevístense acerca de su propia boda (o la que quisieran/piensan tener).

1. ¿Fue grande tu boda? / ¿Quieres tener una boda grande?
2. ¿Quién pagó los gastos? / ¿Cómo piensas pagar los gastos de tu boda?
3. ¿Asistieron muchos parientes y amigos a tu boda? / ¿Quieres que asistan muchos parientes y amigos a tu boda?
4. ¿Te casaste por lo civil o por la iglesia (o por otra entidad espiritual)? / ¿Piensas casarte sólo por lo civil o también por la Iglesia (o por otra entidad espiritual)?
5. ¿Dónde tuvo lugar la boda? / ¿Dónde va a tener lugar tu boda?
6. ¿Tienes un recuerdo especial de tu boda? ¿Recuerdas algo especial, interesante o chistoso de una boda a la cual asististe?

"Nuestro matrimonio es un dar y tomar. Si no le doy a Enriqueta lo que quiere, ella lo toma"

Actividad 3. Conversación: El buen carácter

1. ¿Qué características va a tener la persona con quien usted se case? (Si ya está casado/a, ¿qué características valora más en su esposo/a?)
2. El 50% de los matrimonios en los Estados Unidos termina en divorcio. En su opinión, ¿qué factores contribuyen al fracaso de tantos matrimonios?
3. ¿Qué características quiere usted que tengan los amigos? ¿Quiénes son más importantes en su vida: sus amigos íntimos o los miembros de su familia? ¿Por qué?
4. ¿Cuál de estas cualidades es más importante en los buenos amigos: la lealtad o la inteligencia? ¿Cree usted que una persona egoísta puede ser un buen amigo / una buena amiga? ¿Por qué? Explique.
5. ¿Qué espera usted de los amigos? ¿Comprensión? ¿lealtad? ¿ayuda incondicional? ¿Cuáles de estas cualidades les ofrece usted a sus amigos?

Actividad 4. Del mundo hispano: Familia numerosa

Guadalajara, México

México, D.F.

Hace años, tener familia numerosa era un síntoma de prosperidad. Ahora, que los tiempos han cambiado, la gente se piensa un poco más eso de[1] tener hijos y más hijos, para lograr un premio de natalidad. ¿Es, pues, un beneficio o una desventaja la familia numerosa?

★★★★★ Félix Tabernero, médico: Estoy a favor de la familia numerosa, y de hecho yo tengo seis hijos. Sabiéndose administrar, uno no encuentra excesivos problemas para vivir desahogadamente.[2] Pero soy

Familia numerosa

consciente de que al tener tantos hijos hay que estar dispuesto a renunciar[3] a muchas cosas, como salidas con los amigos, vicios mayores...

★★★★★ Ana Mérida, estudiante: No soy partidaria de[4] familias numerosas, tal y como funciona la sociedad española de hoy día. Ya es difícil sacar adelante[5] a un par de hijos, como para tener seis o siete.

[1]eso... *the idea of* [2]confortablemente [3]*give up*
[4]partidaria... *in favor of* [5]sacar... *to raise*

COMPRENSIÓN

1. En el pasado, ¿de qué era símbolo el tener muchos hijos?
2. Según Félix Tabernero, ¿a qué deben estar dispuestos los padres que quieren tener muchos hijos?
3. ¿Está a favor o en contra de una familia numerosa Ana Mérida? ¿Por qué?

ENTREVISTA

4. ¿Con quién estás de acuerdo, con Félix o con Ana? ¿Por qué?
5. ¿Crees que es mejor para un niño criarse en una familia numerosa o en una de dos hijos? ¿Por qué?
6. ¿Qué opinas de la situación de un hijo único? ¿Qué ventajas o desventajas tiene?
7. ¿Qué oportunidades que tú no tuviste quieres darles a tus hijos?

Realidades acerca de los papás

1 Actualmente, en los Estados Unidos hay 26,3 millones de papás que viven con sus hijos.

2 Desde 1950, el número de hogares llevados por padres solteros se ha quintuplicado.

3 El 46 por ciento de las mujeres que respondieron a una encuesta (Roper en 1989) dijeron que los hombres no ayudan lo suficiente en el cuidado de los niños.

4 También en dicha encuesta, las esposas, consistentemente, dieron a sus esposos un puntaje más alto por sus labores como cuidadores del que ellos mismos se dieron.

5 El 50 por ciento de todos los padres que fueron interrogados en una encuesta nacional (en 1981) dijeron que ellos pasarían más tiempo con sus hijos si sus trabajos se lo permitieran.

6 Los padres que se envolvieron más en las actividades de sus hijos —por ejemplo: tomando el día libre para ir a los juegos de las Ligas Menores— llegaron tan lejos en sus carreras profesionales como los padres que no lo hicieron así.

7 El 78 por ciento de los hombres y mujeres que fueron encuestados dijeron que los papás que atienden el hogar son tan buenos como las mamás que lo hacen.

8 Casi el 60 por ciento de los hombres de la misma encuesta dijeron que los padres sienten más satisfacción por cuidar de sus familias que por un proyecto bien hecho en su trabajo.

EL MUNDO HISPANO... imágenes

¡**F**elicidades! En esta boda en Madrid, los novios reciben de parientes y amigos los mejores deseos por su felicidad. La recepción, después de la ceremonia religiosa, generalmente tiene lugar en un salón donde se sirve un rico almuerzo o una cena elegante antes de empezar el baile.

(*Continúa.*)

Muchas familias hispanas se reúnen los domingos y los días de fiesta, aun en estos tiempos en que el cine, la televisión y las computadoras han cambiado muchas costumbres tradicionales. Los familiares comparten experiencias, cuentos, anécdotas. En estas reuniones, como la de esta familia mexicana en Los Ángeles, todos se divierten juntos: se oye en todo momento el bullicio[1] de los niños, risas, conversaciones y música.

[1]bustle

LAS PALABRAS VIVEN

Los mariachis

Uno de los tipos de música más populares en México es la de los mariachis. Esta música tradicional y generalmente alegre se escucha en casi todas las celebraciones: en bodas, cumpleaños, quinceañeras, etcétera. También es común que los jóvenes les lleven serenatas a sus novias con canciones románticas de los mariachis.

La palabra **mariachi** aparece en el idioma español durante la ocupación francesa de México (la década de 1860). Los franceses contrataban a músicos vestidos con trajes de vaqueros para tocar en las bodas y otras fiestas. En el idioma francés «boda» se dice *mariage*, que en español se pronunciaba más o menos **mariache**. Con el tiempo, la palabra cambia a **mariachi** y la gente comienza a usarla para referirse a los músicos.

Hoy en día, muy pocas personas piensan en las bodas de los franceses cuando escuchan la hermosa música de los mariachis mexicanos.

Guadalajara, México

El futuro y las metas personales

Lea Gramática 12.3-12.4.

Éstos son los planes de
Amanda, Ernesto y Estela Ramírez

1. Tan pronto como me gradúe, viajaré a Europa.
2. Cuando me case, iré a Río de Janeiro de luna de miel.
3. Después de que nazca nuestro primer hijo, nos sentiremos orgullosos.

1. En cuanto mi hijo menor termine la preparatoria, trabajaré para una empresa importante.
2. Cuando gane más de $890,000 pesos al año, me mudaré a un vecindario elegante.
3. Trabajaré hasta que tenga sesenta y cinco años.

1. Cuando logre mis metas, seré feliz.
2. Si me cuido bien, viviré mucho tiempo y gozaré de la vida.
3. Después de que me jubile, realizaré mi sueño de vivir en las montañas.

Actividad 5. Encuesta: ¿Cómo será el mundo dentro de cincuenta años?

Indique si usted está de acuerdo o no con estas afirmaciones. Explique sus respuestas.

DENTRO DE CINCUENTA AÑOS	ESTOY DE ACUERDO	NO ESTOY DE ACUERDO
1. Ya no habrá guerras en el mundo. Gozaremos de paz.	☐	☐
2. Descubrirán una vacuna contra el SIDA.	☐	☐
3. Las computadoras podrán hablar y pensar como los seres humanos.	☐	☐
4. Ya no se usarán coches particulares: todo el mundo utilizará el transporte público.	☐	☐
5. Nadie se escribirá cartas; todos intercambiarán mensajes por correo electrónico.	☐	☐

(Hay más afirmaciones en la próxima página.)

"Polvo eres y en polvo te convertirás...
perdonen, me equivoqué de ceremonia."

"No te irás a casar conmigo por mi
dinero, ¿verdad?"

	ESTOY DE ACUERDO	NO ESTOY DE ACUERDO
DENTRO DE CINCUENTA AÑOS		
6. Ya no habrá contaminación ambiental.	☐	☐
7. Gracias a la tecnología, tendremos mucho más tiempo libre.	☐	☐
8. La mayoría de las personas trabajará en el hogar por medio de la red mundial.	☐	☐
9. Todo ciudadano de los Estados Unidos tendrá acceso a atención médica básica, mediante un plan nacional de seguro médico.	☐	☐
10. ¿ ?	☐	☐

Actividad 6. Narración: El futuro de Adriana Bolini

Adriana consultó a una adivina. Narre la vida de Adriana según la adivina.

Actividad 7. Conversación: Las carreras y la felicidad

1. ¿Qué carrera quiere seguir usted? ¿Por qué va a escoger esa carrera?
2. ¿Qué cree usted que conseguirá en su carrera? ¿Dinero? ¿satisfacción personal? ¿aventuras? ¿Son importantes para usted? ¿Por qué? Explique.
3. ¿Cree usted que trabajará toda la vida en la misma profesión?
4. ¿Tendrá su propio negocio? ¿Trabajará directamente con el público o prefiere trabajar solo/a? ¿Piensa tener su oficina en su casa, comunicándose por medio de la computadora?
5. ¿Cuáles serán sus metas en la vida? ¿Las podrá alcanzar sin dinero?
6. ¿En qué consiste la felicidad?
7. ¿Hay aspectos de la felicidad que puedan comprarse? ¿Hay una clase de felicidad que no pueda comprarse?
8. ¿Qué hará usted para lograr la felicidad?

EL MUNDO HISPANO... su gente

Su nombre es Paula Ledezma. Es colombiana y tiene 38 años.

¿Cómo piensa que va a ser el mundo de aquí a cincuenta años?

Yo pienso que dentro de 50 años lograremos explicar una serie de fenómenos que en esta época no tienen explicación, como la vida en otros planetas. Lo más positivo que va a ocurrir es que tendremos avances contra las enfermedades más crueles de este siglo: el cáncer y el SIDA. Pero, pienso que la población va a crecer demasiado, con relación a los recursos[1] existentes. Esto generará mayores problemas sociales y aumentará los que ya existen, como el desempleo.[2]

Las nuevas modas me van a parecer extravagantes, pues si vivo otros cincuenta años, ¡para esa época seré una anciana!

[1]resources [2]unemployment

L E C T U R A Cuento: ¡Basta de recuerdos!

VOCABULARIO ÚTIL	
¡Basta!	Enough!
no le alcanzaba	wasn't enough
sí misma	herself
el apoyo	support
el fracaso	failure
raíces	roots
hasta la médula	to the core
cumplir	comply
se conformaba	she made do
sumisa	submissive

El cuento a continuación narra los pensamientos de Susana Yamasaki González, una mujer peruanojaponesa de 33 años. Susana es secretaria y los fines de semana trabaja como guía de turismo en Cuzco. Está divorciada y ha tenido que criar a sus hijos sin su esposo.

Susana escuchó el despertador y lo apagó, aunque ya llevaba tiempo despierta, pensando en Édgar. Cuando su esposo dormía con ella, era él quien apagaba el aparato y luego la despertaba suavemente. Pensar en Édgar en este momento, tan temprano, era una mala manera de comenzar el día.

«¡Basta!», se dijo Susana a sí misma. «No tiene sentido seguir viviendo en el pasado, imaginándome la familia perfecta que Édgar no quiso crear conmigo. ¡Basta de recuerdos!»

Su vida había cambiado mucho desde los días felices de su matrimonio, cuando todavía no existía la sombra del divorcio. Ahora tenía dos empleos, porque uno solo no le alcanzaba para tantos gastos. El cambio más importante, sin embargo, era tener dos hijos que cuidar. Los padres de Susana le ayudaban con la crianza de Armando y Andrés. Pero la obligación, la responsabilidad de criar a esos niños, era sólo de ella. «Mis hijos», pensó Susana, «tienen dos abuelos tan buenos como el pan.»

Le gustaba despertarse temprano, mucho antes que Armando y Andrés; así tenía tiempo para reflexionar en silencio. Sus padres siempre se levantaban con los primeros rayos de sol, ¡aun los fines de semana! Era increíble lo callados que eran los dos. Quizás también ellos disfrutaban de la calma de la mañana, cuando todavía no había empezado el ruido —¡el ciclón!— de los niños. Armando tenía trece años y Andrés nueve, pero cuando estaban juntos, no había diferencia de edad. Jugaban, se peleaban y gritaban como chicos, en fin.

Hoy, sábado, tenía planes para divertirse: se tomaría libre la mañana del trabajo para ocuparse un poco de sí misma. ¡Ya era hora! Iría a la peluquería y luego haría algunas compras: compraría un vestido o una blusa de color alegre quizá. En realidad, no quería estar aquí, acostada en este cuarto oscuro, recordando el pasado, tratando de visualizar el futuro. Pero no podía evitarlo. Llegaban a su mente imágenes vívidas de su juventud y visiones del porvenir. Lo más gratificador de estos momentos era imaginarse a sus hijos de adultos, dos hombres a su lado, dándole amor y apoyo. El amor y el apoyo que su esposo no tuvo el valor de darle.

¿Qué los separó? ¿Qué factores convirtieron a Susana y a Édgar en dos extraños? Eran demasiado jóvenes cuando se casaron; casi no se conocían. Después, cuando por primera vez hablaron del divorcio, Susana pensó que ella tenía la culpa de este fracaso: «Porque no pude ser la esposa ideal, tradicional, que él buscaba.» Luego trató de encontrar razones que explicaran la conducta de Édgar. Se preguntó si tal vez la causa fuera la diferencia de razas y culturas entre ellos. Él era peruano y ella, pues... ella se sentía peruana de corazón, pero sus raíces estaban en una isla asiática lejana.

Susana había nacido en Cuzco de padres japoneses y había crecido en un hogar donde se hablaban dos lenguas, y donde las costumbres japonesas convivían con las peruanas. La suya era una casa bilingüe, bicultural, donde un día se comía sushi o sopa mizutaki, y otro día ají de gallina o ceviche.* Una casa en la que nunca se cuestionaba el valor de las dos culturas. Y esta familia no era la excepción: había muchos hogares como el de los Yamasaki en Perú.† ¡Hasta el presidente del país era peruanojaponés!‡

No, la diferencia de culturas no fue la causa del fracaso de este matrimonio. Édgar no era un hombre racista ni prejuicioso, sino un hombre típico: macho hasta la médula.

---

*Vea el Capítulo 8, donde se describe el ceviche.

†Se estima que entre los 25 millones de habitantes de Perú, poco menos del 5 por ciento es de origen japonés.

‡Se refiere a Alberto Fujimori, presidente de Perú desde 1991.

«¡Qué tontas somos a veces las mujeres!» pensó Susana. «La sociedad nos enseña a ser dependientes; aplaude nuestro sentimentalismo desde que somos niñas; mientras más sentimentales, más femeninas; mientras más tontas y calladas, más atractivas. ¡Y lo aceptamos todo, sonriendo!» Quizás aquel amor que ella sentía por su esposo era sólo necesidad. Necesidad de estar casada, de cumplir con las normas de la sociedad.

Pero Susana no supo ser ni sentimental ni callada; no pudo cumplir. Ella quería trabajar, soñaba con tener su propia agencia de viajes. Édgar, en cambio, quería una esposa sumisa, cocinera, ama de casa, una madre para sus hijos. Una mujer sin aspiraciones y sin identidad propia. Cuando él se dio cuenta de que Susana nunca sería esa mujer estereotípica, se fue. Un día desapareció y ella tuvo que enfrentarse a la vida sola, madre ya de un niño y en espera de otro.

Édgar regresó mucho tiempo después, para pedirle el divorcio y desaparecer definitivamente...

«¡Basta ya de recuerdos!» se dijo Susana a sí misma. «Es hora de comenzar el día.» Salió de su cuarto y fue directamente al de Armando y Andrés. Hoy pasaría el día con ellos; sus planes personales tendrían que esperar. Despertó a sus hijos con un beso y pensó: «Ustedes no serán machistas.»

Comprensión

A. Describa a los siguientes parientes de Susana.

1. sus hijos
2. sus padres
3. su esposo

B. Comente estos aspectos de la vida de Susana.

1. su matrimonio
2. su opinión del machismo
3. sus empleos
4. sus planes y sueños
5. su visión del futuro

Ahora... ¡usted!

1. En su opinión, ¿por qué cambia de idea Susana al final? ¿Por qué decide posponer sus planes personales?
2. ¿Conoce a alguien que esté en la misma situación de Susana, es decir, una mujer divorciada y con hijos pequeños? Compare y contraste los dos casos.
3. ¿Qué opina usted del machismo? ¿Cómo lo define?
4. ¿Conoce a un hombre machista? ¡Descríbalo!
5. ¿Cree usted que una mujer puede ser machista también? Explique.

 Un paso más... ¡a escribir!

Imagínese la vida de Susana de aquí a diez años. ¿Qué estará haciendo ella? ¿Qué trabajo tendrá? ¿Qué estarán haciendo sus hijos? Escriba una segunda parte del cuento:

Un día, diez años después, Susana se levantó pensando...

¡Dígalo por escrito!

¡Adivine, adivino!

Imagínese que usted es un adivino famoso / una adivina famosa. Un(a) cliente (su compañero/a) acaba de pagarle para saber lo siguiente.

- ¿Debe casarse con su novio/a? ¿Por qué sí o por qué no? ¿Cuándo deben casarse? ¿Qué tipo de boda deben celebrar?
- ¿Qué ocurrirá en cuanto a su carrera? ¿Qué debe hacer para tener más éxito? ¿Cuándo tendrá éxito?
- ¿Cómo será su familia en diez años? ¿Cuántos hijos tendrá? ¿Dónde vivirá?

Después de hacer sus predicciones sobre estas preguntas y cualquier otra que su compañero/a le haga, escriba una composición basada en sus respuestas y su-

---

VIDEOTECA

 ¿Le contaría usted un secreto a su amigo/a más íntimo/a? ¿Cree usted que ese amigo / esa amiga le guardaría el secreto? En este segmento de video, Lola le cuenta un secreto a su amiga Eva. ¿Cómo reacciona Eva al oír el secreto? También hablan de otra amiga, Susana. ¿Qué dicen de ella? ¿Cómo es el novio de Susana? ¿Cómo está ella? En el Capítulo 15 del *Cuaderno de trabajo* hay más actividades para hacer después de ver el video.

Vocabulario

La familia, las amistades y el matrimonio

el ahijado / la ahijada	godson/goddaughter
el amigo íntimo / la amiga íntima	close friend
la amistad	friendship
las arras	*coins given by a bridegroom to a bride as a token*
el bautizo	baptism
el bisabuelo / la bisabuela	great-grandfather/great-grandmother
el brindis	toast (*drink or speech*)
casarse por lo civil	to get married in a civil marriage ceremony
el cojín	pillow
el compadre / la comadre	godfather/godmother; *what a child's parents and godparents call each other*
el cura	priest
el enlace	union; marriage
estar comprometido/a	to be engaged
el lazo	tie
la luna de miel	honeymoon
la madrina	godmother
la madrina de velación	maid/matron of honor
la novia	bride
el noviazgo	courtship
el novio	groom
el padrino	godfather

PALABRAS SEMEJANTES: matrimonial, el matrimonio

REPASO: la boda, el hermanastro / la hermanastra, el hijo único / la hija única, la madrastra, el padrastro

Acciones recíprocas (verbos)

abrazarse	to hug each other
besarse	to kiss each other
darse la mano	to shake hands with each other
quererse (ie)	to love each other

PALABRA SEMEJANTE: comunicarse

REPASO: casarse, divorciarse, parecerse, pelearse

Otros verbos

alcanzar	to reach
aportar	to contribute
bautizar	to baptize
conseguir (i, i)	to obtain, get
criarse	to be brought up; to grow up
dirigir	to direct
empeorar	to worsen
estar a favor / en contra de	to be in favor of / against
estar dispuesto/a a (+ *infin.*)	to be willing to (*do something*)
gozar de	to enjoy
intercambiar	to exchange
hacerse socio	to become a member
jubilarse	to retire
llevarse a cabo	to take place
lograr	to obtain, achieve
morirse (ue, u)	to die
mudarse	to move (house)
opinar	to give one's opinion
pedir (i, i) perdón	to ask forgiveness
realizar su sueño	to realize/fulfill one's dream
tener lugar	to take place
valorar	to value

PALABRAS SEMEJANTES: arruinar, consistir en, contribuir, depender de, emigrar

REPASO: compartir, consultar

Los sustantivos

el adivino / la adivina	diviner, soothsayer
la ayuda	help
el bienestar	well-being
el carácter	personality, character
el correo electrónico	e-mail
la desventaja	disadvantage
la empresa	company, firm
la estrella de cine	movie star
los estudios	studies, schooling
la felicidad	happiness
los fondos	funds
el fracaso	failure

la guerra	war
el hogar	home
la impresora	printer (*machine*)
la lealtad	loyalty
el mensaje	message
el negocio	business
el nivel	level
la paz	peace
el premio (gordo)	(grand) prize
la reseña	review (*of a book or film*)
el ser humano	human being
el ser querido	loved one
el término	term
el título de propiedad	property deed
la ventaja	advantage
la vivienda	housing

PALABRAS SEMEJANTES: el acceso, el/la atleta, el beneficio, la característica, la ciencia ficción, la colonia espacial, la conferencia, la consecuencia, la cualidad, la decisión, el detalle, el doctorado, la electricidad, el experto / la experta, el factor, el golf, Hispanoamérica, el honor, la inteligencia, la Internet, la investigación, la lotería, la oportunidad, el procesador (de palabras), el reportero / la reportera, la satisfacción, la sesión, el símbolo, la tecnología, el teléfono celular

REPASO: el ciudadano / la ciudadana, la encuesta, la escasez, la relación

Los adjetivos

ambiental	environmental
bien parecido/a	good-looking
calvo/a	bald
extranjero/a	foreign
orgulloso/a	proud
recién nacido/a	newborn

PALABRAS SEMEJANTES: alcohólico/a, femenino/a, hipotético/a, incondicional, numeroso/a

Palabras y expresiones útiles

a causa de	because of
dentro de (+ *time*)	within, in (+ *time*)
en caso de que	in case
en cuanto	as soon as
en línea	on line
en vez de	instead of
hasta que	until
mediante	through, by means of
por medio de	through, by means of
¡Qué gusto!	What a pleasure!
tan pronto como	as soon as
tal vez	perhaps

PALABRAS SEMEJANTES: con respecto a, definitivamente, exactamente, totalmente

Gramática y ejercicios

¿RECUERDA?

In **Gramática 9.1** you saw how two common reflexive verbs, **parecerse** and **llevarse**, are used to express reciprocal actions, that is, actions *to each other*. Review that section now, if necessary.

12.1 Expressing *each other:* Reciprocal Pronouns

Gramática ilustrada

Se besaron.

Se abrazaron.

Se dieron la mano.

Se despidieron.

---

reciprocal (*each other*) = (same form as reflexive; see **Gramática 4.4**)

$$\left.\begin{array}{l}\textbf{nos}\\\textbf{os}\\\textbf{se}\end{array}\right\} + \text{verb}$$

Se besaron. (*They kissed each other.*)
Nos escribimos. (*We write each other.*)

Reciprocal actions are expressed in Spanish with reflexive pronouns.

Los novios **se abrazaron** y luego **se besaron.**	*The bride and groom embraced (each other) and then kissed (each other).*
Nos vemos mañana en el bautizo de tu sobrino.	*We'll see each other tomorrow at the christening of your nephew.*

Context usually indicates whether the pronoun is reflexive (*self*) or reciprocal (*each other*).

Tenemos que **vestirnos** antes de ir a la boda.	*We have to get dressed before going to the wedding.*
Don Eduardo y don Anselmo **se reconocieron** en seguida y **se dieron** la mano.	*Don Eduardo and don Anselmo recognized each other at once and shook hands with each other.*

Some common reciprocal verbs:

abrazarse	darse la mano	quererse
besarse	divorciarse	reconocerse
comprenderse	mirarse	respetarse
conocerse	parecerse	verse

Ejercicio 1

Exprese las acciones recíprocas según el modelo.

MODELO: Yo quiero a mi esposo y mi esposo me quiere mucho también. →
Mi esposo y yo *nos queremos* mucho.

1. El señor Ruiz llamó a su suegra por teléfono y su suegra lo llamó a él también.
2. Mi ahijada me escribe a mí y yo le escribo a ella a menudo.
3. Amanda habla con su novio y él habla con Amanda todos los días.
4. Mi madre respeta mucho a mi padre y mi padre respeta mucho a mi madre.
5. El abuelo de Guillermo me conoce y yo lo conozco a él muy bien.

12.2 Describing: *ser* and *estar*

Gramática ilustrada

ser = inherent quality
estar = transitory state

¿Quién es...? (*Who is ... ?*)

¿Dónde está...? (*Where is . . . [a person or thing]?*)

¿Dónde es...? (*Where is . . . [an event]?*)

¿Cómo es? (*What is [someone or something] like?*)

¿Cómo está? (*How is [someone or something] feeling?*)

1. Paula Saucedo es una mujer muy activa.
2. Esta semana Paula tuvo que trabajar horas extra y hoy está muy cansada.

1. Ernesto es un hombre muy feliz.
2. Hoy está deprimido porque no le aumentaron el sueldo.

A. To identify someone or something, use the verb **ser** followed by a noun.

—¿Quién **es** ese **muchacho**?	—*Who is that guy?*
—Es **Guillermo,** el primo de Marisa.	—*That's Guillermo, Marisa's cousin.*
—¿Y este vestido?	—*And this dress?*
—**Es** el **vestido** de novia que llevó mi abuelita.	—*It's the wedding dress that my grandmother wore.*

B. To form the progressive tenses, use **estar** with a present participle.

—¿Qué **estaban haciendo** el padrino y la madrina?	—*What were the best man and maid of honor doing?*
—**Estaban saludando** a los invitados que llegaban.	—*They were greeting the guests who were arriving.*

C. Use the verb **estar** to give the location of people or things.

—¿Dónde **está** el novio?	—*Where is the groom?*
—No sé; no lo he visto.	—*I don't know; I haven't seen him.*

Use the verb **ser** to tell the location of an event.

—¿Dónde va a **ser** la ceremonia?	—*Where is the ceremony going to be (held)?*
—En la capilla.	—*In the chapel.*
—¿Dónde **es** la conferencia?	—*Where is the lecture?*
—En el salón 450.	—*In room 450.*

D. Although **ser** and **estar** are both used with adjectives to describe nouns, they are used in different situations. An adjective with **ser** tells what someone or something is like.

La novia **es** muy hermosa. **Es** alta, de pelo negro y **es** joven.	*The bride is very beautiful. She is tall, has black hair, and is young.*

An adjective with **estar** describes the condition of someone or something at a particular moment.

La clase de historia normalmente es aburrida, pero hoy está interesante. (*History class is usually boring, but today it's interesting.*)

—¿Cómo **está** la novia?	—*How is the bride?*
—Ahora mismo **está** un poco nerviosa y cansada.	—*Right now she's a bit nervous and tired.*

In the following example, note that **ser** and **estar** can convey different meanings even when used with the same adjective. **Ser** emphasizes identification or normal characteristics, **estar** the state of someone or something at a certain point in time.

—**¿Es** delgada la madre de la novia?	—*Is the bride's mother slender?*
—Sí, pero hoy parece que **está** aún más delgada porque estuvo enferma hace poco.	—*Yes, but today she looks even more slender because she was ill a short time ago.*

By using **estar** with an adjective usually associated with **ser**, we can emphasize how something is or looks *right now*, rather than how it is normally. Thus, the choice between **ser** + adjective and **estar** + adjective emphasizes the difference between the norm and variation from the norm.

Ser:

- Identification = **ser** + noun

Es abogado.
Son los compadres de Ernesto.

- Description = **ser** + adjective

Soy entusiasta.
Eran ricos.

- Location of an event = **ser** + location

¿Dónde es la conferencia?
Los conciertos son en el salón 459.

Estar:

- Current condition of someone or something = **estar** + adjective

¿Estás triste?
Estaban enojados.

- To be doing something = **estar** + present participle

Estoy trabajando en la computadora.
A las 4:00 estaban nadando.

- Location of someone or something = **estar** + location

¿Dónde está la carta?
Mis hijos están con los abuelos.

Te juro que **generalmente** el mar aquí **es** tranquilo y limpio y las olas **son** pequeñas. Pero **hoy está** todo muy feo. Las olas **están** muy grandes y el mar **está** muy sucio por la tormenta de anoche.

I swear to you that the ocean here is usually calm and clear, and the waves small. But today everything is very ugly. The waves are very large and the ocean is dirty due to last night's storm.

Here are some other phrases that emphasize the difference in meanings between **ser** and **estar** with adjectives.

es bonito / está bonito	*is pretty / looks pretty*
es generoso / está generoso	*is generous / is being generous*
es nervioso / está nervioso	*is a nervous person / is nervous now*

In a few cases, the meaning of the adjective is quite different depending on whether it is used with **ser** or **estar**.

es listo / está listo	*is clever / is ready*
es aburrido / está aburrido	*is boring / is bored*
es verde / está verde	*is green / looks green; is unripe*

ser	**estar**
Identification Es hombre.	**Present Progressive** Está comiendo.
Location of Event El baile es aquí.	**Location of People, Things** El muchacho está aquí.
Description of Norm Es bonita.	**Description of State** Está enferma.

Ejercicio 2

Don Anselmo está de mal humor hoy y no está de acuerdo con nada de lo que le dice don Eduardo.

MODELO: DON EDUARDO: Doña Rosita es una persona muy activa. →
DON ANSELMO: Pues, no está muy activa hoy.

1. Paula es muy amable con todos.
2. El clima de aquí es algo frío.
3. Normalmente este programa es muy cómico.
4. En la Tienda Miraflores la ropa es muy cara.
5. Ernesto es muy eficiente en su trabajo.

Ejercicio 3

¿**Ser** o **estar**? Lea el contexto con mucho cuidado.

1. —¿Te gusta la clase de biología?
   —No, _____ una clase muy aburrida.

413

2. —¿Tienes hambre? ¿Quieres comer un poco de fruta?
—Gracias, pero toda la fruta _____ verde. No voy a comerla porque no quiero enfermarme.

3. Voy a llegar tarde a mi clase de las 9:00. ¡Ya son las 8:49 y yo todavía no _____ listo/a!

4. Pablo _____ muy aburrido porque esta película _____ aburridísima. ¡Prefiere estudiar!

5. ¡Ay! Estas manzanas no están buenas. _____ manzanas rojas pero todavía _____ verdes.

6. Los estudiantes _____ muy listos pero hoy todavía no _____ listos para el examen final; necesitan estudiar más.

¿RECUERDA?

In **Gramática 2.1** you learned to use the construction **ir a** + infinitive to express the "informal future."
Esta tarde voy a estudiar.

Spanish also has a future tense, with its own special set of endings, generally used to talk about long-term or important future

future = infinitive + {
-é
-ás
-á
-emos
-éis
-án
}

12.3 Talking about the Future: The Future Tense

A. The future tense is formed by adding these endings to the infinitive: **-é, -ás, -á, -emos, -éis,** and **-án.***

FUTURE		
(yo)	jugar**é**	I will play
(tú)	terminar**ás**	you (*inf. sing.*) will finish
(usted, él/ella)	escribir**á**	you (*pol. sing.*) will write; he/she will write
(nosotros/as)	lavar**emos**	we will wash
(vosotros/as)	comer**éis**	you (*inf. pl., Spain*) will eat
(ustedes, ellos/as)	dormir**án**	you (*pl.*) will sleep; they will sleep

Me jubilaré en dos años.
Los políticos nunca **cumplirán** con lo que prometen.

I will retire in two years.
The politicians will never carry out what they promise.

B. A few verbs have irregular stems to which the future-tense endings are attached.

caber →	cabré	poner →	pondré	decir →	diré
haber →	habré	salir →	saldré	hacer →	haré
poder →	podré	tener →	tendré		
querer →	querré	valer →	valdré		
saber →	sabré	venir →	vendré		

Mi hermana dice que **podrá** casarse cuando encuentre al hombre perfecto.

My sister says that she will be able to get married when she finds the perfect man.

C. For statements about future events, the **ir + a** + infinitive construction is more frequently used in conversation than are the future-tense verb forms.

Mañana **vamos a escuchar** el noticiero de las 6:00.

Tomorrow we are going to listen to the 6:00 news.

---

*Recognition: **vos hablarás**

When there is doubt or speculation, however, especially in questions, the future tense is common. This is called the "future of probability."

| ¿A qué hora **llegarán**? | *What time do you think they'll arrive? (I wonder what time they'll get here.)* |

The future of probability may also refer to present conditions.

| ¿Qué **estarán haciendo** ahora? | *What do you think they are doing now? (I wonder what they're doing now.)* |
| ¿Qué hora **será**? ¿**Serán** ya las 7:00? | *What time do you think it is? (I wonder what time it is.) Do you think it's already 7:00?* |

Ejercicio 4

¿Qué pasará durante los próximos quince años?

	SÍ	NO
MODELO: La profesora Martínez *se jubilará* y *viajará* a Sudamérica. (jubilarse/viajar)	☐	☐
1. (Yo) _____ y _____ dos hijos. (casarse/tener)	☐	☐
2. Mi mejor amigo/a y yo _____ e _____ a Europa. (graduarse/ir)	☐	☐
3. Mis padres _____ y _____ en una isla tropical. (mudarse/vivir)	☐	☐
4. Mis compañeros de clase y yo _____ nuestras metas y _____ en la universidad en el año 2010. (lograr/reunirse)	☐	☐
5. El presidente _____ a cenar en mi casa y me _____ que le gustan mis ideas. (venir/decir)	☐	☐

12.4 Talking about *When:* The Subjunctive in Time Clauses
Gramática ilustrada

Tan pronto como volvamos del concierto, nos acostaremos.

Después de que Amanda y Graciela terminen la tarea, irán al cine.

A. As you know, Spanish requires subjunctive verb forms in time clauses whenever the time expressed is in the future (see **Gramática 11.2**). Present indicative forms are used to express habitual activities. (The word **siempre** often indicates a habitual activity, and therefore the indicative is used.)

<table>
<tr><td>Voy a ver las noticias cuando termine mi trabajo.</td><td>I am going to watch the news when I finish my work.</td></tr>
<tr><td>Yo siempre veo las noticias cuando termino mi trabajo.</td><td>I always watch the news when I finish my work.</td></tr>
</table>

> The subjunctive is used in clauses that begin with **cuando, hasta que, después de que, tan pronto como,** and **en cuanto** when they refer to the future. **Antes de que** is *always* followed by the subjunctive.

B. Although **cuando** is the most common word used to introduce time clauses, similar conjunctions are **hasta que** (*until*), **después de que** (*after*), **tan pronto como** (*as soon as*), and **en cuanto** (*as soon as*).

<table>
<tr><td>La madre estará nerviosa hasta que su hijo llegue de la escuela.</td><td>The mother will be nervous until her son arrives home from school.</td></tr>
<tr><td>La madre siempre está nerviosa hasta que su hijo llega de la escuela.</td><td>The mother is always nervous until her son arrives home from school.</td></tr>
</table>

C. The conjunction **antes de que** (*before*) is always followed by subjunctive verb forms, even when the activity described is habitual.

<table>
<tr><td>Voy a comprar un carro antes de que suban los precios.</td><td>I'm going to buy a car before the prices go up.</td></tr>
<tr><td>Cada mañana doy un paseo antes de que los niños se despierten.</td><td>Every morning I take a walk before the children wake up.</td></tr>
</table>

Ejercicio 5

¿Indicativo o subjuntivo? Siga el modelo.

MODELO: Algunos periodistas dicen que el presidente va a jubilarse cuando (cumple/<u>cumpla</u>) 65 años.

1. Toda mi familia va a dar una gran fiesta después de que me (gradúo/gradúe).
2. Estaremos muy contentos cuando no (hay/haya) más contaminación ambiental.
3. Raúl, ¿siempre hablas con tus abuelos cuando (tienes/tengas) tiempo libre?
4. Mis padrinos siempre preguntan por mí en cuanto (ven/vean) a mis padres.
5. Estaré dispuesto a ayudarte con la tarea esta tarde tan pronto como (llegas/llegues) a mi casa.
6. Voy a arreglar la casa antes de que (vienen/vengan) mis suegros.
7. Los empleados trabajarán hasta que (alcanzan/alcancen) las metas del jefe.
8. Mis primos siempre se pelean hasta que (vuelven/vuelvan) mis tíos del trabajo.
9. El cura nos tiene que dar la bendición antes de que (salimos/salgamos) de la iglesia.
10. Después de que me (saludan/saluden), mis tías siempre me invitan a comer.

Appendix 1

VERBS

A. Regular Verbs: Simple Tenses

INFINITIVE PRESENT PARTICIPLE PAST PARTICIPLE	INDICATIVE					SUBJUNCTIVE		IMPERATIVE
	PRESENT	IMPERFECT	PRETERITE	FUTURE	CONDITIONAL	PRESENT	IMPERFECT	
hablar hablando hablado	hablo hablas habla hablamos habláis hablan	hablaba hablabas hablaba hablábamos hablabais hablaban	hablé hablaste habló hablamos hablasteis hablaron	hablaré hablarás hablará hablaremos hablaréis hablarán	hablaría hablarías hablaría hablaríamos hablaríais hablarían	hable hables hable hablemos habléis hablen	hablara hablaras hablara habláramos hablarais hablaran	habla tú, no hables hable Ud. hablemos hablad hablen
comer comiendo comido	como comes come comemos coméis comen	comía comías comía comíamos comíais comían	comí comiste comió comimos comisteis comieron	comeré comerás comerá comeremos comeréis comerán	comería comerías comería comeríamos comeríais comerían	coma comas coma comamos comáis coman	comiera comieras comiera comiéramos comierais comieran	come tú, no comas coma Ud. comamos comed coman
vivir viviendo vivido	vivo vives vive vivimos vivís viven	vivía vivías vivía vivíamos vivíais vivían	viví viviste vivió vivimos vivisteis vivieron	viviré vivirás vivirá viviremos viviréis vivirán	viviría vivirías viviría viviríamos viviríais vivirían	viva vivas viva vivamos viváis vivan	viviera vivieras viviera viviéramos vivierais vivieran	vive tú, no vivas viva Ud. vivamos vivid vivan

B. Regular Verbs: Perfect Tenses

INDICATIVE										SUBJUNCTIVE			
PRESENT PERFECT		PAST PERFECT		PRETERITE PERFECT		FUTURE PERFECT		CONDITIONAL PERFECT		PRESENT PERFECT		PAST PERFECT	
he has ha hemos habéis han	hablado comido vivido	había habías había habíamos habíais habían	hablado comido vivido	hube hubiste hubo hubimos hubisteis hubieron	hablado comido vivido	habré habrás habrá habremos habréis habrán	hablado comido vivido	habría habrías habría habríamos habríais habrían	hablado comido vivido	haya hayas haya hayamos hayáis hayan	hablado comido vivido	hubiera hubieras hubiera hubiéramos hubierais hubieran	hablado comido vivido

C. Irregular Verbs

INFINITIVE / PRESENT PARTICIPLE / PAST PARTICIPLE	INDICATIVE					SUBJUNCTIVE		IMPERATIVE
	PRESENT	IMPERFECT	PRETERITE	FUTURE	CONDITIONAL	PRESENT	IMPERFECT	
andar andando andado	ando andas anda andamos andáis andan	andaba andabas andaba andábamos andabais andaban	anduve anduviste anduvo anduvimos anduvisteis anduvieron	andaré andarás andará andaremos andaréis andarán	andaría andarías andaría andaríamos andaríais andarían	ande andes ande andemos andéis anden	anduviera anduvieras anduviera anduviéramos anduvierais anduvieran	anda tú, no andes ande Ud. andemos andad anden
caer cayendo caído	caigo caes cae caemos caéis caen	caía caías caía caíamos caíais caían	caí caiste cayó caímos caísteis cayeron	caeré caerás caerá caeremos caeréis caerán	caería caerías caería caeríamos caeríais caerían	caiga caigas caiga caigamos caigáis caigan	cayera cayeras cayera cayéramos cayerais cayeran	cae tú, no caigas caiga Ud. caigamos caed caigan
dar dando dado	doy das da damos dais dan	daba dabas daba dábamos dabais daban	di diste dio dimos disteis dieron	daré darás dará daremos daréis darán	daría darías daría daríamos daríais darían	dé des dé demos deis den	diera dieras diera diéramos dierais dieran	da tú, no des dé Ud. demos dad den
decir diciendo dicho	digo dices dice decimos decís dicen	decía decías decía decíamos decíais decían	dije dijiste dijo dijimos dijisteis dijeron	diré dirás dirá diremos diréis dirán	diría dirías diría diríamos diríais dirían	diga digas diga digamos digáis digan	dijera dijeras dijera dijéramos dijerais dijeran	di tú, no digas diga Ud. digamos decid digan
estar estando estado	estoy estás está estamos estáis están	estaba estabas estaba estábamos estabais estaban	estuve estuviste estuvo estuvimos estuvisteis estuvieron	estaré estarás estará estaremos estaréis estarán	estaría estarías estaría estaríamos estaríais estarían	esté estés esté estemos estéis estén	estuviera estuvieras estuviera estuviéramos estuvierais estuvieran	está tú, no estés esté Ud. estemos estad estén
haber habiendo habido	he has ha hemos habéis han	había habías había habíamos habíais habían	hube hubiste hubo hubimos hubisteis hubieron	habré habrás habrá habremos habréis habrán	habría habrías habría habríamos habríais habrían	haya hayas haya hayamos hayáis hayan	hubiera hubieras hubiera hubiéramos hubierais hubieran	
hacer haciendo hecho	hago haces hace hacemos hacéis hacen	hacía hacías hacía hacíamos hacíais hacían	hice hiciste hizo hicimos hicisteis hicieron	haré harás hará haremos haréis harán	haría harías haría haríamos haríais harían	haga hagas haga hagamos hagáis hagan	hiciera hicieras hiciera hiciéramos hicierais hicieran	haz tú, no hagas haga Ud. hagamos haced hagan

C. Irregular Verbs (continued)

INFINITIVE / PRESENT PARTICIPLE / PAST PARTICIPLE	INDICATIVE					SUBJUNCTIVE		IMPERATIVE
	PRESENT	IMPERFECT	PRETERITE	FUTURE	CONDITIONAL	PRESENT	IMPERFECT	
ir yendo ido	voy vas va vamos vais van	iba ibas iba íbamos ibais iban	fui fuiste fue fuimos fuisteis fueron	iré irás irá iremos iréis irán	iría irías iría iríamos iríais irían	vaya vayas vaya vayamos vayáis vayan	fuera fueras fuera fuéramos fuerais fueran	ve tú, no vayas vaya Ud. vayamos id vayan
oír oyendo oído	oigo oyes oye oímos oís oyen	oía oías oía oíamos oíais oían	oí oíste oyó oímos oísteis oyeron	oiré oirás oirá oiremos oiréis oirán	oiría oirías oiría oiríamos oiríais oirían	oiga oigas oiga oigamos oigáis oigan	oyera oyeras oyera oyéramos oyerais oyeran	oye tú, no oigas oiga Ud. oigamos oíd oigan
poder pudiendo podido	puedo puedes puede podemos podéis pueden	podía podías podía podíamos podíais podían	pude pudiste pudo pudimos pudisteis pudieron	podré podrás podrá podremos podréis podrán	podría podrías podría podríamos podríais podrían	pueda puedas pueda podamos podáis puedan	pudiera pudieras pudiera pudiéramos pudierais pudieran	
poner poniendo puesto	pongo pones pone ponemos ponéis ponen	ponía ponías ponía poníamos poníais ponían	puse pusiste puso pusimos pusisteis pusieron	pondré pondrás pondrá pondremos pondréis pondrán	pondría pondrías pondría pondríamos pondríais pondrían	ponga pongas ponga pongamos pongáis pongan	pusiera pusieras pusiera pusiéramos pusierais pusieran	pon tú, no pongas ponga Ud. pongamos poned pongan
querer queriendo querido	quiero quieres quiere queremos queréis quieren	quería querías quería queríamos queríais querían	quise quisiste quiso quisimos quisisteis quisieron	querré querrás querrá querremos querréis querrán	querría querrías querría querríamos querríais querrían	quiera quieras quiera queramos queráis quieran	quisiera quisieras quisiera quisiéramos quisierais quisieran	quiere tú, no quieras quiera Ud. queramos quered quieran
saber sabiendo sabido	sé sabes sabe sabemos sabéis saben	sabía sabías sabía sabíamos sabíais sabían	supe supiste supo supimos supisteis supieron	sabré sabrás sabrá sabremos sabréis sabrán	sabría sabrías sabría sabríamos sabríais sabrían	sepa sepas sepa sepamos sepáis sepan	supiera supieras supiera supiéramos supierais supieran	sabe tú, no sepas sepa Ud. sepamos sabed sepan
salir saliendo salido	salgo sales sale salimos salís salen	salía salías salía salíamos salíais salían	salí saliste salió salimos salisteis salieron	saldré saldrás saldrá saldremos saldréis saldrán	saldría saldrías saldría saldríamos saldríais saldrían	salga salgas salga salgamos salgáis salgan	saliera salieras saliera saliéramos salierais salieran	sal tú, no salgas salga Ud. salgamos salid salgan

C. Irregular Verbs (continued)

INFINITIVE / PRESENT PARTICIPLE / PAST PARTICIPLE	INDICATIVE					SUBJUNCTIVE		IMPERATIVE
	PRESENT	IMPERFECT	PRETERITE	FUTURE	CONDITIONAL	PRESENT	IMPERFECT	
ser siendo sido	soy eres es somos sois son	era eras era éramos erais eran	fui fuiste fue fuimos fuisteis fueron	seré serás será seremos seréis serán	sería serías sería seríamos seríais serían	sea seas sea seamos seáis sean	fuera fueras fuera fuéramos fuerais fueran	sé tú, no seas sea Ud. seamos sed sean
tener teniendo tenido	tengo tienes tiene tenemos tenéis tienen	tenía tenías tenía teníamos teníais tenían	tuve tuviste tuvo tuvimos tuvisteis tuvieron	tendré tendrás tendrá tendremos tendréis tendrán	tendría tendrías tendría tendríamos tendríais tendrían	tenga tengas tenga tengamos tengáis tengan	tuviera tuvieras tuviera tuviéramos tuvierais tuvieran	ten tú, no tengas tenga Ud. tengamos tened tengan
traer trayendo traído	traigo traes trae traemos traéis traen	traía traías traía traíamos traíais traían	traje trajiste trajo trajimos trajisteis trajeron	traeré traerás traerá traeremos traeréis traerán	traería traerías traería traeríamos traeríais traerían	traiga traigas traiga traigamos traigáis traigan	trajera trajeras trajera trajéramos trajerais trajeran	trae tú, no traigas traiga Ud. traigamos traed traigan
venir viniendo venido	vengo vienes viene venimos venís vienen	venía venías venía veníamos veníais venían	vine viniste vino vinimos vinisteis vinieron	vendré vendrás vendrá vendremos vendréis vendrán	vendría vendrías vendría vendríamos vendríais vendrían	venga vengas venga vengamos vengáis vengan	viniera vinieras viniera viniéramos vinierais vinieran	ven tú, no vengas venga Ud. vengamos venid vengan
ver viendo visto	veo ves ve vemos veis ven	veía veías veía veíamos veíais veían	vi viste vio vimos visteis vieron	veré verás verá veremos veréis verán	vería verías vería veríamos veríais verían	vea veas vea veamos veáis vean	viera vieras viera viéramos vierais vieran	ve tú, no veas vea Ud. veamos ved vean

D. Stem-Changing and Spelling Change Verbs

INFINITIVE / PRESENT PARTICIPLE / PAST PARTICIPLE	INDICATIVE					SUBJUNCTIVE		IMPERATIVE
	PRESENT	IMPERFECT	PRETERITE	FUTURE	CONDITIONAL	PRESENT	IMPERFECT	
pensar (ie) pensando pensado	pienso piensas piensa pensamos pensáis piensan	pensaba pensabas pensaba pensábamos pensabais pensaban	pensé pensaste pensó pensamos pensasteis pensaron	pensaré pensarás pensará pensaremos pensaréis pensarán	pensaría pensarías pensaría pensaríamos pensaríais pensarían	piense pienses piense pensemos penséis piensen	pensara pensaras pensara pensáramos pensarais pensaran	piensa tú, no pienses piense Ud. pensemos pensad piensen
volver (ue) volviendo vuelto	vuelvo vuelves vuelve volvemos volvéis vuelven	volvía volvías volvía volvíamos volvíais volvían	volví volviste volvió volvimos volvisteis volvieron	volveré volverás volverá volveremos volveréis volverán	volvería volverías volvería volveríamos volveríais volverían	vuelva vuelvas vuelva volvamos volváis vuelvan	volviera volvieras volviera volviéramos volvierais volvieran	vuelve tú, no vuelvas vuelva Ud. volvamos volved vuelvan

D. Stem-Changing and Spelling Change Verbs (continued)

INFINITIVE PRESENT PARTICIPLE PAST PARTICIPLE	INDICATIVE					SUBJUNCTIVE		IMPERATIVE
	PRESENT	IMPERFECT	PRETERITE	FUTURE	CONDITIONAL	PRESENT	IMPERFECT	
dormir (ue, u) durmiendo dormido	duermo duermes duerme dormimos dormís duermen	dormía dormías dormía dormíamos dormíais dormían	dormí dormiste durmió dormimos dormisteis durmieron	dormiré dormirás dormirá dormiremos dormiréis dormirán	dormiría dormirías dormiría dormiríamos dormiríais dormirían	duerma duermas duerma durmamos durmáis duerman	durmiera durmieras durmiera durmiéramos durmierais durmieran	duerme tú, no duermas duerma Ud. durmamos dormid duerman
sentir (ie, i) sintiendo sentido	siento sientes siente sentimos sentís sienten	sentía sentías sentía sentíamos sentíais sentían	sentí sentiste sintió sentimos sentisteis sintieron	sentiré sentirás sentirá sentiremos sentiréis sentirán	sentiría sentirías sentiría sentiríamos sentiríais sentirían	sienta sientas sienta sintamos sintáis sientan	sintiera sintieras sintiera sintiéramos sintierais sintieran	siente tú, no sientas sienta Ud. sintamos sentid sientan
pedir (i, i) pidiendo pedido	pido pides pide pedimos pedís piden	pedía pedías pedía pedíamos pedíais pedían	pedí pediste pidió pedimos pedisteis pidieron	pediré pedirás pedirá pediremos pediréis pedirán	pediría pedirías pediría pediríamos pediríais pedirían	pida pidas pida pidamos pidáis pidan	pidiera pidieras pidiera pidiéramos pidierais pidieran	pide tú, no pidas pida Ud. pidamos pedid pidan
reír (i, i) riendo reído	río ríes ríe reímos reís ríen	reía reías reía reíamos reíais reían	reí reíste rio reímos reísteis rieron	reiré reirás reirá reiremos reiréis reirán	reiría reirías reiría reiríamos reiríais reirían	ría rías ría riamos riáis rían	riera rieras riera riéramos rierais rieran	ríe tú, no rías ría Ud. riamos reíd rían
seguir (i, i) (ga) siguiendo seguido	sigo sigues sigue seguimos seguís siguen	seguía seguías seguía seguíamos seguíais seguían	seguí seguiste siguió seguimos seguisteis siguieron	seguiré seguirás seguirá seguiremos seguiréis seguirán	seguiría seguirías seguiría seguiríamos seguiríais seguirían	siga sigas siga sigamos sigáis sigan	siguiera siguieras siguiera siguiéramos siguierais siguieran	sigue tú, no sigas siga Ud. sigamos seguid sigan
construir (y) construyendo construido	construyo construyes construye construimos construís construyen	construía construías construía construíamos construíais construían	construí construiste construyó construimos construisteis construyeron	construiré construirás construirá construiremos construiréis construirán	construiría construirías construiría construiríamos construiríais construirían	construya construyas construya construyamos construyáis construyan	construyera construyeras construyera construyéramos construyerais construyeran	construye tú, no construyas construya Ud. construyamos construid construyan
producir (zc) produciendo producido	produzco produces produce producimos producís producen	producía producías producía producíamos producíais producían	produje produjiste produjo produjimos produjisteis produjeron	produciré producirás producirá produciremos produciréis producirán	produciría producirías produciría produciríamos produciríais producirían	produzca produzcas produzca produzcamos produzcáis produzcan	produjera produjeras produjera produjéramos produjerais produjeran	produce tú, no produzcas produzca Ud. produzcamos producid produzcan

Appendix 2

GRAMMAR SUMMARY TABLES

I. Personal Pronouns

SUBJECT	OBJECT OF PREPOSITION	REFLEXIVE	INDIRECT OBJECT	DIRECT OBJECT
yo	mí	me	me	me
tú	ti	te	te	te
usted	usted	se	le	lo/la
él	él	se	le	lo
ella	ella	se	le	la
nosotros/as	nosotros/as	nos	nos	nos
vosotros/as	vosotros/as	os	os	os
ustedes	ustedes	se	les	los/las
ellos	ellos	se	les	los
ellas	ellas	se	les	las

II. Possessive Adjectives and Pronouns

ADJECTIVES		PRONOUNS	
my	mi, mis	*mine*	mío/a, míos/as
your (*inf. sing.*)	tu, tus	*yours*	tuyo/a, tuyos/as
your (*pol. sing.*)	su, sus	*yours*	suyo/a, suyos/as
his	su, sus	*his*	suyo/a, suyos/as
her	su, sus	*hers*	suyo/a, suyos/as
our	nuestro/a, nuestros/as	*ours*	nuestro/a, nuestros/as
your (*inf. pl.*)	vuestro/a, vuestros/as	*yours*	vuestro/a, vuestros/as
your (*pol. pl.*)	su, sus	*yours*	suyo/a, suyos/as
their	su, sus	*theirs*	suyo/a, suyos/as

III. Demonstrative Adjectives and Pronouns

MASCULINE AND FEMININE	ADJECTIVES AND PRONOUNS	NEUTER PRONOUNS
this, these	este/esta, estos/estas	esto
that, those (*not close to speaker*)	ese/esa, esos/esas	eso
that, those (*farther from speaker*)	aquel/aquella, aquellos/aquellas	aquello

IV. *Por / para*

POR		PARA	
through, by	por aquí	*destination*	para Madrid
length of time	por tres minutos	*time*	tres minutos para las tres
during	por la noche	*deadline*	para el viernes
in place of	Trabajo por Juan.	*recipient*	Trabajo para mi familia. un regalo para ella
quantity	por dos pesos		
means	por tren		

V. Past (Preterite) and Imperfect

PAST		IMPERFECT	
completed event	comí	*event in progress*	comía
completed state	estuve	*ongoing state*	estaba
completed series	bailé, canté	*"used to"*	bailaba, cantaba

VI. Indicative and Subjunctive

NOUN CLAUSES			
Indicative		*Subjunctive*	
assertion	es verdad que	*possibility*	es posible que
belief	creer que	*doubt*	dudar que
knowledge	saber que	*subjective reaction*	estar contento/a de que
		volition	querer que

ADJECTIVE CLAUSES	
Indicative	*Subjunctive*
known antecedent	*unknown antecedent*
Tengo un amigo que sabe…	Busco un amigo que sepa…
existent antecedent	*nonexistent antecedent*
Hay una persona que sabe…	No hay nadie que sepa…

ADVERBIAL CLAUSES: TIME	
Indicative	*Subjunctive*
cuando hasta que tan pronto como } + *habitual action* en cuanto después de que	cuando hasta que tan pronto como } + *future action* en cuanto después de que
Siempre cuando trabaja…	Mañana cuando trabaje…

Syllabication

1. The basic rule of Spanish syllabication is to make each syllable end in a vowel whenever possible.
2. When attempting to divide a word into syllables, it is easier to look for the consonants and do the following:
   a. If the word has just one consonant, it should go with the following vowel: ca-**s**a, di-**g**a, **c**a-**m**i-**n**a
   b. If there are two consonants, one will go with the first vowel and one with the second: a**l**-**c**o-hol, ca**n**-ta**n**-**t**e, e**s**-**c**ue-la, a**c**-**c**ión, i**n**-**n**o-va-ción
   c. If there are three consonants or more, the first two will remain with the first vowel and the third (etc.) will go with the following vowel: o**bs**-truc-ción, co**ns**-**c**ien-te
   d. The letter **h** always goes with the following vowel: al-co-**h**ol, pro-**h**i-bi-do
   e. The following consonant combinations are never divided: **br**-, **dr**-, **rr**-, **tr**-, **bl**-, **ll**-: a-**br**an, la-**dr**ón, bo-**rr**a-dor, con-**tr**a, ha-**bl**ar, man-te-qui-**ll**a

3. Diphthongs (vowel combinations: two weak ones or a weak one and a strong one) are not divided, unless the weak vowel has an orthographic accent. Weak vowels: **i**, **u**; strong vowels: **a**, **e**, **o**: c**iu**-dad, s**ie**-te, s**ei**s, cin-c**ue**n-ta. But: re-**ú**no, d**í**-a

Stress

How you pronounce a specific Spanish word is determined by two basic rules of stress. Written accents to indicate stress are needed only when those rules are violated. Here are the two rules of stress.

1. For words ending in a vowel, **n**, or **s**, the natural stress falls on the next-to-last syllable. The letter **y** is not considered a vowel for stress purposes.

   Es-**te**-ban   **blan**-co   es-**cu**-chen   **ro**-ja   es-**tu**-die

2. For words ending in *any other letter*, the natural stress falls on the last syllable.

   pa-**pel**   ciu-**dad**   es-cri-**bir**   re-**loj**   es-**toy**

When these stress rules are violated by the word's accepted pronunciation, stress must be indicated with a written accent.

in-**glés**   e-**léc**-tri-co   es-tu-**dié**   lla-ma-**rán**   sim-**pá**-ti-co
ár-bol   **Ló**-pez   a-**zú**-car   **hués**-ped

Note that words that are stressed on any syllable other than the last or next-to-last will always show a written accent. Particularly frequent words in this category include adjectives and adverbs ending in **-ísimo** and verb forms with pronouns attached.

gua-**pí**-si-mo   es-pe-**rán**-do-te   **pí**-de-se-las   de-**vuél**-van-se-la

Written accents to show violations of stress rules are particularly important when diphthongs are involved. A diphthong is a combination of a weak (**i, u**) vowel and a strong (**a, e, o**) vowel (in either order), or of two weak vowels together. The two vowels are pronounced as a single sound, with one of the vowels being given slightly more emphasis than the other. In all diphthongs the strong vowel or the second of the two weak vowels receives this slightly greater stress.

*a*i: b*a*ilar   i*a*: arteri*a*   u*e*: vu*e*lve   i*o*: vi*o*lento   u*i*: cu*i*dado

When the stress in a vowel combination does not follow this rule, no diphthong exists. Instead, two separate sounds are heard, and a written accent appears over the weak vowel or the first of two weak vowels.

a-í: país   ú-e: continúe   í-o: frío   ú-i: flúido

Use of written accent as a diacritic

The written accent is also used to distinguish two words with similar spelling and pronunciation but different meaning.

Nine common word pairs are identical in spelling and pronunciation; the accent mark is the only distinction between them.

dé	*give*	**de**	*of*	**sí**	*yes*	**si**	*if*
él	*he*	**el**	*the*	**sólo**	*only*	**solo**	*alone*
más	*more*	**mas**	*but*	**té**	*tea*	**te**	*you*
mí	*me*	**mi**	*my*	**tú**	*you*	**tu**	*your*
sé	*I know*	**se**	*(reflexive pronoun)*				

Diacritic accents are used to distinguish demonstrative adjectives from demonstrative pronouns. Although this distinction is disappearing in many parts of the Spanish-speaking world, you will find it in ***Dos mundos*** and in many other books.

aquellos países	*those countries*	**aquéllos**	*those ones*
esa persona	*that person*	**ésa**	*that one*
este libro	*this book*	**éste**	*this one*

Diacritic accents are placed over relative pronouns or adverbs that are used interrogatively or in exclamations.

cómo	*how*	**como**	*as, since*
dónde	*where*	**donde**	*where*
por qué	*why*	**porque**	*because*
qué	*what*	**que**	*that*
quién	*who (interrogative pronoun)*	**quien**	*who (relative pronoun)*
cuándo	*when (interrogative pronoun)*	**cuando**	*when (relative pronoun)*

—¿**Cómo** se llama?   *What's his name?*
—No sé **cómo** se llama.   *I don't know what his name is.*

Como es niño, tiene que acostarse temprano.
Since he's a child, he must go to bed early.

Spelling changes

In general, Spanish has a far more phonetic system than many other modern languages. Most Spanish sounds correspond to just one written symbol. Those that can be written in more than one way are of two main types: those for which the sound/letter correspondence is largely arbitrary and those for which the sound/letter correspondence is determined by spelling rules.

A. In the case of arbitrary sound/letter correspondences, writing the sound correctly is mainly a matter of memorization. The following are some of the more common arbitrary, or *nonpatterned*, sound/letter correspondences in Spanish.

SOUND	SPELLING	EXAMPLES
/b/ + *vowel*	b, v	barco, ventana
/y/	y, ll, i + *vowel*	haya, amarillo, hielo
/s/	s, z, c	salario, zapato, cielo, hace
/x/ + e, i	g, j	general, jefe
		gitano, jinete

Note that, although spelling of the sounds /y/ and /s/ is largely arbitrary, two patterns occur with great frequency.

1. /y/   Whenever an unstressed **i** occurs between vowels, the **i** changes to **y**.
   leió → leyó   creiendo → creyendo   caieron → cayeron
2. /s/   The sequence **ze** is rare in Spanish. Whenever a **ze** combination would occur in the plural of a noun ending in **z** or in a conjugated verb (for example, an **-e** ending on a verb stem that ends in **z**), the **z** changes to **c**.

   luz → luces   voz → voces   empez + é → empecé   taza → tacita

B. There are three major sets of patterned sound/letters sequences.

SOUND	SPELLING	EXAMPLES
/g/	g, gu	**g**ato, pa**gu**e
/k/	c, qu	to**c**a, to**qu**e
/g^w/	gu, gü	a**gu**a, pin**gü**ino

1. /g/ Before the vowel sounds /a/, /o/, and /u/, and before all consonant sounds, the sound /g/ is spelled with the letter **g**.

   gato   **g**ordo   **g**usto   **g**ratis   **G**loria   lle**g**o

   Before the sounds /e/ and /i/, the sound /g/ is spelled with the letters **gu**.

   guerra   **gu**itarra   lle**gu**é

2. /k/ Before the vowel sounds /a/, /o/, and /u/, and before all consonant sounds, the sound /k/ is spelled with the letter **c**.

   casa   **c**osa   **c**urioso   **c**reer   **c**lub   le**cc**ión   to**c**o

   Before the sounds /e/ and /i/, the sound /k/ is spelled with the letters **qu**.

   queso   **qu**ímica   to**qu**é

3. /g^w/ Before the vowel sounds /a/ and /o/, the sound /g^w/ is spelled with the letters **gu**.

   guante   anti**gu**o

   Before the vowel sounds /e/ and /i/, the sound /g^w/ is spelled with the letters **gü**.

   bilin**gü**e   pin**gü**ino

These spelling rules are particularly important in conjugating, because a specific consonant sound in the infinitive must be maintained throughout the conjugation, despite changes in the stem vowels. It will help if you keep in mind the patterns of sound/letter correspondence, rather than attempt to conserve the spelling of the infinitive.

/ga/	= **ga**	llegar	/ge/	= **gue**	llegue (*present subjunctive*)
/ga/	= **ga**	llegar	/ge/	= **gué**	llegué (*preterite*)
/gi/	= **gui**	seguir	/go/	= **go**	sigo (*present indicative*)
/gi/	= **gui**	seguir	/ga/	= **ga**	siga (*present subjunctive*)
/xe/	= **ge**	recoger	/xo/	= **jo**	recojo (*present indicative*)
/xe/	= **ge**	recoger	/xa/	= **ja**	recoja (*present subjunctive*)
/g^{w}a/	= **gua**	averiguar	/g^{w}e/	= **güe**	averigüe (*present subjunctive*)
/ka/	= **ka**	sacar	/ke/	= **qué**	saqué (*preterite*)

Appendix 4

ANSWER KEY

PASO B

Ej. 1: 1. b 2. b 3. a 4. a 5. b   **Ej. 2:** 1. d 2. a 3. e 4. b 5. c   **Ej. 3:** 1. No, no es una pizarra. Es una pared. 2. No, no es una oficina. Es un salón de clase. 3. No, no es una silla. Es un escritorio. 4. No, no es un borrador. Es un cuaderno. 5. No, no es una ventana. Es una silla.   **Ej. 4:** 1. La 2. El 3. La 4. El 5. El 6. La 7. La 8. El 9. La 10. El   **Ej. 5:** 1. Sí, hay libros en la mesa. 2. Sí, hay un reloj en la pared. 3. Sí, hay una profesora. 4. No, no hay un automóvil. 5. No, no hay un profesor. 6. Sí, hay papeles en los pupitres. 7. Sí, hay un bolígrafo en el pupitre de Alberto. 8. Sí, hay muchos cuadernos. 9. No, no hay una bicicleta. 10. Sí, hay una ventana.   **Ej. 6:** 1. pares de zapatos. 2. perros nuevos. 3. chaquetas rojas. 4. lápices amarillos. 5. amigas norteamericanas.   **Ej. 7:** 1. cuadernos pequeños. 2. gatos negros. 3. fotografías bonitas. 4. relojes bonitos. 5. libros difíciles. 6. amigos divertidos.   **Ej. 8:** 1. d, i, k, n 2. b, e, i 3. g, h 4. a, k, n 5. b, e, i, m 6. h, l 7. b, e, i, o

PASO C

Ej. 1: 1. tiene 2. tenemos 3. tienes 4. Tengo 5. tienen   **Ej. 2:** 1. El carro es de la profesora Martínez. 2. La camisa es de Luis. 3. El perro es de Nora. 4. Los lentes son de Esteban. 5. El saco es de Alberto. 6. La bicicleta es de Carmen.   **Ej. 3:** 1. su 2. sus 3. tu 4. mis 5. nuestros 6. sus; Nuestras 7. su 8. su 9. tus 10. mi   **Ej. 4:** 1. tu; mi 2. tus; mis 3. Su 4. sus; nuestros   **Ej. 5:** 1. Adriana Bolini tiene 35 años. 2. Carla Espinosa tiene 22 años. 3. Rubén Hernández Arenas tiene 38 años. 4. Susana Yamasaki González tiene 33 años. 5. Doña María Eulalia González de Saucedo tiene 79 años. 6. Yo tengo (¿ ?) años.   **Ej. 6:** 1. Don Eduardo tiene 79 años. 2. Estela tiene 34 años. 3. Ernestito tiene 7 años. 4. Amanda tiene 13 años. 5. Doña Lola tiene 41 años.   **Ej. 7:** 1. Es española. 2. Son japoneses. 3. Es alemán. 4. Son francesas. 5. Son italianas. 6. Es china. 7. Es inglés.   **Ej. 8:** 1. hablan 2. habla 3. hablan 4. hablas 5. hablo; hablo   **Ej. 9:** 1. habla; japonés 2. hablan español 3. hablan chino 4. Hablan inglés 5. Hablan hebreo 6. hablas ruso

CAPÍTULO 1

Ej. 1: 1. mil ochocientos setenta y seis 2. mil quinientos ochenta y ocho 3. mil setecientos setenta y cinco 4. mil novecientos noventa y uno 5. dos mil 6. mil novecientos cuarenta y cinco 7. mil once 8. mil novecientos veinte y nueve (veintinueve) 9. mil seiscientos quince 10. dos mil veinte y cinco (veinticinco)   **Ej. 2:** 1. a 2. b 3. a 4. a 5. a 6. a 7. a 8. a 9. b 10. b   **Ej. 3:** 1. leen 2. Lees 3. lee 4. Leo 5. lee   **Ej. 4:** 1. vive 2. vivimos 3. viven 4. Vivís 5. Vivo 6. Viven   **Ej. 5:** 1. ¿Dónde vive Rubén Hernández? 2. ¿Qué idioma habla Susana? 3. ¿Cómo se llama Usted? 4. ¿Cuántos hijos tienen Ernesto y Estela? 5. ¿Qué eres tú?   **Ej. 6:** 1. ¿Cuál es tu número de teléfono? 2. ¿Habla italiano? 3. ¿Cuándo es tu cumpleaños? 4. ¿Son sus hijas? 5. ¿Dónde viven ustedes?   **Ej. 7:** 1. Son las cuatro y veinte. 2. Son las seis y cuarto. 3. Son las ocho y trece. 4. Es la una y diez. 5. Son las siete y siete. 6. Son las cinco y media. 7. Son las tres. 8. Son las dos menos once. 9. Son las doce y media. 10. Son las cinco y cuarto.   **Ej. 8:** 1. te; me 2. te; me 3. les; nos   **Ej. 9:** 1. le; comer 2. le; cocinar 3. les; hablar por teléfono 4. le; leer 5. le; correr 6. me; ¿ ?

CAPÍTULO 2

Ej. 1: 1. vas; Voy 2. van; va; va 3. va; va; vamos 4. vas; Voy 5. vas; Voy   **Ej. 2:** 1. Ernesto 2. Estela 3. No, Guillermo es el cuarto. 4. No, Amanda es la quinta. 5. Sí. 6. Ramón 7. No, es la séptima. 8. Ernesto 9. doña Lola 10. No, don Anselmo es el cuarto hombre.   **Ej. 3:** 1. quiero; prefiere 2. quiere; prefiere 3. quiere; prefiero 4. quiere; prefieren 5. quiere; prefiere 6. quiere; prefiero 7. quiere; prefiere 8. quiere; prefiero 9. quieren; prefiero 10. quieren; prefiere   **Ej. 4:** 1. Quiere jugar al béisbol. 2. Prefiere ver un partido de fútbol en la televisión. 3. Quieren ir de compras. 4. Preferimos leer. 5. Prefieren levantar pesas. 6. Quiere viajar.   **Ej. 5:** 1. Lan va a estudiar pero prefiere charlar con amigos. 2. Carmen va a levantar pesas pero prefiere hablar por teléfono. 3. Esteban va a escribir una composición pero quiere tomar el sol en la playa. 4. Alberto va a montar a caballo pero prefiere andar en motocicleta. 5. Pablo va a hablar con la profesora pero prefiere hablar con su amiga. 6. Mi compañera va a hacer la tarea pero quiere ¿ ? 7. Yo voy a escuchar las «Actividades de comprensión» pero prefiero ¿ ? **Ej. 6:** 1. Hace sol. 2. Llueve. 3. Hace frío. 4. Hace mal tiempo. 5. Hace calor. 6. Nieva. **Ej. 7:** 1. posible 2. posible 3. imposible 4. imposible 5. imposible

CAPÍTULO 3

Ej. 1: 1. estoy 2. están 3. estás 4. estamos 5. está 6. estamos 7. estás 8. está 9. están 10. estamos **Ej. 2:** 1. b 2. d 3. f 4. c 5. a 6. e **Ej. 3:** 1. escribimos 2. lleva 3. limpiamos 4. desayunan 5. lee 6. comen 7. monta 8. Hablo 9. asisten 10. escuchamos **Ej. 4:** 1. Papá, ¿tomas mucho café en el trabajo? 2. Diego, ¿juegan tus amigos y tú al béisbol? 3. Graciela y Diego, ¿tienen ustedes una computadora? 4. Raúl, ¿haces ejercicio en un gimnasio? 5. Pedro Ruiz, ¿trabajas por la noche? 6. Don Eduardo, ¿prepara usted café por la mañana? 7. Mamá, ¿cocinas por la mañana o por la tarde? 8. Clarisa, ¿ves la televisión por la noche? 9. Doña Rosita, ¿asiste usted a misa los domingos? 10. Doña Lola, ¿lava usted su ropa en casa o en una lavandería? **Ej. 5:** 1. sale; Salgo 2. juegas; juego 3. hace; hago 4. juegan; jugamos **Ej. 6:** 1. Los Ramírez son de México pero ahora están en Italia. 2. Marta es de Panamá pero ahora está en Los Ángeles. 3. Rogelio y Carla son de Puerto Rico pero ahora están en Nueva York. 4. Pilar es de España pero ahora está en Guatemala. 5. Ricardo es de Venezuela pero ahora está en España. **Ej. 7:** 1. Está leyendo. 2. Están pescando. 3. Está corriendo. 4. Está cocinando (preparando) la cena. 5. Están viendo (mirando) la televisión. 6. Está fumando. **Ej. 8:** 1. durmiendo 2. jugando 3. leyendo 4. lavando 5. tocando

CAPÍTULO 4

Ej. 1: 1. vamos a la 2. van al 3. Vamos al 4. va a la 5. Voy a la 6. voy a la 7. van al 8. va a la 9. Vamos a la 10. Vas al **Ej. 2:** 1. Duermen; dormimos 2. Almuerzan; almorzamos 3. Vuelven; volvemos 4. Juegan; jugamos 5. Juegan; jugamos 6. Pierden; juegan; perdemos; jugamos 7. Prefieren; preferimos 8. Empiezan; empezamos **Ej. 3:** 1. Traigo 2. pongo 3. digo 4. oigo 5. salgo 6. vengo 7. tengo 8. Hago **Ej. 4:** 1. d 2. b 3. f 4. e 5. c 6. g 7. a **Ej. 5:** 1. No, me baño a las

6:30. 2. No, me lavo el pelo con champú. 3. No, me afeito en el baño. 8. No, me levanto tarde los domingos. 5. No, me quito la ropa en mi recámara (dormitorio). 6. No, me peino en el baño. 7. No, me maquillo en casa. 4. No, me ducho por la mañana. **Ej. 6:** 1. c 2. a 3. d 4. f 5. e 6. b **Ej. 7:** 1. ¿Están tristes Clarisa y Marisa? 2. ¿Está enojado (irritado) Ernesto? 3. ¿Están enamorados (contentos) Amanda y Ramón? 4. ¿Está ocupado Guillermo? 5. ¿Están interesados en viajar Nacho y Silvia? **Ej. 8:** 1. tiene hambre 2. tienes frío 3. Tenemos calor 4. Tengo sueño 5. tengo prisa 6. tienen sed 7. tengo miedo 8. Tengo sed **Ej. 9:** 1. f 2. e 3. g 4. a 5. b

CAPÍTULO 5

Ej. 1: 1. Les 2. les 3. le 4. nos 5. me; te 6. les 7. Le; nos 8. me;te **Ej. 2:** Frame 1: me Frame 2: le Frame 3: le; me Frame 4: te Frame 5: le; nos Frame 6: nos; les **Ej. 3:** 1. sé 2. sabe 3. saben 4. Sabes 5. sabemos **Ej. 4:** 1. Puedes 2. Pueden 3. puede 4. pueden 5. Podemos **Ej. 5:** 1. Esta 2. Estos 3. Estos 4. Estas 5. Este **Ej. 6:** 1. Esas 2. Ese 3. Esa 4. Esos 5. Esos **Ej. 7:** 1. esa 2. este 3. esos 4. este 5. estas **Ej. 8:** 1. Estos 2. Aquellos 3. Esos 4. Esos 5. Aquellas 6. Estas **Ej. 9:** 1. quisiera 2. quisiéramos 3. quisieran 4. quisieras 5. quisiera **Ej. 10:** 1. le 2. les 3. le 4. me 5. nos **Ej. 11:** 1. piensa 2. piensas 3. pensamos 4. piensan 5. pienso **Ej. 12:** 1. c 2. e 3. d 4. a 5. b **Ej. 13:** 1. e 2. c 3. a 4. b 5. d **Ej. 14:** 1. Antes de preparar la comida, Estela hace la compra. (Después de hacer la compra, Estela prepara la comida.) 2. Después de limpiar la casa, Pedro y Andrea invitan a unos amigos. (Antes de invitar a unos amigos, Pedro y Andrea limpian la casa.) 3. Antes/Después de dormir una siesta, Guillermo ayuda a su papá. (Antes/Después de ayudar a su papá, Guillermo duerme una siesta.) 4. Después de correr, te bañas. (Antes de bañarte, corres.) 5. Antes de salir a bailar, nos ponemos la ropa. (Después de ponernos la ropa, salimos a bailar.) **Ej. 15:** 1. (c) ¡Vamos a preparar chocolate caliente! 2. (d) ¡Vamos a nadar en la piscina! 3. (a) ¡Vamos a hacer la compra! 4. (e) ¡Vamos a sentarnos debajo de ese árbol! 5. (b) ¡Vamos a estudiar esta noche!

CAPÍTULO 6

Ej. 1: 1. El sillón pesa más que la mesa. (La mesa pesa menos que el sillón.) 2. En mi casa viven más personas que en la casa de los vecinos. (En la casa de los vecinos viven menos personas que en mi casa.) 3. La casa de los López tiene más dormitorios que la casa de los vecinos. (La casa de los vecinos tiene menos dormitorios que la casa de los López.) 4. En el patio de mis abuelos hay menos árboles que en nuestro patio. (En nuestro patio hay más árboles que en el patio de mis abuelos.) 5. En la casa de los Ruiz hay menos dormitorios que en la casa de los Ramírez. (En la casa de los Ramírez hay más dormitorios que en la casa de los Ruiz.) **Ej. 2:** (Answers may vary.) 1. Vivir en el desierto es peor que vivir en el centro de la ciudad. 2. Vivir en una casa es mejor que vivir en un apartamento. 3. Un refrigerador es el más útil de todos. 4. Armando es mayor que Irma. 5. Mi sobrino es menor que tu sobrino. 6. El Rolls Royce es el más caro de todos. **Ej. 3:** (Answers may vary.) 1. La piscina de los Lugo es tan bonita como la piscina de los Montes. 2. El edificio de la avenida Oriente no es tan alto como el edificio nuevo de la avenida del Libertador. 3. La lavandería vieja de la avenida Almendros no es tan limpia como la lavandería nueva de la calle Ebro. 4. Los condominios «San Juan» no son tan modernos como los condominios «Princesa». **Ej. 4:** 1. La sala de su casa no tiene tantas lámparas como la sala de nuestra casa. 2. La casa de los Ruiz no tiene tantos cuartos como la casa de los Ramírez. 3. La casa de al lado tiene tantos baños como la casa de mis padres. 4. El patio de don Anselmo no tiene tantas flores y plantas como el patio de doña Lola. **Ej. 5:** 1. tiene que 2. tienen que 3. tengo que 4. tenemos que 5. tienes que **Ej. 6:** 1. debe 2. debo 3. debes 4. deben 5. debemos **Ej. 7:** 1. Sí, (No, no) compré un disco compacto. 2. Sí, (No, no) comí en un restaurante. 3. Sí, (No, no) hablé por teléfono. 4. Sí, (No, no) escribí una carta. 5. Sí, (No, no) estudié por cuatro horas. 6. Sí, (No, no) abrí la ventana. 7. Sí, (No, no) visité a un amigo / una amiga. 8. Sí, (No, no) corrí por la mañana. 9. Sí, (No, no) tomé un refresco. 10. Sí, (No, no) lavé los platos. **Ej. 8:** 1. Mi madre no charló con el presidente la semana pasada. 2. El presidente de México no comió tacos en la calle ayer. 3. La profesora de español no salió con Antonio Banderas anoche. 4. No jugué al tenis con Arantxa Sánchez Vicario ayer a medianoche. 5. Fidel Castro no visitó los Estados Unidos el mes pasado. **Ej. 9:** 1. ¿Conoce usted 2. ¿Conoce usted 3. ¿Sabe usted 4. ¿Sabe usted 5. ¿Conoce usted 6. ¿Conoce usted 7. ¿Sabe usted 8. ¿Sabe usted 9. ¿Sabe usted 10. ¿Conoce usted **Ej. 10:** 1. los 2. la 3. lo 4. los 5. lo 6. lo 7. la 8. los 9. lo 10. la

CAPÍTULO 7

Ej. 1: (1) Se levantó a las 7:00. (2) Se bañó. (3) Se preparó un desayuno pequeño. (4) Comió cereal con leche y fruta. (5) Leyó el periódico. (6) Manejó el coche al trabajo. (7) Llegó al trabajo a las 8:30. (8) Almorzó con una colega de su trabajo. (9) Comió una hamburguesa. **Ej. 2:** 1. llegaste 2. Llegué 3. llegamos

4. llegó 5. Leíste 6. leí 7. leyeron 8. leyó 9. leímos **Ej. 3:** a. 7 b. 5 c. 2 d. 1 e. 3 f. 6 g. 4 **Ej. 4:** 1. dio 2. Vinieron 3. traje 4. dijeron 5. vio 6. puso 7. hizo 8. fueron **Ej. 5:** 1. fue; Llegaron; descansó; meterse; Bucearon; vieron; hicieron; cocinaron; tocó; cantaron; bailaron 2. fue; Llegaron; entró; vio; estudió; saludó; salieron; Bailó; tomó; Regresó **Ej. 6:** (1) Generalmente Pilar asiste a clase, pero ayer durmió toda la tarde y mañana va a visitar a una amiga. (2) Generalmente Andrea y Pedro almuerzan con sus hijas, pero ayer estuvieron en el D.F. todo el día y mañana van a ir de compras. (3) Generalmente Adriana juega al tenis por la tarde, después de salir del trabajo, pero ayer tradujo un documento del italiano al español y mañana va a aprender un nuevo programa de informática. (4) Generalmente doña Lola se queda en casa, pero ayer tomó café con sus amigas y mañana va a cocinar toda la tarde. (5) Generalmente Carla y Rogelio estudian en la biblioteca, pero ayer fueron a la playa y mañana van a lavar el carro. **Ej. 7:** 1. dormiste 2. Dormí 3. duermes 4. duermo 5. sientes 6. siento 7. sentiste 8. sentí 9. divertiste 10. divertí 11. divirtió 12. divirtió 13. mentiste 14. mentí 15. mintió **Ej. 8:** 1. me 2. dijiste 3. Te 4. dije 5. me 6. dijo 7. me 8. dijo 9. le 10. dijiste 11. le 12. dijiste 13. le 14. dije 15. le 16. dije **Ej. 9:** (Answers may vary.) 1. Pero, Estela, limpié el baño hace dos días. (Pero, Estela, lo limpié hace dos días.) 2. Pero, Estela, barrí el patio hace tres horas. (Pero, Estela, lo barrí hace tres horas.) 3. Pero, Estela, pasé la aspiradora hace una hora. (Pero, Estela, la pasé hace una hora.) 4. Pero, Estela, bañé al perro hace tres días. (Pero, Estela, lo bañé hace tres días.) 5. Pero, Estela, te llevé a un restaurante elegante hace una semana. **Ej. 10:** (Answers are for 1997; they will vary depending on the year the book is used.) 1. Alejandro G. Bell inventó el teléfono hace ciento veintiún años. 2. Gustave Eiffel construyó la Torre Eiffel hace ciento ocho años. 3. Pancho Villa murió hace setenta y cuatro años. 4. Colón llegó a América hace quinientos cinco años. 5. Francisco Franco murió hace veintidós años. 6. Alemania se unificó hace siete años. 7. Los países de la antigua Unión Soviética se independizaron hace seis años.

CAPÍTULO 8

Ej. 1: 1. Lo preparé ayer. 2. La puse en el congelador. 3. Las compré en el supermercado. 4. Lo traje hace diez minutos. 5. La puse en la mesa. 6. Las preparé hace dos minutos. 7. Los puse en el gabinete. 8. Lo compré en la panadería. 9. Las hice cuando me levanté. 10. Los traje esta mañana. **Ej. 2:** 1. las 2. la 3. los 4. lo 5. la **Ej. 3:** 1. Te 2. me 3. ti 4. mí 5. le 6. él 7. mí 8. ti 9. te 10. mí 11. me **Ej. 4:** (Answers will vary.) 1. A mi mejor amigo/a le encantan las fresas. 2. A mis padres les encanta el guacamole. 3. A mi profesor(a) de español le encanta el chocolate. 4. A mi novio/a (esposo/a) le encantan los frijoles. 5. A mí me encanta el pan. 6. A mi mejor amigo/a y a mí nos encantan los dulces. **Ej. 5:** (Answers may vary.) 1. ¿Para ella? ¡No lo creo! ¡No le gusta la comida fría! 2. ¿Para mí? ¡No lo creo! ¡No me gusta nada el hígado! 3. ¿Para ellas? ¡No lo creo! ¡Son muy pequeñas! 4. ¿Para nosotros? ¡Imposible! ¡No nos gustan! 5. ¿Para él? ¡No lo creo! ¡Tu papá es muy delgado! 6. ¿Para ti? ¡No lo creo! ¡No te gusta! 7. ¿Para ella? ¡Imposible! ¡No le gustan las cebollas! 8. ¿Para él? ¡No lo creo! ¡A él no le gusta! **Ej. 6:** 1. a. conmigo b. contigo 2. a. ti b. mí 3. a. él b. él c. él d. mí e. ti f. mí **Ej. 7:** 1. nadie 2. nada 3. nunca 4. nadie 5. ninguna 6. nada 7. Nunca 8. ninguno **Ej. 8:** (Answers will vary.) **Ej. 9:** 1. se cortan 2. se necesita 3. se lava; se pone 4. se preparan 5. se agregan 6. se necesitan 7. Se habla 8. Se baten **Ej. 10:** 1. pedir 2. pedir 3. sirven 4. pedir 5. pides 6. sirven 7. pido 8. pedir 9. pidieron 10. Pedimos 11. sirvió 12. pedí 13. pidió 14. pediste 15. pedí 16. pidió 17. pidieron 18. pedimos 19. sirvió 20. sirvió

CAPÍTULO 9

Ej. 1: 1. se parece 2. se parecen; me parezco; te pareces 3. me parezco; me parezco 4. nos parecemos; se parece 5. nos parecemos 6. se parece(n) **Ej. 2:** 1. se llevan 2. te llevas; nos llevamos 3. nos llevamos; me llevo 4. se llevan 5. te llevas; nos llevamos **Ej. 3:** 1. Guillermo montaba en bicicleta. 2. Amanda y yo jugábamos con muñecas. 3. Andrea leía las tiras cómicas del periódico los domingos. 4. Doña Lola y doña Rosita se bañaban en el mar en Acapulco. 5. Don Eduardo comía muchos dulces. 6. Estela limpiaba su recámara. 7. La familia Ramírez pasaba las vacaciones en Acapulco. 8. Pedro Ruiz escuchaba música rock. 9. Ernesto veía dibujos animados en la televisión. 10. El abuelo de Ernestito cuidaba el jardín. **Ej. 4:** a. 3; jugaban b. 6; iban c. 7; saltaba d. 4; se peleaba e. 2; lloraba f. 1; se llevaba g. 5; se parecían **Ej. 5:** 1. tenía 2. sabía 3. conocíamos 4. era 5. estaba **Ej. 6:** 1. tenía 2. era 3. conocía 4. Queríamos; teníamos 5. estabas 6. tenía 7. supe 8. tuve 9. conocí 10. quise 11. pude **Ej. 7:** 1. Iba a venir, pero mi carro no arrancó. 2. Iba a traerlas, pero la tienda se cerró a las 8:00. 3. Iba a comprarte un regalo, pero no recibí mi cheque a tiempo. 4. Iba a cenar con ustedes, pero tuve que trabajar tarde. 5. Iba a ir, pero mi novio tuvo que trabajar esa noche. 6. Iba a decirte, pero no pude llamarte. 7. Iba a llegar a tiempo, pero perdí mi cartera. 8. Iba a asistir, pero no hice la tarea.

CAPÍTULO 10

Ej. 1: 1. hemos visto 2. ha escrito 3. he viajado 4. ha comprado 5. has comido 6. ha hablado 7. has ido 8. han limpiado 9. has oído 10. han pasado **Ej. 2:** (Answers will vary.) 1. ¿Cuántas veces has viajado a México? He viajado a México muchas veces. 2. ¿Cuántas veces has esquiado en un lago? Nunca he esquiado en un lago. 3. ¿Cuántas veces has subido a una pirámide? He subido a una pirámide una vez en México. 4. ¿Cuántas veces has acampado en las montañas? He acampado en las montañas muchas veces. 5. ¿Cuántas veces has alquilado un coche? He alquilado un coche tres o cuatro veces. 6. ¿Cuántas veces has cocinado para diez personas? He cocinado para diez personas muchas veces. 7. ¿Cuántas veces has leído tres novelas en un día? Nunca he leído tres novelas en un día. 8. ¿Cuántas veces has corrido 5 kilómetros sin parar? He corrido 5 kilómetros sin parar una o dos veces. 9. ¿Cuántas veces les has dicho una mentira a tus padres? ¡Nunca les he dicho una mentira! 10. ¿Cuántas veces has roto un vaso en un restaurante? He roto un vaso en un restaurante dos veces. **Ej. 3:** 1. ¡Qué país tan (más) interesante! 2. ¡Qué vuelo tan (más) largo! 3. ¡Qué montañas tan (más) altas! 4. ¡Qué selva tan (más) verde! 5. ¡Qué arena tan (más) blanca! **Ej. 4:** 1. ¡Qué impresionantes son las ruinas de Machu Picchu! 2. ¡Qué grande es el lago Titicaca! 3. ¡Qué cosmopolita es la ciudad de Buenos Aires! 4. ¡Qué húmeda es la selva de Ecuador! 5. ¡Qué seco es el desierto de Atacama en Chile! 6. ¡Qué alta es la torre de la Giralda en Sevilla! 7. ¡Qué hermoso es el edificio del Alcázar de Segovia! 8. ¡Qué inmenso es el Parque del Retiro en Madrid! 9. ¡Qué interesante es el Museo del Prado! 10. ¡Qué antiguo es el acueducto de Segovia! **Ej. 5:** 1. por 2. por 3. para 4. por 5. por 6. por 7. por 8. para **Ej. 6:** 1. rápidamente 2. cómodamente 3. puntualmente 4. constantemente 5. inmediatamente **Ej. 7:** 1. a. parece b. importa 2. a. fascinan b. interesan 3. a. encanta b. gusta 4. a. molesta b. gusta 5. a. importan b. interesan

CAPÍTULO 11

Ej. 1: (Answers may vary.) 1. Sí, hágalas lo más pronto posible. 2. Sí, cómprelos inmediatamente. 3. Sí, tráigalo mañana. 4. Sí, recójalos el jueves, por favor. 5. Sí, llegue dos horas antes. 6. Sí, consígalo lo más pronto posible. **Ej. 2:** 1. Sí, prepárenlo. 2. Sí, consíganlos. 3. Sí, límpienlas. 4. Sí, háganlas. 5. Sí, duerman. 6. Sí, salgan. **Ej. 3:** 1. Quiere que recojamos nuestros boletos pronto. 2. Quiere que escribamos una lista de lo que vamos a necesitar. 3. No quiere que llevemos demasiadas cosas en las maletas. 4. Quiere que compremos cheques de viajero. 5. Quiere que comamos en restaurantes buenos y que no comamos en la calle. 6. Quiere que lleguemos al aeropuerto temprano. 7. Quiere que bebamos refrescos o agua mineral y que no bebamos el agua. **Ej. 4:** 1. llegue 2. viajamos 3. suben 4. lea 5. terminen **Ej. 5:** 1. Quiere que hagamos las maletas... 2. Quiere que durmamos ocho horas... 3. Quiere que traigamos ropa... 4. Quiere que vayamos... 5. Quiere que pongamos el dinero... 6. Quiere que le demos el pasaporte. 7. Quiere que volvamos con... 8. No quiere que pidamos comida... 9. Quiere que nos divertamos mucho. 10. Quiere que le digamos «Adiós» a nuestra familia. **Ej. 6:** 1. llame; c. llegue 2. sirva; d. vayamos 3. oigas; b. vengas 4. traigamos; e. volvamos 5. saques; a. estés **Ej. 7:** 1. durmiendo 2. asistiendo 3. viendo 4. estudiando 5. leyendo (Answers will vary.) 6. estaba dando una clase. 7. estaba tomando un examen. 8. estaban comiendo. 9. estaban trabajando. 10. estaba corriendo. **Ej. 8:** 1. Manejaba 2. Veía 3. Caminaba 4. hablaba 5. Hacía 6. Me bañaba **Ej. 9:** 1. era 2. íbamos 3. alquilábamos 4. buceábamos 5. bañábamos 6. salíamos 7. caminábamos 8. tenía 9. fuimos 10. estaban durmiendo 11. jugaba 12. hablaba 13. conocía 14. miré 15. jugaba 16. vi 17. levantamos 18. corrimos 19. encontramos 20. buscamos 21. pudimos 22. Estaba 23. regresamos 24. teníamos 25. estaba 26. fuiste 27. grité 28. contestó 29. estaba 30. enojé

CAPÍTULO 12

Ej. 1: 1. El señor Ruiz y su suegra se llamaron. 2. Mi ahijada y yo nos escribimos a menudo. 3. Amanda y su novio se hablan todos los días. 4. Mi madre y mi padre se respetan mucho. 5. El abuelo de Guillermo y yo nos conocemos muy bien. **Ej. 2:** 1. Pues, no está muy amable hoy. 2. Pues, no está muy frío hoy. 3. Pues, no está cómico hoy. 4. Pues, no está muy cara hoy. 5. Pues, no está muy eficiente hoy. **Ej. 3:** 1. es 2. está 3. estoy 4. está; es 5. Son; están 6. son; están **Ej. 4:** 1. Me casaré; tendré 2. nos graduaremos; iremos 3. se mudarán; vivirán 4. lograremos; nos reuniremos 5. vendrá; dirá **Ej. 5:** 1. gradúe 2. haya 3. tienes 4. ven 5. llegues 6. vengan 7. alcancen 8. vuelven 9. salgamos 10. saludan **Ej. 6:** 1. visitarían 2. trataría 3. compraría 4. comerían; tomarían 5. practicarían 6. caminaría 7. pasaría 8. usarían 9. se acostarían 10. correría

Vocabulary

This Spanish-English vocabulary contains all of the words that appear in the text, with the following exceptions: (1) most identical cognates that do not appear in the chapter vocabulary lists; (2) conjugated verb forms, with the exception of certain forms of **haber** and expressions found in the chapter vocabulary lists; (3) diminutives in **-ito/a**; (4) absolute superlatives in **-ísimo/a**; and (5) some adverbs in **-mente**. Active vocabulary is indicated by the number of the chapter in which a word or given meaning is first listed (A = **Paso A**); vocabulary that is glossed in the text is not considered to be active vocabulary and is not numbered.* Only meanings that are used in this text are given.

The gender of nouns is indicated, except for masculine nouns ending in **-o** and feminine nouns ending in **-a**. Stem changes and spelling changes are indicated for verbs: **dormir (ue, u); llegar (gu)**.

The following abbreviations are used:

abbrev.	abbreviation	*m.*	masculine
adj.	adjective	*Mex.*	Mexico
adv.	adverb	*n.*	noun
Arg.	Argentina	*obj. of prep.*	object of preposition
coll.	colloquial	*pl.*	plural
conj.	conjunction	*pol.*	polite
d.o.	direct object	*poss.*	possessive
f.	feminine	*p.p.*	past participle
fig.	figurative	*prep.*	preposition
Guat.	Guatemala	*pron.*	pronoun
inf.	informal	*refl. pron.*	reflexive pronoun
infin.	infinitive	*sing.*	singular
inv.	invariable	*Sp.*	Spain
i.o.	indirect object	*sub. pron.*	subject pronoun
irreg.	irregular		

*****Dos mundos: En breve** is derived from the Fourth Edition of **Dos mundos,** which has 16 regular chapters. References to the omitted chapters (12–16) still exist in this vocabulary even though the chapters do not appear in the text.

A

a to; at; **a la(s)** at (*time*); **al** *contraction of* **a** + **el** to the
abadejo cod(fish)
abajo below, underneath (4)
abandonar to abandon
abarrote *m.*: **tienda de abarrotes** grocery store
abecedario alphabet
abierto/a (*p.p. of* **abrir**) open (B); opened
abogado/a lawyer (5)
abolladura dent
abollar to dent
abordar to board, get on (11)
aborto abortion (16)
abrazar (**c**) to embrace (12); **abrazarse** to hug each other (15)
abrazo hug
abrelatas *m. sing., pl.* can opener (13)
abrigo coat (A)
abril *m.* April (1)
abrir (*p.p.* **abierto**) to open (A)
abrocharse (**el cinturón de seguridad**) to fasten (the seatbelt) (10)
abrumado/a overwhelmed, oppressed
abuelo/a grandfather/grandmother (C); **abuelos** *pl.* grandparents
abundancia abundance (10)
abundante abundant
aburrido/a boring; bored (B); **¡qué aburrido!** how boring! (1)
aburrirse to be bored
abusar de to abuse (12)
abuso abuse (16)
acá here; **para acá** over here
acabar to finish; **acabar de** (+ *infin.*) to have just (*done something*) (13)
acalorado/a heated (15)
acampar to go camping (1)
acariciar to caress
acarrear to transport; to haul
acceso access
accidente *m.* accident (5)
acción *f.* action (3); **Día** (*m.*) **de Acción de Gracias** Thanksgiving Day (4)
aceite *m.* oil (8)
aceituna olive (8)
acelerar to accelerate
aceptable acceptable (16)
aceptar to accept (7)
acerca de about
acercarse (**qu**) (**a**) to approach, come near
acero steel (13)
ácido acid
aclarar to cast light on; to explain; to resolve
acogedor(a) cozy
acompañar to accompany
acondicionado/a: aire (*m.*) **acondicionado** air conditioning (10)
acondicionador *m.* conditioner (4)
aconsejar to give advice, advise (12)
acorazado de combate battleship
acordarse (**ue**) to remember

acostado/a lying down
acostarse (**ue**) to go to bed (4)
acostumbrar to be in the habit of; **acostumbrarse a** to get used to, accustomed to
acrilán *m.* acrylic (13)
actitud *f.* attitude
activar to activate, turn on
actividad *f.* activity (A)
activista *n. m., f.* activist (16)
actriz *f.* (*pl.* **actrices**) actress
actuación *f.* acting, performance
actual present-day, current (2)
actualidad *f.*: **en la actualidad** currently, nowadays
actualmente at present, nowadays
actuar (**actúo**) to act
Acuario Aquarius
acuático/a: polo acuático water polo; **deportes** (*m. pl.*) **acuáticos** water sports; **parques** (*m. pl.*) **acuáticos** water parks
acudir to go; to come (12)
acueducto aqueduct (11)
acuerdo agreement; **de acuerdo** I agree; OK; **estar de acuerdo** to agree (B); **quedar de acuerdo** to agree
acumulado/a accumulated
acumulador *m.* battery (10)
acusado/a *n.* accused (*person*) (5)
acusar to accuse
adaptar to adapt
adecuado/a adequate (12)
adelante: de ahora en adelante from now on; **hacia adelante** forward; **sacar adelante** to carry forward; to rear, nurture
adelanto advance, progress
adelgazar (**c**) to lose weight
además moreover; **además de** besides; in addition to (11)
adentro inside, within
aderezo (salad) dressing (8)
adeudarse to incur debt
adictivo/a addicting
adiós goodbye
adivinar to guess
adivino/a fortune-teller (15)
adjetivo adjective
adjunto/a enclosed (*in a letter*)
administrar to administrate
admirador(a) admirer
admirar (**a**) to admire (11)
admitir to admit (14)
¿adónde? where?
adopción *f.* adoption
adoptar to adopt
adquirido/a acquired
adquirir (**ie**) to acquire, obtain
aduana *sing.* customs (11); **derecho** (*sing.*) **de aduana** customs duties, taxes (11)
aduanero/a customs agent
advertir (**ie, i**) to warn, advise
aéreo/a pertaining to air (travel) (10)
aerolínea airline (11)

aeropuerto airport (11)
afectar to affect
afeitarse to shave (4)
afirmación *f.* statement
afirmar to affirm
afortunadamente fortunately
africano/a: lenguas (*pl.*) **africanas** African languages (C)
afrikaans *m. sing. a language of South Africa* (C)
afuera *adv.* outside; **afueras** *n. pl.* outskirts, suburb(s)
agarrado/a a hanging on to
agarrador (*m.*) **de olla** potholder
agencia agency; **agencia de viajes** travel agency (C)
agente *m., f.* agent; **agente de viajes** travel agent
agigantado/a gigantic, huge
ágil agile
aglomeración *f.* crowd
agosto August (1)
agotado/a exhausted; sold out
agradable pleasant, nice (6)
agradecer (**zc**) to thank
agrario/a *adj.* land; **reforma agraria** land reform (16)
agregar (**gu**) to add (8)
agrícola *adj. m., f.* agricultural (16)
agua *f.* (*but* **el agua**) water (4); **agua con sal** salt water (12); **agua corriente** running water (8); **agua mineral** mineral water (8)
aguacate *m.* avocado (8)
aguantar to put up with, endure
aguar to water
águila *f.* (*but* **el águila**) eagle
aguja needle
agujereado/a full of holes
agujero hole; **agujero en la capa de ozono** hole in the ozone layer (10)
ahí there (4)
ahijado/a godson/goddaughter (15); **ahijados** *pl.* godchildren
ahora now (2); **ahora mismo** right now (4)
ahorrar to save (9)
aire *m.* air; **aire acondicionado** air conditioning (10); **al aire libre** outdoors (7)
aislado/a isolated
ajá aha
ajedrez *m.* chess
ají (*m.*) **de gallina** *chicken in chili sauce*
ajiaco *potato and chili stew*
ajillo: al ajillo in garlic sauce
ajo garlic (8)
ajustarse to adjust
al *contraction of* **a** + **el** to the; **al** (+ *infin.*) upon (*doing something*)
ala *f.* (*but* **el ala**) wing
alacena cupboard (6)
alai: jai alai *m.* Basque ball game
alameda *public walk lined with trees*
alarmado/a alarmed (13)
alarmarse to become alarmed (13)

albahaca basil
albaricoque *m.* apricot (8)
alberca *Mex.* swimming pool (7)
albondigón *m.* hamburger
alboroto disturbance; brawl; riot
alcalde, alcaldesa mayor
alcance *m.* scope; significance; **a su alcance** within reach
alcancía coin/piggy bank
alcanfor *m.* camphor
alcanzar (**c**) to reach (15); **no le alcanzaba** it wasn't enough (15)
alcanzó attained, reached
alcaparra caper
alcázar *m.* castle, fortress
alcoba bedroom
aldea global global village
alegrarse to be glad; **alegrarse de que** to be happy that (16)
alegre happy (4)
alegría happiness
alejarse to move away, leave
alemán *n. m.* German (language) (C)
alemán, alemana *n., adj.* German (C)
Alemania Germany (C)
alentado/a encouraged
alentador(a) encouraging
alergia allergy (12)
alergista *m., f.:* **médico/doctora alergista** allergist (12)
alfabetización *f.:* **campaña de alfabetización** literacy campaign (16)
alfombra rug; carpet (6)
algo something (4); **algo de comer** something to eat; **algo que hacer** something to do
algodón *m.* cotton (13)
alguien someone (6)
algún, alguno/a some (2); any; **algún día** someday; **alguna vez** once; ever; **algunas veces** sometimes (14); **algunos/as** some (2)
aliado/a *n.* ally
alimentar to feed; to nourish
alimento nourishment, food (8)
aliviar to alleviate
alivio relief
allá (over) there; **más allá de** beyond
allí there (4); **por allí** over there, around there
alma *f. (but* **el alma***)* soul
almacén *m.* department store (4)
almacenar to store
almeja clam (8)
almendra almond (8)
almíbar *m.* syrup (8)
almirante *m.* admiral
almohada pillow (6)
almorzar (**ue**) (**c**) to have lunch (7)
almuerzo lunch (2)
alocado/a crazy
alojamiento lodging (11)
alpaca alpaca wool

alquilar to rent (6)
alquiler *m.* rent (6)
alrededor de *prep.* around (3); **alrededores** *n. m. pl.* outskirts
altitud *f.* altitude; height
alto/a tall (A); high; **alta costura** haute couture; **en voz** (*f.*) **alta** in a loud voice (15); out loud
altura height
aludir a to allude to
aluminio aluminum
alumno/a student
alzar (**c**) to raise
ama *f. (but* **el ama***)* mistress (*of the house*) (14); **ama de casa** housewife (3)
amable kind; friendly
amado/a *n., adj.* beloved
amanecer *m.* dawn
amante *m., f.* lover
amar to love
amarillo/a yellow (A)
amarrar to fasten
Amazonia Amazon basin
amazónico/a *adj.* Amazon
ambición *f.* ambition
ambiental environmental (15); **contaminación** (*f.*) **ambiental** environmental pollution
ambiente *m.* environment; atmosphere (8); **medio ambiente** environment
ambos/as *pl.* both (10)
amenazar (**c**) to threaten
americano/a *adj.* American
amigo/a friend (A); **amigo/a íntimo/a** close friend (15); **mejor amigo/a** best friend
amistad *f.* friendship (15)
amistoso/a friendly
amo master (14); boss
amor *m.* love
amparo shelter
amplio/a ample; roomy (6)
amueblado/a furnished (6)
analfabetismo illiteracy (16)
análisis *m. sing., pl.* analysis; **análisis de sangre** blood test (12); **hacer análisis** to do (medical) tests
analizar (**c**) to analyze
ananá *m.* pineapple (8)
anaranjado/a orange (*color*) (A)
ancho/a wide
anciano/a elderly person
andaluz(a) (*m. pl.* **andaluces**) Andalusian (*from southern Spain*)
andar *irreg.* to walk; **¡anda!** come on!; **andar en bicicleta/motocicleta** to go for a bicycle/motorcycle ride (2); **andar en monopatín/patineta** to skateboard; **andar en velero** to go sailing (4)
andén *m.* train station platform
andino/a Andean (16)
anécdota anecdote, story
anémona sea anemone
ángel *m.* angel (14)

anglicismo Anglicism
anglohablante *m., f.* English-speaking person
angosto/a narrow
angula eel
ángulo angle
anillo ring (12)
animado/a: dibujos animados cartoons
animal *m.* animal; **animal doméstico** pet (5)
anímico/a: estado anímico mental state
ánimo spirit, energy; **estado de ánimo** state of mind (12)
anoche last night (6)
anónimo/a anonymous
anotar to write down (16)
ansiedad *f.* anxiety
ansioso/a anxious
ante before; faced with, in the presence of
anteayer day before yesterday (1)
antepasado/a *n.* ancestor (16)
anterior previous
antes *adv.* before; **antes (de)** *prep.* before (4); **antes de que** *conj.* before (16); **cuanto antes** as soon as possible
anticipación *f.:* **de anticipación** in advance
anticiparse to anticipate
anticonceptivo contraceptive (16)
antigüedad *f.* antiquity
antiguo/a old; antique (B)
Antioquía Antioch
antipático/a disagreeable (B)
antojito *Mex.* snack (8)
anunciante *m., f.* advertiser
anunciar to announce (11)
anuncio advertisement (6); **anuncio comercial** TV or radio commercial
añadir to add
añejado aged (*wine, liquor*)
añejamiento *n.* aging (*wine, liquor*)
añejo mellow, aged (*wine, liquor*)
año year; **Año Nuevo** New Year's Day (4); **¿cuántos años tiene(s)?** how old are you? (C); **cumplir años** to have a birthday (7); **de... años** . . . years old (B); **tener... años** to be . . . years old; **tengo... años** I'm . . . years old (C); **todo el año** all year long; **todos los años** every year
apadrinar to act as a godfather
apagar (**gu**) to turn off (*light*) (6)
aparador *m.* sideboard, buffet
aparato appliance (6); **aparato doméstico** appliance (13); **aparato electrodoméstico** household appliance
aparcamiento parking lot
aparcar (**qu**) to park
aparearse to mate
aparecer (**zc**) to appear
apariencia (outward) appearance; **en apariencia** apparently
apartado postal post office box
apartamento apartment (6); **edificio de apartamentos** apartment building

aparte *m.*: **punto y aparte** (write a) period and (begin a) new paragraph (*dictation*)
apasionado/a passionate
apasionar to fill with enthusiasm
apearse to get off, dismount
apellido last name (C)
apenas barely
apetito appetite
apio celery (8)
aplaudir *fig.* to commend, praise
aplicarse (qu) to be used
aportar to contribute (15)
apoyado supported (16)
apoyar to support
apoyo support
apreciar to appreciate
aprender to learn (4)
aprendizaje *n. m.* learning
apresurarse to hurry
apretado/a tight (13)
apretar (ie) to press; to squeeze
aprobar (ue) to approve (14)
apropiado/a appropriate (5)
aprovecharse de to take advantage of (16)
aproximado/a approximate
aptitud *f.* aptitude, ability (5)
apto. (*abbrev. for* **apartamento**) apartment
apuntar to point at
apunte *m.* note
aquel, aquella *adj.* that (over there) (5); *pron.* that one (over there); **en aquel entonces** at that time
aquello that; that thing; that fact
aquí here (3); **aquí mismo** right here; **por aquí** around here
árabe *n. m.* Arabic (language)
árabe *n. m., f.* Arab; *adj.* Arabic
arándano cranberry
arar to plow
árbol *m.* tree (2); **árbol de Navidad** Christmas tree (4); **subirse a los árboles** to climb trees (9)
arbusto bush (6)
archipiélago archipelago
arco arch; **arco iris** rainbow (A)
ardilla squirrel
arena sand (7); **arena movediza** quicksand
arete *m.* earring (A)
argentino/a *n., adj.* Argentinian (C)
árido/a arid (10)
aritmética arithmetic
arma *f.* (*but* **el arma**) arm, weapon; **arma de fuego** firearm (16); **portar armas** to bear arms (16)
armadura armor
armar to arm
armario closet (6)
arqueólogo/a archeologist
arquitecto/a architect
arquitectura architecture
arrancar (qu) to pull up; to snatch away; to start
arranque *m.* ignition (10)

arras *pl. coins given by a bridegroom to a bride as a symbol of his role as provider* (15)
arrecife *m.* reef (10)
arreglar to arrange; to straighten up, clean; to fix (5)
arrestar to place under arrest (7)
arriba: allá arriba up there; **arriba de** on top of (3); above; **hacia arriba** up(ward)
arriesgar (gu) to risk
arrojar to throw
arroyo stream, brook
arroz *m.* rice (8); **arroz con leche** rice pudding (8)
arruinar to ruin (15)
arrullar to lull to sleep
arte *m.* (*but* **las artes**) art; **artes gráficas** graphic arts; **bellas artes** fine arts; **Facultad** (*f.*) **de Bellas Artes** School of Fine Arts (3)
arteria artery (12)
artesanal: feria artesanal crafts fair
artesanía *sing.* crafts; craftsmanship
artesano craftsman
artículo article
artificial: fuegos artificiales fireworks (4)
artista *m., f.* artist (3)
arveja green pea (8)
asado/a roasted; **bien asado** well-done (*meat*) (8); **poco asado** rare (*meat*) (8)
asador *m.* barbecue (grill) (13)
asar to roast (8)
ascendencia ancestry
ascender to rise (*to power*)
ascensor *m.* elevator (6)
asco disgust
asegurar to assure; to guarantee
asentamiento settlement
asesinar to assassinate
asesinato murder; assassination
asesino/a murderer
así thus, so, that way, this way (5); **así es la vida** that's life (16); **así que** so (that), with the result that
asiático/a *n., adj.* Asian (16)
asiento seat
asignar to assign (5)
asignatura (school) subject
asimismo likewise
asistencia aid, assistance; attendance
asistente (*m., f.*) **de vuelo** flight attendant (11)
asistir (a) to attend (3)
asociación *f.* association
asociarse to join in partnership; to associate (16)
asomarse to show up, appear
asombro amazement; fear
asombroso/a astonishing
aspecto aspect; appearance
aspiraciones *f. pl.* aspiration
aspiradora vacuum cleaner (6); **pasar la aspiradora** to vacuum (6)
aspirina aspirin (12)
astuto/a astute, shrewd

asumir to assume, take on (16)
asunto subject, topic; matter, affair (16)
asustado/a scared (7)
asustar to scare
atacar (qu) to attack
ataque *m.* attack; **ataque del corazón** heart attack (12)
atar to tie (7)
atardecer *m.* late afternoon
Atenas *f.* Athens
atención *f.* attention; **llamar la atención a** to call attention to
atender (ie) to assist, take care of (12); **atender mesas** to wait on tables (5)
aterrizar (c) to land (*airplane*)
atleta *m., f.* athlete (15)
atormentar to torment, torture
atraer (*like* **traer**) to attract (16)
atrapar to trap (7)
atrás *adv.* behind
atravesar (ie) to cross, go across
atreverse a (+ *infin.*) to dare to (*do something*)
atribuir (y) to attribute (12)
atropellar to run over (*with a vehicle*) (12)
atuendo suit (*of clothes*), outfit
atún *m.* tuna (8)
audífonos *pl.* headphones
aumentar to increase (14)
aumento raise, increase; **aumento de sueldo/salario** raise (in pay)
aun even
aún still, yet
aunque although (14)
ausencia absence
ausente absent
auto car
autobús *m.* bus (3); **estación** (*f.*) **de autobuses** bus depot; **parada del autobús** bus stop (3)
automático/a: cajero automático automatic teller machine (ATM)
automóvil *m.* automobile, car (A); **seguro de automóvil** car insurance
automovilista *m., f.* driver
automovilístico/a of or related to an automobile (12)
autónomo/a autonomous
autopista freeway (10)
autor(a) author (16)
autorización *f.* authorization (16)
autovía highway
¡auxilio! help! (7)
avance *m.* advance
avanzar (c) to advance
avda. (*abbrev. for* **avenida**) avenue
ave *f.* (*but* **el ave**) bird; fowl (8)
avena oatmeal (8)
avenida avenue (3)
aventón *m.* ride; **dar un aventón** *Mex.* to give (*someone*) a ride (9)
aventura adventure (7)
aventurero/a adventurous (11)

avergonzarse (güe) (c) (por) to be ashamed (of) (16)
avería breakdown (*mechanical*)
avión *m.* (air)plane (5)
avisar to inform
aviso (comercial) notice; ad (5); **aviso clasificado** classified ad (5)
ayer yesterday (1)
ayuda help (15)
ayudar to help (5); **ayudarse** to help each other (14)
azotea flat-roofed adobe house; terraced roof
azteca *n. m., f.; adj.* Aztec (7)
azúcar *m.* sugar (8); **caña de azúcar** sugar cane
azucarera sugar bowl (8)
azul *n. m.; adj.* blue (A); **azul marino** navy blue (13)
azulejo glazed tile

B

bachillerato bachelor's degree
bacteriano/a bacterial
bahía bay (10)
bailador(a) dancer
bailar to dance (1); **salir a bailar** to go out dancing (1)
baile *m.* dance (3); **salón** (*m.*) **de baile** dance hall
bajar to lower; to go down (2); **bajarse** to get off (11)
bajo *prep.* under
bajo/a short (*height*) (A); low; **en voz baja** in a low voice (5)
balada ballad
balance *m.* balance
Baleares *pl.:* **Islas Baleares** Balearic Islands
ballena whale (10)
baloncesto basketball (1)
balonmano handball
banco bank (5); bench
banquete *m.* feast
bañar to bathe (4); **bañarse** to bathe (4)
bañera bathtub (6)
baño bathroom (6); **sala de baño** bathroom (6); **traje** (*m.*) **de baño** bathing suit (7)
bar *m.* bar (4)
barato/a inexpensive, cheap (8)
baratura cheapness; inexpensiveness
barba beard (A)
barbacoa barbecue (*food*)
barbitúrico barbiturate
barca small boat; **pasear en barca** to take a boat ride (2)
barco ship (7)
barra de pan loaf of bread
barranca gully, ravine
barrer to sweep (6)
barrica large barrel; cask
barril *m.* barrel
barrio neighborhood (9); **Barrio Sésamo** Sesame Street

basarse (en) to be based (on) (16)
básquetbol *m.* basketball (1)
basta it's enough, sufficient; **¡basta!** enough!; **basta de** enough
bastante *adj.* enough, sufficient; *adv.* rather, quite
bastón *m.* cane
basura trash; **bote** (*m.*) **de la basura** trash can (6); **sacar la basura** to take out the trash (6)
bata robe (13)
batalla battle (7)
batata sweet potato, yam
batería battery
batido de frutas fruit shake (8); **batido de leche** milkshake (8)
batir to beat (8)
bautizar (c) to baptize (15)
bautizo christening ceremony, baptism (15)
bazar *m.* bazaar; market place
bebé *m., f.* baby (3)
bebeleche *m.*; **jugar al bebeleche** *Mex.* to play hopscotch (9)
beber to drink (4)
bebida drink
beca scholarship
béisbol *m.* baseball
Belén Bethlehem
belleza beauty; **salón** (*m.*) **de belleza** beauty parlor
bello/a beautiful (10); **bellas artes** fine arts; **Facultad** (*f.*) **de Bellas Artes** School of Fine Arts (3)
bendición *f.* blessing
beneficio benefit (15)
beneficioso/a beneficial (12)
benigno/a benign, kind
berberecho cockle
berro watercress
besar to kiss (12); **besarse** to kiss each other (15)
beso kiss (4); **dar un beso** to (give a) kiss (7)
biblioteca library (3)
bici *f.* bike
bicicleta bicycle (C); **andar/pasear en bicicleta** to go for a bicycle ride (2)
bien *adv.* well; **bien + adj.** very + *adj.*; **bien, gracias** fine, thanks; **estoy bien** I am fine (A)
bienes *n. m. pl.* possessions, goods
bienestar *m.* well-being (15); **bienestar social** social welfare (16)
bienvenida: dar la bienvenida to welcome (4)
bienvenido/a welcome (11)
bígaro sea-snail
bigote *m.* moustache (A)
bigotillo small moustache
bilingüe bilingual (5)
billar *m.* billiards, pool (2)
billete *m.* ticket (11); bill (*paper money*) (11)
billetera wallet (7)
biografía biography

biología biology (1)
bisabuelo/a great-grandfather/great-grandmother (15); **bisabuelos** *pl.* great-grandparents
bistec *m.* steak (8)
bitácora binnacle (*nautical*)
bizcocho sponge cake; type of pastry
blanco/a white (A); **espacio en blanco** blank (space) (3); **vino blanco** white wine (8)
bloque *m.* block (16)
blusa blouse (A)
boca mouth (B)
bocadillo sandwich
boceto sketch
bocina car horn; **tocar la bocina** to honk the horn (10)
boda wedding (4)
bodega grocery store
boleto ticket (11); **boleto de ida y vuelta** round-trip ticket (11)
boliche *m.* bowling (2)
bolígrafo ballpoint pen (A)
bolívar *m. monetary unit of Venezuela* (15)
boliviano/a *adj.* Bolivian (3)
bolos *pl.* bowling
bolsa bag; purse; sack (4); **bolsa de mano** carry-on luggage; handbag
bolsillo pocket (13); **calculadora de bolsillo** pocket calculator
bombero firefighter (5)
boniato sweet potato, yam
bonito/a pretty (A)
boquerón *m.* small sardine
bordado embroidered; *n.* embroidery
borde *m.* edge, border
bordo: a bordo on board
borracho/a drunk
borrador *m.* eraser (B)
borrar to erase (14)
borrego lamb
bosque *m.* forest (10)
botas *pl.* boots (A)
bote (*m.*) **de la basura** trash can (6)
botella bottle (8)
botica pharmacy, drug store
botiquín *m.* emergency kit
botones *m. sing., pl.* bellhop (11)
boxeo boxing
bozo down (*hair*) on upper lip
bracero farmhand, farm laborer
brasileño/a *adj.* Brazilian (C)
bravo/a angry, irate
brazalete *m.* bracelet
brazo arm (B)
breve *adj.* brief
brillante bright
brincar (qu) to jump up and down
brindar to drink a toast
brindis *m. sing., pl.* toast (*drink or speech*) (15)
brisa breeze
brócoli *m.* broccoli (7)
broma: en broma jokingly

bromo bromine
broncearse to get a tan (11)
bronquitis *f.* bronchitis (12)
bruja: Día (*m.*) **de las Brujas** Halloween (4)
brusco/a brusque, rough
bruto: ingresos (*pl.*) **brutos** gross income
bucear to skin-dive, scuba dive; to snorkel (3)
buceo underwater swimming; diving (10)
buen, bueno/a good (2); ¡**buen viaje!** have a nice trip! (10); **buenas tardes/noches** good afternoon/evening (A); **buenos días** good morning (A); **de buenas a primeras** suddenly; **estar de buen humor** to be in a good mood (4); **hace buen tiempo** it's fine weather (1); **qué bueno que** how great that (16)
bueno... well . . . (C); hello (*answering phone, Mex.*)
buey (*m.*) **del mar** sea-cow
bufanda scarf (13)
bulevar *m.* boulevard
bullicio noise, hubbub
buque *m.* ship
burro/a donkey
busca: en busca de in search of
buscar (**qu**) to look for (5)
búsqueda search (16)

C

caballero gentleman (13); horse rider
caballo horse (2); **montar a caballo** to ride a horse (2)
cabaña hut, cabin
cabellera head of hair
caber *irreg.* to fit (13)
cabeza head (B); **dolor** (*m.*) **de cabeza** headache (12)
cabina cabin; **cabina ancha** wide-body aircraft
cabizbajo/a downcast
cabo cape, promontory; **al cabo de** + *time expression* at the end of + *time expression*; **llevar a cabo** to carry out, fulfill
cabrito kid, young goat
cacahuete *m.* peanut (8)
cachorro/a puppy
cacto cactus
cada *inv.* each (A); **a cada rato** every few minutes (14); **cada día** each day; **cada semana** each/every week (6); **cada uno/a** each one; **de cada lado** on each side
cadena chain
cadera hip (12)
caer *irreg.* to fall; **caerle bien/mal a alguien** to make a good/bad impression on someone; **caerse** to fall down (11); **dejar caer** to let fall/drop
café *m.* coffee (2); café; **color café** brown (A); **tomar café** to drink coffee
cafetera coffee pot (6)
cafetería cafeteria (3)
caja box (13); case; cash register

cajero/a cashier (5); teller (*in a bank*); **cajero automático** automatic teller machine (ATM)
cajón *m.* drawer; crate, chest
calabacita squash, zucchini (8)
calamar *m.* squid
calcetín *m.* sock (13)
calcio calcium
calculadora calculator (13); **calculadora de bolsillo** pocket calculator
calcular to add up; to calculate
caldo clear soup (8)
calefacción *f.* heating (system)
calendario calendar
calentador *m.* heater (6)
calentar (**ie**) to warm up (6)
calidad *f.* quality (13)
caliente hot (4); **té** (*m.*) **caliente** hot tea (8)
calificación *f.* grade
callado/a quiet (6)
callarse to be quiet (13)
calle *f.* street (1)
callejero/a: vendedor(a) callejero/a street vendor
calmar to calm, quiet down
calor *m.* heat; **hace calor** it's hot (weather) (1); **tener calor** to be hot (4)
caloría calorie (7)
caluroso/a warm (10)
calvo/a bald (15)
calzada wide road
calzoncillos *pl.* men's underwear (13)
cama bed (3); **cama matrimonial** double bed (7); **tender la cama** to make the bed (7)
cámara camera; chamber
camarera chambermaid (11)
camarones *m. pl.* shrimp (8)
cambiar to change (9); **cambiar un cheque (dinero)** to cash a check (money) (11); ¡**cómo cambia el mundo!** how the world changes! (C)
cambio change (11); **cambios** *pl.* gears (10); **en cambio** on the other hand
camilla stretcher (12)
caminar to walk (2)
caminata *n.* walk
camino road (10), path; journey, trip; **por el camino** on the way
camión *m.* truck (10)
camioneta van, light truck
camisa shirt (A)
camiseta T-shirt, undershirt (A)
camisón *m.* nightgown (13)
camote *m.* sweet potato
campamento camp
campaña campaign; **campaña de alfabetización** literacy campaign (16); **carpa de campaña** tent; **tienda de campaña** tent (13)
campeón, campeona champion
campesino/a peasant (16)
camping *m.* campground
campo country(side) (7)
Canadá *m.* Canada

canadiense *n., adj.* Canadian
canailla *type of fish*
cáncer *m.* cancer (10)
cancha de tenis tennis court (6)
canción *f.* song (16)
candidato/a candidate (16)
cangrejo crab (8)
canicas *pl.* marbles
cansado/a tired; **estoy un poco cansado/a** I am a bit tired (A)
cansancio fatigue; weariness (12)
cansar to make tired (12); **cansarse** to get tired (12)
cantante *m., f.* singer (5)
cantar to sing (5)
cantarín, cantarina fond of singing
cantidad *f.* quantity (10)
cantina bar
canto song
caña de azúcar sugar cane
cañón *m.* canyon (10)
caos *m.* chaos
capa de ozono ozone layer (10); **agujero en la capa de ozono** hole in the ozone layer (10)
capacidad *f.* capacity
capataz *m.* (*pl.* **capataces**) foreman
capilla chapel
capital *m.* capital (*money*) (16); *f.* capital (*city*)
capítulo chapter
capó hood (*automobile*) (10)
capota hood (*automobile*)
captar to capture
caqui: de color caqui khaki (13)
cara face (B)
caracol *m.* snail
carácter *m.* (*pl.* **caracteres**) personality, character (15)
caracterizar (**c**) to characterize (16)
caramba *exclamation of surprise*
caray *exclamation of surprise*
carbohidrato carbohydrate
carbón *m.* coal
carburos (*pl.*) **fluorados** fluorocarbons (10)
cárcel *f.* jail (16)
carecer (**zc**) to lack
carente *adj.* lacking
cargo office, position; **hacerse cargo** to take charge
Caribe *m.* Caribbean (3)
caricatura cartoon
caridad *f.* charity
cariño affection; endearment
carmín *m.* carmine, crimson
carne *f.* meat; beef; **carne de cerdo/puerco** pork (8); **carne de res** beef (8); **carne molida** ground beef (8)
carnicería meat market (13)
caro/a expensive (6)
carpa de campaña tent
carpintero/a carpenter
carrera career; course of study; race; **seguir una carrera** to have a career (5)

carretera highway (10)

carro car, automobile (C); **dar un paseo en carro** to go for a drive

carta letter; **escribir cartas** to write letters

cartel *m.* poster

cartera wallet (13)

cartón *m.* cardboard (13)

casa house (A); **ama** *f.* (*but* **el ama**) **de casa** housewife (3); **casa editorial** publishing house; **casa particular** private home (6)

casado/a married (C)

casamiento marriage

casarse (con) to get married (to) (7); **casarse por lo civil** to get married in a civil marriage ceremony (15)

cáscara rind, peel, skin (8); shell

casco helmet (10)

casero/a home-made; household

casete *m.* cassette

casi almost (1); **casi nunca** very rarely

casimir *m.* cashmere

caso case; **en caso de que** in case (15); **hacer caso** to pay attention

castaño/a brown (*hair; eyes*) (A)

castellano Spanish (language)

castigar (gu) to punish (14)

castigo punishment (14)

castillo castle

casualidad *f.* chance; coincidence

catalizador *m.* catalytic converter

catarata waterfall (10)

catarro cold (illness) (12)

catedral *f.* cathedral

catolicismo Catholicism

católico/a Catholic (16)

catorce fourteen (A)

causa: a causa de because of (15)

causar to cause (10)

cavado/a dug

cebiche *m. Peruvian national dish of raw fish marinated in lemon juice*

cebolla onion (8)

ceja eyebrow (12)

celebración *f.* celebration

celebrar to celebrate (4)

celos *pl.* jealousy; **morirse de celos** to die of jealousy

celoso/a jealous

célula cell

cena dinner (3)

cenar to have dinner (1); **cenar fuera** to go out to dinner (1)

cenicero ashtray

censo census

centavo cent (B); **no tener ni un centavo** to be broke (13)

centígrado/a *adj.* centigrade (10)

céntrico/a central

centro center; downtown (2); **centro comercial** shopping center (6)

centroamericano/a Central American

cepillarse los dientes to brush one's teeth

cepillo brush (13); **cepillo de dientes** toothbrush (6)

cerca *n.* fence (6); *adv.* near; **cerca de** *prep.* close to (3)

cercanías *pl.* vicinity, environs

cercano/a near, close by (6)

cerdo pork; **carne** (*f.*) **de cerdo** pork (8); **chuleta de cerdo** pork chop

cerebro brain (12)

ceremonia ceremony

cero zero (A)

cerrado/a closed (13)

cerrar (ie) to close (A); to turn off (*appliance*)

cervantino/a pertaining to Cervantes

cerveza beer (7)

césped *m.* lawn (6)

cesta de la compra shopping basket

ceviche *see* **cebiche**

chamarra *Mex.* jacket (13)

champaña *m.* champagne

champú *m.* shampoo

chaqueta jacket (A)

charlar to chat (2)

chatarra junk

cheque *m.* check; **cambiar un cheque** to cash a check (11); **cheque de viajero** traveler's check (11)

chicano/a Chicano (16)

chícharo green pea (8)

chicharrón *m.* pork crackling

chicle *m.* chewing gum (3)

chico/a *n. m., f.* young man/young woman (B); *adj.* small

chile *m.* chili pepper; **chile relleno** stuffed chili pepper

Chile *m.* Chile (2)

chileno/a *n., adj.* Chilean (3)

chimenea fireplace (6)

china orange (*fruit*) (7)

chino *n.* Chinese (language) (C)

chino/a *n., adj.* Chinese (C); **cobrarse a lo chino** to take a cut (*money*)

chiquillo/a child; *coll. Sp.* darling, beloved

chismear to gossip (16)

chiste *m.* joke

chistoso/a funny (12)

chivito/a kid, young goat

chocar (qu) to collide, crash; **chocar con** to crash, run into (*something*) (11)

chocolate *m.* chocolate; **chocolate caliente** hot chocolate

chofer *m., f.* driver (5)

choque *m.* collision, crash (12)

chorizo sausage

choza hut, shack

chuleta chop (8); **chuleta de cerdo** pork chop

chuletón *m.* large steak

chultún *m. subterranean chamber carved in rock*

churrasco barbecued meat, steak

churrasquería barbecue stall

ciberespacio cyberspace

cibernético/a: espacio cibernético cyberspace

cicatriz *f.* (*pl.* **cicatrices**) scar (12)

ciclismo cycling

ciclo cycle

ciclón *m.* cyclone (10)

ciego/a *n.* blind person; *adj.* blind

cielo sky (10); heaven

cien, ciento one hundred (C); **por ciento** percent

ciencia science (9); **ciencias sociales** social science (1); **ciencias políticas** political science; **Facultad** (*f.*) **de Ciencias Naturales** School of Natural Sciences (3)

científico/a *n.* scientist; *adj.* scientific

cierto/a certain (16); true

ciervo/a deer

cigala *edible crustacean*

cigarrillo cigarette (12)

cigarro cigar

cilindrada cylinder capacity

cima top, summit

cinco five (A); **a las cinco** at five o'clock

cincuenta fifty (B)

cine *m.* movie theater (1); **estrella de cine** movie star (15)

cinta tape, cassette (5); **cinta de video** video tape

cintura waist (12)

cinturón *m.* belt; **cinturón de seguridad** seat belt (10)

circulación *f.* circulation; traffic (10)

circular to circulate (12)

ciruela plum; **ciruela seca** prune

cirujano/a surgeon (12)

cita appointment; date (12)

ciudad *f.* city

ciudadanía citizenship (1)

ciudadano/a citizen (10)

civil: casarse por lo civil to get married in a civil marriage ceremony (15); **estado civil** marital status (1)

civilización *f.* civilization

claro/a clear; **claro** of course; **claro que no** of course not (B); **claro que sí** of course (B)

clase *f.* class (A); kind, type; **compañero/a de clase** classmate (A); **dar clases** to teach; **después de clases** after school; **primera clase** first class (11); **salón** (*m.*) **de clase** classroom

clásico/a classical

clasificado/a: aviso clasificado classified ad (5)

clasificar (qu) to classify

clausura closing

clavar to fix, fasten, nail down

clave *adj. inv.* key

cliente, clienta customer (5)

clima *m.* climate (2)

climatizado/a: piscina climatizada heated pool

clínica *n.* clinic (5)

clínico/a clinical

clorhidrato hydrochloride
club *m.* club (3); **club nocturno** nightclub (5)
cobalto cobalt
cobarde *n. m., f.* coward; *adj.* cowardly
cobertura coverage
cobrar to charge (*amount one collects*); **cobrarse a lo chino** to take a cut (*money*)
cobre *m.* copper
cobro charge (*money owed*)
cocaína cocaine
coche *m.* car, automobile (C); **coche deportivo** sports car (13)
cochera garage (10)
cocido/a cooked; **huevos cocidos** hard-boiled eggs (8); **poco cocido** rare (*meat*) (8)
cocina kitchen (5); stove
cocinar to cook (1)
cocinero/a cook (5)
coctel *m.* cocktail
cod. (*abbrev. for* **código**) (postal) zip code
codo elbow (12)
coger (**j**) to catch
cognado cognate
coincidencia coincidence; **¡qué coincidencia!** what a coincidence! (11)
coincidir to coincide (4)
cojín *m.* cushion, pillow (15)
col. (*abbrev. for* **colonia**) colony; neighborhood
cola: hacer cola to stand in line (11)
colaborar to collaborate
colada: piña colada *tall mixed drink of rum, cream of coconut, pineapple juice, and ice, usually mixed in a blender*
colador *m.* sieve
colchón *m.* mattress
colección *f.* collection
colectivo/a *adj.* communal; **colectivo** *n.* (*Arg., Peru*) *passenger vehicle smaller than a bus*
colega *m., f.* colleague
colegio high school (4)
colgar (**ue**) (**gu**) to hang (*clothes in a closet*) (6)
coliflor *f.* cauliflower
colina hill (10)
collar *m.* necklace; **collar de perlas** pearl necklace
colocar (**qu**) to place
colombiano/a *adj.* Colombian (3)
colonia colony; neighborhood; cologne (4); **colonia espacial** space colony (15)
colonizado/a colonized
colonizador(a) *n.* colonizer
color *m.* color; **color café** brown (A); **¿de qué color es?** what color is it? (A); **¿de qué color tiene el pelo / los ojos?** what color are your (*pol. sing.*)/his/her hair/eyes? (B); **televisor** (*m.*) **en colores** color TV set
colorante *m.* coloring agent
columna column
comadre *f.* very good friend (*female*); god-

mother; mother of one's godchild (15)
comarca region
combate *m.*: **acorazado de combate** battle-ship
combinación *f.* combination; slip (13)
combinar to combine
combustible *m.* fuel; **gastar combustible** to use gas (10)
comedia comedy
comedor *m.* dining room (6)
comején *m.* termite
comentar to comment
comentario comment, commentary; **hacer comentarios** to comment
comenzar (**ie**) (**c**) to begin; **comenzar a** (+ *infin.*) to begin to (*do something*)
comer to eat (2); **comerse** to eat up, finish up
comercial *adj.* commercial, business; **anuncio comercial** TV or radio commercial; **aviso comercial** notice; ad (5); **centro comercial** shopping center (6)
comercio commerce, business (16); **libre comercio** free enterprise
comestibles *m. pl.* food; groceries
cometa: volar una cometa to fly a kite (2)
cometer to commit (*error, crime*) (16)
cómico/a comical; **tiras cómicas** comic strips (9)
comida food (4, 8); meal; lunch
comisión *f.* commission
como as; as a; like; since (6); **como si nada** as if nothing were wrong; **tal y como** exactly the same as; **tan... como** as . . . as (6); **tan pronto como** as soon as (15); **tanto(s)/tanta(s)... como** as many . . . as (6)
cómo no *interj.* of course
¿cómo? how?; what?; **¿cómo era... ?** what were you (*pol. sing.*) / was he/she/it like? (8); **¿cómo eres (tú)?** what are you (*inf. sing.*) like? (B); **¿cómo es usted/él/ella?** what are you (*pol. sing.*) / is he/she like? (B); **¿cómo está usted?** how are you (*pol. sing.*)? (A); **¿cómo estás (tú)?** how are you (*inf. sing.*)? (B); **¿cómo se llama?** what is his/her name? (A); **¿cómo se llama usted? / ¿cómo te llamas?** what is your name? (A); **¿cómo son ustedes/ellos/ellas?** what are you (*pol. pl.*) /they like? (B)
cómoda chest of drawers (6)
cómodamente *adv.* comfortably (10)
comodidad *f.* comfort (11)
cómodo/a comfortable (13)
compacto: reproductor (*m.*) **para discos compactos** CD player (1)
compadre *m.* very good friend (*male*); god-father; father of one's godchild (15)
compañero/a companion; **compañero/a de clase** classmate (A)
compañía company (5)
comparación *f.* comparison (6)
comparar to compare (3)

compartir to share (6)
compatriota *m., f.* fellow countryman/countrywoman, fellow citizen
competencia competition
competir to compete
complacer (**zc**) to please
complejo *n.* complex; **complejo turístico** tourist resort
complemento: pronombre (*m.*) **de complemento directo/indirecto** direct/indirect object pronoun
completar to complete (7)
completo/a complete; **jornada completa** full-time (5); **por completo** totally
comportamiento behavior (14)
composición *f.* composition
compra purchase; grocery shopping; **cesta de la compra** shopping basket; **hacer las compras** to go grocery shopping (6); **ir de compras** to go shopping (1)
comprar to buy (4)
comprender to understand (5); **comprenderse** to understand each other (14)
comprensión *f.* comprehension, understanding
comprometerse a (+ *infin.*) to pledge one-self, promise to (*do something*)
comprometido/a: estar comprometido/a to be engaged (15)
compromiso engagement
compuesto compound (*chemical*)
computación *f.* computation; calculation
computación móvil portable computing
computador(a) computer
común common (16); **el común de la gente** the majority of the people
comunicación *f.* communication (A)
comunicar (**qu**) to communicate; **comunicarse** to communicate with each other
comunidad *f.* community (16)
comunista *n. m., f.; adj.* communist (16)
con with (A); **con tal (de) que** provided that; as long as (16)
concebir (**i, i**) to conceive
concentrado/a concentrated
concierto concert; **entradas para un concierto** tickets for a concert
concluir (**y**) to conclude
concurso contest
conde, condesa count/countess
condición *f.* condition (10)
condicional conditional
condimento condiment
condominio condominium
conducir (**zc**) (**j**) to drive
conducta conduct, behavior
conductor(a) driver (16)
conectar to connect (16)
confeccionar to make, prepare
conferencia conference (15); lecture
conferencista *m., f.* conference speaker, lecturer
confesar (**ie**) to confess

confianza confidence; **de confianza** confidential

conformarse to make do

confrontar to confront

confuso/a confused

congelador *m.* freezer (6)

congelar to freeze

congestionado/a congested (12)

congreso congress

conjunto group

conmigo with me (4)

conmovedor(a) *adj.* moving

conocedor(a) *n., adj.* expert

conocer (zc) to meet (6); to know (6); **dar a conocer** to make known

conocimiento knowledge

conquistador(a) conqueror (16)

conquistar to conquer (16)

consciente conscious; aware; **ser consciente de** to be aware of

consecuencia consequence (15)

conseguir (i, i) (g) to obtain, get (15)

consejo advice (11)

consenso consensus

consentimiento consent

conservación *f.* preservation

conservador(a) *n.* preservative (8); *adj.* conservative (B)

conservar to preserve; to maintain (14)

considerar to consider

consistir en to consist of (15)

constitución *f.* constitution (16)

construcción *f.* construction (13)

construir (y) to build (16)

consulado consulate (11)

consulta consultation, office visit

consultar con to consult (12)

consultorio doctor's office (5)

consumidor(a) consumer

consumo consumption (9)

contador(a) accountant (5)

contaduría notary's office

contagiarse de to catch (*a disease*)

contagio spreading (*of disease*)

contaminación *f.* pollution; **contaminación ambiental** environmental pollution

contar (ue) to count; to tell, narrate (7)

contener (*like* **tener**) to contain (8)

contenido *sing.* contents

contento/a happy (4); **estar contento/a de que** to be happy that

contestación *f.* answer, reply

contestadora telefónica answering machine (11)

contestar to answer (C)

contigo *inf. sing.* with you (14)

continuación: a continuación next, following

continuo/a continual

contra against (12); **estar en contra de** to be against (15)

contracción *f.* contraction (12)

contraer (*like* **traer**) to contract

contratista *m., f.* contractor

contribuir (y) to contribute (15)

control *m.* control; **control de la natalidad** birth control (16)

controvertible controversial

convencer (z) to convince

convenir (*like* **venir**) to suit; to be convenient

converger (**convergir**) (j) to converge

conversación *f.* conversation

conversar to converse, talk, chat (2)

convertir (ie, i) to change; **convertirse en** to become

convivir to live together (harmoniously); to coexist

coordinador(a) coordinator

coordinar to coordinate

copa (wine)glass (8)

corazón *m.* heart (12); **ataque** (*m.*) **del corazón** heart attack (12)

corbata tie (*clothing*) (A)

cordero lamb

cordillera mountain range (10)

corral *m.* yard; stockyard, pen (13)

corrección *f.* correction

corredor *m.* corridor

corregir (i, i) (j) to correct

correo mail; post office (11); **correo electrónico** e-mail (15); **mandar por correo** to send by mail

correr to run (2); **correr riesgo** to run a risk

correspondencia correspondence

corresponder to correspond (4)

correspondiente corresponding (4)

corrida de toros bullfight

corriente *f.* current (10); **agua corriente** running water (8)

corsé *m.* corset

cortar to cut (5); **cortarse el pelo** to cut one's hair, have one's hair cut

corte *f.* court; *m.* cutting; cut, fit (*of clothing*) (13)

cortésmente courteously

cortina curtain (6)

corto/a short (*in length*) (A)

cosa thing (B)

cosecha crop, harvest

coser to sew (2)

cosmopolita *adj. m., f.* cosmopolitan

cosmos *m. sing., pl.* universe; world

costa coast (10); **a costa de** at the expense of

costado *n.* side (12)

costar (ue) to cost; **¿cuánto cuesta(n)... ?** how much is/are . . . ? (B); **cuesta(n)...** it costs (they cost) . . . (B)

costarricense *n., adj.* Costa Rican (3)

costilla rib (12)

costo cost

costumbre *f.* habit, custom (16)

costura: alta costura haute couture

cotidiano/a *adj.* daily

cotillear *coll.* to gossip (16)

creación *f.* creation

crear to create (10)

crecer (zc) to grow, grow up (8)

crecimiento growth

crédito credit; **tarjeta de crédito** credit card (8)

creencia belief

creer (y) to believe; to think (5); **creo que no** I don't think so (16); **creo que sí** I think so (16); I should think so!; **(no) creer que** to (not) believe that (16); **no lo creo** I don't believe it (1); **no lo puedo creer** I can't believe it (16); **ya lo creo** of course

crema cream (8)

criada (live-in) maid

criado servant

crianza upbringing (14)

criar(se) to bring up (be brought up); to grow up (15); to raise (*cattle*)

crimen *m.* crime

criollo/a Creole; *Born in Latin America of European parents*

crisis *f. sing., pl.* crisis (16)

cristal *m.* pane of glass

cristiano/a Christian

crítica criticism

criticar (qu) to criticize

crítico/a critical

cronológico/a chronological

crucero cruise ship; cruise (10)

cruda hangover

crudo/a *adj.* raw (8); severe, harsh (*weather*)

cruz *f.* (*pl.* **cruces**) cross; **la Cruz Roja** Red Cross (11)

cruzar (c) to cross (7)

cuaderno notebook (B)

cuadra stable; block (*street*) (11)

cuadrado/a squared

cuadro box, square (4); picture (*on the wall*) (6); **de cuadros** checkered, plaid (13)

¿cuál? what?, which? (C); **¿cuál(es)?** which (ones)?; **¿cuál es su nombre?** what is your name? (A)

cualidad *f.* quality (15)

cualquier(a) any (10)

cuando when (4); **de vez en cuando** once in a while (10)

¿cuándo? when?

¿cuánto/a? how much?; how long?; **¿cuánto cuesta(n)... ?** how much is/are . . . ? (B); **cuánto hace que** + *present... ?* how long have/has . . . ? (9); **¿cuánto tiempo hace que... ?** how long has it been since . . . ? (7); **¿cuánto vale?** how much is it? (13)

cuanto: en cuanto as soon as (15); **en cuanto a** as for, as regards; **unos/as cuantos/as** a few

¿cuántos/as? how many?; **¿cuanto/a/s... ?** how many . . . ? (10); **¿cuántos/as (hay)?** how many (are there)? (A); **¿cuántos años tiene(s)?** how old are you? (C)

cuarenta forty (B)

cuarto room; bedroom; **y/menos cuarto** quarter past/to (*time*) (1)

cuarto/a fourth (2)

cuartucho hovel; small room
cuate/a twin; buddy
cuatro four (A)
cuatrocientos/as four hundred
cubano/a *n., adj.* Cuban (3)
cubanoamericano/a *adj.* Cuban American
cubierto/a (*p.p. of* **cubrir**) covered
cubismo cubism
cubrir (*p.p. of* **cubierto**) to cover (8)
cuchara spoon (8)
cucharita teaspoon (8)
cucharón *m.* ladle (8)
cuchillo knife (8)
cuello neck (B); **cuello en V / en pico** V-neck collar (13)
cuenco bowl
cuenta bill, check (8); **darse cuenta (de)** to realize; **tomar en cuenta** to take into account
cuento short story
cuerda: saltar la cuerda to jump rope (9)
cuero leather (13)
cuerpo body (B)
cuestión *f.* question, issue, matter
cuestionar to question
cuidado care; **con cuidado** with care, carefully (7); **¡cuidado!** (be) careful!; **cuidado médico** medical care; **tener cuidado** to be careful
cuidar (de) to take care (of) (5); **cuidarse** to take care of oneself (11)
culata butt (*gun*)
culpa fault, blame; **tener la culpa** to be to blame, be guilty (12)
culpabilidad *f.* guilt
cultivarse to be cultivated
cultivo cultivation
culto educated; cultured (16)
cultura culture (16)
culturismo body-building
cumbre *f.* summit
cumpleaños *m. sing., pl.* birthday (1); **feliz cumpleaños** happy birthday (1)
cumplir (con) to fulfill, carry out (16); **cumplir años** to have a birthday (7)
cuñado/a brother-in-law/sister-in-law (9)
cuota quota
cupón *m.* coupon
cura *f.* cure (10); *m.* priest (*Catholic*) (15)
curar to cure; **curarse de** to cure oneself, be cured of (12)
curiosidad curiosity
curioso/a curious
curita adhesive bandage (12)
curso course (4)
curtido/a tanned (*leather*)
curva curve (10)
cuyo/a whose (16)

D

dálmata *adj. m., f.*: **perro dálmata** dalmatian (dog)
dama lady (13)

damas *pl.* checkers
danza dance (9)
dañar to damage
dañino/a harmful
daño damage; **hacer daño** to harm
dar *irreg.* to give (6); **da lo mismo** it doesn't matter; **dar a conocer** to make known; **dar como resultado** to result in; **dar la bienvenida** to welcome (4); **dar miedo** to frighten; **dar muchas vueltas** to go back and forth; **dar permiso** to give permission (9); **dar rabia** to anger, enrage; **dar risa** to make laugh; **dar un aventón** *Mex.* to give (*someone*) a ride; **dar un beso** to (give a) kiss (7); **dar un paseo** to take a walk (4); **dar un paseo en carro** to go for a drive; **dar un paso** to take a step; **dar una fiesta** to give a party (2); **dar vueltas** to go around; **darle la mano a alguien** to shake someone's hand; **darle risa a alguien** to make someone laugh; **darle una vuelta a alguien** to take someone for a walk; **darle vergüenza a uno** to be ashamed; **darse cuenta (de)** to realize; **darse la mano** to shake hands with each other (15); **darse por vencido** to give up
datar de to date from
datos *pl.* data; **datos personales** personal data
de *prep.* of; from (A); by; **del, de la** of the (A)
debajo de under (3)
deber *n. m.* duty
deber *v.* to owe; **deber** (+ *infin.*) should, ought to (*do something*) (3); **debía de ser** it should be
debido a due to (16)
década decade
decidir to decide (12)
décimo/a tenth (2)
decir *irreg.* to say, tell (1); **es decir** that is to say; **¡no me digas!** you don't say!; **querer decir** to mean; **y tú, ¿qué dices?** and you? (what do you say?) (1)
decisión *f.* decision (15); **tomar una decisión** to make a decision
declaración *f.* declaration; statement (7)
declarar to declare (16); **declarar la huelga** to go on strike
decorado *n.* decor
decorado/a *adj.* decorated (6)
decretar to decree
dedicar (qu) to dedicate
dedo finger (12)
deducir (zc) (j) to deduct
defenderse (ie) to defend oneself
defensa defense (16)
definición *f.* definition
definir to define (16)
dejar to leave (7); to abandon; to allow; **déjame en paz** leave me alone; **dejar** (+ *infin.*) to allow (*someone*) to (*do something*) (14); **dejar caer** to let fall/drop; **dejar de**

(+ *infin.*) to stop (*doing something*) (12); **dejar que** (+ *subjunctive*) to allow someone to (*do something*) (14); **se lo(s)/la(s) dejo en...** I'll let you have it (them) for . . .
del (*contraction of* **de** + **el**) of the (1); from the
delante de in front of
delfín *m.* dolphin
delfinario dolphin tank
delgado/a thin (A)
delicioso/a delicious
delincuencia delinquency
delito crime, offense
demanda demand; request
demandar to demand; to ask (for)
demás: lo demás the rest; **los/las demás** the rest, others (7)
demasiado *adv.* too much (8)
demasiado/a *adj.* too much; **demasiados/as** *pl.* too many
democracia democracy
democrático/a democratic (6)
demostrar (ue) to demonstrate (16)
demostrativo: pronombre (*m.*) **demostrativo** demonstrative pronoun
denso/a dense (10)
dental: hilo dental dental floss
dentista *m., f.* dentist
dentro inside; **dentro de** inside; within (15); **por dentro** on the inside (8)
departamento *Mex.* apartment (6); province
dependencia room
depender de to depend on (15)
dependiente, dependienta clerk, salesperson (5)
deporte *m.* sport; **practicar un deporte** to play a sport (2)
deportista *n. m., f.* sportsman/sportswoman; *adj. m., f.* athletic (B)
deportivo/a *adj.* sporting, sport related (2); **coche** (*m.*) **deportivo** sports car; **ropa** (*sing.*) **deportiva** sports clothes (1)
depósito deposit
deprimido/a depressed (4)
derecha *n.* right hand, right side; **a/de la derecha** to/from the right (3)
derecho *n.* right (*legal*); law; straight ahead; **de derecho** by right; **derecho** (*sing.*) **de aduana** customs duties, taxes (11); **Facultad** (*f.*) **de Derecho** School of Law (3)
derecho/a *adj.* right; right-hand
derivarse (de) to derive (from)
derramar to spill
derrocar (qu) to overthrow
derrotar to defeat (16)
derrumbe *m.* landslide
desafortunadamente unfortunately
desagradable unpleasant (5)
desagradar to displease; to bother; to upset
desahogadamente comfortably
desamparado/a homeless person (14)
desanimarse to become discouraged
desaparecer (zc) to disappear

desaparición disappearance
desarmarse to fall to pieces
desarrollar to develop (10)
desarrollo development (16); **en vías de desarrollo** *adj.* developing
desastre *m.* disaster (6); **¡qué desastre!** what a mess! (16)
desatarse to be let loose
desayunar to have breakfast (2)
desayuno breakfast (4)
descansar to rest (2)
descanso rest; break (2)
descender (ie) to descend
descendiente *m., f.* descendant
descenso descent
descomponerse (like poner) to break down (12)
desconectar to disconnect
descongestionante *m.* decongestant (12)
desconocido/a *n.* stranger (14); *adj.* unknown
describir (p.p. descrito) to describe
descripción *f.* description (A)
descrito/a (p.p. of describir) described
descubierto/a (p.p. of descubrir) discovered
descubridor(a) discoverer (16)
descubrimiento discovery
descubrir (p.p. descubierto) to discover (9)
desde *prep.* from (3); **desde la(s)... hasta la(s)...** from . . . to . . . *(time)* (4); **desde que** *conj.* since
desear to desire, wish (11)
desecho waste
desembocar (qu) en to flow into
desempacar (qu) to unpack
desempleado/a *adj.* unemployed (16)
desempleo unemployment; **tasa del desempleo** unemployment rate (16)
desempolvar to dust (6)
desentenderse (ie) to feign ignorance
deseo desire, wish (2)
deseoso/a desirous
desequilibrio instability
desesperación *f.* desperation
desesperado/a desperate (7)
desgracia misfortune; **por desgracia** unfortunately
desgraciadamente unfortunately
deshacerse (like hacer) de to get rid of
deshidratación *f.* dehydration
desierto desert (10)
desilusión *f.* disillusion
desinflado/a flat, deflated; **llanta desinflada** flat tire (10)
deslizar (c) to slip out
desmayarse to faint (12)
desmentir (ie, i) to deny
desmoronamiento crumbling, decaying
desocupado/a vacant, unoccupied
desordenado/a *n.* disorderly person; *adj.* disorderly, disarranged
despacio *adv.* slowly (10)
despedirse (i, i) to say goodbye

despegar (gu) to take off *(airplane)*
despejar to clear up; to clear *(weather)*
despensas *pl.* provisions
desperdiciar to waste (10)
desperdicios *pl.* waste; **desperdicios (pl.) nucleares** nuclear waste (10)
despertador *m.* alarm clock
despertar (ie) to wake; **despertarse** to wake up (4)
despierto/a awake; awakened
desplazar (c) to displace; to move; to transport
después *adv.* after (2); **después de** *prep.* after (4); **después de clases** after school; **después de que** *conj.* after (14); **poco después** a bit later (7)
destacarse (qu) to stand out
destapar to decongest; to unplug
destino destination (11); destiny
destrucción *f.* destruction (10)
destruir (y) to destroy (16)
desventaja disadvantage (15)
desviación *f.* detour (10)
detallado/a detailed
detalle *m.* detail (15)
detección *f.* detection (16)
detectar to detect
detector (m.) de metales metal detector
detener (like tener) to detain; to stop (16); **detenerse** to stop oneself (12); to linger
determinación *f.* determination
detestar to hate
detrás de behind (3)
deuda debt; **deuda externa** foreign debt (16)
devaluación *f.* devaluation
devastador(a) devastating
devolver (ue) (p.p. devuelto) to return *(something)* (13)
devuelto/a (p.p. of devolver) returned *(something)*
día *m.* day; **buenos días** *pl.* good morning (A); **cada día** each day; **de día** by day; **Día de Acción de Gracias** Thanksgiving Day (4); **día de fiesta** holiday; **Día de la Independencia** Independence Day (4); **Día de la Madre** Mother's Day (4); **Día de la Raza/Hispanidad** *a celebration of Hispanic identity held on October 12*; **Día de los Enamorados** Valentine's Day (4); **Día de los Muertos** All Souls' Day (4); **Día de los Reyes Magos** Epiphany, Jan. 6th *(lit.* Day of the Magi) (4); **Día de Todos los Santos** All Saints' Day (4); **Día del Padre** Father's Day (4); **día del santo** saint's day (4); **día feriado** holiday; **día festivo** holiday; **en el día a día** in day-to-day life; **hoy (en) día** nowadays; **todo el día** all day long; **todos los días** every day (4)
diablo devil
diálogo dialogue (A)
diamante *m.* diamond (13)
diariamente daily (10)

diario/a daily (3)
dibujar to draw (5)
dibujo drawing (B)
diccionario dictionary (B)
dicho *n.* saying
dicho/a (p.p. of decir) said
diciembre *m.* December (1)
dictador(a) dictator (16)
dictadura dictatorship
diecinueve nineteen (A)
dieciocho eighteen (A)
dieciséis sixteen (A)
diecisiete seventeen (A)
diente *m.* tooth (11); **cepillarse los dientes** to brush one's teeth; **cepillo de dientes** toothbrush (6); **lavarse los dientes** to brush one's teeth (4); **pasta de dientes** toothpaste
dieta: estar a dieta to be on a diet (8)
dietético/a *adj.* diet
diez ten (A)
diferencia difference
difícil difficult (B)
dificultad *f.* difficulty (16)
dilema *m.* dilemma
diminutivo diminutive (e.g., -ito/a)
dinastía dynasty
dinero money (5); **cambiar dinero** to change/exchange money; **dinero en efectivo** cash *(money)* (11); **ganar dinero** to earn money
dinosaurio dinosaur
dios *m.* god; **Dios** God
diplomático/a diplomat (16)
diputación *f.* delegation; committee
dirección *f.* direction; address (1)
directamente directly
director(a) (school) principal (6)
dirigente *adj.* ruling
dirigir (j) to direct (15)
discernir (ie) to discern
disco record (3); **poner discos** to play records (3); **reproductor (m.) para discos compactos** CD player (1)
discoteca discotheque (4)
disculpar to excuse, pardon; **disculpe** excuse me (7)
discusión *f.* discussion
discutir to discuss; to argue (9)
diseñar to draw; to design
diseño design
disfrutar to enjoy (11)
disminución *f.* reduction
disminuir (y) to diminish, reduce (10); **disminuir la velocidad** to reduce speed
disolvente *m.* solvent
disperso/a dispersed
disponer (like poner) de to have *(at one's disposal)* (11)
disponible available
dispuesto/a willing; **estar dispuesto/a a** to be willing to (15)
distancia distance

distinto/a different (14)
distracción *f.* distraction
distraerse (*like* **traer**) to distract oneself
distraído/a distracted
distribuir (**y**) to distribute
distrito district
disuelto/a dissolved
diversidad *f.* diversity
diversión *f.* entertainment (6)
diverso diverse
divertido/a fun (B); **¡qué divertido!** how fun! (1)
divertirse (**ie, i**) to have fun (4)
dividir to divide (11)
divisa motto
división *f.* division
divorciado/a divorced (C)
divorciarse to divorce
divorcio divorce (16)
doblar to turn (11); to fold (6)
doble sentido two-way (street) (10)
doce twelve (A)
doctor(a) doctor (B)
dólar *m.* dollar (B)
dolencia ache, pain; ailment (12)
doler (**ue**) to hurt, ache (12)
dolor *m.* pain (12); **dolor de cabeza** headache (12)
doloroso/a painful (12)
doméstico/a domestic; **animal** (*m.*) **doméstico** pet (5); **aparato doméstico** appliance (13); **empleado/a doméstico/a** servant (6)
domicilio address
dominar to dominate
domingo Sunday (1); **Domingo de Pascua** Easter Sunday (4)
dominicano/a of the Dominican Republic (3); **República Dominicana** Dominican Republic (3)
dominio power; authority
dominó *m. sing.* dominoes
don *m. title of respect used with a man's first name* (A)
donde where
¿dónde? where? (3); **¿de dónde es usted / eres tú?** where are you from? (3)
dondequiera: por dondequiera everywhere
doña *title of respect used with a woman's first name* (A)
dorado/a golden brown (8)
dormido/a asleep (9); **quedarse dormido/a** to fall asleep
dormir (**ue, u**) to sleep (1, 4); **dormir todo el día** to sleep all day (1); **dormir una siesta** to take a nap; **dormirse** to fall asleep (4)
dormitorio bedroom (6)
dos two (A); **los/las dos** both
doscientos/as two hundred
drama *m.* drama, play
dramaturgo/a playwright
drástico/a drastic
droga drug (12)

drogadicción *f.* drug addiction (12)
drogadicto/a drug addict (16)
ducha shower (6)
ducharse to shower (3)
duda: sin duda without a doubt
dudar to doubt; (**no**) **dudar que** to (not) doubt that (16)
dudoso/a doubtful; **es dudoso que** it is doubtful that (16)
dueño/a owner
dulce *adj.* sweet (8); *n. m. pl.* candy (14)
dulcería candy store (13)
dulzón, dulzona sickly sweet; *coll.* cloying
dúo duo, duet
duque *m.* duke
durante during (1)
durar to last
durazno peach (8)
durísimo/a very severe

E

e and (*used instead of* **y** *before words beginning with* **i** *or* **hi**)
ebola *f.* ebola (*type of virus*)
echar to throw, cast; **echar a correr** to break into a run; **echarse a** (+ *infin.*) to begin (*doing something*); **echar de menos** to miss someone or something; **echarse de menos** to miss each other
ecogrupo *m.* ecology group, group of ecologists
ecología ecology
ecológico/a ecological (10)
economía economy
económico/a economic
ecosistema *m.* ecosystem
ecoturismo ecotourism
ecuatorial: línea ecuatorial equator
ecuatoriano/a Ecuadoran (3)
ecuestre *m.* horseback riding
edad *f.* age (C); **edad límite** maximum age; **mayor de edad** of age, adult; **menor de edad** minor; (legally) under age (16); **¿qué edad tiene(s)?** how old are you? (C)
edificio building (3); **edificio de apartamentos** apartment building
edo. (*abbrev. for* **estado**) state
educación *f.* education (14); **educación sexual** sex education (16)
educar (**qu**) to educate
educativo/a educational (16)
EE.UU. (*abbrev. for* **Estados Unidos**) United States
efectivo: dinero en efectivo cash (*money*) (11)
efecto effect; **poner en efecto** to carry out; **surtir efecto** to work, have the desired effect
eficacia effectiveness
eficaz (*pl.* **eficaces**) effective (16)
eficiente efficient
egipcio/a Egyptian (C)
Egipto Egypt (C)

egoísta selfish (14)
ejecutivo/a *adj.* executive
ejemplo example; **por ejemplo** for example (9)
ejercer (**z**) to exercise
ejercicio exercise; **hacer ejercicio** to exercise (1)
ejercitarse to exercise
ejército army (16)
ejote *m.* green bean (8)
el *m. definite article* the (A); **el lunes** on Monday
él *sub. pron.* he; *obj. of prep.* him (B)
elaborar to manufacture, produce
elástico elastic (13)
elección *f.* election
electricidad *f.* electricity (15)
eléctrico/a electrical; **rasuradora eléctrica** electric razor (4)
electrodoméstico: aparato electrodoméstico household appliance
electrónico: correo electrónico e-mail (15)
elegir (**i, i**) (**j**) to elect
elevación *f.* elevation (10)
eliminar to eliminate (10)
ella *sub. pron.* she; *obj. of prep.* her (B)
ellos/as *sub. pron.* they; *obj. of prep.* them (B)
elote *m.* ear of corn (8)
embajada embassy
embajador(a) ambassador (16)
embarazada pregnant (14); **quedar embarazada** to become pregnant
embarazo pregnancy
embarcarse (**qu**) to embark (*on an enterprise*)
embargo: sin embargo however (7)
embellecimiento embellishment
emblema *m.* emblem
emborracharse to get drunk
embriagante *adj.* intoxicating
emergencia emergency (12); **sala de emergencias** emergency room (12)
emigrante *m., f.* emigrant
emigrar to emigrate (15)
emisión *f.* emission
emisora radio station (3)
emoción *f.* emotion
emocionante *adj.* exciting; moving
empacar (**qu**) to pack (11)
empanada turnover pie or pastry
emparejar to match
empeorar to worsen (15)
emperador emperor (7)
emperatriz empress (7)
empezar (**ie**) (**c**) to begin (2); **empezar a** (+ *infin.*) to begin to (*do something*)
empinado/a steep
empleado/a employee (11); **empleado/a doméstico/a** servant (6)
emplear to use; to employ
empleo job (5)
emplumado/a feathered
empobrecimiento impoverishment
empolvarse to get dusty

emprendedor enterprising
emprender to undertake, take on
empresa company, firm (15)
empresario/a manager
en in; on (A); at
en seguida immediately
enamorado/a (de) in love (with) (4)
enamorados *pl.* sweethearts; **Día** (*m.*) **de los Enamorados** Valentine's Day (4)
encabezar (**c**) to head, lead
encaje *m.* lacework
encantado/a delighted, pleased (*to meet someone*) (6)
encantador *adj.* delightful
encantar to delight, charm (8); **me encanta que** I love it when
encarcelar to imprison, jail
encargarse (**gu**) to be in charge
encarnar to represent; to embody
encender (**ie**) to turn on; to set on fire; **encender la luz** to turn on the light (6)
encerar to wax (10)
encerrar (**ie**) to shut in; to lock up
enchilada *rolled tortilla filled with meat and topped with cheese and sauce, cooked in an oven*
encías *pl.* gums (*anatomy*) (12)
enciclopedia encyclopedia
encima de on top of (3)
encomienda *Indian village granted to Spanish colonist by royal decree*
encontrar (**ue**) to find (3); to meet; **encontrarse con** to meet; to run into
encuentro encounter; meeting
encuesta survey (4)
endurecer (**zc**) to harden
enemigo/a enemy
energía energy (10); **fuente** (*f.*) **de energía** energy source (16)
enérgico/a energetic
enero January (1)
énfasis *m. sing., pl.* emphasis; stress
enfatizar (**c**) to emphasize
enfermarse to get sick (12)
enfermedad *f.* illness; disease; **enfermedad venérea** sexually transmitted disease
enfermero/a *n.* nurse (5)
enfermo/a *n.* sick person; *adj.* sick (4)
enfrentar to face; to confront; to meet, encounter (16); **enfrentarse con** to face
enfrente *adv.* in front; **de enfrente** in front; **enfrente de** in front of (3)
enfriar (**enfrío**) to cool off (10)
engañar to deceive
engaño deceit
engordar to get fat
enjuagar (**gu**) to rinse
enlace *m.* link; bond; union, marriage (15)
enlazar (**c**) to link, connect
enmendar (**ie**) to amend; to reform
enojado/a angry (4)
enojar: hacer enojar to make angry, anger; **enojarse** to get angry (12)
enorme enormous (13)

enriquecer (**zc**) to enrich; **enriquecerse** to get rich
enrollar to roll up
ensabanar to cover
ensalada salad (3)
ensaladilla potato salad
ensayista *m., f.* essayist
ensayo essay
enseñanza teaching (16)
enseñar to teach (5); to show (14)
entablar to strike up (*correspondence*)
entender (**ie**) to understand; **no entendí bien** I didn't quite understand (1)
enterarse to find out
entero/a whole (7)
enterrado/a buried
entonces then (11); **en aquel entonces** at that time
entorno environment, surroundings
entrada entrance (10); ticket (1); **de entrada** as an entrée (*meal*); **entradas para un concierto** tickets for a concert (1)
entrar (**en**) to enter; **entrar al trabajo** to start work (5); **entrar en vigor** to go into effect
entre between, among (3); **entre paréntesis** in parentheses; **entre semana** on weekdays, during the week (14)
entregar (**gu**) to hand in (9); to turn over
entrenamiento training; coaching
entrenar(se) to train
entretener (*like* **tener**) to amuse
entretenimiento entertainment, amusement
entrevista interview (B)
entrevistar to interview
entristecer (**zc**) to sadden; **entristecerse** to become sad (12)
entusiasmado/a excited
entusiasmo enthusiasm
entusiasta *adj. m., f.* enthusiastic (B)
envase *m.* packing, packaging; bottle (10)
enviar (**envío**) to send (6)
envidia envy; **¡qué envidia!** how I envy you! (7)
envío shipping
envolver (**ue**) (*p.p.* **envuelto**) to wrap (13)
enyesado/a in a cast (12)
epidemia epidemic
episodio episode (12)
época era, age (16)
equilibrar to balance
equipaje *m.* baggage (11); **exceso de equipaje** excess baggage; **reclamo de equipaje** baggage claim (11)
equipamiento equipment
equipo equipment; gear; (sports) team (1); **equipo de música** stereo (1)
equitativamente equitably
equivaler *irreg.* to be equivalent
equivocarse (**qu**) to make a mistake
era era, age

escabeche *m. marinade of oil, vinegar, herbs, and spices* (*to preserve fish*)
escala scale; stopover (11); **sin escala** nonstop (flight)
escalar montañas to go mountain climbing (5)
escalera stairway, stairs (6)
escaparse to escape, run away (12)
escarcha frost (10)
escasez *f.* (*pl.* **escaseces**) scarcity; shortage (14)
escaso/a scarce; scant; limited
escena scene (12)
esclavo/a slave (16)
escoba broom (6)
escobilla brush
escocés, escocesa *adj.* Scotch
escoger (**j**) to choose (4)
escolar of or pertaining to school
esconder to hide
escondite *m.* hiding place; **jugar al escondite** to play hide-and-seek (9)
escopeta shotgun
Escorpión *m.* Scorpio
escribir (*p.p.* **escrito**) to write; **¿cómo se escribe... ?** how do you spell . . . ? (1); **escribir a máquina** to type (5); **escribir cartas** to write letters (1)
escrito/a (*p.p. of* **escribir**) written
escritor(a) writer (13)
escritorio desk (B)
escritura *n.* writing
escuchar to listen (to) (1)
escuela school (4); **escuela primaria** grade school; **escuela secundaria** high school (7)
escultura sculpture
ese, esa *pron.* that (one); *adj.* that (3)
esencial essential
esfuerzo effort (10)
esgrima fencing
eso that, that thing, that fact; **a eso de** (+ *time*) around (*specific time*); **por eso** for that reason
esos/as *pron.* those (ones); *adj.* those
espacial *adj.* space; **colonia espacial** space colony (15)
espacio space; **espacio en blanco** blank (space) (3)
espada sword; **entre la espada y la pared** between a rock and a hard place
espaguetis *m. pl.* spaghetti
espalda back (B)
España Spain (C)
español *n. m.* Spanish (language) (A); **español** (*m.*) **mocho** broken Spanish
español(a) *n.* Spaniard; *adj.* Spanish (C)
espárragos *pl.* asparagus
especial special
especialidad *f.* specialty; major (*field of study*) (2)
especialista *m., f.* specialist
especializado/a specialized
especialmente especially (4)
especie *f. sing.* species (10)

específico/a specific
espectacular spectacular
espectáculo spectacle; show; performance
especulación *f.* speculation
espejo mirror (6); **espejo retrovisor** rearview mirror (10)
esperanza hope
esperar to hope; to wait for (3); **esperar... de...** to expect (*something*) from (*somebody*)
espeso/a thick (8)
espinacas *pl.* spinach
espíritu *m.* spirit
espléndido/a splendid
esponja sponge
esponjoso/a spongy
espontáneo/a spontaneous
esposo/a husband/wife (C)
esqueleto skeleton (12)
esquí *m.* skiing (1); ski
esquiar (esquío) to ski (2)
esquina corner
estabilidad *f.* stability
estabilizar (c) to stabilize (16)
estable *adj.* stable
establecer (zc) to establish
establo *n.* stable (13)
estación *f.* station (3); season (*weather*); **estación de autobuses** bus depot
estacionamiento parking lot (3)
estacionar to park (7)
estadio stadium (1)
estado state (3); **estado civil** marital status (1); **estado de ánimo** state of mind (12); **Estados Unidos** United States (C); **golpe (*m.*) de estado** *coup d'état*, overthrow of the government (16)
estadounidense *n. m., f.* United States citizen; *adj.* of, from, or pertaining to the United States
estallar to break out; to flare up
estancia stay
estante *m.* shelf (6)
estar *irreg.* to be (7); **¿cómo está usted?** how are you (*pol. sing.*)? (A); **¿cómo estás (tú)?** how are you (*inf. sing.*)? (B); **estar a dieta** to be on a diet (8); **estar a favor de / en contra de** to be for/against (15); **estar comprometido/a** to be engaged (15); **estar de acuerdo** to agree; **estar de buen/mal humor** to be in a good/bad mood (4); **estar de moda** to be in style; **estar de pie/sentado** to be standing/ seated, sitting down; **estar dispuesto/a a** to be willing to (15); **estar listo/a** to be ready (5); **estoy bien/regular** I am fine/OK (A); **estoy un poco cansado/a** I am a bit tired (A)
estatal *adj.* state
estatua statue (6)
estatura height (B); **estatura mediana** medium height (B)

este, esta *pron.* this (one); *adj.* this (5); **esta noche** tonight, this night (1); **este...** um . . . (*pause in speech*)
estereotípico/a stereotypical
estereotipo stereotype (2)
estilo style (13)
estimado/a dear; esteemed (14); **Estimado/a (Profesor/a)** Dear (Professor)
estimarse to be estimated
estimulante stimulating
estimular to stimulate; to encourage
estímulo stimulus
estirar la pata *coll.* to kick the bucket, die
estireno styrene
esto this, this thing, this matter (3)
Estocolmo Stockholm
estómago stomach (B); **dolor de estómago** stomach ache (12)
estornudar to sneeze (12)
estornudo sneeze (12)
estos/as *pron.* these (ones); *adj.* these
estrategia strategy
estrecho/a narrow; tight (13)
estrella star (10); **estrella de cine** movie star (15)
estrellarse to crash
estremecer (zc) to shake, tremble
estreno premiere, first performance
estrés *m.* stress
estudiante *m., f.* student (A)
estudiantil *adj.* student (16); **residencia estudiantil** university dorm (5)
estudiar to study (2)
estudio study; *pl.* studies, schooling (15)
estudioso/a studious
estufa stove (6)
estupendo/a stupendous
eterno/a eternal
etiqueta etiquette; tag, label (8)
étnico/a ethnic (16)
Europa Europe (9)
europeo/a European (2)
eutanasia euthanasia (16)
evaluación *f.* evaluation
evangelizar (c) to evangelize
evitar to avoid (12)
exactamente exactly (15)
examen *m.* (*pl.* **exámenes**) test
examinar to examine (5)
excedente *m.* excess, surplus
exceder to exceed, surpass
excelencia excellency
excepción *f.* exception
exceso excess; **exceso de equipaje** excess baggage; **exceso de velocidad** speeding (7)
excursión *f.* excursion (11); **hacer excursiones** to go on outings
exhibirse to be exhibited
exigir (j) to demand
existente existing
existir to exist
éxito success; **con éxito** successfully; **tener éxito** to be successful

experiencia experience
experimentado/a experienced
experimentar to test, try out
experto/a *n., adj.* expert (15)
explicación *f.* explanation
explicar (qu) to explain (5)
explorar to explore
explosión *f.* explosion
explotador(a) exploiter
explotar to exploit
exponerse (*like* **poner**) to open oneself up; to expose oneself
exportación *f.* export (16)
exportar to export (13)
exposición *f.* exhibition (16)
expresar to express (10)
expresión *f.* expression
expresivo/a expressive
expulsar to expel
exquisito/a exquisite
extender (ie) to extend
extensión *f.* extension (10)
extenso/a extensive
exterior *adj.* foreign; exterior
externo/a: deuda externa foreign debt (16)
extinción *f.* extinction (10)
extinguir (g) to extinguish
extirpar to remove (*surgically*)
extranjero/a *n.* foreigner; *n. m.* abroad; *adj.* foreign (15)
extrañar to miss, long for
extraño/a *adj.* strange (3); *n. m.* stranger
extrovertido/a *n.* extrovert; *adj.* extroverted (B)

F

fábrica factory (5)
fabricación making, manufacture (13)
fabricado/a a mano made by hand
fabricante *m.* manufacturer
fabuloso/a fabulous
fácil easy (B)
facilidad *f.* facility; ease
facilitar to facilitate (16)
fácilmente easily (12)
factura invoice, bill
facturar to check (baggage) (11)
facultad *f.* school (*of a university*); **Facultad de Bellas Artes** School of Fine Arts (3); **Facultad de Ciencias Naturales** School of Natural Sciences (3); **Facultad de Derecho** School of Law (3); **Facultad de Filosofía y Letras** School of Humanities (3); **Facultad de Medicina** School of Medicine (3)
faja waist band
fajita *a dish served in Mexican-style restaurants in the United States made of grilled meat, onions, and green peppers rolled in a tortilla*
falangista *n. m., f.* Falangist, partisan of Spain's dictator Franco
falda skirt (A)
fallecer (zc) to die
fallido/a unsuccessful; failed

falso/a false

falta: hacer falta to be necessary

faltar to be missing, lacking; to be absent

fama fame

familia family

familiar *n. m., f.* member of the family; *adj.* family; **relaciones** (*pl.*) **familiares** family relationships (9)

famoso/a famous (A)

farmacéutico/a pharmacist (12)

farmacia pharmacy (4)

fascinante fascinating

fascinar to fascinate

fase *f.* phase

favor: estar a favor de to be for (15); **favor de** (+ *infin.*) please (*do something*); (5) **por favor** please (1)

favorecer (zc) to favor (16)

favorito/a favorite

fe *f.* faith

febrero February (1)

fecha date; **fecha de nacimiento** date of birth (1)

felicidad *f.* happiness (15); *pl.* congratulations (1)

felicitar to congratulate

feliz (*pl.* **felices**) happy (1); **feliz cumpleaños** happy birthday (1)

femenino/a feminine (15)

fenómeno phenomenon

feo/a ugly (A)

feria fair; **feria artesanal** crafts fair

feriado: día (*m.*) **feriado** holiday (3)

ferrocarril *m.* railway (16)

festividad *f.* celebration, holiday

festivo: día (*m.*) **festivo** holiday

fiambre *m.* cold cut

fibra fiber

ficción *f.*: **ciencia ficción** science fiction (15)

fidelidad *f.* faithfulness

fideos *pl.* noodles, pasta

fiebre *f.* fever (12)

fiel faithful

fierro iron

fiesta party; **dar una fiesta** to give a party (2); **día** (*m.*) **de fiesta** holiday; **hacer una fiesta** to have a party; **ir a fiestas** to go to parties (1)

fiestón *m.* large party

figura figure

figurar to calculate

fijo/a fixed

fila line, row

filosofía philosophy; **Facultad** (*f.*) **de Filosofía y Letras** School of Humanities (3)

filosófico/a philosophical (B)

fin *m.* end (4); purpose, goal; **a fines** (*pl.*) **de** at the end of; **en fin** in short, in brief; **fin de semana** weekend (1); **ponerle fin a** to put an end to (16); **por fin** finally (12)

final *n. m.* end; *adj.* final; **al final** in the end; **al final de** at the end of (14)

finalmente finally (2)

finanzas *pl.* finances

finca farm (16)

fino/a fine; of good quality (13)

firma signature (1)

firmar to sign (7)

firme solid

fiscal *m., f.* public prosecutor

físico/a physical (A)

flan *m.* sweet custard (8)

flojo/a lazy

flor *f.* flower (2)

florero flower vase (12)

flotante *adj.* floating

flotar to float (10)

flujo flow

fluorado: carburos fluorados fluorocarbons

fogata bonfire

folleto brochure

fomentar to foster, encourage

fondo fund (15); **plato de fondo** main dish

forestal pertaining to forests; **masa forestal** forest

forma form (12)

formación *f.* formation (16)

formalidad *f.* formality

formar to form (16)

formatear to format

fornido/a well-built

forzar (ue) (c) to force

foto *f.* photo; **sacar fotos** to take pictures (1)

fotocopia photocopy

fotografía photography; picture (5)

fotógrafo/a photographer (13)

fracaso failure (15)

fractura fracture, break

fracturarse to fracture, break

fragmento excerpt

francés *n. m.* French (language) (C)

francés, francesa *n., adj.* French (C); **despedirse a la francesa** to leave without saying goodbye

Francia France (C)

frase *f.* sentence, phrase (C)

fraude *m.* fraud (16)

frazada blanket

frecuencia frequency; **con frecuencia** frequently (2)

frecuentemente frequently (12)

fregadero kitchen sink (6)

freír (frío) (i, i) to fry (8)

freno brake (10)

frente *m.* front; *f.* forehead (12); **en frente de** in front of; **frente a** *prep.* facing, opposite

fresa strawberry (8)

fresco/a fresh (8); cool; **hace fresco** it's cool (weather) (1)

frigorífero refrigerator

frigorífico refrigerator

frijol *m.* bean (8)

frío/a cold; **hace frío** it's cold (weather) (1); **té** (*m.*) **frío** cold tea (8); **tener frío** to be cold (4)

frito/a (*p.p. of* **freír**) fried; **huevos fritos** fried eggs (8); **papas fritas** French fries (8); **pollo frito** fried chicken (8)

frondoso: sendas (*pl.*) **frondosas** shaded paths

frontera border, frontier (8)

frotar to rub

fruta fruit; **batido de frutas** fruit shake (8)

frutal *adj.* fruit

frutería fruit store (13)

frutilla strawberry

fuego fire; **a fuego lento** over a low fire (8); **arma** *f.* (*but* **el arma**) **de fuego** firearm (16); **fuegos artificiales** fireworks (11)

fuente *f.* source; fountain (4); **fuente de energía** energy source (16); **fuente de sopa** soup tureen (8)

fuera out, outside (5); **cenar fuera** to go out to dinner (1); **por fuera** on the outside (8)

fuerte strong (10)

fuertemente strongly

fuerza strength

fumar to smoke (3); **sección** (*f.*) **de** (**no**) **fumar** (no) smoking section (11)

función *f.* function (12)

funcionar to function

fundación *f.* foundation

fundado/a founded (16)

fundamentos *pl.* fundamentals

fundar to found

furioso/a furious

fusilar to shoot, execute by firing squad

fútbol *m.* soccer (1); **fútbol americano** football (1)

futuro *n.* future

futuro/a *adj.* future

G

gabardina gabardine (*type of cloth*)

gabinete *m.* cabinet (*government*); cabinet (6); cupboard

Gales *m. sing.* Wales

gallego/a from or characteristic of Galicia (*northern region of Spain*)

galleta biscuit; cracker; cookie

galletita cookie (8)

gallina hen; fowl

galón *m.* gallon

galope *m.*: **al galope** at a gallop

galvanizar (c) to galvanize; to electroplate

gamba prawn

ganadero/a *adj.* cattle-raising

ganado cattle; **pasto de ganado** cattle grazing

ganador(a) winner (16)

ganancias *pl.* earnings

ganar to earn; to win (7); **ganar dinero** to earn money (5)

ganas *pl.*: **tener ganas de** (+ *infin.*) to feel like (*doing something*) (5)

ganga bargain (13); **¡qué ganga!** what a bargain! (13)

garaje *m.* garage; **venta de garaje** garage sale

garantizar (c) to guarantee
garganta throat (12)
gárgaras *pl.*: **hacer gárgaras** to gargle (12)
garúa drizzle
garza heron
gasolinera gas station (6)
gastar to spend (*money*) (13); to consume; **gastar combustible** to use gas (10)
gasto expense (16)
gato/a cat (A); **jugar al gato** to play tag (9)
gaveta drawer (6)
gemelo/a twin (C)
Géminis *m. sing.* Gemini
gene *m.* gene (16)
generación *f.* generation
general *adj.* general; **en general** in general (2); **por lo general** in general
generalmente generally (3)
generar to generate
género gender
generoso/a generous (B)
gente *f. sing.* people (3)
geografía geography
geográfico/a geographical (16)
geoturismo *tourism of natural areas and parks*
gerente *m., f.* manager (5)
gestación *f.* gestation
gesto gesture
gigante *adj.* giant
gimnasia: hacer gimnasia to do gymnastics
gimnasio gymnasium (3)
gira tour; **hacer una gira** to take a tour (10)
girar to spin around
giro postal money order
gitano/a gypsy
glicerina glycerine
globo globe (12)
glosario glossary
gobernador(a) governor (14)
gobernante *m., f.* ruler
gobernar (ie) to govern (16)
gobierno government (16)
gol *m.* goal (*sports*)
golf *m.* golf (15)
golfo gulf (10)
golpe *m.* blow, hit; **golpe de estado** *coup d'état* (16); **golpe militar** military coup
golpear(se) to hit (oneself) (12)
goma rubber (13)
gordo/a *adj.* fat (A); **premio gordo** grand prize (15)
gorra cap (13)
gorro party hat
gota drop; **gotas para la nariz** nose drops (12)
goteo nasal nasal drip
gozar (c) de to enjoy (15)
grabación *n. f.* recording
grabadora tape recorder
grabar to record
gracias thank you (A); **Día** (*m.*) **de Acción de Gracias** Thanksgiving Day (4); **gracias a** thanks to; **muchas gracias** thank you very much

grado degree (2)
graduación *f.* graduation (5)
graduarse to graduate (5)
gráfico *n.* chart; diagram
gráfico/a *adj.* graphic
gragea sprinkle (*colored candy granule used for decorating cakes*); pill
grama grass
gramática grammar (A)
gran, grande big, large (B); great; **en gran parte** to a large degree; **de gran valor** of great value (14)
grano grain
grasa *n.* fat
gratificador(a) gratifying, pleasurable
gratis *inv.* free (*of charge*)
gratuito/a free (*of charge*) (16)
grave serious
Grecia Greece
griego/a *n.* Greek; *adj.* Grecian (16)
grieta crack, fissure
grifo faucet
gringo/a *coll.* foreigner
gripa *Mex.* flu
gripe *f.* flu (12)
gris gray (A)
gritar to yell, shout, scream (4); **gritarse** to yell at each other
grito shout, scream (7)
grueso/a thick
gruñón, gruñona grumpy
grupo group
guacamayo macaw
guacamole *m. dip or sauce made of avocados*
guagua *Cuba, Puerto Rico* bus
guanábana custard apple
guante *m.* glove (13)
guapo/a good-looking (A)
guaraní *m.* Guaraní (*indigenous language of Paraguay*); Paraguayan currency (13)
guardabarros *m. sing., pl.* fender
guardafangos *m. sing., pl.* fender (10)
guardar to keep; to save; **guardar ropa** to put away clothes (6)
guardería (infantil) childcare center (16)
guardia *m., f.* guard
guatemalteco/a *adj.* Guatemalan (3)
guayabera *embroidered shirt of light material worn in tropical climates* (13)
guerra war (15); **Segunda Guerra Mundial** Second World War
guerrero soldier
guerrillero/a guerrilla (16)
guía guide(book) (4)
guiar (guío) to guide
guión *m.* script
guisante *m.* pea (8)
guitarra guitar
gustar to be pleasing; **a mí (sí/no) me gusta...** I (do/don't) like to . . . (1); **le gusta...** you (*pol. sing.*) like to . . . ; he/she likes to . . . (1); **les gusta...** you (*pl.*) like to . . . they like to . . . (1); **(no) me gusta...**

I (don't) like to . . . (1); **¿qué le gusta hacer?** what do you (*pol. sing.*) like to do?; what does he/she like to do? (1); **¿qué te gusta hacer?** what do you (*inf. sing.*) like to do? (1); **te gusta...** you (*inf. sing.*) like to . . . (1)
gusto taste (14); pleasure, delight; **con gusto** with pleasure; **mucho gusto** pleased to meet you (A); **¡qué gusto!** what a pleasure! (15)

H

ha habido (*infin.* **haber**) there has/have been (13)
Habana: La Habana Havana
haber *irreg.* (*infin. of* **hay**) to have (*auxiliary*); to be; to exist (12)
había (*infin.* **haber**) there was/there were
habichuela green bean (8)
habilidad *f.* ability; skill
habitación *f.* room (6)
habitado/a inhabited (16)
habitante *m., f.* inhabitant (16)
habitar to inhabit (16)
hábito habit (12)
hablar to speak, talk; **hablar por teléfono** to speak on the phone (A)
habrá (*infin.* **haber**) there will be
habría (*infin.* **haber**) there would be
Habsburgo Hapsburg
hacendado/a property owner (16)
hacer *irreg.* (*p.p.* **hecho**) to do; to make (1); **¿cuántas millas hace por... ?** how many miles per . . . do you get?; **¿cuánto hace que** + *present*? how long have/has . . . ?; **¿cuánto tiempo hace que... ?** how long has it been since . . . ? (7); **hace** + *time* (*time*) . . . ago (7); **hace** + *time* + **que** + *present* (I) have been (*doing something*) for + *time*; **hace buen/mal tiempo** it's fine/bad weather (2); **hace calor/fresco/frío/sol/viento** it's hot/cool/cold/sunny/windy (weather) (2); **hacer análisis** to do (medical) tests; **hacer caso** to pay attention; **hacer cola** to stand in line (11); **hacer comentarios** to comment; **hacer daño** to harm; **hacer ejercicio** to exercise (1); **hacer el papel de** to play the role of (6); **hacer enojar** to make angry, anger; **hacer erupción** to erupt; **hacer excursiones** to go on outings; **hacer falta** to be necessary; **hacer gárgaras** to gargle (12); **hacer las compras** to go grocery shopping (6); **hacer las maletas** to pack (11); **hacer preguntas** to ask questions (5); **hacer ruido** to make noise; **hacer transbordo** to change (*trains, etc.*); **hacer una fiesta** to have a party; **hacer una gira** to take a tour (10); **hacer una limpieza** to clean; **hacer viajes** to take trips, travel; **hacerse** to become; to pretend, feign to be; **hacerse cargo** to take charge; **hacerse socio** to become a member (15); **¿qué le**

gusta hacer? what do you (*pol. sing.*) like to do?; what does he/she like to do? (1); **¿qué te gusta hacer?** what do you (*inf. sing.*) like to do? (1); **¿qué tiempo hace?** what is the weather like? (2); **se me está haciendo tarde** it's getting late

hacia toward (10); **hacia adelante** forward

hada: cuento de hadas fairy tale

hallar to find

hambre *f.* (*but* **el hambre**) hunger; **pasar hambre** to go hungry; **tener hambre** to be hungry (4)

hambruna famine

hamburguesa hamburger

harapiento/a ragged; unkempt

harina flour (8)

hasta *prep.* up to, until (3); *adv.* even; **desde la(s)... hasta la(s)...** from . . . to . . . (*time*) (4); **hasta la fecha** up to now; **hasta luego** see you later (A); **hasta mañana** see you tomorrow; **hasta que** *conj.* until (15)

hay there is, there are; **¿cuántos/as hay?** how many are there? (A); **hay que** one has to (6); **no hay paso** no entrance (10)

hazaña deed, achievement

hebreo Hebrew (language) (C)

hechizar (**c**) to bewitch; to charm; to fascinate

hecho *n.* fact; event (7); **de hecho** in fact

hecho/a (*p.p. of* **hacer**) made; **¿de qué está hecho/a?** what is it (made) of? (13); **hecho/a a mano** handmade (13)

hectárea hectare (*2.471 acres*)

helada frost; freezing weather

heladera refrigerator (10)

heladería ice cream parlor (13)

helado ice cream (C)

helado/a frozen; **té** (*m.*) **helado** iced tea (7)

hembra female

hemisferio hemisphere

heredar to inherit

herida wound (12)

herido/a *n.* wounded person (12); *adj.* wounded

hermanastro/a stepbrother/stepsister (9)

hermano/a brother/sister (B)

hermoso/a beautiful (4)

héroe *m.* hero (5)

heroico/a heroic (7)

heroína heroin; heroine (5)

herramienta tool (13)

hervir (**ie, i**) to boil

hielo ice; **patinar en el hielo** to ice skate (1)

hierba grass

hierro iron (13)

hígado liver (8)

hijastro/a stepson/stepdaughter (9)

hijo/a son/daughter (C); **hijo/a único/a** only child (14); **hijos** *pl.* children (sons, sons and daughters) (C)

hilo linen (13); **hilo dental** dental floss

hinchado/a swollen (12)

hipotético/a hypothetical (15)

hispánico/a Hispanic

hispanidad *f.* Hispanic identity; Hispanic world

hispano/a Hispanic

Hispanoamérica Spanish America (15)

hispanohablante *m., f.* Spanish speaker

histérico/a hysterical (16)

historia story; history

historial (*m.*) **clínico** medical history (12)

histórico/a historical (7)

historieta short story, anecdote

hnos. (*abbrev. for* **hermanos**) brothers

hogar *m.* home (15)

hoja leaf (2)

hola hi (B)

holgado/a loose; comfortable

hombre *m.* man (A)

hombro shoulder (B)

homicidio homicide (16)

hondo: plato hondo soup plate, bowl (8)

hondureño/a *adj.* Honduran (3)

honestidad *f.* honesty

hongo mushroom (8)

honrado/a honorable, honest

hora hour; time; **¿a qué hora (es)... ?** at what time (is) . . . ? (1); **a última hora** at the last minute; **¿qué hora es?** what time is it?; **¿qué hora tiene?** what time do you (*pol. sing.*) have? (1); **¡ya era hora!** it was about time! (16)

horario schedule

horneado/a baked (8)

horno oven (6); **horno de microondas** microwave oven (6)

horóscopo horoscope

hortaliza *Mex.* vegetable garden

hospedaje *m.* lodging

hospedarse to stay (7)

hospital *m.* hospital (3)

hospitalidad *f.* hospitality

hotel *m.* hotel (4)

hotelero/a *adj.* hotel

hoy today (1); **hoy (en) día** nowadays

huelga (labor) strike (16); **declarar la huelga** to go on strike

huelguista *m., f.* striker

huérfano/a orphan

hueso bone (12)

huésped(a) guest

huevo egg; **huevos cocidos** hard-boiled eggs (8); **huevos rancheros** *eggs, usually fried or poached, topped with a spicy tomato sauce and sometimes served on a fried corn tortilla*; **huevos revueltos** scrambled eggs (8)

huir to escape, run away (16)

humanidad *f.* humanity

humanitario/a humanitarian (16)

humano/a *n., adj.* human (B); **ser** (*m.*) **humano** human being (15)

humedad *f.* humidity (10)

humedecido/a damp, moist

húmedo/a humid (10)

humilde humble

humo smoke

humor *m.* humor; mood; **estar de buen/mal humor** to be in a good/bad mood (4); **ponerse de buen/mal humor** to get into a good/bad mood; **sentido del humor** sense of humor (14)

humorístico/a humoristic

hundirse to sink

huracán *m.* hurricane (10)

I

ida: boleto de ida y vuelta round-trip ticket (11)

idea: ¡qué buena idea! what a good idea! (2)

idealista *adj. m., f.* idealistic (B)

idéntico/a identical

identificación *f.* identification (A)

identificar (**qu**) to identify (10)

ideología ideology

idioma *m.* language

iglesia church (4)

ignorar to ignore

igual equal

igualdad *f.* equality

igualmente *interjection* same here (A)

ilegal illegal (16)

ileso/a uninjured

iluminador/a illuminating

ilustración *f.* illustration

ilustrar to illustrate

imagen *f.* image

imaginario/a imaginary (16)

imaginarse to imagine (6)

impaciencia impatience

impaciente impatient

impartir to impart, give (*instruction*)

impedir (**i, i**) to prevent

imperio empire (16)

implicación *f.* implication

implicar (**qu**) to implicate; to involve; to imply

imponerse (*like* **ponerse**) to dominate, impose one's authority (16)

importación *f.* importing, importation; **de importación** imported

importado/a imported (13)

importancia importance (14)

importante important

importar to matter, be important; **¿qué me importa a mí?** I don't care! (16)

imposible impossible (14)

imprenta printing shop

impresión *f.* impression (16)

impresionante impressive (10)

impresionar to impress

impresionista *n. m., f.* Impressionist

impreso/a printed

impresora printer (15)

imprimir to print

impuesto tax (11)

impulsado/a make run, runs (*batteries*)

impune *adj.* unpunished

inagotable inexhaustible
inaudito/a unheard of; unprecedented
inca *n. m., f.* Inca; *adj.* Incan (16)
incaico/a Incan
incansable indefatigable
incendio fire (5); **alarma de incendio** fire alarm
incivilizado/a uncivilized
inclinar to bow, bend; **inclinarse** to bow; to lean
incluir (y) to include (8)
incluso *adv.* even; including
incómodo/a uncomfortable
incondicional unconditional (15)
inconsciente unconscious (12)
incontenible unstoppable
incorporar to incorporate
increíble unbelievable
incrementar to increase
indeciso/a indecisive; hesitant
independencia independence; **Día (*m.*) de la Independencia** Independence Day (4)
independiente independent
indeseado/a unwanted
indicación *f.* indication
indicar (qu) to indicate
índice (*m.*) de natalidad birthrate
indígena *n. m., f.; adj.* Indian; indigenous, native (7)
indio/a *n.* Indian (16)
indirecto: pronombre (*m.*) de complemento indirecto indirect object pronoun
indiscreto/a indiscreet (7)
indispensable essential
individuo person, individual
indocumentado/a illegal, without papers
índole *f.* nature
indudable doubtless
industria industry (10)
industrial: obrero/a industrial industrial worker (5)
industrialización *f.* industrialization
industrializado/a industrialized
inesperado/a unexpected
inestable unstable
infancia infancy; childhood
infante *m.:* **jardín (*m.*) de infantes** kindergarten
infantil *adj.* infant; child's; children's; **guardería infantil** childcare center (16)
infarto heart attack
infección *f.* infection (12)
infectado/a infected
infierno hell
infinito/a infinite
influencia influence
influir (y) to influence (14)
información *f.* information
informar to inform
informática data processing (2)
informe *m.* report; (*pl.*) information (7)
ingeniería engineering (2)
ingeniero/a engineer (5)

ingerir (ie, i) to swallow; to ingest
Inglaterra England (C)
inglés *n. m.* English (language) (C)
inglés, inglesa *n., adj.* English (C)
ingrediente *m.* ingredient
ingresar (en) to enter
ingresos *pl.* income
iniciar to initiate (16)
iniciativa initiative
ininterrumpidamente uninterruptedly; continuously
injusto/a unfair
inmediato/a immediate (16)
inmejorable unsurpassable
inmenso/a immense (10)
inmersión *f.* dive
inmigración *f.* immigration (11)
inmigrante *m., f.* immigrant (16)
inmobiliario/a *adj.* real-estate; property
inmortalizado/a immortalized
inmunodeficiencia immunodeficiency
inodoro toilet (6); **taza del inodoro** toilet bowl (6)
inolvidable unforgettable
inquisición *f.* inquisition
inscribir(se) (*p.p.* **inscrito**) to enroll (oneself) (16)
inscrito/a (*p.p. of* **inscribir**) registered, enrolled
inseguro/a unsure
inseminación (*f.*) **artificial** artificial insemination
insistir to insist (16)
inspeccionar to inspect
inspector(a) inspector
instalación *f.* installation
instalar to install; **instalarse** to settle; to establish oneself
instante *m.* moment
instintivamente instinctively
institución *f.* institution
instrucción *f.* instruction (11)
instruir (y) to instruct
insultarse to insult each other
intacto/a intact
integración *f.* integration
intelecto intellect
inteligencia intelligence (15)
inteligente intelligent (B)
intensidad *f.* intensity
intensivo/a intensive
intentar to try; **intentar** (+ *infin.*) to try to (*do something*)
intento attempt
interacción *f.* interaction
intercambiar to exchange (15)
intercambio *n.* exchange
interés *m.* interest
interesante interesting (B); **¡qué interesante!** how interesting! (1)
interesar to interest, be interested in (10); **le interesa** you (*pol. sing.*) are interested; he/she is interested; **me interesa** I am interested

interferir (ie, i) to interfere
interior *m., adj.* interior, inside; **ropa interior** underwear (13)
internacional international
internado/a hospitalized (12)
internar to admit, put into (*a hospital*) (12)
interno/a internal
interrogar (gu) to interrogate
interrumpir to interrupt
intervención *f.* intervention
intervenir (*like* **venir**) to intervene (16)
íntimo/a close, intimate; **amigo/a íntimo/a** close friend (15)
intranquilidad worry; uneasiness; anxiety
introvertido/a introverted (B)
intuitivo/a intuitive
inundación *f.* flood
invadir to overrun; to invade
invasión *f.* invasion
invernar to hibernate
inversión *f.* investment
inversionista *m., f.* investor
investigación *f.* research (15)
invierno winter (1)
invitación *f.* invitation
invitado/a guest
involucrado/a involved
inyección *f.* injection (12)
ir *irreg.* to go (1); **¿cómo se va de... a...?** how does one get from . . . to . . .?; **ir a** (+ *infin.*) to be going to (*do something*); **ir a fiestas** to go to parties (1); **ir de compras** to go shopping (1); **ir de vacaciones** to go on vacation (11); **ir + -ndo** to be in the process of (*doing something*); **irse** to go away, get away (11); **que te/le vaya bien** may it go well for you; **vamos a** (+ *infin.*) let's (*do something*); **vamos a ver** let's see; **ya voy** I'm coming
iraní (*pl.* **iraníes**) *n.* Iranian person (16)
iris: arco iris rainbow
Irlanda Ireland
irlandés, irlandesa *n.* Irishman/Irishwoman; *adj.* Irish (16)
irreverente irreverent; disrespectful
irritado/a irritated
irrompible unbreakable
isla island (10)
israelí *n. m., f.; adj.* (*pl.* **israelíes**) Israeli
istmeño/a Panamanian
istmo isthmus (16)
Italia Italy (C)
italiano *n.* Italian (language) (C)
italiano/a *n., adj.* Italian (C)
izquierda *n.* left hand; left-hand side; **a/de la izquierda** to/from (on) the left (3)
izquierdo/a *adj.* left, left-hand

J

jabón *m.* soap (4)
jadeo *n.* panting; gasping
jai alai *m. Basque* ball game
jalar *Mex.* to pull (14)

jalea jelly (8)

jamás never; **más que jamás** more than ever

jamón *m.* ham (8)

Jánuca *m.* Hanukkah (4)

Japón *m.* Japan (C)

japonés *m.* Japanese (language) (C)

japonés, japonesa *n., adj.* Japanese (C)

jarabe *m.* (**para la tos**) (cough) syrup (12)

jardín *m.* garden (2); yard; **jardín de infantes** kindergarten

jardinería gardening

jarra pitcher, jug (8)

jeans *m. pl.* (blue) jeans (15)

jefe, jefa boss, chief (14)

jonrón *m.* home run

jornada day's work; **jornada completa** full-time (5); **media jornada** part-time (5)

jorobado *n. m.* hunchback

joven *n. m., f.* youth; *adj.* young (A)

joya jewel (13); *pl.* jewelry

joyería jewelry store (13)

jubilarse to retire (15)

judía verde green bean

judío/a *n.* Jew; *adj.* Jewish (16); **Pascua Judía** Passover (4)

juego game (1); **Juegos Olímpicos** Olympic Games

jueves *m. sing., pl.* Thursday (1)

juez *m., f.* (*pl.* **jueces**) judge (5)

jugador(a) player

jugar (**ue**) (**gu**) to play (1); **jugar a la rayuela** to play hopscotch (9); **jugar al +** *sport* to play (*a sport*); **jugar al bebeleche** *Mex.* to play hopscotch (9); **jugar al escondite** to play hide-and-seek (9); **jugar al gato** to play tag (9)

jugarreta dirty trick

jugo juice; **jugo natural** fresh-squeezed juice (8)

juguete *m.* toy (4)

julio July (1)

junio June (1)

juntar to join

junto a *prep.* next to (11)

juntos/as *pl.* together (3)

jurar to swear

justamente *adv.* just, exactly

justificar (**qu**) to justify

justo/a fair (16)

juventud *f.* youth (9)

K

kaki *m.* khaki

kayac *m.* kayak

kg. (*abbrev. for* **kilogramo**) kilogram, kilo

kilo kilogram, kilo

kilómetro kilometer (7)

kínder *m.* kindergarten

km. (*abbrev. for* **kilómetro**) kilometer

L

la *definite article f.* the (A); *d.o.* her, it, you (*pol. sing.*)

labio lip (12)

labor *f.* labor, work

laboral: horas laborales working hours

laborar to work

laboratorio laboratory

lacio/a straight (*hair*) (A)

lacón *m.* shoulder of pork

ladera hillside, slope (*of a mountain*)

lado side (8); **al lado de** next to, to the side (3); **de al lado** next door; **de cada lado** on each side; **por todos lados** on all sides

ladrador(a) *adj.* barking (*dog*)

ladrar to bark (3)

ladrillo brick (13)

ladrón, ladrona thief (7)

lago lake (2)

lágrima tear

laguna pool; lagoon (10)

lamentablemente unfortunately

lámpara lamp (6)

lana wool (13)

lancha boat (10)

langosta lobster (8)

langostino prawn, crayfish

lanzar (**c**) to launch; to fire

lápiz *m.* (*pl.* **lápices**) pencil (A)

lapsus *m. sing., pl.* lapse; mistake

largo/a long (A)

las *definite article f. pl.* the (A); *d.o. f. pl.* them, you (*pol. pl.*)

lasaña lasagna

lástima compassion; shame; **¡qué lástima!** what a pity! (4); **¡qué lástima que... !** what a pity that . . . !

lastimar to harm, injure; to pity

lata can (8)

latino/a *n., adj.* Latin (16)

Latinoamérica Latin America

latinoamericano/a Latin American

latón *m.* brass

lavable washable

lavabo bathroom sink (6)

lavadora washing machine (6)

lavandería laundromat (3)

lavaplatos *m. sing., pl.* dishwasher (6)

lavar to wash (2); **lavarse el pelo** to wash one's hair (4); **lavarse los dientes** to brush one's teeth (4)

lazo lasso, lariat; tie (15)

le *i.o.* to/for him, her, it, you (*pol. sing.*)

lealtad *f.* loyalty (15)

lección *f.* lesson (3)

leche *f.* milk (4); **arroz** (*m.*) **con leche** rice pudding (8); **batido de leche** milk shake (8)

lechón *m.* piglet

lechuga lettuce (8)

lector(a) reader

lectura *n.* reading (1)

leer (**y**) to read (1); **leer el periódico** to read the newspaper (1)

legalización *f.* legalization (16)

legalizar (**c**) to legalize

legislador/a legislator (16)

legislatura legislature

legumbre *f.* vegetable

lejano/a distant, remote

lejos *adv.* far away; **lejos de** *prep.* far away from (3)

lengua tongue; language (12); **lengua materna** mother tongue (16); **lenguas africanas** African languages (C)

lenguaje *m.* language

lentamente slowly (10)

lentes *m. pl.* (eye)glasses (A)

lento/a slow; **a fuego lento** over a low fire (8)

leño: al leño spit-roasted (*over a wood fire*)

león, leona lion/lioness

les *i.o.* to/for them, you (*pol. pl.*)

lesión *f.* injury

letra letter (*of the alphabet*); *pl.* literature; **Facultad** (*f.*) **de Filosofía y Letras** School of Humanities (3)

letrero sign

leucemia leukemia

levantar to lift, raise up; **levantar pesas** to lift weights (2); **levantarse** to get up (4)

ley *f.* law (16)

leyenda legend

liberado/a liberated, freed

libertad *f.* liberty, freedom (16)

libertador(a) liberator (16)

libra pound (8); **Libra** Libra

libre free (*to act*) (16); available (4); **al aire** (*m.*) **libre** outdoors (7); **mercado libre** free market (16); **tiempo libre** free time (2)

librería bookstore (3)

libreto film script

libro book (A)

licencia de manejar driver's license (10)

licenciado/a lawyer (16)

licenciatura university degree

lícito/a legal

licor *m.* liquor

licuadora blender (13)

líder *m.* leader (16)

liderazgo leadership

liga league

ligero/a light (*not heavy*) (8)

limitar to limit (14)

límite *m.*: **edad** (*f.*) **límite** maximum age

limón *m.* lemon

limonada lemonade

limpiaparabrisas *m. sing., pl.* windshield wiper (10)

limpiar to clean (2)

limpieza cleaning; **hacer una limpieza** to clean

limpio/a clean (7)

lindo/a pretty (7)

línea line; **en línea** on line (15); **línea ecuatorial** equator

lino linen (13)

líquido liquid

lista list

listo/a ready, prepared; **estar listo/a** to be ready (5); **ser listo/a** to be smart, clever
literatura literature
litio lithium
litoral coast
litro liter
llamada (telephone) call (4)
llamar to call (4); **¿cómo se llama?** what is his/her name? (A); **¿cómo se llama usted? / ¿cómo te llamas?** what is your name? (A); **llamar la atención (a)** to call, attract attention (to); **llamar por teléfono** to phone (4); **llamarse** to be called, named; **me llamo...** my name is . . . (A); **se llama...** his/her name is . . . (A)
llano *n.* plain (10)
llanta tire; **llanta desinflada** flat tire (10)
llanto *n.* weeping, crying
llave *n. f.* key (12)
llegada arrival (11)
llegar (gu) to arrive (2); **llegar a ser** to become (16); **llegar a tiempo** to arrive/be on time (5); **llegar al poder** to attain power (16); **llegar tarde** to arrive/be late (5)
llenar to fill (8)
lleno/a full (16)
llevar to wear (A); to take (*someone or something somewhere*) (D); to carry; **llevar + time + -ndo** to have been (*doing something*) for + *time*; **llevar a cabo** to carry out, perform; **llevarse** to carry off, take away (13); **llevarse bien** to get along well (9); **me lo/la llevo** I'll take (*buy*) it (12)
llorar to cry (3)
llover (ue) to rain (2)
llovizna drizzle (10)
lluvia rain (10)
lo *d.o. m.* him, it, you (*pol. sing.*); **lo + *adj.*** the + *adj.*, part, thing, that which is + *adj.*; **lo que** that which, what (7); **lo siento** I'm sorry
lobo wolf
local *m.* place; premises
localidad *f.* location; locality
localizar (c) to locate
loción *f.* lotion
loco/a *n.* crazy person; *adj.* crazy; **volverse loco/a** to go crazy (12)
locomoción *f.* locomotion; public transportation
locomotora locomotive (10)
lodo mud
lógico/a logical
lograr to achieve, attain (15); **lograr (+ *infin.*)** to manage to (*do something*), succeed in (*doing something*)
logro achievement
loma hill
lomo back; loin
lona canvas
Londres *m. sing.* London (C)
los *definite article m. pl.* the (A); *d.o.* them, you (*pol. pl.*)

lote *m.* share, portion (13)
lotería lottery (15)
lucha fight, struggle
luchar to fight, struggle; **luchar por** to fight for (16)
lucrativo/a lucrative; profitable
luego then (C); **desde luego** of course; **hasta luego** see you later (A); **luego de** after
lugar *m.* place; **lugar de nacimiento** place of birth (1); **tener lugar** to take place (15)
lujo luxury (11); **de lujo** deluxe
lujoso/a luxurious
luna moon (7); **luna de miel** honeymoon (15)
lunar *m.*: **de lunares** polka-dotted (13)
lunes *m. sing., pl.* Monday (1)
luz *f.* (*pl.* **luces**) light (B); electricity; **apagar la luz** to turn off the light (6); **encender la luz** to turn on the light (6); **prender la luz** to turn on the light (6)

M

machismo male pride
machista *adj. m., f.* chauvinistic
macho *n.* male
madera wood (10)
maderero/a *adj.* relating to wood or timber
madrastra stepmother (9)
madre *f.* mother (C); **Día (*m.*) de la Madre** Mother's Day (4)
madrileño/a resident of Madrid
madrina godmother (15)
madrugada dawn
madrugar (gu) to get up early
madurar to mature
maduro/a mature; ripe (8)
maestro/a *n.* teacher (5); *adj.* masterly, expert; **obra maestra** masterpiece
mágico/a *adj.* magic
magistral: conferencia magistral professorial lecture
magnífico/a magnificent; great
Mago: Día (*m.*) de los Reyes Magos Epiphany, Jan. 6th (*lit.* Day of the Magi) (4)
magullado/a bruised
mahometano/a *n.* Muslim
maíz *m.* corn (8); **mazorca de maíz** ear of corn (8); **palomitas (*pl.*) de maíz** popcorn (8)
majestad *f.* majesty
mal *n. m.* evil; *adv.* badly
mal, malo/a *adj.* bad (6); **estar de mal humor** to be in a bad mood (4)
maldición *f.* curse
malentendido *n.* misunderstanding
malestar *m.* discomfort, malaise, indisposition (12)
maleta suitcase (11); **facturar la maleta** to check baggage (11); **hacer las maletas** to pack (11)
maletero trunk of a car (10)

maltrato mistreatment, abuse
mamá mother (B)
mancha stain
manchar to stain
mandado errand; job
mandar to send (16); to order, command; **mandar a buscar** to have (*someone*) look for; **mandar por correo** to send by mail
mandarina mandarin orange
mandato command (A)
manejar to drive (2); **licencia de manejar** driver's license (10)
manera manner, way (6); **de esta manera** in this way; **de manera que** so that (16); in such a way that; **manera de pensar** way of thinking
manga sleeve (13)
manguera hose
manifestar (ie) to manifest
mano *f.* hand (B); **a mano** by hand; **bolsa de mano** carry-on luggage; handbag (10); **con las manos en la masa** red-handed, in the act; **darse la mano** to shake hands with each other (15); **equipaje (*m.*) de mano** hand luggage, carry-on luggage; **hecho/a a mano** handmade (13); **mano de obra** manual labor
mansión *f.* mansion
manta blanket
mantel *m.* tablecloth (8)
mantener (*like* tener) to maintain (10); **mantenerse** to keep oneself (12)
mantenimiento maintenance
mantequilla butter (8)
mantequillera butter dish
manzana apple (8)
mañana *n.* morning; tomorrow (1); *adv.* **de/por la mañana** in the morning (1); **hasta mañana** see you tomorrow; **mañana por la mañana** tomorrow morning; **pasado mañana** day after tomorrow (1)
mapa *m.* map
maquillaje *m.* makeup
maquillarse to put on makeup (4)
máquina machine; **escribir a máquina** to type (4)
maquinaria machinery
mar *m., f.* sea, ocean (2); **nivel (*m.*) del mar** sea level (16)
maravilla wonder, marvel; **¡qué maravilla!** how marvelous! (16)
maravilloso/a marvelous
marca brand (4)
marcado/a strong, pronounced
marcar (qu) to indicate, show; to dial (*telephone*)
marcha march; speed (gear)
mareado/a dizzy (12); nauseated
marearse to get sea-/carsick, dizzy
mareo dizziness, nausea (12)
mariachi *m.* (*Mex.*) band; type of music with trumpets, guitars, and marimba
marido husband

marino/a sea (10); **azul** (*m.*) **marino** navy blue (13); **estrella marina** star fish; **león marino/a** *adj.* marine, sea; **león marino** (*m.*) sea lion

mariposa butterfly (10)

mariscada seafood dish

marisco shellfish, seafood

mármol *m.* marble

martes *m. sing., pl.* Tuesday (1)

martillo hammer (13)

marzo March (1)

más more (B); **el/la más** + *adj.* the most . . . , the ___-est (6); **más de** + *number* more than + *number*; **más o menos** more or less; **más que (de)** more than (2); **más tarde** later (6); **más vale** (+ *infin.*) it is better to (*do something*)

masa: con las manos en la masa red-handed, in the act

mascarada masquerade

mascota mascot (14)

masivo/a large-scale

masticar (qu) to chew (3)

matar to kill (15)

matemáticas *pl.* mathematics

materia subject (*school*) (8); **materia prima** raw material (13)

materializar (c) to materialize

maternidad *f* maternity

materno/a maternal; **lengua materna** mother tongue

matrícula registration (14)

matricular(se) to enroll

matrimonial: cama matrimonial double bed (6)

matrimonio matrimony, marriage; couple (15)

mausoleo mausoleum

máximo/a maximum; high, highest (*temperature*)

maya *n. m., f.; adj.* Maya(n)

mayo May (1)

mayonesa mayonnaise

mayor *adj.* older (C); oldest; major, main; greater; **la mayor parte** the majority; **mayor de edad** adult, person of legal age; **mayores** *m. pl.* adults

mayoría majority (6)

mazmorra dungeon

mazorca de maíz ear of corn

me *d.o.* me; *i.o.* to/for me; *refl. pron.* myself

mecánico/a *n.* mechanic (5); *adj.* mechanical

mecedora rocking chair (13)

medalla medal

mediado: a mediados de in the middle of; **desde mediados** (*pl.*) **de** since the middle of

mediano/a medium (*length*) (A); average; **estatura mediana** medium height (B)

medianoche *f.* midnight (1)

mediante by means of, through (15)

medias *pl.* nylons, stockings (13); *Caribbean* socks

medicamento medicine

medicina medicine; **Facultad** (*f.*) **de Medicina** School of Medicine (3)

médico *n.* doctor (5); *adj.* medical; **cuidado médico** medical care; **receta médica** medical prescription (12); **seguro médico** health insurance (12)

medida *sing.* means, measure; **a medida que** as, at the same time as

medio *n. sing.* means; middle; **en medio de** in the middle of (3); **medio ambiente** environment; **medios de comunicación** means of communication; mass media; **medios de producción** means of production; **número medio** median; **por el medio** in half; **por medio de** by means of (15)

medio/a *adj.* half (8); middle; **es la una y media** it's one-thirty (half past one) (1); **media jornada** part-time (5); **número medio** median

mediodía *m.* noon, midday (1)

medir (i, i) to measure

Mediterráneo *n.* Mediterranean (Sea)

mediterráneo/a *adj.* Mediterranean

medula (médula): hasta la medula to the core

mejilla cheek (12)

mejor better (B); best (6); **mejor amigo/a** best friend (6); **es mejor que...** (+ *subjunctive*) it is better that . . . (14)

mejorar to improve (8)

mella dent

mellizo/a *n., adj.* twin

melocotón *m.* peach (8)

melón *m.* melon

memoria memory

mencionar to mention

menor younger (C); youngest; **menor** (*m.*) **de edad** minor; (legally) under age (16)

menos less (1); least; **a menos que** unless (16); **echarse de menos** to miss each other; **más o menos** more or less; **menos que (de)** less than (6); **por lo menos** at least

mensaje *m.* message (15)

mensual monthly

mente *f.* mind; **ten en mente** keep (*inf. sing.*) in mind

mentir (ie, i) to lie

mentira lie (7)

mentiroso/a liar; **¡qué mentiroso/a!** what a liar! (9)

menú *m.* menu

menudo/a small; insignificant; **a menudo** often (6)

mercado market (4); **mercado libre** free market (16); **sacar al mercado** to put (*a new product*) on the market; **salir al mercado** to appear on the market

mercadotecnia marketing

mercancía merchandise

merecer(se) (zc) to deserve

merendar (ie) to have a snack; **merendar en el parque** to have a picnic in the park (2)

merengue *m.* popular dance/music of the Dominican Republic

merluza hake (*type of fish*)

mermelada marmalade

mero/a pure, simple; **la mera verdad** the simple truth

mes *m.* month; **¿en qué mes nació?** in what month were you (*pol. sing.*) (was he/she) born?

mesa table (B); **atender mesas** to wait on tables

mesero/a waiter/waitress (5)

meseta plateau (16)

mesita coffee table (6); **mesita de noche** night table (11)

meta goal (14)

meter to put; **meterse** to get into, enter

método method

metro subway (3); meter

metrón evening primrose

mexicano/a Mexican

México Mexico

mexicoamericano/a Mexican American

mezcla mixture

mezclilla denim (13)

mi *poss.* my (A)

mí *obj. of prep.* me; **¿a mí qué?** what is it to me? (15)

miau *m.* meow

microbio germ

microondas *pl.*: **horno de microondas** microwave oven (6)

microplaqueta microchip

miedo fear; **dar miedo** to frighten; **tener miedo** to be afraid (4)

miel *f.* honey (8); **luna de miel** honeymoon (15)

miembro member

mientras meanwhile (3); **mientras más... más...** the more . . . the more . . . ; **mientras que** while; **mientras tanto** in the meanwhile

miércoles *m. sing., pl.* Wednesday (1)

migratorio/a: trabajador(a) (*m.*)**/obrero/a migratorio/a** migrant worker

mil thousand, one thousand (13)

milagrosamente miraculously

militar *n. m.* soldier; *adj.* military (16)

milla mile (6); **¿cuántas millas hace por... ?** how many miles per . . . do you get?

millón *m.* million (13)

millonario/a millionaire

mineral *adj.*: **agua** (*f. but* **el agua**) **mineral** mineral water

minifalda miniskirt

mínimo *n.* minimum

mínimo/a *adj.* minimum; **mínima** low, lowest (*temperature*)

ministro minister; **primer ministro** prime minister

minoritario/a minority; **grupos minoritarios** minorities
minuta breaded cutlet
mío/a *poss.* my, (of) mine
mirar to look at (3), watch
misa Mass (2)
mismo *adv.* right; **ahora mismo** right now (2); **aquí mismo** right here
mismo/a *pron.* same (one); *adj.* same; self (11); **da lo mismo** it doesn't matter; **el/la mismo/a** the same (5); **sí mismo/a** oneself; **tú mismo/a (usted mismo/a)** yourself (11); **uno/a mismo/a** oneself (14)
misterio mystery
misterioso/a mysterious
mitad *f.* half
mito myth
mitología mythology
mixto/a mixed
mochila backpack (B)
mocho: español (*m.*) **mocho** broken Spanish
moda fashion (13); **de moda** fashionable (13); **estar de moda** to be in fashion; **ponerse de moda** to become fashionable
moderado/a moderate (16)
módico/a affordable (4)
modificado/a modified
modismo idiom
modo way, manner; **de modo que** so that (16); **de otro modo** in a different way; **de todos modos** anyway (9); **ni modo** oh well; tough! (16)
mojar to dip; to wet (7)
molestar to bother (10); **me molesta que** it bothers me when
molestia bother; discomfort
molesto/a upset (12)
molido/a: carne (*f.*) **molida** ground beef (8)
molinillo whisk, beater
molusco mollusk
momia mummy
monarca *m., f.* monarch
monasterio monastery
moneda currency; coin
monja nun
mono/a monkey
monógamo/a monogamous
monolingüe monolingual
monolingüismo monolingualism
monopatín *m.* skateboard
montaña mountain (2)
montañoso/a mountainous
montar a caballo to ride a horse (2); **montar en bicicleta** to ride a bike; **montar en motocicleta** to ride a motorcycle
monte *m.* mount, mountain
morado/a purple (A)
moraleja moral, lesson
mordedor(a) *adj.* biting
morder (ue) to bite
moreno/a brown-skinned, dark-skinned (A)

morir(se) (ue, u) (*p.p.* **muerto**) to die (15); **morirse de celos** to die of jealousy
morisco/a Moorish
moro/a: hay moros en la costa watch out!
mosca fly
Moscú *f.* Moscow (C)
mostaza mustard (8)
mostrador *m.* counter (11)
mostrar (ue) to show (13)
motivo motive, reason
moto *f.* motorcycle
motocicleta motorcycle; **andar/montar en motocicleta** to ride a motorcycle (2)
motor *m.* motor, engine (10)
movedizo/a: arena movediza quicksand
mover (ue) to move
móvil: computación móvil portable computing
movimiento movement (12)
mts. (*abbrev. for* **metros**) meters (*unit of measurement*)
muchacho/a boy/girl; young man / young woman (A)
muchedumbre *f.* crowd
muchísimo very much
mucho *adv.* a lot; much (B)
mucho/a *adj.* much; *pl.* many; **muchas gracias** thank you very much; **muchas veces** many times (5); **mucho gusto** pleased to meet you (A); **tener mucha hambre** to be very hungry (3)
mudanza *n.* move, moving
mudarse to move (to another home) (15)
mueble *m.* piece of furniture; *pl.* furniture (5); **sacudir los muebles** to dust (5)
muela molar (tooth) (12)
muerte *f.* death; **pena de muerte** death penalty (16)
muerto/a *n.* dead person; *adj.* dead (C); *p.p. of* **morir** died; **Día** (*m.*) **de los Muertos** All Souls' Day (4)
mujer *f.* woman (A)
mula mule
mulato/a mulatto (*person of mixed African and European ancestry*)
muleta crutch (12)
multa fine; traffic ticket (7)
mundial *adj.* of or pertaining to the world (16); **red mundial** Internet (2); **Segunda Guerra Mundial** Second World War
mundialmente worldwide
mundo world (B); **¡cómo cambia el mundo!** how the world changes! (C); **Tercer Mundo** Third World
muñeca wrist (12); doll (9)
muñequita little doll (9)
muralista *m., f.* muralist
muralla wall; rampart
muro wall
musculación bodybuilding
músculo muscle (12)
museo museum (4)
música music; **equipo de música** stereo (1)

músico/a musician
muslo thigh (12)
musulmán, musulmana *n., adj.* Moslem (16)
mutuamente mutually
muy very (B); **muy bien** very well, very good

N

nacer (zc) to be born (2); **¿en qué mes nació?** in what month were you (*pol. sing.*) (was he/she) born?; **recién nacido/a** newborn (15)
nacimiento birth; **fecha de nacimiento** date of birth; **lugar** (*m.*) **de nacimiento** place of birth
nación *f.* nation
nacional national
nacionalidad *f.* nationality
nacionalización *f.* nationalization (16)
nada nothing (C); **como si nada** as if nothing were wrong
nadador(a) swimmer
nadar to swim (1)
nadie no one, nobody, not anybody
nado *n.* swimming
nalga buttock (12)
nana grandma
naranja orange (*fruit*) (A)
nariz *f.* (*pl.* **narices**) nose (B); **nariz tapada** stuffy nose (12)
narrar to narrate
nasal: goteo nasal nasal drip
natación *f.* swimming (4)
natal *adj.* native
natalidad *f.* birthrate; birth (10); **control** (*m.*) **de la natalidad** birth control (16); **índice** (*m.*)**/tasa de natalidad** birthrate
natural: jugo natural fresh-squeezed juice (8); **recurso natural** natural resource (16)
naturaleza nature (16)
náusea: tener náuseas *pl.* to be nauseated (12)
navaja (razor)blade (4)
navegante *m., f.* navigator (9)
navegar (gu) to sail (9)
Navidad *f.* Christmas (4); **árbol** (*m.*) **de Navidad** (3)
navío ship
neblina fog (10)
nebulización *f.* spray
necesario/a necessary (6)
necesidad *f.* necessity
necesitado/a needy (16)
necesitar to need (5); **necesitar** (+ *infin.*) to need to (*do something*) (5); **se necesita** is needed
nécora small crab
negar(se) (ie) (gu) to deny; **negarse a** (+ *infin.*) to refuse to (*do something*)
negociante *m., f.* businessman/businesswoman (16)
negocio business (15); **hombre/mujer de negocios** businessman/businesswoman (3); **viaje** (*m.*) **de negocios** business trip

negrilla boldface
negro *n.* black
negro/a *n.* African-American; *adj.* black (A)
nene, nena baby, infant
nervio nerve (12)
nervioso/a nervous (B)
nevada snowfall
nevado snowy (10)
nevar (ie) to snow (2)
ni neither; nor; even; **ni modo** oh well; tough! (16); **ni... ni** neither . . . nor; **¡ni pensarlo!** don't even think of it!; no way! (4); **ni siquiera** not even
nicaragüense *adj. m., f.* Nicaraguan (3)
nido nest
nieto/a grandson/granddaughter (C); **nietos** *pl.* grandchildren
nieve *f.* snow
nimio/a trivial, insignificant
ningún, ninguno/a none, not any (8)
niñera babysitter (14)
niñez *f.* childhood (9)
niño/a boy/girl (B); child; **de niño** as a child (9)
nivel *m.* level (15); **nivel del mar** sea level (16)
no no; not (A)
Nóbel: Premio Nóbel Nobel Prize (16)
noche *f.* night; **buenas noches** good evening; good night (A); **de noche** at night (10); **esta noche** tonight, this night (2); **por la noche** in the evening, at night (1); **salir de noche** to go out at night (3)
Nochebuena Christmas Eve (4)
Nochevieja New Year's Eve (4)
nocturno/a nighttime; **club** (*m.*) **nocturno** nightclub (5)
nodo node
nombrado/a named (16)
nombrar to name (1)
nombre *m.* name; **¿cuál es su nombre?** what is your name? (*pol. sing.*) (A); **mi nombre es...** my name is . . . (A)
nordeste *m.* northeast
noreste *m.* northeast
normalidad *f.* normalcy, normality
normalmente normally
norte *m.* north
Norteamérica North America
norteamericano/a North American (C)
nos *d.o.* us; *i.o.* to/for us; *refl. pron.* ourselves
nosotros/as *sub. pron.* we (B); *obj. of prep.* us
nota note; grade (*academic*) (4); **sacar buenas/malas notas** to get good/bad grades (5)
notar to note, notice
noticia(s) news (16)
noticiero newscast
novecientos/as nine hundred
novela novel; **novela policíaca** detective novel
novelista *m., f.* novelist
noveno/a ninth (2)

noventa ninety (C)
noviazgo courtship (15)
noviembre *m.* November (1)
novio/a boyfriend/girlfriend (3); fiancé(e); groom/bride (15)
nube *f.* cloud (10)
nublado/a cloudy (10); **parcialmente nublado** partly cloudy (10)
nuclear nuclear; **desperdicios** (*pl.*) **nucleares** nuclear waste (10)
nudibranquio nudibranch (*type of mollusk*)
nudo knot
nuera daughter-in-law (9)
nuestro/a *poss.* our
nueve nine (A)
nuevo/a new (A); **Año Nuevo** New Year's Day (4); **de nuevo** again
nuez *f.* (*pl.* **nueces**) nut (8)
numeración *f.* numbering
numérico/a numerical
número number; **número medio** median
numeroso/a numerous (15)
nunca never (7); **casi nunca** very rarely
nutriente *m.* nutrient (10)

O

o or
objetivo objective
objeto object (6)
obligación *f.* obligation
obligar (gu) to oblige
obra work (16); **mano** (*f.*) **de obra** manual labor; **obra maestra** masterpiece
obrero/a (industrial) (industrial) worker (5)
obsequio: de obsequio free, complimentary
observador(a) observant
observar to observe, watch (10)
obstante: no obstante nevertheless, however
obtener (*like* **tener**) to obtain, get (5)
obviamente obviously
ocasión *f.* occasion
occidental western (16)
océano ocean (10)
ochenta eighty (C)
ocho eight (A)
ochocientos/as eight hundred
octavo/a eighth (2)
octubre *m.* October (1)
ocupación *f.* occupation
ocupado/a busy (4)
ocupar to occupy; **ocuparse** to be busy
ocurrencia: ¡qué ocurrencia! what a silly idea! (4)
ocurrir to occur
oda ode
oeste *m.* west (16)
ofender to offend
oficina office (B)
oficio job, profession; trade
ofrecer (zc) to offer (2)

oído (inner) ear (12)
oír *irreg.* to hear (7); **oye...** hey . . .
ojalá (que) I hope (that)
ojo eye (A); **¿de qué color tiene los ojos?** what color are your (*pol. sing.*)/his/her eyes? (B)
ola wave (*ocean*) (7)
oler *irreg.* to smell (12)
olfato sense of smell
Olimpiadas *pl.* Olympics (7)
Olímpico/a: Juegos Olímpicos Olympic Games
olla pot
olor *m.* odor
olvidar(se) to forget (12)
ómnibus *m.* bus
once eleven (A)
onda: estar en onda to be "in," current
onza ounce (8)
opción *f.* option
ópera opera (16)
operación *f.* operation
operador(a) operator
operar (a) to operate (on) (12)
opinar to think, believe (15)
opinión *f.* opinion
oponerse a (*like* **ponerse**) to oppose (16)
oportunidad *f.* opportunity, chance (15)
oposición *f.* opposition
optimista *n. m., f.* optimist; *adj.* optimistic
opuesto/a opposite
oración *f.* sentence (4)
oratoria public speaking; debate
orden *m.* order (*chronological*); *f.* order, command (14); **poner en orden** to order, put in order
ordenado/a tidy
ordenador *m. Sp.* computer
ordenar to arrange, put in order (11)
ordinal: número ordinal ordinal number
oreja (outer) ear (B)
orgánico/a organic (10)
organización *f.* organization
organizar (c) to organize (1)
órgano organ (11)
orgulloso/a proud (15)
oriente *m.* east (16)
origen *m.* origin
originar to cause
orilla bank, shore (10)
oro gold (13)
orquesta orchestra
os *d.o.* (*Sp.*) you (*inf. pl.*); *i.o.* (*Sp.*) to/for you (*inf. pl.*); *refl. pron.* (*Sp.*) yourselves (*inf. pl.*)
oscilar to fluctuate
oscuro/a dark
oso bear (7)
ostra oyster
otoño autumn (1)
otro/a other; another (B); **de otro modo** in a different way; **otra vez** again (5); **por otra parte** on the other hand
oveja sheep

oxígeno oxygen
ozono: capa de ozono ozone layer (10); agujero en la capa de ozono hole in the ozone layer (10)

P

paciencia patience
paciente *n. m., f.; adj.* patient (4)
pacífico/a peaceful
padecer (zc) to suffer (from) (12)
padrastro stepfather (9)
padre *m.* father (C); priest; *pl.* parents (C); Día (*m.*) del Padre Father's Day (4)
padrino godfather (15); *pl.* godparents
paella *Valencian (Spain) rice dish with meat, fish, or seafood and vegetables*
pagar (gu) to pay (7)
página page (A)
pago payment
país *m.* country; país natal native country
paisaje *m.* countryside
pájaro bird (3)
pala shovel (13)
palabra word (3); libertad (*f.*) de palabra freedom of speech
palacio palace (7)
paletilla shoulder blade
palidecer (zc) to turn pale
palma palm (*botanical*)
palmera palm tree (7)
palmo a palmo inch by inch
palomitas (*pl.*) de maíz popcorn (8)
palpable palpable; tangible; concrete
pampa pampa, prairie; La Pampa *region of Argentina*
pan *m.* bread (8); barra de pan loaf of bread (12); llamar al pan pan y al vino vino to call a spade a spade; pan tostado toast (8)
pana corduroy (13)
panadería bakery (4)
Panamá *m.* Panama (3)
panameño/a *n., adj.* Panamanian (3)
pandilla gang (16)
panecillo roll, bun (8)
panfleto pamphlet
pánico panic
panorámico/a panoramic
panqueque *m.* pancake (8)
pantaletas *pl.* women's underpants (13)
pantalón, pantalones *m. sing., pl.* pants (A); pantalones cortos shorts (A); pantalones vaqueros jeans (2)
panteón *m.* mausoleum, graveyard
pantimedias *pl.* nylons, pantyhose (13)
pantorrilla calf (*of leg*) (12)
pantufla slipper
paño cloth
pañuelo handkerchief
papa potato (8); papas fritas French fries (8); puré (*m.*) de papas mashed potatoes (8)
papá *m.* papa, dad (B)
papalote *m. Mex.* paper kite; volar un papalote to fly a kite (9)

papel *m.* paper (B); role; hacer el papel de to play the role of (6)
papelería stationery store (4)
papelero/a relating to paper
paperas *pl.* mumps (12)
paquete *m.* package (8)
para for; in order to (1); para que in order that (15); ¿para qué sirve? what is it used for? (6)
parabrisas *m. sing., pl.* windshield (10)
paracetamol *m.* acetaminophen (*non-aspirin pain reliever*)
parachoques *m. sing., pl.* bumper (10)
parada del autobús bus stop (3)
parador *m.* inn (11)
paraestatal semi-official; public
paraguas *m. sing., pl.* umbrella (13)
Paraguay *m.* Paraguay (3)
paraguayo/a *n., adj.* Paraguayan (3)
paralizado/a paralyzed
parar to stop (10)
parcialmente partially; parcialmente nublado partly cloudy (10)
parecer (zc) to look; seem; parecerle (a uno) to seem (to one) (6); parecerse to look alike (like each other) (9); ¿qué te/le parece... ? what do you think of . . . ?
parecido/a: bien parecido good-looking (15)
pared *f.* wall (B)
pareja couple; en parejas in pairs (11)
paréntesis *m. sing., pl.*: entre paréntesis in parentheses
pariente, parienta relative (4)
París *m.* Paris
parque *m.* park (2); merendar en el parque to have a picnic in the park (2)
parra (grape)vine
párrafo paragraph
parrilla: a la parrilla grilled, charbroiled (8)
parrillada grilled meat
parroquia parish
parte *f.* part; las partes del cuerpo parts of the body (12); por otra parte on the other hand; por todas partes everywhere
Partenón *m.* Parthenon
participación *f.* participation
participar to participate
particular particular; private; casa particular private home (6)
partida departure
partidario/a supporter, advocate
partido party (*political*); game, match (1); ver un partido de... to watch a game of . . . (1)
partir to leave; to divide; a partir de + *time* starting from + *time*
párvulo: escuela de párvulos kindergarten
pasa raisin (8)
pasado *n.* past (5)
pasado/a *adj.* past, last; la semana pasada last week (6); pasado mañana day after tomorrow (3)

pasaje *m.* passage; fare, ticket (11)
pasajero/a passenger (10)
pasaporte *m.* passport; sacar el pasaporte to get a passport (11)
pasar to pass; to happen; to come in; to spend (*time*); pasar hambre to go hungry; pasar la aspiradora to vacuum (6); pasar por to go through; pasar tiempo to spend time (2); pasarlo bien/mal to have a good/bad time; ¿qué pasa? what's going on? (7); ¿qué pasó? what happened? (7); ¿qué te/le pasa? what's the matter with you?
pasatiempo pastime (2)
Pascua Easter; Domingo de Pascua Easter Sunday (4); *pl.* Easter; felices Pascuas Merry Christmas (*regional*); Pascua Judía Passover
pasear to go for a walk; to take a ride; pasear en barca to take a boat ride (2); pasear en bicicleta to go for a bicycle ride
paseo walk, stroll; dar un paseo to take a walk (4); dar un paseo en carro to go for a drive
pasión *f.* passion
paso step (8); dar un paso to take a step; de paso incidently; no hay paso no entrance (9); paso a paso step by step
pasta de dientes toothpaste
pastel *m.* cake (4)
pasto de ganado cattle grazing
pastor *m.* shepherd
pata: estirar la pata *coll.* to kick the bucket, die
patacón *m.* fried banana
patata *Sp.* potato
paterno/a paternal
patinaje *m.* skating
patinar to skate; patinar en el hielo to ice-skate (1)
patineta: andar en patineta to skateboard
patio patio; patio de recreo schoolyard (9)
pato duck
patria country, homeland, native land (16)
patriota *m., f.* patriot (16)
paulatino/a slow, gradual
pavo turkey
payaso clown
paz *f.* (*pl.* paces) peace (15); déjame en paz leave me alone
peatón, peatona *n.* pedestrian (10)
pecho chest (12); breast
pedagogía pedagogy; education
pediatría *sing.* pediatrics
pedir (i, i) to ask for, request (8); pedir permiso to ask for permission (4); pedir(se) perdón to apologize (to each other)
pegado/a close together
pegar (gu) to hit, strike; pegarse un susto to get a shock
peinarse to comb one's hair (4)
Pekín *m.* Beijing (C)

peladura *n.* peel, peeling

pelea fight

pelear to fight; **pelearse** to fight with each other (9)

película movie (2); **rollo de película** roll of film (13)

peligro danger (10)

peligroso/a dangerous (5)

pelo hair (A); **cortarse el pelo** to cut one's hair, have one's hair cut; **¿de qué color tiene el pelo?** what color is your (*pol. sing.*)/his/her hair? (B); **lavarse el pelo** to wash one's hair (4); **secarse el pelo** to dry one's hair (4)

pelota ball (9)

peluquería beauty parlor (5)

peluquero/a hairdresser (5)

peluquín *m.* hairpiece

pena de muerte death penalty (16)

pendiente *n. f.* slope, incline; *adj.* hanging

pensamiento thought

pensar (ie) to think (5); **¡ni pensarlo!** don't even think about it!; no way! (4); **pensar (+ infin.)** to plan to (*do something*) (5); **pensar en** to think about (*something/ someone*) (5); **pensar que** to think that (16); **pensarlo** to think about it

pensativo/a thoughtful

peor worse (6); worst (6)

pepino cucumber (8)

pequeño/a small (B)

pera pear

percance *m.* mishap, misfortune

percibir to perceive

perder (ie) to lose; **perderse** to get lost (12)

perdón *m.* pardon; *interj.* pardon/excuse me (C); **pedir(se) perdón** to apologize (to each other)

perdonar to excuse

perezoso/a lazy (B)

perfeccionar to perfect

perfil *m.* profile

perfume: ponerse perfume to put on perfume (4)

perico parakeet

periódicamente periodically

periódico newspaper; **leer el periódico** to read the newspaper (1)

periodista *m., f.* journalist

período period

periquito parakeet; little parrot (14)

perjudicar (qu) to damage, harm

perla pearl

permanecer (zc) to remain

permiso permission; **dar permiso** to give permission (9); **pedir permiso** to ask for permission (9)

permitir to allow (9); **permitirse** to be allowed (9)

pero but (C)

perro/a dog (A)

persecución *f.* persecution (16)

perseguir (i, i) (g) to pursue; to persecute

persona person

personaje *m.* character (*fictional*)

personal: datos (*pl.*) **personales** personal data

personalidad *f.* personality (14)

personalmente personally; in person (4)

personificar (qu) to personify

pertenecer (zc) to belong (8)

Perú *m.* Peru (3)

peruano/a *n., adj.* Peruvian (3)

pesa: levantar pesas to lift weights (2)

pesado/a heavy

pesar *v.* to weigh; **a pesar de** (*prep.*) in spite of

pescado fish (*caught*)

pescador(a) *m., f.* fisherman

pescar (qu) to fish (1)

pesebre *m.* manger; Nativity scene

peseta *monetary unit of Spain* (4)

pesimista *n. m., f.* pessimist; *adj.* pessimistic

peso *monetary unit of Mexico, Colombia, Cuba, etc.*; weight (1)

pestaña eyelash (12)

pesticida *m.* pesticide (10)

petróleo petroleum, oil (10)

pez *m.* (*pl.* **peces**) fish (*live*) (3)

pibe, piba *Arg.* child

picante spicy (8)

pícaro/a *n.* rogue, scoundrel; *adj.* scheming, mischievous; **¡qué pícaro/a!** what a rascal! (9)

picazón *f.* itch, itching (12)

pico: cuello en V / en pico V-neck collar (13); **sombrero de tres picos** three-cornered hat

pie *m.* foot (B); *pl.* feet (B); **(estar) de pie** (to be) standing; **ponerse de pie** to stand up

piedra stone (13)

piel *f.* skin; leather (13)

pierna leg (B)

pieza piece (7)

pijama *m. sing.* pajamas

píldora pill (12)

pileta *Arg.* swimming pool

pilotear to fly (*plane*)

piloto *m., f.* pilot (5)

pimentero pepper shaker (8)

pimienta pepper (8)

pinacoteca art gallery

pinar *m.* pine grove

pinta look, appearance

pintar to paint (5)

pintor(a) painter (10)

pintoresco/a picturesque (16)

pintura painting (11)

piña pineapple (8); **piña colada** *tall mixed drink of rum, cream of coconut, pineapple juice, and ice, usually mixed in a blender*

pirámide *f.* pyramid (7)

Pirineos *pl.* Pyrenees

piscina swimming pool (1)

Piscis *m. sing., pl.* Pisces

piso floor (B); *Sp.* apartment

pista hint

pizarra (chalk)board (B)

placa license plate (10)

placer *n. m.* pleasure

plan *m.* plan (5)

plancha iron

planchar to iron (3)

planear to plan (11)

planeta *m.* planet

planificar (qu) to plan

plano plan, diagram; map (of a room or city) (3)

planta plant (A)

plantar to plant

plasmar to create

plástico plastic (10)

plata silver (13)

plataforma platform

plátano banana (8)

platillo dish (*food*) (8); saucer (8)

plato plate (6); culinary dish (8); **plato hondo** bowl (8)

playa beach (1)

playera *Mex.* T-shirt (13)

pleno/a full

plomero/a plumber (5)

pluma feather; *Mex.* pen (B)

población *f.* population

poblador(a) settler; colonist; inhabitant

poblar (ue) to populate

pobre *n. m., f.* poor person; *adj.* poor (10)

pobreza poverty (16)

poco/a little; *pl.* few; **dentro de poco** within a short time; **poco a poco** little by little; **poco asado** rare (*meat*) (8); **poco cocido** rare (*meat*) (8); **poco después** a bit later (7); **un poco** a little

poder *n. m.* power; **llegar al poder** to attain power

poder *v. irreg.* to be able; **poder (+ infin.)** to be able to (*do something*) (5)

poderoso/a powerful

poema *m.* poem

poesía poetry

poeta *m.* poet (16)

polen *m.* pollen

policía *m., f.* police officer (5); *f.* police force (7)

policíaco/a *adj.* police; **novela policíaca** detective novel

polideportivo sports complex

poliéster *m.* polyester (13)

política *sing.* politics; policy (16)

político/a *n.* politician; *adj.* political; **ciencias** (*pl.*) **políticas** political science

politizado/a politicized

pollera *Arg., Uruguay* skirt

pollo chicken (8); **pollo frito** fried chicken (8)

Polonia Poland (16)

polonio polonium (*chemical element*)

polvo dust (6)

pomelo grapefruit (8)

poncho poncho

poner *irreg.* to put, place (4); to put on; to put up; to show (*film*); **poner discos compactos** to play CDs (3); **poner en efecto** to carry out; **poner en orden** to order, put in order; **ponerle fin a** to end, put an end to (16); **ponerse** + *adj.* to get, become + *adj.*; **ponerse a** (+ *infin.*) to begin to (*do something*); **ponerse de buen/mal humor** to get into a good/bad mood; **ponerse de moda** to become fashionable; **ponerse de pie** to stand up; **ponerse la ropa** to put on clothes (4); **ponerse perfume** to put on perfume (4); **ponerse rojo/a** to blush (7)

por by; through; because of; for; per; around, about; on; because of, on account of; **darse por vencido** to give up; **por aquí** around here; **por ciento** percent; **por completo** totally; **¿por cuánto?** for how much?; **por dentro** on the inside (8); **por dondequiera** everywhere; **por ejemplo** for example (9); **por el medio** in half; **por eso** that's why; **por favor** please (1); **por fin** finally (12); **por fuera** on the outside (8); **por la mañana/tarde/noche** in the morning/afternoon/evening/at night (1); **por lo general** in general; **por lo menos** at least; **por lo tanto** therefore; **por supuesto** of course; **por último** finally, lastly (2)

porcelana porcelain

porcentaje *m.* percentage

porción *f.* serving (8)

¿por qué? why? (2); **¿por qué no?** why not?

porque because (5)

portal *m.* porch; doorway

portar to carry; **portar armas** to bear arms (16); **portarse** to behave

portátil portable

portazgo toll, tollbooth

porteño/a of or from Buenos Aires

portero eléctrico *intercom with automatic door-opener*

portugués *m.* Portuguese (*language*) (C)

portugués, portuguesa *n., adj.* Portuguese (C)

porvenir *m.* future

posada inn

poseer (**y**) to possess

posesivo/a possessive

posibilidad *f.* possibility (5)

posponer (*like* **poner**) to postpone

postal: apartado postal post office box number; **giro postal** money order; **tarjeta postal** postcard

posterior *adj.* rear; **réplicas posteriores** aftershocks

postre *m.* dessert (8); **de postre** for dessert

potable potable, drinkable

potencia power, force

potencial *n. m.* potential (10)

potro colt

p.p.m. (*abbrev. for* **palabras por minuto**) words per minute

pqte. (*abbrev. for* **paquete**) package

práctica practice

practicar (**qu**) to play (*sport*); to practice (2); **practicar un deporte** to play a sport (2)

práctico/a practical (B)

precavido/a cautious

precio price (4)

precioso/a precious (13)

precisamente exactly (12)

precolombino/a pre-Colombian

preconcebido/a preconceived

predicar (**qu**) to preach

predominar to predominate

preferible preferable

preferido/a favorite (3)

preferir (**ie, i**) to prefer (2)

pregunta *n.* question (A); **hacer preguntas** to ask questions (5)

preguntar to ask (questions) (5); **pregúntele a...** ask . . .

prejuicio prejudice (16)

prematuro/a premature

premio prize (15); premium; **premio gordo** grand prize (15); **Premio Nóbel** Nobel Prize (16)

prenda de ropa/vestir garment

prender (**la luz**) to turn on (the light) (6)

prensa press; **libertad** (*f.*) **de prensa** freedom of the press

prensador *m.* press

preocupación *f.* worry

preocupado/a worried (4)

preocupar to worry (10); **me preocupa que** it worries me that

preparación *f.* preparation

preparar to prepare (3)

preparativos *pl.* preparations

preparatoria *n.* prep school; high school (2)

preparatorio/a *adj.* preparatory

presencia presence

presenciar to witness, be present at

presentación *f.* presentation; introduction (5)

presentar to present; to introduce (A)

presente *n. m.; adj.* present

preservar to preserve

presidencia presidency

presidente, presidenta president

presión *f.* pressure (10)

presionar to pressure

préstamo loan (16)

prestar to lend (14)

prestigio prestige

presupuesto budget (14)

pretender to pretend; to claim

pretérito preterite

prevenido/a prepared, ready

prevenir (*like* **venir**) to prevent; **más vale prevenir** it is better to be prepared

preventivo/a preventive

prima: materia prima raw material (13)

primaria: (escuela) primaria elementary school

primavera spring (1)

primer, primero/a first (2); **de buenas a primeras** suddenly; **por primera vez** for the first time (8); **primera clase** first class (11)

primo/a cousin (C)

princesa princess (C)

príncipe *m.* prince (C)

principio beginning; principle; **para principios de** by the beginning of

prioridad *f.* priority (16)

prisa: tener prisa to be in a hurry (4)

privado/a private (14)

privilegiado/a privileged, favored

probador *m.* fitting room

probar(se) (**ue**) to try (out); to prove; to taste; to try on (13)

problema *m.* problem (10)

procedente *adj.* coming, originating

procesador (*m.*) **de palabras** word processor (15)

procesador(a) *adj.* processing

proceso process; trial

prodigioso/a excellent, wondrous

producción *f.* production (10)

producir (**zc**) (**j**) to produce (10)

profecía prophecy

profesión *f.* profession

profesor(a) professor (A)

profundidad *f.* depth

profundo/a deep (10)

programa *m.* program

programador(a) programmer (5)

programar to schedule; to plan

progresar to make progress; to progress

progreso progress (16)

prohibir (**prohíbo**) to prohibit (14)

prolongar (**gu**) to prolong

promedio average (10)

prometer to promise (16)

promover (**ue**) to promote; to advance, further

promulgar (**gu**) to proclaim; to put into effect

pronombre *m.* pronoun; **pronombre de complemento directo/indirecto** direct/indirect object pronoun

pronosticar (**qu**) to forecast (10)

pronóstico del tiempo weather forecast (2)

pronto soon (7); **de pronto** suddenly (4); **lo más pronto posible** as soon as possible; **tan pronto como** as soon as (15)

pronunciar to pronounce

propagar (**gu**) to propagate

propiedad *f.*: **título de propiedad** deed (15)

propietario/a owner, proprietor (16)

propina tip (*for a service*) (8)

propio/a own (6); typical, characteristic

proponer (*like* **poner**) to propose

proporcionar to furnish, provide

propósito purpose

propuesto/a (*p.p. of* **proponer**) proposed

proseguir (i, i) (g) to continue
prosperidad *f.* prosperity
próspero/a prosperous
protagonista *m., f.* protagonist
proteger (j) to protect (10)
protesta protest
proveedor(a) provider, supplier
proveer (y) to provide
provenir (*like* **venir**) to originate
provincia province, region
provocar (qu) to provoke
próximo/a next (2); **la próxima semana**
    next week (4)
proyectar to project
proyecto project; plan (14)
prueba test
psicología psychology
psicólogo/a psychologist (12)
psiquiatra *m., f.* psychiatrist (12)
ptas. (*abbrev. for* **pesetas**) *monetary unit of*
    Spain
publicación *f.* publication (16)
publicar (qu) to publish
público/a *adj.* public; **salud** (*f.*) **pública**
    public health (16)
pueblito little town (9)
pueblo town (6); people
puente *m.* bridge (10)
puerco pork; **carne** (*f.*) **de puerco**
    pork (8)
puerta door (A)
puerto (sea)port
puertorriqueño/a *n., adj.* Puerto
    Rican (3)
pues... well . . . (1)
puesta del sol sunset
puesto *n.* job; stand, booth
puesto/a (*p.p. of* **poner**) put, placed; turned
    on (12); **puesto a punto** adjusted, regu-
    lated; **tengo una falda puesta** I have a
    skirt on, I'm wearing a skirt
pulga flea
pulgada inch
pulgar thumb (12)
pulmón *m.* lung (12)
pulmonía pneumonia (12)
pulpa pulp, flesh
pulpería grocery store
pulpo octopus
pulsera bracelet
pulso pulse (12)
puntaje *m.* score
puntiagudo/a *adj.* pointed
punto point; period; **al punto** medium rare
    (*meat*) (8); **puesto/a a punto** adjusted;
    regulated; **punto de vista** point of view;
    punto y aparte (write a) period and (be-
    gin a) new paragraph (*dictation*)
puntual punctual
pupitre *m.* student's desk (A)
puré (*m.*) **de papas** mashed potatoes
pureza purity
puro/a pure (16)

Q

que that, which; than; **lo que** that which,
    what (6); **más/menos que** more/less than
    (6); **ya que** since
¿qué... ? what . . . ? (B); **¿de qué está he-**
    cho/a? what is it (made) of? (13); **¿qué**
    tal? how's it going?; how are you? (6);
    ¿qué tal si... ? how about if . . . ?; **¡qué**
    va! no way! (16)
quechua *m.* Quechua (*language*) (*indigenous*
    to Peru, Bolivia, etc.)
quedar(se) to remain, stay; to get left be-
    hind (12); to fit; to be, be situated; to be,
    get; **no quedar más remedio** to not have
    any other choice; **quedar embarazada** to
    become pregnant; **quedar de acuerdo** to
    agree; **quedarle apretado/suelto** to fit
    tightly/loosely (13); **quedarle bien/mal** to
    look nice/bad on one (13); **quedarle**
    grande/pequeño to be too big/small (13);
    quedarse dormido to fall asleep;
    quedarse en casa to stay home (4)
quehacer *m.* chore
quejarse to complain (9)
quemadura burn (12)
quemar to burn (7)
queque *m.* bun, cake (*Colombia*)
querer *irreg.* to want (1); to love; **querer**
    decir to mean; **quererse** to love each
    other (15)
querido/a *n.* dear; *adj.* dear; beloved; **ser**
    (*m.*) **querido** loved one (15)
quesadilla (*Mex., Honduras*) *cornmeal or tor-*
    tilla pie filled with cheese
queso cheese (8)
quetzal *m. monetary unit of Guatemala* (13)
quien(es) who, whom
¿quién(es)? who?, whom? (A); **¿de quién**
    es/son... ? whose is/are . . . ? (C); **¿quién**
    es? / ¿quiénes son? who is it? / who are
    they? (A)
química chemistry (2)
químico/a *adj.* chemical
quince fifteen (A)
quinceañera fifteenth-birthday party
quinientos/as five hundred
quinto/a fifth (2)
quintuplicar (qu) to quintuple
quiosco kiosk
quitamanchas *m. sing., pl.* stain remover
quitar(se) to remove; **quitarse la ropa** to
    take off clothes (4)
quizá(s) perhaps

R

rábano radish (8)
rabia: dar rabia to anger, enrage
rabioso/a furious
racimo cluster, bunch
ración *f.* portion, helping
racista *adj. m., f.* racist
radiador *m.* radiator (10)

radio *m.* radio (*receiver*); *f.* radio
    (*broadcasting*); **radiocassette (portátil)**
    (portable) radio cassette player (13); **radio**
    despertador alarm clock radio (13)
radiografía X-ray
raíz *f.* (*pl.* **raíces**) root
rallar to grate (8)
ramo cut branch; bouquet; piece (*fig.*)
rancheros: huevos rancheros eggs, *usually*
    fried or poached, topped with a spicy tomato
    sauce and sometimes served on a fried corn
    tortilla
rape *m.* anglerfish
rápidamente fast, rapidly (4)
rapidez *f.* rapidity; **con rapidez** rapidly
rápido *adv.* fast; quickly
rápido/a *adj.* rapid, fast, quick (4)
raqueta racket
ráquetbol *m.* racketball
raro/a strange
rascar (qu) to scratch
rasgo trait, characteristic
Rastro *Madrid flea market* (13)
rasuradora eléctrica electric razor (4)
rato a while (7); little while, short time;
    a cada rato every few minutes (14)
ratón *m.* mouse
raya: de rayas striped (13)
rayo ray
rayuela hopscotch; **jugar a la rayuela** to
    play hopscotch (9)
raza race (16)
razón *f.* reason (8); **con razón** with good
    reason; **sea cual sea la razón** whatever
    the reason may be; **tener razón** to be
    right (14)
reacción *f.* reaction (16)
reaccionar to react
real real; royal
realidad *f.* reality
realizar (c) to attain, achieve; to carry out;
    to realize (15)
reata riata, lariat (*rope used to tie horses or*
    mules in single file)
rebajado/a reduced (*price*) (13)
rebajar to reduce a price (13)
rebanada slice (8)
recaída relapse; setback
recámara *Mex.* bedroom (6)
recepción *f.* reception; lobby (11)
recepcionista *m., f.* receptionist (B)
receta recipe; medical prescription (12);
    surtir una receta to fill a prescription
    (12)
recetar to prescribe (12)
rechazar (c) to reject
recibir to receive (2)
reciclaje *m.* recycling (10)
reciclar to recycle (10)
recién recently; **recién nacido/a** newborn
    (15)
reciente recent (16)
recipiente *m.* container (10)

recíproco/a reciprocal
reclamo claim; **reclamo de equipaje** baggage claim (11)
recoger (j) to pick up (3)
recomendación *f.* recommendation
recomendar (ie) to recommend (11)
reconciliarse to become reconciled
reconocer (zc) to recognize
reconstrucción *f.* reconstruction
reconstruir (y) to reconstruct
recordar (ue) to remember (9)
recorrer to tour, travel across
recortar to cut out
recreo recess (9); **patio de recreo** schoolyard (9); **sala de recreo** recreation room (13)
recto/a straight (13)
rectoría office of the president (rector) of a university (3)
recuerdo souvenir; *pl.* memories (9)
recuperar to recuperate, get back
recurrir (a) to appeal (to)
recurso resource (10); **recurso natural** natural resource (16)
red *f.* network; **red mundial** Internet (2)
reducción *f.* reduction (16)
reducir (zc) (j) to reduce (10)
reelegir (i, i) (j) to reelect
referirse (ie, i) a to refer to (16)
reflejar to reflect
reflexión *f.* reflection
reflexionar to reflect on, think about
reforma agraria land reform (16)
reformar to reform
reforzar (ue) (c) to reinforce
refrán *m.* proverb
refrescar (qu) to cool; to refresh
refresco soft drink (3)
refrigerador *m.* refrigerator (6)
refrigerio snack
refugio refuge, shelter
regalado/a: a precios regalados inexpensively priced, "given away"
regalar to give as a gift
regalo gift (4)
regaño scolding (14)
regar (ie) (gu) to water (6)
regatear to bargain (13); **a regatear** let's bargain
regateo *n.* bargaining (13)
régimen *m.* (*pl.* **regímenes**) regime; diet (16)
región *f.* region (10)
registrar to register
regla rule (12)
regresar to return (3)
regreso: de regreso *adj.* return
regulado/a adjusted, calibrated
regular fair, so-so; **estoy regular** I am OK (A)
reina queen
Reino Unido United Kingdom
reír(se) (río) (i, i) to laugh

relación *f.* relationship; **relaciones** (*pl.*) **familiares** family relationships (9)
relacionado/a related (9)
relacionar to relate
relajador(a) *adj.* relaxing
relajarse to relax
relámpago lightning (10)
relato account, story
religión *f.* religion
religioso/a religious (B)
relleno *n.* filling
relleno/a *adj.* stuffed; **chile** (*m.*) **relleno** stuffed chili pepper
reloj *m.* watch (A); clock
remedio remedy; **no quedar más remedio** to not have any other choice
remesa shipment
remo *n.* rowing
remoto/a remote
remover (ue) to remove
renacer (zc) to be reborn
rendir (i, i) tributo to pay tribute
renovado/a remodeled (13)
renovar (ue) to renovate
renunciar to renounce
reparación *f.*: **taller** (*m.*) **de reparación** garage (5)
reparar to repair, fix (2)
repartir to divide; to distribute
repaso review
repente: de repente suddenly
repetir (i, i) to repeat
repisa shelf
repleto/a de replete with, full of
réplica replica, copy
repoblación (*f.*) **forestal** reforesting
repoblar (ue) to reforest
reponer (*like* **poner**) to put back
reportaje *m.* report (3)
reportero/a reporter (15)
reposado/a calm, peaceful
reposar to lie; to remain
repositorio repository
repostería cake shop
representante *m., f.* representative
representar to represent
represión *f.* repression
represivo/a repressive (16)
reproducir (zc) (j) to reproduce
reproductor (*m.*) **para discos compactos** CD player (8)
república republic (16); **República de Sudáfrica** South Africa (C); **República Dominicana** Dominican Republic (2)
republicano/a Republican
repuesto/a (*p.p. of* **reponer**) replaced; **de repuesto** replacement (*part*)
requerir (ie, i) to require (16)
requisito *n.* prerequisite; requirement (5)
res *f.* head of cattle; beast; **carne** (*f.*) **de res** beef (8)
resbaloso/a slippery (10)
rescatado/a rescued

reseña review (15); description
reservación *f.* reservation
reservar to reserve
resfriado *n.* cold (*illness*) (12)
resfriado/a: estar resfriado/a to have a cold (12)
resfriarse to catch a cold (12)
resfrío cold (*illness*) (12)
residencia residence; **residencia estudiantil** university dorm (5)
residencial residential
residir to reside
resolver (ue) (*p.p.* **resuelto**) to solve (10)
respaldo: de respaldo back-up
respecto: al respecto about the matter; **con respecto a** with respect to (15); **respecto a** with respect to
respetar to respect
respeto respect (16)
respirar to breathe (12)
responder to respond, answer (14)
responsabilidad *f.* responsibility
responsable responsible (6)
respuesta answer (2)
restante *m.* remainder
restaurante *m.* restaurant
resto rest; *pl.* remains (14)
restricción *f.* restriction (10)
restringir (j) to restrict (10)
resuelto/a (*p.p. of* **resolver**) resolved, solved
resultado result (14); **dar como resultado** to result in
resultante resulting, consequent
resultar to turn out, result
resumen *m.*: **en resumen** in short, in conclusion (B)
retirarse to pull out, pull back
retornable: no retornable non-returnable
retraso backwardness, underdevelopment
retrovisor(a): espejo retrovisor rearview mirror (10)
reunión *f.* meeting (3)
reunirse to get together (4)
revisar to check (3)
revista magazine (2)
revivir to relive
revolución *f.* revolution (16)
revuelto/a: huevos revueltos scrambled eggs (8)
rey *m.* king; **Día** (*m.*) **de los Reyes Magos** Epiphany, Jan. 6th (*lit.* Day of the Magi) (4)
rezar (c) to pray (4)
rico/a rich; delicious (6, 8)
ridículo/a ridiculous
riesgo risk (14); **correr riesgo** to run a risk
riguroso/a severe, harsh
rincón *m.* corner
riñón *m.* kidney (12)
río river (2)
riqueza *sing.* riches, wealth
rítmico/a rhythmic; **gimnasia rítmica** eurhythmics

ritmo rhythm
rizado/a curly (A)
robar to rob, steal (7)
roble *m.* oak
robot *m.* robot (B)
roca rock
rocío dew (10)
rock *m.* rock music
rocoso/a rocky
rodante *adj.* rolling
rodeado/a surrounded (10)
rodear to surround
rodilla knee (12)
rogar (ue) (gu) to beg (14)
roído/a (*p.p. of* **roer**) gnawed
rojo/a red (A); **ponerse rojo/a** to blush (7)
rol *m.* role
rollo roll; **rollo de película** roll of film (13)
romano/a Roman
romántico/a romantic
romper(se) to break (11)
ron *m.* rum
ronda night watch or patrol; beat (*of a police officer*)
ronquera hoarseness
ropa *sing.* clothes, clothing; **guardar ropa** to put away clothes (6); **ponerse la ropa** to put on clothes (4); **quitarse la ropa** to take off clothes (4); **ropa deportiva** sport clothes (1); **ropa interior** underwear (13)
rosa rose (A)
rosado/a pink (A)
roto/a (*p.p. of* **romper**) broken
rubio/a blond(e) (A)
rueda wheel (10)
ruido noise (14); **hacer ruido** to make noise
ruidoso/a noisy
ruinas *pl.* ruins (11)
rumbo direction
rumor *m.* rumor
ruso Russian (language) (C)
ruso/a *n., adj.* Russian (C)
rústico/a rustic
ruta route (9)
rutina routine

S

sábado Saturday (1)
sábana sheet
saber *irreg.* to know (4); to find out about; **saber** (+ *infin.*) to know how to (*do something*) (5); **ya lo sé** I already know it; **(yo) sé** I know (1)
sabiduría wisdom
sabor *m.* flavor, taste; **de sabores** flavored
saborear to savor
sabroso/a delicious, tasty
sacar (qu) to take out; to get, receive (*grade*); **sacar adelante** to carry forward; **sacar al mercado** to put (*a new product*) on the market; **sacar buenas/malas notas** to get good/bad grades (5); **sacar fotos** to take pictures (1); **sacar el pasaporte (la visa)** to get a passport (visa) (11); **sacar la basura** to take out the trash (6)
saco bag; jacket, sport coat (A)
sacrificar (qu) to sacrifice
sacrificio sacrifice
sacudir to dust; to shake off (14)
Sagitario Sagittarius
sagrado/a sacred, holy
sal *f.* salt (8); **agua** (*f. but* **el agua**) **con sal** salt water (12)
sala room; living room (6); **sala de baño** bathroom (6); **sala de emergencias** emergency room (12); **sala de espera** waiting room (11); **sala de recreo** recreation room (13); **sala de urgencias** emergency room (12)
salado/a *adj.* salt, salted
salario salary; **aumento de salario** raise
salchicha sausage, frankfurter, hot dog
salero saltshaker (8)
salida departure; exit (11)
salir *irreg.* to leave; to go out; **salir a** (+ *infin.*) to go or come out to (*do something*); **salir a bailar** to go out dancing (1); **salir al mercado** to appear on the market; **salir de noche** to go out at night (3); **salir de vacaciones** to go on vacation (3); **salir del trabajo** to get off work
salón *m.* room; **salón de baile** dance hall; **salón de belleza** beauty parlor; **salón de clase** classroom
salsa salsa (*music*); sauce
saltar to jump; to jump up; **saltar la cuerda** to jump rope (9)
salud *f.* health (8); **¡salud!** bless you! (*after a person sneezes*); to your health! (12); **salud pública** public health
saludable healthy (8)
saludar to greet, say hello (7); **saludarse** to greet each other
saludo greeting (A)
salvadoreño/a *n., adj.* Salvadoran (3)
salvaje wild, savage
salvar to save (*from danger*) (10)
salvo except
san, santo/a saint; **día** (*m.*) **del santo** saint's day (3); **Día** (*m.*) **de Todos los Santos** All Saints' Day (3); **Semana Santa** Holy Week (4)
sandalia sandal
sandía watermelon (8)
sándwich *m.* sandwich
sangre *f.* blood (12); **análisis** (*m.*) **de sangre** blood test (12)
sangriento/a bloody
sano/a healthy
sarampión *m. sing.* measles (12)
sartén *f.* (frying) pan (8)
satélite *m.* satellite
satisfacción *f.* satisfaction (15)
satisfacer (*like* **hacer**) to satisfy
se (*impersonal*) one; *refl. pron.* herself, himself, itself, themselves, yourself (*pol. sing.*) yourselves (*pol. pl.*)
sea cual sea whatever it might be
secador (*m.*) **de pelo** hair dryer
secadora dryer (6); **secadora de pelo** hair dryer
secar (qu) to dry; **secarse** to dry off, dry oneself (4); **secarse el pelo** to dry one's hair (4)
sección (*f.*) **de (no) fumar** (no) smoking section (11)
seco/a dry (8); **ciruela seca** prune
secretario/a secretary (B)
secuencia sequence (7)
secundaria: (escuela) secundaria high school (7)
sed *f.* thirst; **tener sed** to be thirsty (4)
seda silk (13)
seguida: en seguida immediately (14)
seguir (i, i) (g) to follow (3); to continue; **seguir + -ndo** to go on (*doing something*) (13); **seguir una carrera** to have a career (5)
según according to (C)
segundo *n.* second, *adv.* secondly
segundo/a *adj.* second (2)
seguridad *f.* safety; **cinturón** (*m.*) **de seguridad** seatbelt (10); **con toda seguridad** with absolute certainty
seguro *n.* insurance (10); **seguro de auto(móvil) / seguro automovilístico** car insurance (10); **seguro médico** health insurance (12)
seguro/a *adj.* sure; safe
seis six (A)
seiscientos/as six hundred
selección *f.* selection, choice (11)
seleccionar to select, choose (16)
selva jungle; **selva tropical** tropical jungle
selvático/a *adj.* jungle
semáforo signal; traffic light (10)
semana week; **a la semana** per week; **cada semana** each/every week (6); **entre semana** on weekdays, during the week (14); **fin** (*m.*) **de semana** weekend (1); **la semana pasada** last week (6); **la próxima semana** next week (4); **Semana Santa** Holy Week (4); **... veces a la / por semana** . . . times a week (4)
sembradío land prepared for sowing
sembrar (ie) to sow
semejante similar (A)
semestre *m.* semester
semilla seed (8)
seminario seminar
senador(a) senator (14)
sencillo/a simple (11)
sendas (*pl.*) **frondosas** shaded paths
sensación *f.* sensation
sensatez *f.* sense, sensibleness; **Sensatez y sentimiento** *Sense and Sensibility*
sensible sensitive (16)
sentado/a seated; **(estar) sentado** (to be) seated, sitting down

sentarse (ie) to sit down

sentido sense; **doble sentido** two-way (*street*) (10); **sentido del humor** sense of humor (14); **un solo sentido** one-way (*street*) (10)

sentimiento *n.* feeling; **Sensatez y sentimiento** *Sense and Sensibility*

sentir(se) (ie, i) to feel (7); **lo siento** I'm sorry

señal *f.* sign; signal (10)

señalar to indicate, show; to point out (12)

señor (Sr.) *m.* man; Mr. (A); **los señores...** Mr. and Mrs. . . .

señora (Sra.) woman; Mrs., Ms. (A)

señorita (Srta.) young woman; Miss (A)

separar to separate; **separarse** to resign; to get separated

septentrional northern

septiembre *m.* September (1)

séptimo/a seventh (2)

sequía drought (10)

ser *n. m.* being; **ser humano** human being (15); **ser querido** loved one (15)

ser *v. irreg.* to be (2); **a no ser que** unless; **¿cómo eres (tú)?** what are you (*inf. sing.*) like? (B); **¿cómo es usted/él/ella?** what are you (*pol. sing.*) / is he/she like? (B); **¿cómo son ustedes/ellos/ellas?** what are you (*pol. pl.*)/they like? (B); **¿de qué es?** what is it (made) of?; **¿de quién es/son...?** whose is/are . . . ? (C); **llegar a ser** to become; **o sea** that is; **¿quién es?** / **¿quiénes son?** who is it? / who are they? (A); **sea cual sea la razón** whatever the reason may be; **ser consciente de** to be aware of; **ser listo/a** to be smart, clever

serie *f. sing.* series

serigrafiado/a silk-screened

serio/a serious (6)

serpiente *f.* serpent

servicio service

servilleta napkin (8)

servir (i, i) to serve (5); **¿en qué puedo servirle?** may I help you? (*pol. sing.*) (11); **¿para qué sirve?** what is it used for? (6); **para servirle** at your (*pol. sing.*) service (11)

Sésamo: Barrio Sésamo Sesame Street

sesenta sixty (B)

sesión *f.* meeting; conference (15)

setecientos/as seven hundred

setenta seventy (C)

sexenio period of six years

sexo sex

sexto/a sixth (2)

sexual: educación (*f.*) **sexual** sex education (16); **violación** (*f.*) **sexual** rape (16)

si if (8)

sí yes (A)

sí: en sí in itself; **sí mismo/a** oneself

SIDA *m. sing.* (*abbrev. for* **síndrome de inmunodeficiencia adquirida**) AIDS (12)

sidra cider

siembra *n.* sowing

siempre always (2)

sierra mountain range (16)

siesta: dormir una siesta to take a nap; **tomar una siesta** to take a nap (2)

siete seven (A)

sigla acronym

siglo century (7)

significado meaning

significar (qu) to mean

significativo/a significant

signo sign

siguiente following, next (2)

silbar to hiss

silencio silence

silla chair (B)

sillón *m.* easy chair (6)

silueta figure

símbolo symbol (15)

simpático/a friendly, nice (B)

sin without (8); **sin duda** without a doubt; **sin embargo** however (7); **sin que** *conj.* without (16)

sincero/a sincere

sincronizado/a synchronized

sindicalista *adj. m., f.* of or related to a trade union

sindicato labor union (16)

síndrome *m.* syndrome

sino but (rather)

síntesis *f. sing., pl.* synthesis

síntoma *m.* symptom (12)

siquiera even; **ni siquiera** not even

sismo earthquake

sistema *m.* system (10)

sitio place, location (10)

situación *f.* situation

situado/a located (16)

sobrante *adj.* leftover, remaining

sobras *pl.* leftovers

sobre on, on top of; above; about (1); **sobre todo** above all, especially

sobremesa after-dinner conversation

sobrepoblación overpopulation

sobresalir (*like* **salir**) to stand out

sobresaltarse to be startled

sobreviviente *m., f.* survivor

sobrevivir to survive

sobrino/a nephew/niece (9)

social: bienestar (*m.*) **social** (social) welfare (16); **trabajador(a) social** social worker (5)

socialista *n. m., f. adj.* socialist (16)

sociedad *f.* society (9)

socio/a member

sociología sociology

socorro help (12)

sofá *m.* sofa (6)

sofocado/a suffocated

sol *m.* sun; *monetary unit of Peru* (13); **de sol a sol** from sunup to sundown; **hace sol** it's sunny (weather) (1); **tomar el sol** to sunbathe (2)

solamente *adv.* only (2)

soldado soldier

soleado/a sunny (10)

soledad *f.* solitude (16)

soler (ue) (+ *infin.*) to be accustomed to (*doing something*)

solicitar to request

sólido/a solid (16)

sólo *adv.* only (C)

solo/a alone (2); **un solo sentido** one-way (*street*) (10)

solomillo sirloin

soltero/a single (*unmarried*) (C)

solución *f.* solution

sombra shadow; shade

sombrero hat (A)

sonar (ue) to ring, go off (*alarm clock*) (7)

sonido sound (12)

sonoro/a sonorous

sonreír (sonrío) (i, i) to smile

sonrisa smile

soñar (ue) con to dream about (4)

sopa soup

soportar to stand, endure, put up with

Sor *f.* Sister (*used before the name of a nun*)

Sorbona Sorbonne (*university in Paris*)

sorprender to surprise

sorpresa surprise

sos (*Arg.*) *form of* **ser** *that goes with* **vos** (**tú eres, vos sos**)

sospechar to suspect (14)

sostén *m.* bra (13)

sostener (*like* **tener**) to hold up, support

Sr.: señor *m.* Mr. (A)

Sra.: señora *f.* Mrs., Ms. (A)

Srta.: señorita *f.* Miss (B)

su *poss.* his, her (B); its, their, your (*pol. sing., pl.*)

suave soft

subdesarrollo underdevelopment

subir to rise; to go up (7); **subir a** to board (*train, plane, bus*); **subirse a los árboles** to climb trees (9)

subjuntivo subjunctive (14)

sublevarse to rise up, revolt

subsede *f.* secondary venue

subterráneo/a subterranean

subvencionado/a subsidized

subyacente underlying

subyugar (gu) to subjugate

suceder to happen

sucio/a dirty

sucursal *f.* branch office

Sudáfrica: República de Sudáfrica South Africa (C)

sudafricano/a *n., adj.* South African (C)

Sudamérica South America (3)

sudar to sweat

sudor *m.* sweat

sueco/a *n.* Swede; *adj.* Swedish; **hacerse el sueco** to play dumb; to pretend not to hear or understand

suegro/a father-in-law/mother-in-law (9)

suela sole (*shoe*)

sueldo salary (5)
suelo floor; ground (10)
suelto/a loose (13)
sueño dream; **tener sueño** to be sleepy (4)
suerte *f.* luck; lot, fate
suéter *m.* sweater (A)
sufrir to suffer
sugerencia suggestion (5)
sugerente *adj.* thought-provoking; full of suggestions
sugerir (ie, i) to suggest (14)
suicidio suicide (16)
Suiza Switzerland
sujetar to hold (13)
sujeto *n.* subject
sujeto/a (*adj.*) **a** subject to
suma sum
sumar to add up
sumergirse (j) to dive; to submerge
sumido/a sunken
suministrar to provide, supply
sumiso/a submissive
¡súper! great! (16)
superficie *f.* surface (10)
supermercado supermarket (4)
superpoblación *f.* overpopulation
supervisar to supervise
supervisor(a) supervisor (5)
suponer (*like* **poner**) to suppose (11)
supuestamente supposedly
supuesto/a (*p.p. of* **suponer**) supposed; **por supuesto** of course
sur *m.* south
surco furrow
sureño/a southern
surgir (j) to arise
suroeste *m.* southwest
surrealista *adj. m., f.* surrealistic (16)
surtir to fill (*prescription*) (12); **surtir efecto** to work, have the desired effect; **surtir (una receta)** to fill (a prescription) (12)
suscribirse (*p.p.* **suscrito**) to subscribe
suspender to suspend, dismiss
suspiro sigh
sustantivo noun
susto scare, fright; **pegarse un susto** to get a shock
susurrar to whisper
suyo/a *poss.* your, of yours (*pol. sing., pl.*); his, of his; her, of hers

T

tabaco tobacco (3)
tabla table (graph), chart (2)
tacaño/a stingy (B)
taciturno/a taciturn; silent; moody
taco (*Mex.*) *rolled or folded tortilla filled with meat and beans* (7)
tacón *m.* heel (*shoe*); **zapatos de tacón alto** high-heeled shoes (13)
tacto sense of touch
tal such, such a; **con tal (de) que** provided that (15); **¿qué tal?** how's it going?; how

are you? (5); **¿qué tal si... ?** how about if . . . ?; **tal vez** perhaps (15); **tal y como** exactly the same as
talla size; **¿qué talla usa?** what size do you wear? (13)
taller (*m.*) **de reparación** (mechanic's) garage (5)
tamal *m. Mex.* tamale (*dish of minced meat and red peppers rolled in cornmeal wrapped in corn husks or banana leaves*)
tamaño size (8)
también also (B); **a mí también me gusta...** I like to . . . also (1)
tampoco neither, not either (4); **a mí tampoco me gusta...** I don't like to . . . either (1)
tan so (10); **tan... como** as . . . as (6); **tan pronto como** as soon as (15)
tanque *m.* tank (10)
tanto *adv.* so much; as much; **mientras tanto** in the meanwhile; **por lo tanto** therefore; **tanto como** as much as
tanto/a *adj.* so much; such, such a; *pl.* so many; **tanto(s)/tanta(s)... como** as many . . . as (6); **¡tanto tiempo sin verte!** I haven't seen you (*inf. sing.*) in ages! (6)
tapado/a stuffed up, congested (12)
tapar to cover (8)
tapas *pl.* hors d'oeuvres
tapizado/a upholstered
taquilla box office
taquillero/a *adj.* box office hit
tardar (*time*) **en** (+ *infin.*) to take (*time*) to (*do something*); **¿cuánto tiempo tarda(s) en... ?** how long does it take you to . . . ? (4)
tarde *n. f.* afternoon; *adv.* late (4); **buenas tardes** good afternoon (A); **de/por la tarde** in the afternoon (1); **llegar tarde** to arrive/be late (4); **más tarde** later (2); **toda la tarde** all afternoon long
tarea homework (3); task
tarifa rate, price, fare (11)
tarjeta card; **tarjeta de crédito** credit card (8); **tarjeta postal** postcard
tarro jar (8)
tarta pastry
tasa rate, level; **tasa del desempleo** unemployment rate (16)
tasca *coll.* bar, tavern
tata granddad
Tauro Taurus
tauromaquia art and technique of bullfighting
taxi *m.* taxi (10)
taza cup, mug (8); **taza del inodoro** toilet bowl (6)
te *d.o.* you (*inf. sing.*); *i.o.* to/for you (*inf. sing.*); *refl. pron.* yourself (*inf. sing.*)
té *m.* tea (2); **té caliente/frío/helado** hot/cold/iced tea (8); **té con hielo** iced tea
teatro theater (3)
techo roof (B)

tecla key (*of a typewriter keypad, etc.*)
teclado keyboard
técnico/a *n.* technician; *adj.* technical
tecnificarse (qu) to become more technological
tehuacán *m. Mex.* mineral water
tejido fabric
tel. (*abbrev. for* **teléfono**) telephone
tela cloth, material (13)
tele *f.* television
telecomunicación *f. sing.* telecommunications
telefónico/a *adj.* telephone
teléfono telephone; **hablar por teléfono** to speak on the phone (A); **llamar por teléfono** to phone; **por teléfono** on the telephone, by telephone (A)
telégrafo telegraph
telenovela soap opera; **ver una telenovela** to watch a soap opera (1)
televisión *f.* television; **ver la televisión** to watch television (1)
televisor *m.* TV set (5); **televisor en colores** color TV set
telúrico/a terrestrial
tema *m.* theme, topic
temblor *m.* tremor; earthquake
tempestad *f.* storm
temporada season (*sports*) (2)
temprano early (4)
tenaz (*pl.* **tenaces**) tenacious
tender (ie) to extend; **tender a** (+ *infin.*) to tend to, have a tendency to (*do something*); **tender la cama** to make the bed (7)
tenedor *m.* fork (8)
tener *irreg.* to have (C, B); **¿cuántos años tiene(s)?** how old are you? (C); **¿de qué color tiene los ojos?** what color are your (*pol. sing.*)/his/her eyes? (B); **no tener razón** to be wrong; **¿qué edad tiene(s)?** how old are you? (C); **¿qué hora tiene?** what time do you (*pol. sing.*) have?; **tener... años** to be . . . years old; **tener calor/frío/hambre/miedo/sed/sueño** to be hot/cold/hungry/afraid/thirsty/sleepy (4); **tener contagio** to be infected; **tener cuidado** to be careful; **tener de todo** to be well-stocked (13); **tener en vista** to have in mind; **tener éxito** to be successful; **tener ganas de** (+ *infin.*) to feel like (*doing something*) (5); **tener interés en** to be interested in; **tener la culpa** to be to blame, be guilty (12); **tener lugar** to take place (15); **tener náuseas** to be nauseated (12); **tener prisa** to be in a hurry (4); **tener que** (+ *infin.*) to have to (*do something*) (5); **tener razón** to be right (14); **tengo... años** I'm . . . years old (C)
tenis *m.* tennis; **cancha de tenis** tennis court (6); **zapato de tenis** tennis shoe (A)
tenista *m., f.* tennis player
Tenochtitlán *Aztec capital* (16)
tentación temptation

teoría theory
terapeuta *m., f.* therapist (5)
tercer, tercero/a third (2); **Tercer Mundo** Third World (16)
terciopelo velvet (12)
terminación *f.* ending
terminar to finish (9)
término term (15)
ternera veal
terraza terrace
terremoto earthquake
terreno ground, terrain (10)
territorio territory (16)
testarudo/a obstinate, stubborn
testigo *m., f.* witness (12)
tetera teapot (6)
ti *obj. of prep.* you (*inf. sing.*)
tibio/a lukewarm, tepid
tiempo time; weather (1); **a tiempo** on time; **¿cuánto tiempo hace que...?** how long has it been since...? (7); **llegar a tiempo** to arrive/be on time (5); **pasar tiempo** to spend time (2); **pronóstico del tiempo** weather forecast (2); **¿qué tiempo hace?** what is the weather like? (2); **¡tanto tiempo sin verte!** I haven't seen you (*inf. sing.*) in ages!; **tiempo libre** free time (2)
tienda store (3); **tienda de campaña** tent (13)
tierra earth; land (10)
tijeras *pl.* scissors (13)
timbre *m.* doorbell
tímido/a timid (B)
tinta ink
tinto/a: vino tinto red wine (8)
tintorería *sing.* dry cleaners
tío/a uncle/aunt (9)
típico/a typical (3)
tipo type (4); *coll.* guy, character; **todo tipo de** all kinds of
tirantes *m. pl.* suspenders
tirar to throw
tiras (*pl.*) **cómicas** comic strips (9)
tirita adhesive bandage
titular to title, entitle
título title (4); **título de propiedad** deed (15)
tiza chalk (B)
toalla towel (6)
tobillo ankle (12)
tocacintas *m. sing., pl.* tape player
tocador *m.* dresser (6)
tocar (**qu**) to touch; to play (*musical instrument*) (3); **tocar a la puerta** to knock; **tocar la bocina** to honk the horn (10)
tocino bacon (8)
todavía still, yet (9)
todo/a all; every
todo/a *adj.* all, all of; **con toda seguridad** with absolute certainty; **de todos modos** anyway (9); **por todas partes** everywhere; **tener de todo** to be well-stocked (13); **toda la vida** one's whole life (14); **todo el día** all day long; **todo tipo de** all kinds of; **todos los días** every day (4)

Tokio Tokyo
tomar to take; to drink; to eat; **tomar café** to drink coffee; **tomar el sol** to sunbathe (2); **tomar en cuenta** to take into account; **tomar la decisión** to make the decision; **tomar una siesta** to take a nap (2)
tomate *m.* tomato
tonelada ton
tono tone
tonto/a *n.* fool; *adj.* silly, foolish; dumb, not too smart (B)
toque *m.* touch
torcido/a twisted, sprained (12)
torero(a) bullfighter
tormenta storm (10)
toro bull; **corrida de toros** bullfight
toronja grapefruit (8)
torre *f.* tower (11)
torta cake; *Mex.* sandwich
tortilla (*Mex.*) thin cake made of cornmeal or flour; **tortilla española** Spanish omelette made of eggs, potatoes, and onions
tortuga tortoise (14)
tos *f.* cough (12)
toser to cough (12)
tostada (*Mex.*) dish with beans, meat, lettuce, etc. on a crisp, fried tortilla
tostado/a: pan (*m.*) **tostado** *Sp.* toast (8)
tostador *m.* toaster (6)
totalitario/a totalitarian
tóxico/a toxic (10)
trabajador(a) *n.* worker (5); *adj.* hard-working (B)
trabajar to work (1)
trabajo work (3); job; **entrar al trabajo** to start work (5); **salir del trabajo** to get off work
trabajólico/a workaholic (16)
tradición *f.* tradition
tradicional traditional
traducción *f.* translation
traducir (**zc**) (**j**) to translate
traer *irreg.* to bring (4); **traer dinero** to be carrying money (13)
traficar (**qu**) to traffic, deal (*drugs*)
tráfico traffic
tragarse (**gu**) to swallow
trágico/a tragic
traje *m.* suit (A); **traje de baño** swimsuit (7)
trampa trick
tranquilamente peacefully (6)
tranquilidad *f.* tranquility, calm
tranquilo/a calm, peaceful (12)
transbordador *m.* ferry (10)
transbordo transfer (11); **hacer transbordo** to change (*trains, etc.*)
transformar to transform
transitar to travel
tránsito traffic (10)
translúcido/a translucent (13)
transmisión *f.* transmission (10)
transmitir to transmit
transportar to transport (10)

transporte *m.* transportation (6)
tranvía *m.* cable car (10)
trapo rag
tras *prep.* after
trascender (**ie**) to transcend
trasladarse to move
traslado transfer (11)
trastes *m. pl.* leftovers
tratado treaty
tratamiento treatment (12)
tratar to treat; to deal with; **tratar de** (+ *infin.*) to try to (*do something*) (5); **tratarse de** to be about (*something*) (16)
trato agreement
través: a través de through, by means of
travesura prank
trayecto trip
trazar (**c**) to trace
trece thirteen (A)
treinta thirty (A)
treinta y dos thirty-two (A)
treinta y uno thirty-one (A)
tremendo/a tremendous
tren *m.* train (2)
tres three (A)
trescientos/as three hundred
tribu *f.* tribe (11)
tributo tribute
trigo wheat
trimestre *m.* trimester; quarter
triplicarse (**qu**) to triple
tripulación *f.* crew
triste sad (4)
tristeza sadness
triunfador(a) *adj.* winning
triunfo triumph
trompeta trumpet
tronco trunk; stem, stalk
tropezar (**ie**) (**c**) to trip, stumble (11)
tropical *adj.* tropical; **selva tropical** tropical jungle
trópico tropic
trotar to jog (3)
trozo piece, chunk
trueno thunder (10)
tu *poss.* your (*inf. sing.*) (B)
tú *sub. pron.* you (*inf. sing.*) (B); **y tú, ¿qué dices?** and you? what do you say? (B)
tuberculosis *f.* tuberculosis
tubería *sing.* pipes
tufillo *coll.* odor
túnel *m.* tunnel
turbio/a cloudy (*liquid*)
turismo tourism
turista *n. m., f.* tourist (11)
turístico/a *adj.* tourist (10); **complejo turístico** tourist resort
turrón *m.* nougat
tuyo/a *poss.* your, of yours (*inf. sing.*)

U

u or (*used instead of* **o** *before words beginning with* **o** *or* **ho**)

ubicado/a located (16)

ubicar (qu) to place, put; to locate

Ud.: usted *sub. pron.* you (*pol. sing.*); *obj. of prep.* you (*pol. sing.*)

Uds.: ustedes *sub. pron.* you (*pol. pl.*); *obj. of prep.* you (*pol. pl.*)

últimamente lately

último/a last (6); latest; **a última hora** at the last minute; **la última vez** the last time (6); **por última vez** for the last time; **por último** finally, lastly (2)

un, uno/a *indefinite article* a, an; one (A); *pl.* some

único/a *adj.* only; unique; **lo único** the only thing

unidad *f.* unit

unido/a united; attached; **Estados Unidos** United States (C)

unificar (qu) to unify

unir to unite, join

universidad *f.* university

universitaria/a of or pertaining to the university (14)

uña fingernail (12)

urbano/a urban

urbe *f.* large city

urgencia emergency

urgir (j) to be pressing, be really necessary

uruguayo/a *n., adj.* Uruguayan (3)

usar to use (3); **¿qué talla usa?** what size do you wear? (13)

uso use (10)

usted (Ud., Vd.) *sub. pron.* you (*pol. sing.*) (B); *obj of prep.* you (*pol. sing.*); **¿y usted?** and you (*pol. sing.*)? (A)

ustedes (Uds., Vds.) *sub. pron.* you (*pol. pl.*) (B); *obj. of prep.* you (*pol. pl.*)

usurero/a profiteer, moneylender

utensilio utensil (6)

útil useful

utilidad *f.* utility

utilización *f.* use, utilization

utilizar (c) to utilize, use (13)

uva grape (8)

V

vaca cow

vacaciones *f. pl.* vacation; **ir de vacaciones** to go on vacation (11); **salir de vacaciones** to go on vacation (3)

vacío/a empty

vacuna vaccination (11)

vago/a bum

vagón *m.* car (*train*) (10)

vainilla vanilla

valenciano/a *adj.* from Valencia (*Spain*)

valer *irreg.* to be worth; to cost (13); **¿cuánto vale?** how much is it? (13); **más vale** (+ *infin.*) it is better to (*do something*); **valerse de** to make use of, avail oneself of

valiente *n. m., f.* brave person; *adj.* brave

valija suitcase

valioso/a valuable (12)

valle *m.* valley (10)

valor *m.* value; cost (11)

valorar to value (15)

vampiresa femme fatale

vanidad *f.* vanity

vapor *m.* steam

vaquero/a cowboy/cowgirl; **pantalones** (*m. pl.*) **vaqueros** jeans (2)

variar (varío) to vary

varicela chicken pox (12)

variedad *f.* variety

varios/as *pl.* several (3)

varón *m.* male

vasco/a *adj.* Basque

vasija container

vaso (drinking) glass (4)

vasto/a vast, huge

Vd.: usted *sub. pron.* you (*pol. sing.*); *obj. of prep.* you (*pol. sing.*)

Vds.: ustedes *sub. pron.* you (*pol. pl.*); *obj. of prep.* you (*pol. pl.*)

vecindad *f.* neighborhood

vecindario neighborhood

vecino/a neighbor (B)

vegetación *f.* vegetation (10)

vegetal *m.* vegetable; plant

vehículo vehicle (10)

veinte twenty (A)

veinticinco twenty-five (A)

veinticuatro twenty-four (A)

veintidós twenty-two (A)

veintinueve twenty-nine (A)

veintiocho twenty-eight (A)

veintiséis twenty-six (A)

veintisiete twenty-seven (A)

veintitrés twenty-three (A)

veintiuno twenty-one (A)

vejez *f.* old age

vela *n.* sailing

velación *f.* wake, vigil

velero sailboat; **andar en velero** to go sailing (4)

velocidad *f.* speed; **disminuir la velocidad** to reduce speed (13); **exceso de velocidad** speeding (7)

vena vein (12)

vencer (z) to conquer

vencido/a: darse por vencido/a to give up

vendaje *m.* bandage (12)

vendedor(a) salesperson, seller (13)

vender to sell (13)

venéreo/a: enfermedad (*f.*) **venérea** sexually transmitted disease

venezolano/a *adj.* Venezuelan (3)

venir *irreg.* to come (4)

venta sale (13); **de venta** for sale (9); **venta de garaje/zaguán** garage sale

ventaja advantage (15)

ventana window (B)

ventanilla window (*car, train, etc.*)

ventilación *f.* ventilation

ventilador *m.* (electric) fan (6)

ventricular *adj.* ventricular

ver *irreg.* to see (1); to watch; **a ver** let's see (13); **nos vemos** we'll be seeing each other; see you (2); **¡tanto tiempo sin verte!** I haven't seen you (*inf. sing.*) in ages! (6); **vamos a ver** let's see; **ver la televisión** to watch television (1); **ver una telenovela** to watch a soap opera (1); **ver un partido de...** to watch a game of . . . (1); **verse** to see oneself; to look, appear

veranear to spend the summer

veraniego/a *adj.* summer, summer-like

verano summer (1)

veras *pl.*: **¿de veras?** really? (4)

verbo verb

verdad *f.* truth (6); **de verdad** truly, really; **es verdad** that's right (true); it's true (B); **la mera verdad** the simple truth; **¿verdad?** right?, isn't it? (2)

verdadero/a true, truthful

verde green (A)

verduras *pl.* (green) vegetables

vergüenza: darle vergüenza a uno to be ashamed

verificar (qu) to check

versátil versatile

versión *f.* version

verso verse, rhyme

vestido dress (A)

vestir (i, i) to dress; **vestirse** to get dressed (7)

veterinario/a veterinarian (12)

vez *f.* (*pl.* **veces**) time; **a la vez** at the same time (5); **a veces** sometimes (C); **alguna vez** once; ever; **algunas veces** sometimes (14); **de vez en cuando** once in a while (10); **dos veces** twice; **en vez de** instead of; **la última vez** the last time (6); **muchas veces** many times (5); **otra vez** again (5); **por primera vez** for the first time (8); **por última vez** for the last time; **tal vez** perhaps (15); **una vez** once (8); **... veces a la / por semana** . . . times a week (5)

vía road; way (10); **en vías de desarrollo** developing

viajar to travel (C)

viaje *m.* trip; **agencia de viajes** travel agency (C); **agente** (*m., f.*) **de viajes** travel agent; **¡buen viaje!** have a nice trip! (10); **hacer viajes** to take trips, travel; **viaje de negocios** business trip

viajero/a traveler (11); **cheque** (*m.*) **de viajero** traveler's check (11)

vicio vice, bad habit (12)

víctima *m., f.* victim

vida life (3); **así es la vida** that's life (15); **toda la vida** one's whole life (14)

videocasetera videocassette player (13)

videocentro video store (4)

videoteca film (video) library

vidrio glass (*material*) (10)

viejo/a *n.* old person; *adj.* old (A)

viento wind; **hace viento** it's windy (1)

viernes *m. sing., pl.* Friday (1)

vigencia: entrar en vigencia to take effect
vigilar to keep en eye on; to watch (out) for
VIH *m.* (*abbrev. for* **virus** [*m.*] **de la inmuno-deficiencia humana**) HIV (12)
villancico Christmas carol
vinagre *m.* vinegar
vino wine (8); **llamar al pan pan y al vino vino** to call a spade a spade; **vino blanco/tinto** white/red wine (8)
viña vineyard
violación *f.* violation; **violación sexual** rape (16)
violar to rape
violencia violence (16)
violento/a violent
violeta *adj. m., f.* violet
violín *m.* violin (5)
Virgen *f.* Virgin (Mary)
virreinal viceregal
virreinato viceroyalty
virus *m. sing., pl.* virus
visa visa (11); **sacar el visado** to get a visa (11)
visado visa (11)
víscera viscera
visionario/a *n.* visionary
visita visit; **de visita** visiting
visitante *m., f.* visitor
visitar to visit
vislumbrar to glimpse, catch a glimpse of
vista view (6); **punto de vista** point of view; **tener en vista** to have in mind
visto/a (*p.p. of* **ver**) seen, viewed
viudo/a widower/widow (C)
vivienda housing (15)
vivir to live (1); **viva...** long live . . .
vivo/a alive (8)
vocabulario vocabulary
vocero/a spokesperson (16)
volante *m.* steering wheel (10)
volar (**ue**) to fly (9); **volar una cometa / un papalote** *Mex.* to fly a kite (2, 9)
volcán *m.* volcano
voleibol *m.* volleyball
voltio volt
voluntad *f.* will, desire
volver (**ue**) (*p.p.* **vuelto**) to return (4); **volverse** to turn into, become (14); **volverse loco/a** to go crazy (12)
vos *sub. pron.* (*Arg., Guat., etc.*) you (*inf. sing.*)
vosotros/as *sub. pron.* (*Sp.*) you (*inf. pl.*); *obj. of prep.* (*Sp.*) you (*inf. pl.*)
votar to vote (16)
voz *f.* (*pl.* **voces**) voice (14); **en voz alta/baja** in a loud/low voice (5)
vuelo flight (7); **asistente** (*m., f.*) **de vuelo** flight attendant (11)
vuelta *n.* turn; **boleto de ida y vuelta** round-trip ticket (11); **dar muchas vueltas** to go back and forth; **dar vueltas** to go around; **darle una vuelta a alguien** to look in on someone (*invalid or hospital patient*); **una vuelta más** another time around

vuelto/a (*p.p. of* **volver**) returned
vuestro/a *poss.* (*Sp.*) your (*inf. pl.*), of yours (*inf. pl.*)

X

xenofobia xenophobia
xilometazolina zylometazolin

Y

y and (A); plus
ya already (5); now; **ya era hora** it was about time (16); **ya lo creo** of course; **ya lo sé** I already know it; **ya no** no longer; **ya que** since; **ya voy** I'm coming
yerno son-in-law (9)
yo *sub. pron.* I (B)
yogur *m.* yogurt

Z

zaguán *m.*: **venta de zaguán** garage sale
zanahoria carrot (8)
zapatería shoe store (4)
zapatilla slipper (13)
zapato (**de tenis**) (tennis) shoe (A); **zapatos de tacón alto** high-heeled shoes (13)
zar *m.* czar (16)
zócalo *Mex.* plaza, town square
zoológico zoo (7)
zumbido *n.* buzzing
zumo juice

Index

This index is divided into two parts. "Grammar" covers grammar, structure, and usage; "Topics" lists cultural and vocabulary topics treated in the text. Topics appear as groups; they are not cross-referenced. Any abbreviations in the index are identical to those used in the end vocabulary.

TOPICS

About the Authors

Tracy D. Terrell (*late*) received his Ph.D. in Spanish Linguistics from the University of Texas at Austin and published extensively in the areas of Spanish dialectology, specializing in the sociolinguistics of Caribbean Spanish. Professor Terrell's publications on second-language acquisition and on the Natural Approach are widely known in the United States and abroad.

Magdalena Andrade received her first B.A. in Spanish/French and a second B.A. in English from San Diego University. After teaching in the Calexico Unified School District Bilingual Program for several years, she taught elementary and intermediate Spanish at both San Diego State and the University of California, Irvine, where she also taught Spanish for Spanish Speakers and Humanities Core Courses. Upon receiving her Ph.D. from the University of California, Irvine, she continued to teach there for several years.

Jeanne Egasse received her B.A. and M.A. in Spanish linguistics from the University of California, Irvine. She has taught foreign language methodology courses and supervised foreign language and ESL teachers in training at the University of California, Irvine. Currently, she is an instructor of Spanish and coordinates the Spanish Language Program at Irvine Valley College. In addition, Ms. Egasse leads children's literature circles and read-aloud sessions at a local public school. She also serves as a consultant for local schools and universities on implementing the Natural Approach in the language classroom.

Elías Miguel Muñoz is a Cuban-American poet and prose writer. He has a Ph.D. in Spanish from the University of California, Irvine, and has taught language and literature at the university level. He is co-author, with Tracy D. Terrell, of the *¡Bravo!* series for high school. He is also the author of *Viajes fantásticos* and *Ladrón de la mente*, titles in the Storyteller's Series of Spanish readers, which he created in collaboration with Stephen Krashen. Other published works include two books of literary criticism, three novels, as well as two poetry collections. Dr. Muñoz has written for the theater and has contributed to numerous anthologies of U.S. Latino literature. He has recently completed his fourth novel, *Brand New Memory*.

Photo credits: Page 1 © Robert Frerck/Odyssey/Chicago; **4** © Peter Menzel; **8** © Bernard Wolf/Monkmeyer; **16** © Robert Frerck/Odyssey/Chicago; **33** © Bob Daemmrich/Stock Boston; **39** © Michael Grecco/Stock Boston; **39** © Clive Brunskill/Allsport USA; **50** © Chip & Rosa María de la Cueva Peterson; **56** © Owen Franken/Stock Boston; **56** © SuperStock; **62** © Allsport USA; **63** © Polly Hodge; **75** Museum of Modern Art, New York/A.K.G., Berlin/SuperStock/© 1998 Demart Pro Arte®, Geneva/Artists Rights Society (ARS), New York; **78** © Robert Frerck/Tony Stone Images; **84** © Stuart Cohen/Comstock; **89** © Peter Menzel; **89** © Bob Daemmrich/Stock Boston; **92** © Macduff Everton/The Image Works; **93** © Ulrike Welsch; **103** © Bob Daemmrich/Stock Boston; **106** © Beryl Goldberg; **112** © M. Algaze/The Image Works; **114** © Robert Fried/Stock Boston; **114** © Peter Menzel; **115** © Beryl Goldberg; **118** © SuperStock; **132** © Bob Daemmrich/Stock Boston; **135** © Paul Conklin/PhotoEdit; **136** © Beryl Goldberg; **139** © Ulrike Welsch; **140** © Kal Muller/Woodfin Camp & Associates; **140** © Suzanne Murphy-Larronde/D. Donne Bryant Stock; **140** © Piko/Agencia Comesaña; **141** © David Simson/Stock Boston; **144** © David Young-Wolff/PhotoEdit; **147** © Paul Conklin/PhotoEdit; **163** © Ulrike Welsch; **171** © SuperStock; **175** © Ulrike Welsch; **175** © Ulrike Welsch; **175** © David Young-Wolff/PhotoEdit; **177** © Paul Conklin/Monkmeyer; **193** © Peter Menzel; **200** © Oliver Benn/Tony Stone Images; **200** © Peter Menzel; **201** © Peter Menzel; **205** © Cron/Monkmeyer; **210** © Robert Frerck/Odyssey/Chicago; **201** © SuperStock; **226** © Robert Frerck/Tony Stone Images; **230** © Robert Frerck/Odyssey/Chicago; **232** (clockwise from top center) © Robert Frerck/Odyssey/Chicago; Ramon Surroca i Nouvilas; © Peter Menzel; © Peter Menzel; Chip & Rosa María de la Cueva Peterson; © Jim Pickerel/Tony Stone Images; **234** © D. Donne Bryant; **238** © Robert Frerck/Odyssey/Chicago; **238** © Andy Jillings/Tony Stone Images; **239** © Suzanne Murphy-Larronde/D. Donne Bryant Stock; **253** © Robert Frerck/Odyssey/Chicago; **259** © Peter Menzel; **259** © Phyllis Picardi/Stock Boston; **260** © Stuart Cohen/Reproduction authorized by El Instituto Nacional de Bellas Artes y Literatura; **264** © Robert Frerck/Odyssey/Chicago; **266** © Stuart Cohen/Comstock; **266** © Robert Frerck/Odyssey/Chicago; **267** © Beryl Goldberg; **268** Jerry Bauer, 1995; **268** Jeff Shaw; **272** © SuperStock; **288** © Olivier Rebbot/Stock Boston; **289** © Jack Fields/Photo Researchers, Inc.; **292** © H. Huntly Hersch/D. Donne Bryant Stock; **292** © D. Donne Bryant Stock; **295** © Joseph Nettis/Photo Researchers, Inc.; **299** © Robert Frerck/Odyssey/Chicago; **301** © Chip & Rosa María de la Cueva Peterson; **303** © David Young-Wolff/PhotoEdit; **304** © SuperStock; **315** © SuperStock; **317** © Alpamayo/D. Donne Bryant; **317** © Thomas R. Fletcher/Stock Boston; **317** © Steven Krous/Stock Boston; **317** © Ulrike Welsch; **317** © Roberto Bunge/D. Donne Bryant; **317** © SuperStock; **317** © Dave Bartruff/Stock Boston; **317** © Hans Wendler/The Image Bank; **317** © Catherine Noren/Stock Boston; **320** © SuperStock; **321** Jeff Rotman; **321** Jeff Rotman; **322** © Chip & Rosa María de la Cueva Peterson; **322** © Alpamayo John Phelan/D. Donne Bryant; **323** © Chip & Rosa María de la Cueva Peterson; **323** © Rob Crandall/Stock Boston; **333** © Cameramann/The Image Works; **335** © SuperStock; **337** © J. Oetzel/Comstock; **337** © D. Donne Bryant; **338** © Will & Deni McIntyre/Photo Researchers, Inc. **351** © Robert Frerck/Woodfin Camp & Assoc.; **353** © Chip & Rosa María de la Cueva Peterson; **356** © Dave Bartruff/Stock Boston; **361** © SuperStock; **361** © Michael J. Howe/SuperStock; **362** © David Young-Wolff/PhotoEdit; **364** © Beryl Goldberg; **364** © Beryl Goldberg; **364** © SuperStock; **365** © Robert Frerck/Odyssey/Chicago; **365** © Anna E. Zuckerman/PhotoEdit; **366** © Stuart Cohen/Comstock; **368** © D. Donne Bryant; **373** © Mike Yamashita/Woodfin Camp & Assoc.; **379** © Chip & Rosa María de la Cueva Peterson/Reproduction authorized by El Instituto Nacional de Bellas Artes y Literatura

El mundo hispano a su alcance

Argentina

población	34.700.000
capital	Buenos Aires
moneda	el peso
idiomas	el español, el italiano
alfabetización	95%
exportación principal	cereales
agricultura	caña de azúcar, trigo, ganadería

Bolivia

población	7.200.000
capitales	La Paz y Sucre
moneda	el peso boliviano
idiomas	el español, el aimará, el quechua
alfabetización	78%
exportación principal	gas natural
agricultura	café, caña de azúcar, papa

Brasil

población	162.700.000
capital	Brasilia
moneda	la cruzada (o cruzeiro)
idiomas	el portugués, el alemán, el japonés
alfabetización	81%
exportación principal	metales
agricultura	café, soya, caña de azúcar

Colombia

población	36.800.000
capital	Bogotá
moneda	el peso
idiomas	el español, el chibcha, el arauaco
alfabetización	91,3%
exportación principal	café
agricultura	café, plátano, flores

Costa Rica

población	3.500.000
capital	San José
moneda	el colón
idiomas	el español, el inglés-criollo
alfabetización	93%
exportación principal	café
agricultura	café, plátano, maíz, arroz

Cuba

población	11.000.000
capital	La Habana
moneda	el peso
idioma	el español
alfabetización	94%
exportación principal	azúcar
agricultura	caña de azúcar, arroz, café

Chile

población	14.300.000
capital	Santiago
moneda	el peso
idiomas	el español, el mapuche
alfabetización	94%
exportación principal	metales
agricultura	frutas, trigo, cebada

Ecuador

población	11.500.000
capital	Quito
moneda	el sucre
idiomas	el español, el quechua
alfabetización	92%
exportación principal	petróleo
agricultura	plátano, café, algodón, caña de azúcar

España

población	39.000.000
capital	Madrid
moneda	la peseta
idiomas	el español, el catalán, el gallego, el vascuence
alfabetización	97%
exportación principal	equipos de transporte
agricultura	trigo, cebada, remolacha azucarera

Guatemala

población	11.300.000
capital	Ciudad de Guatemala
moneda	el quetzal
idiomas	el español, varios idiomas mayas
alfabetización	55%
exportación principal	café
agricultura	café, plátano, caña de azúcar, maíz